D0095762

eclipse

STEPHENIE MEYER

TRADUÇÃO DE RYTA VINAGRE

intrínseca

Título original
Eclipse

Capa
Gail Doobinin

Adaptação do projeto gráfico
Angelo Bottino

Diagramação
Ilustrarte Design e Produção Editorial

Revisão
Liciane Guimarães Corrêa
Umberto Figueiredo Pinto
Maria de Fátima Maciel

Imagem da capa
Roger Hagadone

Foto da autora
Karen Shell

CIP-BRASIL. CATALOGAÇÃO-NA-FONTE
SINDICATO NACIONAL DOS EDITORES DE LIVROS, RJ

M559e
2ª ed.
Meyer, Stephenie, 1973-
Eclipse / Stephenie Meyer; tradução de Ryta Vinagre. – 2ª ed. – Rio de Janeiro: Intrínseca, 2009.

Tradução de: Eclipse
ISBN 978-85-98078-41-0

1. Ficção americana. I. Vinagre, Ryta. II. Título.

08-5144. CDD: 813
CDU: 821.111(73)-3

[2009]

EDITORA INTRÍNSECA LTDA.
Rua dos Oitis, 50
22451-050 – Gávea
Rio de Janeiro – RJ
Tel. e fax: (21) 3206-7400
www.intrinseca.com.br

Para meu marido, Pancho,
por sua paciência, amor, amizade, bom humor
e disposição de comer fora.

E também para meus filhos, Gabe, Seth e Eli,
por me permitirem viver o tipo de amor
pelo qual as pessoas se dispõem a morrer.

↞ ↠

SUMÁRIO

Fogo e Gelo

Alguns dizem que o mundo acabará em fogo,
Outros dizem em gelo.
Pelo que provei do desejo
Fico com quem prefere o fogo.
Mas, se tivesse de perecer duas vezes,
Acho que conheço o bastante do ódio
Para saber que a ruína pelo gelo
Também seria ótima
E bastaria.

Robert Frost

PRÓLOGO

Todos os subterfúgios que tentamos foram em vão.

Com gelo no coração, eu o vi se preparar para me defender. Sua intensa concentração não demonstrava sinal algum de dúvida, embora eles estivessem em maior número. Eu sabia que não podíamos esperar qualquer ajuda — naquele momento, era certo que a família dele lutava pela própria vida assim como ele lutava pela nossa.

Será que um dia eu saberia o resultado desse outro combate? Descobriria quem haviam sido os vencedores e os perdedores? Eu viveria tempo suficiente para isso?

As probabilidades não eram muito boas.

Olhos negros, selvagens com o desejo feroz por minha morte, esperavam o momento em que meu protetor estivesse distraído. O momento em que eu certamente morreria.

Em algum lugar, longe, muito longe na floresta fria, um lobo uivou.

1. ULTIMATO

Bella,

~~Não sei por que você está fazendo Charlie levar bilhetes ao Billy como se estivéssemos na segunda série — se eu quisesse falar com você, teria atendido o~~

~~Foi você quem escolheu, tá legal? Não pode ter as duas coisas quando~~

~~Que parte de "inimigos mortais" é complicada demais para você~~

~~Olha, sei que estou sendo um imbecil, mas não há como~~

~~Não podemos ser amigos quando você fica o tempo todo com um bando de~~

~~As coisas só ficam piores quando eu penso demais em você, então não escreva mais~~

Sim, eu sinto sua falta também. Muito.
Isso não muda nada. Desculpe.

Jacob

Passei os dedos pelo papel, sentindo as marcas onde ele pressionara tanto a caneta, que quase o rasgou. Eu podia imaginá-lo escrevendo isso — rabiscando as letras furiosas com sua caligrafia tosca, riscando linha após linha quando as palavras saíam erradas, talvez até quebrando a caneta com sua mão grande demais; isso explicaria as manchas de tinta. Eu podia imaginar a frustração unindo suas sobrancelhas pretas e enrugando sua testa. Se eu estivesse lá, poderia até rir. *Não tenha um derrame cerebral por isso, Jacob*, eu teria dito a ele. *É só colocar para fora.*

Rir era a última coisa que eu queria fazer agora, ao reler as palavras que já memorizara. Sua resposta a meu pedido — passado de Charlie a Billy e depois a ele exatamente como na segunda série, conforme ele observara — não era surpresa. Eu sabia a essência do que ele ia dizer antes de abrir o papel.

Surpreendente era o quanto cada linha riscada me feria — como se as pontas das letras tivessem bordas afiadas. Mais do que isso, por trás de cada começo irritado pairava um enorme poço de mágoa; a dor de Jacob me cortava mais fundo do que a minha própria.

Enquanto pensava nisso, senti o aroma inconfundível de queimado subindo da cozinha. Em outra casa, o fato de uma pessoa que não fosse eu estar cozinhando não devia ser motivo de pânico.

Enfiei o papel amarrotado no bolso de trás e corri. Desci a escada num átimo.

O vidro de molho de espaguete que Charlie colocara no micro-ondas só estava em sua primeira volta quando abri a porta e o tirei de lá.

— O que foi que eu fiz de errado? — Charlie perguntou.

— Você devia ter tirado a tampa primeiro, pai. Não pode colocar metal no micro-ondas. — Retirei rapidamente a tampa enquanto falava, despejei metade do molho numa tigela que coloquei dentro do micro-ondas e devolvi o vidro à geladeira; determinei o tempo e apertei o botão "Ligar".

Charlie observava meus ajustes com os lábios franzidos.

— Fiz o macarrão direito?

Olhei a panela no fogão — a origem do cheiro que me alertara.

— É bom mexer — eu disse com doçura. Peguei uma colher e tentei desfazer a papa grudenta que queimava no fundo.

Charlie suspirou.

— Mas o que significa isso tudo? — perguntei.

Ele cruzou os braços e olhou pela vidraça dos fundos a chuva que caía forte.

— Não sei do que você está falando — grunhiu ele.

Fiquei pasma. Charlie cozinhando? E por que aquela atitude ríspida? Edward ainda não havia chegado; em geral, meu pai reservava esse tipo de comportamento para meu namorado, fazendo o máximo para exemplificar o assunto "incômodo" em cada palavra e gesto. Os esforços de Charlie eram desnecessários — Edward sabia exatamente o que meu pai estava pensando sem que ele demonstrasse.

A palavra *namorado* foi revirada por dentro da bochecha com uma tensão familiar enquanto eu mexia a panela. Não era a palavra certa, definitivamente. Eu precisava de alguma que expressasse melhor o compromisso eterno... Mas palavras como *destino* e *sina* pareciam piegas quando usadas numa conversa comum.

Edward tinha outra palavra em mente, que era a origem da tensão que eu sentia. Eu tinha arrepios só de pensar nela.

Noiva. Argh. Dei de ombros para me livrar da ideia.

— Perdi alguma coisa? Desde quando você faz o jantar? — perguntei a Charlie. O bolo de massa borbulhou na água fervente enquanto eu o cutucava. — Ou *tenta* fazer o jantar, melhor dizendo.

Charlie deu de ombros.

— Não há nenhuma lei que me proíba de cozinhar em minha própria casa.

— Você saberia disso — respondi, sorrindo ao olhar o distintivo alfinetado em sua jaqueta de couro.

— Rá. Essa é boa.

Ele tirou a jaqueta, como se meu olhar o lembrasse de que ainda a estava vestindo, e a pendurou no gancho reservado para suas roupas. O cinto com a arma já estava no lugar — ele não sentia a necessidade de usá-la na delegacia havia algumas semanas. Não tinha havido mais desaparecimentos perturbadores para transtornar a cidadezinha de Forks, em Washington, ninguém mais vira lobos gigantescos e misteriosos nos bosques sempre chuvosos...

Eu mexia o macarrão em silêncio, imaginando que em seu próprio tempo Charlie acabaria por falar sobre o que o incomodava. Meu pai não era homem de falar muito, e o esforço dispensado na tentativa de preparar um jantar para nós dois deixava claro que havia um número incomum de palavras em sua mente.

Olhei o relógio, por hábito, algo que eu sempre fazia mais ou menos nesse horário. Agora faltava menos de meia hora.

As tardes eram a parte mais difícil de meu dia. Desde que meu ex-melhor amigo (e lobisomem) Jacob Black me dedurara sobre a moto que eu pilotara escondido — uma traição que ele concebera a fim de me deixar de castigo para que eu não pudesse ficar com meu namorado (e vampiro) Edward Cullen —, Edward tinha permissão para me ver só das sete às nove e meia da noite, sempre no recesso do meu lar e sob a supervisão do olhar infalivelmente rabugento de meu pai.

Isso era uma evolução do castigo anterior e menos restritivo que eu recebera por um desaparecimento inexplicado de três dias e um episódio de mergulho de penhasco.

É claro que eu ainda via Edward na escola, porque não havia nada que Charlie pudesse fazer a respeito disso. E, também, Edward passava quase todas as noites em meu quarto, mas Charlie não sabia. A capacidade de Edward de escalar facilmente e em silêncio até minha janela no segundo andar era quase tão útil quanto sua habilidade de ler a mente de Charlie.

Embora eu ficasse longe de Edward só na parte da tarde, era o suficiente para me deixar inquieta, e as horas sempre se arrastavam. Ainda assim, suportava minha punição sem reclamar porque — primeiro — eu sabia que merecia e — segundo — porque eu não podia suportar magoar meu pai saindo de casa agora, quando pairava uma separação muito mais permanente, invisível para Charlie, tão próxima em meu horizonte.

Meu pai se sentou à mesa com um grunhido e abriu o jornal úmido que estava ali; segundos depois, estava estalando a língua de reprovação.

— Não sei por que lê o jornal, pai. Isso só o aborrece.

Ele me ignorou, resmungando para o jornal nas mãos.

— É por isso que todo o mundo quer morar em cidade pequena! Ridículo.

— O que as cidades grandes fizeram de errado agora?

— Seattle está se tornando a capital de homicídios do país. Cinco assassinatos sem solução nas últimas duas semanas. Dá para imaginar viver assim?

— Acho que Phoenix tem uma taxa de homicídios mais alta, pai. Eu *vivi* assim. — E nunca estive prestes a ser uma vítima de assassinato antes de me mudar para esta cidadezinha segura. Na verdade, eu ainda estava em várias estatísticas de risco... A colher tremeu em minhas mãos, agitando a água.

— Por mim, nem por todo o dinheiro do mundo — disse Charlie.

Eu desisti de salvar o jantar e preparei-me para servi-lo; tive de usar uma faca de carne para cortar uma porção de espaguete para Charlie e depois para mim, enquanto ele observava com uma expressão encabulada. Charlie cobriu sua porção com molho e comeu. Eu disfarcei meu próprio pedaço o máximo que pude e segui seu exemplo sem muito entusiasmo. Comemos em silêncio por um momento. Charlie ainda olhava as notícias, então peguei meu exemplar muito surrado de *O morro dos ventos uivantes* de onde deixara naquela manhã e tentei me perder na Inglaterra da virada do século enquanto esperava que ele começasse a falar.

Eu estava na parte em que Heathcliff volta quando Charlie deu um pigarro e atirou o jornal no chão.

— Você tem razão — disse Charlie. — Eu tinha um motivo para fazer isso. — Ele agitou o garfo para a gororoba. — Queria conversar com você.

Deixei o livro de lado.

— Podia simplesmente ter falado.

Ele assentiu, as sobrancelhas se unindo.

— É. Vou me lembrar disso da próxima vez. Pensei que tirar o jantar de suas mãos amoleceria você.

Eu ri.

— Funcionou... Suas habilidades culinárias me deixaram mole feito marshmallow. Do que você precisa, pai?

— Bom, é sobre Jacob.

Senti meu rosto enrijecer.

— O que tem ele? — perguntei por entre os lábios rígidos.

— Calma, Bells. Sei que ainda está chateada por ele ter delatado você, mas foi a atitude certa. Ele estava sendo responsável.

— Responsável — repeti com sarcasmo, revirando os olhos. — Muito bem, então, o que tem Jacob?

A pergunta despreocupada que se repetiu em minha cabeça era tudo, menos banal. *O quem tem Jacob?* O que eu ia fazer com ele? Meu ex-melhor amigo que agora era... o quê? Meu inimigo? Eu me encolhi.

A expressão de Charlie de repente era de preocupação.

— Não fique chateada comigo, está bem?

— Chateada?

— Bom, é sobre Edward também.

Meus olhos se estreitaram.

A voz de Charlie ficou mais ríspida.

— Eu o deixo entrar aqui em casa, não é?

— Deixa mesmo — admiti. — Por pequenos intervalos de tempo. É claro que você também podia me deixar *sair* de casa por curtos períodos de vez em quando — continuei, só de brincadeira; eu sabia que ficaria trancafiada aqui por todo o ano letivo. — Tenho sido muito boazinha ultimamente.

— Bom, era aí que eu ia chegar... — E, então, o rosto de Charlie se esticou num sorriso inesperado que fez rugas nos olhos; por um segundo ele parecia vinte anos mais novo.

Eu vi um brilho fraco de possibilidade naquele sorriso, mas continuei, devagar.

— Estou confusa, pai. Está falando de Jacob, de Edward ou de meu castigo?

O sorriso faiscou de novo.

— Mais ou menos dos três.

— E qual é a relação entre eles? — perguntei, cautelosa.

— Tudo bem. — Ele suspirou, erguendo as mãos como se estivesse se rendendo. — Estou pensando que talvez você mereça uma condicional por bom comportamento. Para uma adolescente, você reclama muito pouco.

Minha voz e as sobrancelhas se ergueram.

— É sério? Estou livre?

De onde vinha isso? Eu tinha certeza de que ficaria em prisão domiciliar até que realmente me mudasse, e Edward não captara nenhuma oscilação nos pensamentos de Charlie...

Charlie ergueu um dedo.

— Sob uma condição.

O entusiasmo desapareceu.

— Ótimo — suspirei.

— Bella, isto é mais um pedido do que uma ordem, está bem? Você está livre. Mas espero que vá usar a liberdade... com critério.

— O que isso quer dizer?

Ele suspirou de novo.

— Sei que está satisfeita por ficar o tempo todo com Edward...

— Também fico com Alice — interrompi. A irmã de Edward não tinha hora de visita; entrava e saía quando bem entendia. Charlie era massa de modelar nas mãos eficientes de Alice.

— Isso é verdade — disse ele. — Mas você tem outros amigos além dos Cullen, Bella. Ou *tinha*, antigamente.

Nós nos olhamos por um longo momento.

— Quando foi a última vez que você falou com Angela Weber? — atirou ele para cima de mim.

— Na sexta-feira, no almoço — respondi de imediato.

Antes da volta de Edward, meus amigos da escola se polarizaram em dois grupos. Eu preferia pensar neles como *os bons* e *os maus*. *Nós* e *eles* também funcionava. Os bons eram Angela, o namorado firme dela, Ben Cheney, e Mike Newton; estes três me perdoaram de modo generoso por ter enlouquecido quando Edward foi embora. Lauren Mallory era o núcleo mau do lado *deles*, e quase todos os outros, inclusive minha primeira amiga em Forks, Jessica Stanley, pareciam satisfeitos em continuar no programa "antibella".

Com Edward de volta à escola, a linha divisória ficara ainda mais distinta. A volta de Edward cobrara seu tributo sobre a amizade de Mike, mas Angela era inabalavelmente fiel, e Ben seguia seu exemplo. Apesar da aversão natural que sentiam pelos Cullen, Angela se sentava por educação ao lado de Alice todo dia no almoço. Depois de algumas semanas, Angela até parecia à vontade ali. Era difícil não se encantar com os Cullen — depois que eles lhe dessem a chance de ficar encantado.

— Fora da escola? — perguntou Charlie, recuperando minha atenção.

— Eu não vejo *ninguém* fora da escola, pai. De castigo, lembra? E Angela tem namorado também. Ela sempre está com o Ben. *Se* eu fosse mesmo livre — acrescentei, cheia de ceticismo —, talvez pudéssemos sair juntos.

— Tudo bem. Mas então... — ele hesitou. — Você e Jake costumavam ser como unha e carne, e agora...

Eu o interrompi.

— Pode dizer aonde quer chegar, pai? Qual é sua condição... exatamente?

— Não acho que você deva abandonar todos os seus outros amigos por causa de seu namorado, Bella — disse ele numa voz severa. — Não é bom, e acho que sua vida será mais equilibrada se você tiver outras pessoas nela. O que aconteceu em setembro...

Eu me encolhi.

— Bom — disse ele, na defensiva. — Se você tivesse uma vida à parte de Edward Cullen, poderia não ter sido daquele jeito.

— Teria sido exatamente igual — murmurei.

— Talvez sim, talvez não.

— E então? — lembrei a ele.

— Use sua nova liberdade para ver seus outros amigos também. Tenha equilíbrio.

Assenti devagar.

— Equilíbrio é bom. Mas tenho algumas cotas específicas a cumprir?

Ele fez uma careta, mas sacudiu a cabeça.

— Não quero dificultar nada. Só não se esqueça de seus amigos...

Era um dilema com o qual ainda estava lutando. Meus amigos. Para a segurança deles, eu jamais poderia vê-los de novo depois da formatura.

Então qual era o melhor modo de agir? Passar algum tempo com eles enquanto podia? Ou começar a separação agora para torná-la mais gradual? Desanimei diante da ideia da segunda opção.

— ... em particular, Jacob — acrescentou Charlie, antes que eu pudesse pensar melhor.

Um dilema maior que o primeiro. Levei um momento para encontrar as palavras certas.

— Com Jacob pode ser... complicado.

— Os Black são praticamente da família, Bella — disse ele, severo e paternal de novo. — E Jacob foi um amigo muito, *muito* bom para você.

— Sei disso.

— Você não sente falta dele? — perguntou Charlie, frustrado.

Minha garganta de repente parecia inchada; tive de pigarrear duas vezes para responder.

— Sim, sinto falta dele — admiti, ainda olhando para baixo. — Sinto muita saudade dele.

— Então, por que é difícil?

Não era uma questão que eu tivesse liberdade para explicar. Contrariava as regras para pessoas normais — pessoas *humanas*, como eu e Charlie — saber do mundo clandestino cheio de mitos e de monstros que existia em segredo em volta de nós. Eu sabia desse mundo — e, como consequência, os problemas não eram poucos. Eu não ia envolver Charlie nas mesmas confusões.

— Com Jacob existe um... conflito — eu disse devagar. — Um conflito sobre a amizade, quero dizer. Somente amizade não parece ser suficiente para Jake. — Encobri minha desculpa com os detalhes que eram verdadeiros porém insignificantes, em nada cruciais quando comparados ao fato de que o bando de lobisomens de Jake tinha um ódio cruel da família de vampiros de Edward — e, portanto, de mim também, porque eu pretendia me unir de modo pleno a essa família. Não era um assunto que eu pudesse resolver com ele num bilhete, e ele não atendia a meus telefonemas. Mas meu plano de lidar com o lobisomem em pessoa, com certeza, não se coadunava com os vampiros.

— Edward não está preparado para uma pequena competição saudável? — A voz de Charlie agora era sarcástica.

Olhei sombriamente para ele.

— Não existe competição.

— Você está ferindo os sentimentos de Jake, evitando-o desse jeito. Ele prefere ser amigo a nada.

Ah, agora *eu* é que o estava evitando?

— Tenho certeza absoluta de que Jake não quer ser amigo coisa nenhuma. — As palavras arderam em minha garganta. — Aliás, de onde você tirou essa ideia?

Charlie ficou constrangido.

— O assunto talvez tenha surgido hoje numa conversa com Billy...

— Você e Billy fofocam feito umas velhinhas — reclamei, enfiando a faca com violência no espaguete congelado em meu prato.

— Billy está preocupado com Jacob — disse Charlie. — Jake está passando por dificuldades agora... Está deprimido.

Eu estremeci, mas não tirei os olhos da maçaroca.

— E você sempre ficava muito feliz depois de passar o dia com Jake. — Charlie suspirou.

— Eu estou feliz *agora*. — Grunhi ferozmente entre os dentes.

O contraste entre minhas palavras e o tom rompeu a tensão. Charlie explodiu numa gargalhada e eu tive de acompanhá-lo.

— Tá legal, tudo bem — concordei. — Equilíbrio.

— E Jacob — insistiu ele.

— Vou tentar.

— Ótimo. Encontre esse equilíbrio, Bella. E, ah, sim, você recebeu correspondência — disse Charlie, encerrando o assunto sem sutileza alguma. — Está ao lado do fogão.

Não me mexi, meus pensamentos girando confusos em torno do nome de Jacob. Era mais provável que fosse mala direta; tinha recebido um pacote de minha mãe no dia anterior e não estava esperando mais nada.

Charlie afastou a cadeira da mesa e se espreguiçou quando ficou de pé. Levou o prato dele à pia mas, antes de abrir a água para lavá-lo, parou para atirar um envelope para mim. A carta escorregou pela mesa até meu cotovelo.

— Hã, obrigada — murmurei, confusa pela pressão. Depois vi o endereço do remetente. A carta era da Universidade do Sudeste do Alasca. — Essa foi rápida. Acho que esqueci o prazo desta também.

Charlie riu.

Virei o envelope e olhei para ele.

— Está aberta.

— Eu fiquei curioso.

— Estou chocada, xerife. Isso é crime federal.

— Ah, leia isso logo.

Eu saquei a carta e o programa dos cursos.

— Meus parabéns — disse ele antes que eu pudesse ler alguma palavra. — Sua primeira admissão.

— Obrigada, pai.

— Precisamos conversar sobre os custos. Tenho algum dinheiro guardado...

— Ei, ei, nada disso. Não vou tocar na sua aposentadoria, pai. Eu tenho meu fundo universitário. — O que restava dele; nem havia muito no começo.

Charlie franziu o cenho.

— Alguns desses lugares são muito caros, Bella. Quero ajudar. Você não tem que ir para o Alasca só porque é mais barato.

Não era mais barato, não mesmo. Mas ficava bem longe e Juneau tinha uma média de 321 dias nublados por ano. O primeiro pré-requisito era meu, o segundo, de Edward.

— Eu posso pagar. Além disso, tem muito apoio financeiro por lá. É fácil conseguir crédito. — Eu esperava que meu blefe não fosse óbvio demais. Não tinha pesquisado muito sobre o assunto.

— Então... — Charlie começou, depois franziu os lábios e desviou os olhos.

— Então o quê?

— Nada. Eu só estava... — Ele fechou a cara. — Só me perguntava... Quais são os planos de Edward para o ano que vem?

— Ah!

— E então?

Três batidas rápidas na porta me salvaram. Charlie revirou os olhos e eu me levantei num salto.

— Já vou! — gritei enquanto Charlie murmurava alguma frase que parecia "Suma daqui". Eu o ignorei e fui abrir a porta para Edward.

Eu escancarei a porta — ridiculamente ansiosa — e lá estava ele, meu milagre pessoal.

O tempo não me deixara imune à perfeição de seu rosto, e eu tinha certeza de que nenhum aspecto dele deixaria de me surpreender. Meus olhos acompanharam suas feições pálidas: o quadrado do queixo, a curva suave dos lábios cheios — agora retorcidos num sorriso —, a linha reta do nariz, o ângulo agudo das maçãs do rosto, o mármore macio da testa — parcialmente oculta por uma mecha de cabelo bronze, escuro com a chuva...

Deixei os olhos para o final, sabendo que, quando olhasse dentro deles, talvez perdesse o fio do pensamento. Eles eram grandes, calorosos como de ouro líquido, e emoldurados por uma franja grossa de cílios escuros. Olhar seus olhos sempre fazia com que eu me sentisse extraordinária — como se meus ossos tivessem virado esponja. Eu também ficava um pouco tonta, mas isso devia ser porque eu me esquecia de respirar. De novo.

Era um rosto que qualquer modelo no mundo daria a alma para conseguir. É claro que este podia ser exatamente o preço pedido: uma alma.

Não. Eu não acreditava nisso. Sentia-me culpada até de pensar nisso e estava feliz — como sempre ficava — por ser a única pessoa cujos pensamentos eram um mistério para Edward.

Peguei sua mão e suspirei quando seus dedos frios encontraram os meus. Seu toque vinha com a sensação estranha de alívio — como se eu estivesse com dor e o sofrimento de repente cessasse.

— Oi. — Eu sorri um pouco para minha recepção anticlimática.

Ele ergueu nossos dedos entrelaçados para afagar meu rosto com as costas da mão.

— Como foi sua tarde?

— Lerda.

— A minha também.

Ele puxou meu punho até seu rosto, nossas mãos ainda entrelaçadas. Seus olhos se fecharam à medida que o nariz roçava a pele ali, e ele sorriu delicadamente, sem abri-los. Desfrutando o buquê enquanto resistia ao vinho, como certa vez ele mencionou.

Eu sabia que o cheiro do meu sangue — mais doce para ele que o sangue de qualquer outro, do mesmo modo que vinho ao lado de água para um alcoólatra — causava-lhe dor, pela sede ardente que produzia. Mas ele não parecia fugir dele, como fizera um dia. Eu só podia imaginar o esforço hercúleo por trás desse gesto simples.

Entristecia-me que ele tivesse de se esforçar tanto. Eu me reconfortava por saber que não seria a causa de sua dor por muito mais tempo.

Então ouvi Charlie se aproximando, batendo os pés para expressar seu costumeiro desprazer com nosso convidado. Os olhos de Edward se abriram e ele deixou nossas mãos caírem, mantendo-as entrelaçadas.

— Boa noite, Charlie. — Edward era sempre impecavelmente educado, embora Charlie não merecesse isso.

Charlie grunhiu para ele, depois ficou parado ali, de braços cruzados. Nos últimos tempos levava a ideia de supervisão paterna a extremos.

— Trouxe mais alguns formulários de universidades — disse-me Edward depois, estendendo um envelope pardo estufado. Ele trazia um rolo de selos feito um anel em seu dedo mínimo.

Eu gemi. Como era possível que ainda existissem tantas universidades a que ele ainda não me obrigara a me candidatar? E como ele continuava encontrando essas brechas? O prazo já estava se esgotando.

Ele sorriu como se *pudesse* ler meus pensamentos; deviam ter ficado muito evidentes em meu rosto.

— Ainda há alguns prazos abertos. E alguns lugares dispostos a abrir exceções.

Eu podia imaginar as motivações por trás dessas exceções. E a quantia em dólares envolvida.

Edward riu da minha expressão.

— Podemos? — perguntou ele, conduzindo-me para a mesa da cozinha.

Charlie bufou e nos seguiu, embora não pudesse se queixar da atividade programada para a noite. Ele me atormentava diariamente para tomar uma decisão sobre a universidade.

Limpei a mesa enquanto Edward organizava uma pilha intimidadora de formulários. Quando passei *O morro dos ventos uivantes* para a bancada, Edward ergueu uma sobrancelha. Eu sabia o que ele estava pensando, mas Charlie interrompeu antes que Edward pudesse comentar.

— Por falar em formulários de universidades, Edward — disse Charlie, seu tom ainda mais rabugento; ele evitava se dirigir diretamente a Edward e, quando tinha de fazer isso, exagerava no mau humor —, Bella e eu acabamos de conversar sobre o ano que vem. Já decidiu para onde vai?

Edward sorriu para Charlie e sua voz era simpática.

— Ainda não. Recebi algumas cartas de admissão, mas ainda estou pensando em minhas opções.

— Onde você foi admitido? — pressionou Charlie.

— Syracusa... Harvard... Dartmouth... e recebi a carta de admissão da Universidade do Sudeste do Alasca hoje. — Edward virou o rosto um pouco para o lado, de modo que pudesse piscar para mim. Reprimi uma risada.

— Harvard? Dartmouth? — murmurou Charlie, incapaz de esconder a incredulidade. — Bom, isso é bem... é muita coisa. É, mas a Universidade do Alasca... Você não pensaria de verdade nela quando pode ir para uma universidade da Ivy League. Quer dizer, seu pai ia querer que você...

— Carlisle sempre apoia as decisões que eu tomo — disse Edward com serenidade.

— Umpf.

— Adivinha só, Edward? — eu disse numa voz animada, entrando no jogo.

— Que foi, Bella?

Apontei para o envelope grosso na bancada.

— Acabo de receber *minha* admissão na Universidade do Alasca!

— Meus parabéns! — Ele sorriu. — Que coincidência.

Os olhos de Charlie se estreitaram e ele olhou de um para o outro.

— Ótimo — murmurou ele depois de um minuto. — Vou ver o jogo, Bella. Nove e meia.

Esse era o comando de partida de sempre.

— Hã, pai? Lembra o que acabamos de conversar sobre minha liberdade...?

Ele suspirou.

— É verdade. Tudo bem, *dez* e meia. Você ainda tem um toque de recolher nos dias úteis.

— Bella não está mais de castigo? — perguntou Edward.

Embora eu soubesse que ele não estava realmente surpreso, não consegui detectar nenhuma nota falsa na emoção súbita de sua voz.

— Com uma condição — corrigiu Charlie entre os dentes. — O que você tem a ver com isso?

Fiz uma cara bem feia para meu pai, mas ele não viu.

— É só que é bom saber — disse Edward. — Alice anda ansiosa por uma companhia para as compras, e tenho certeza de que Bella adoraria ver algumas luzes da cidade. — Ele sorriu para mim.

Mas Charlie grunhiu.

— Não! — Sua fisionomia ficou roxa.

— Pai! Qual é o problema?

Ele fez um esforço para descerrar os dentes.

— Não quero que você vá a Seattle agora.

— Hein?

— Eu lhe falei da reportagem no jornal... Tem uma espécie de gangue de assassinos solta em Seattle e quero que você fique longe disso, está bem?

Revirei os olhos.

— Pai, há mais probabilidade de eu ser atingida por um raio que de um dia eu ir a Seattle...

— Não, está tudo bem, Charlie — disse Edward, interrompendo-me. — Eu não quis dizer Seattle. Estava pensando em Portland. Eu também não deixaria Bella ir a Seattle. É claro que não.

Eu o olhei, incrédula, mas ele estava com o jornal de Charlie nas mãos e lia a primeira página com atenção.

Ele devia estar tentando acalmar meu pai. A ideia de correr perigo até do mais letal dos humanos enquanto eu estivesse com Alice ou com Edward era completamente hilariante.

Funcionou. Charlie olhou para Edward por um segundo mais, depois deu de ombros.

— Ótimo. — Ele foi para a sala de estar, agora com um pouco de pressa; talvez não quisesse perder o início do jogo.

Esperei até que a tevê estivesse ligada, para que Charlie não conseguisse me ouvir.

— O que... — comecei a perguntar.

— Espere — disse Edward sem tirar os olhos do jornal. Seus olhos continuaram focalizados na página enquanto ele empurrava o primeiro formulário para mim pela mesa. — Você pode aproveitar suas respostas para este. Mesmas perguntas.

Charlie ainda devia estar ouvindo. Eu suspirei e comecei a preencher as informações de sempre: nome, endereço, estado civil... Depois de alguns minutos, olhei para cima, mas Edward agora mirava, pensativo, além da janela. Enquanto inclinava a cabeça para meu trabalho, percebi pela primeira vez o nome da universidade.

Eu bufei e atirei a folha de papel de lado.

— Bella?

— Fala sério, Edward. *Dartmouth?*

Edward levantou o formulário descartado e o recolocou delicadamente diante de mim.

— Acho que você ia gostar de New Hampshire — disse ele. — Há todo um complemento de cursos noturnos para mim, e as florestas são convenientemente localizadas para um andarilho ávido. Muita vida selvagem. — Ele abriu o sorriso torto a que eu não resistiria.

Respirei fundo.

— Vou deixar que me pague depois, se isso a faz feliz — prometeu ele. — Se quiser, posso lhe cobrar juros.

— Como se eu pudesse entrar sem um suborno enorme. Ou isso faz parte do empréstimo? A ala Cullen da biblioteca? Argh. Por que estamos tendo essa discussão de novo?

— Pode preencher o formulário, por favor, Bella? Não vai doer nada se candidatar.

Meu queixo destravou.

— Quer saber? Não acho que eu vá.

Estendi a mão para a papelada, pretendendo amassá-la numa forma adequada para atirar na lixeira, mas já não estava mais ali. Olhei a mesa vazia por um momento, depois para Edward. Ele não parecia ter se mexido, mas os formulários já deviam estar guardados em seu casaco.

— O que está fazendo? — perguntei.

— Eu assino seu nome melhor do que você mesma. Você já escreveu essas respostas.

— Sabe que está exagerando nisso. — Sussurrei para o caso de Charlie não estar totalmente imerso no jogo. — Não preciso me candidatar a mais lugar nenhum. Fui aceita na Alasca. Quase posso pagar as taxas do primeiro semestre. É um álibi tão bom quanto qualquer outro. Não há necessidade de gastar um monte de dinheiro, qualquer que seja a origem.

Um olhar de dor enrijeceu seu rosto.

— Bella...

— Não comece. Concordo que preciso passar por tudo isso pelo bem de Charlie, mas nós dois sabemos que não estarei em condições de ir a nenhuma universidade no outono que vem. Nem de ficar perto de gente.

Meu conhecimento dos primeiros anos como uma recém-vampira era vago. Edward nunca entrara em detalhes — não era seu assunto preferido —, mas eu sabia que não era agradável. O autocontrole aparentemente era uma habilidade adquirida. Qualquer coisa além de educação a distância estava fora de cogitação.

— Pensei que ainda não tivéssemos decidido o momento — lembrou-me Edward num tom delicado. — Você pode desfrutar um ou dois semestres de faculdade. Há muitas experiências humanas que você nunca teve.

— Eu as terei depois.

— Elas não serão experiências *humanas* depois. Não se tem uma segunda chance como humana, Bella.

Suspirei.

— Você precisa ser razoável com a escolha do momento, Edward. É perigoso demais embromar nesse caso.

— Ainda não há perigo — insistiu ele.

Olhei para ele. Não há perigo? Claro. Só havia uma vampira sádica tentando vingar a morte do companheiro com a minha morte, de preferência por um método lento e torturante. Quem estava preocupado com Victoria? Ah, e sim, os Volturi — a família real vampira com seu pequeno exército de guerreiros vampiros —, que insistiram que meu coração parasse de bater de uma ou outra maneira no futuro próximo, porque os humanos não podem saber que eles existem. É verdade. Não havia motivo para todo esse pânico.

Mesmo com Alice mantendo vigilância — Edward dependia de suas visões pouco precisas do futuro para nos dar alertas antecipados — era insanidade correr o risco.

Além disso, eu já ganhara essa discussão. A data de minha transformação estava marcada para algum momento logo depois de minha formatura no ensino médio, dali a algumas semanas.

Um abalo forte de inquietude perfurou meu estômago enquanto eu percebia que me restava pouco tempo. É claro que essa mudança era necessária — e era a chave para o que eu queria mais que tudo no mundo —, mas eu estava profundamente consciente de Charlie sentado no outro cômodo, desfrutando seu jogo, como em qualquer outra noite. E de minha mãe, Renée, longe, na ensolarada Flórida, ainda me pedindo para passar o verão na praia com ela e o novo marido. E de Jacob, que, ao contrário de meus pais, sabia exatamente o que ia acontecer quando eu desaparecesse para alguma universidade distante. Mesmo que meus pais não ficassem desconfiados por um bom tempo, mesmo que eu pudesse dispensar as visitas com desculpas sobre despesas de viagem, carga de estudos ou doenças, Jacob saberia da verdade.

Por um momento, a ideia da revolta certa de Jacob ensombreou qualquer outra dor.

— Bella — murmurou Edward, seu rosto se retorcendo quando leu a aflição no meu. — Não há pressa. Não vou deixar ninguém ferir você. Pode levar o tempo que precisar.

— Eu tenho pressa — sussurrei, sorrindo amarelo, tentando fazer piada disso. — Quero ser um monstro também.

Seus dentes trincaram; ele falou através deles.

— Não faz ideia do que está dizendo. — De repente, ele colocou o jornal úmido na mesa entre nós. Seu dedo apontou a manchete na primeira página:

AUMENTAM AS MORTES,
POLÍCIA TEME ATIVIDADE DE GANGUE

— O que isso tem a ver?

— Os monstros não são uma piada, Bella.

Olhei a manchete outra vez, depois sua expressão séria.

— Um... um *vampiro* está fazendo isso? — sussurrei.

Ele sorriu sem humor algum. Sua voz era baixa e fria.

— Ficaria surpresa, Bella, em ver com que frequência minha espécie é a origem dos horrores de seu noticiário humano. É fácil reconhecer, quando você sabe o que procurar. As informações aqui indicam um vampiro recém-transformado à solta em Seattle. Sedento de sangue, louco e descontrolado. Como todos nós somos.

Deixei meus olhos caírem no jornal de novo, evitando os olhos dele.

— Estamos monitorando a situação há algumas semanas. Todos os sinais estão lá... Os desaparecimentos improváveis, sempre à noite, os corpos mal desovados, a ausência de qualquer prova... Sim, alguém novinho em folha. E ninguém parece estar assumindo a responsabilidade pelo neófito... — Ele respirou fundo. — Bom, não é problema nosso. Não teríamos prestado atenção no caso se não estivesse tão perto de casa. Como eu disse, isso acontece o tempo todo. A existência de monstros resulta em consequências monstruosas.

Tentei não ver os nomes nas páginas, mas eles saltaram do texto impresso como se estivessem em negrito. As cinco pessoas cuja vida terminara, cujas famílias agora estavam de luto. Era diferente de considerar o assassinato em nível abstrato, lendo aqueles nomes. Maureen Gardiner, Geoffrey Campbell, Grace Razi, Michelle O'Connell, Ronald Albrook. Pessoas que tinham pais, filhos, amigos, animais de estimação, empregos, esperanças, planos, lembranças e futuros...

— Comigo não seria assim — sussurrei, meio para mim mesma. — Você não deixaria que eu fosse assim. Vamos morar na Antártida.

Edward bufou, rompendo a tensão.

— Pinguins. Que lindo.

Soltei uma risada trêmula e tirei o jornal da mesa para não ter de ver os nomes; ele caiu no linóleo com um baque. É claro que Edward não pensaria nas possibilidades de caça. Ele e sua família "vegetariana" — todos comprometidos em proteger a vida humana — preferiam o sabor de grandes predadores para satisfazer suas necessidades alimentares.

— Alasca, então, como planejamos. Só um lugar muito mais distante de Juneau... Um lugar com muitos ursos.

— Melhor — ele cedeu. — Lá tem urso polar também. Muito feroz. E os lobos são bem grandes.

Minha boca se abriu e minha respiração soprou numa lufada áspera.

— Que foi? — perguntou ele, antes que eu pudesse me recuperar. A confusão desapareceu e todo o seu corpo pareceu enrijecer. — Ah! Deixe os lobos para lá, então, se a ideia é ofensiva para você. — Sua voz era dura e formal, os ombros rígidos.

— Ele era meu melhor amigo, Edward — murmurei. Doía usar o verbo no passado. — É claro que a ideia me ofende.

— Por favor, perdoe-me por minha falta de consideração — disse ele, ainda muito formal. — Eu não devia ter sugerido isso.

— Não se preocupe. — Olhei minhas mãos, fechadas em punhos sobre a mesa.

Nós dois ficamos em silêncio por um momento, depois seu dedo frio estava sob meu queixo, erguendo meu rosto. Sua expressão era muito mais suave agora.

— Desculpe. De verdade.

— Eu sei. Sei que não é a mesma coisa. Eu não devia ter reagido assim. É só que... bom, eu já estava pensando em Jacob antes de você chegar. — Hesitei. Seus olhos castanhos pareciam ficar um pouco mais escuros sempre que eu pronunciava o nome de Jacob. Minha voz ficou suplicante em resposta a isso. — Charlie disse que Jake está passando por dificuldades. Ele agora está sofrendo, e... a culpa é minha.

— Você não fez nada de errado, Bella.

Respirei fundo.

— Preciso dar um jeito nisso, Edward. Devo isso a ele. E é uma das condições de Charlie, de qualquer modo...

Seu rosto mudou enquanto eu falava, ficando rígido de novo, como o de uma estátua.

— Sabe que está fora de cogitação você andar desprotegida com um lobisomem, Bella. E seria quebra do pacto se qualquer um de nós entrasse no território deles. Quer que comecemos uma guerra?

— É claro que não!

— Então não tem sentido continuar discutindo a questão. — Ele baixou a mão e virou o rosto, tentando mudar de assunto. Seus olhos pararam em algo atrás de mim e ele sorriu, embora os olhos continuassem preocupados.

— Fico feliz por Charlie ter decidido deixar você sair... Você precisa muitíssimo de uma visita à livraria. Nem acredito que está lendo *O morro dos ventos uivantes* de novo. Ainda não sabe de cor?

— Nem todos nós temos memória fotográfica — eu disse asperamente.

— Com ou sem memória fotográfica, não entendo por que gosta dele. Os personagens são pessoas medonhas que arruínam a vida umas das outras. Não sei como Heathcliff e Cathy terminaram ao lado de casais como Romeu e Julieta ou Elizabeth Bennet e o Sr. Darcy. Não é uma história de amor, é uma história de ódio.

— Você tem problemas sérios com os clássicos — eu disse.

— Talvez porque não fique impressionado com a antiguidade. — Ele sorriu, evidentemente satisfeito por ter me distraído. — Falando sério, por que você sempre *lê* isso? — Seus olhos agora eram vívidos de interesse, tentando, de novo, revelar o funcionamento convoluto de minha mente. Ele estendeu a mão por sobre a mesa para afagar meu rosto. — O que lhe agrada tanto?

Sua curiosidade sincera me desarmou.

— Não sei bem — eu disse, lutando para ter coerência enquanto seu olhar esfacelava meus pensamentos sem ter essa intenção. — Acho que tem algo a ver com a inevitabilidade. Nada pode separá-los... Nem o egoísmo dela, nem a maldade dele, nem mesmo a morte, no final...

Seu rosto estava pensativo enquanto ele ponderava minhas palavras. Depois de um instante, ele deu um sorriso zombeteiro.

— Ainda acho que seria uma história melhor se um deles tivesse uma qualidade que os redimisse.

— Acho que essa é a questão — discordei. — O amor dos dois *é* a única qualidade redentora.

— Espero que você tenha mais juízo que isso... Se apaixonar por alguém tão... maligno.

— É meio tarde para me preocupar com quem se apaixonou por quem — assinalei. — Mas, mesmo sem o aviso, parece que eu me saí muito bem.

Ele riu baixinho.

— Fico feliz que *você* pense assim.

— Bom, espero que você seja bastante inteligente para ficar longe de alguém tão egoísta. É Catherine a origem de todos os problemas, não Heathcliff.

— Estarei precavido — prometeu ele.

Suspirei. Ele era tão bom nas distrações!

Coloquei a mão sobre a dele para mantê-la em meu rosto.

— Preciso ver Jacob.

Ele fechou os olhos.

— Não.

— Sinceramente, não há perigo algum — eu disse, de novo suplicante. — Eu costumava passar o dia todo em La Push com todos eles, e nunca aconteceu nada.

Mas pisei em falso; minha voz falhou no final porque percebi, enquanto dizia as palavras, que elas eram uma mentira. Não era verdade que nunca havia acontecido *nada*. Um breve lampejo de memória — um lobo cinza enorme agachado para atacar, arreganhando os dentes de adaga para mim — fez as palmas de minhas mãos suarem como um eco do pânico recordado.

Edward ouviu meu coração se acelerar e assentiu como se eu tivesse reconhecido a mentira em voz alta.

— Os lobisomens são instáveis. Às vezes, as pessoas perto deles se machucam. Às vezes, elas morrem.

Eu queria negar isso, mas outra imagem sufocou minha réplica. Vi em minha mente o rosto antes lindo de Emily Young, agora desfigurado por três cicatrizes escuras que baixavam o canto de seu olho direito e deixavam sua boca presa para sempre numa careta de lado.

Ele esperou, implacavelmente triunfante, que eu encontrasse minha voz.

— Você não os conhece — sussurrei.

— Conheço-os melhor do que você pensa, Bella. Eu estava aqui da última vez.

— Da última vez?

— Nosso caminho começou a se cruzar com o dos lobos há setenta anos... Tínhamos acabado de nos acomodar perto de Hoquiam. Isso foi antes de Alice e Jasper estarem conosco. Nós estávamos em maior número, mas isso não os teria impedido de entrar numa luta, se não fosse por Carlisle. Ele conseguiu convencer Ephraim Black de que era possível coexistirmos, e por fim fizemos uma trégua.

O nome do bisavô de Jacob me sobressaltou.

— Pensamos que os limites tinham desaparecido com Ephraim — murmurou Edward; agora parecia que ele falava consigo mesmo. — Que a singularidade genética que permitia a transmutação tivesse se perdido... — Ele se interrompeu e me fitou de um jeito acusatório. — Sua falta de sorte parece ficar mais poderosa a cada dia. Percebe que sua atração implacável por tudo o que é letal é bastante forte para arrancar da extinção um bando de caninos mutantes? Se pudéssemos engarrafar sua sorte, teríamos uma arma de destruição em massa.

Ignorei a provocação, minha atenção presa pelo pressuposto dele — ele falava sério?

— Mas não fui *eu* que os trouxe de volta. Não sabia?

— Sabia do quê?

— Minha falta de sorte nada tem a ver com isso. Os lobisomens voltaram porque os vampiros voltaram.

Edward me encarou, seu corpo imóvel de surpresa.

— Jacob me disse que a presença de sua família aqui deu a partida nisso. Pensei que você já soubesse...

Seus olhos se estreitaram.

— É isso que eles acham?

— Edward, considere os fatos. Há setenta anos você veio para cá e os lobisomens apareceram. Você voltou agora, e os lobisomens surgiram de novo. Acha que é só coincidência?

Ele pestanejou e seu olhar relaxou.

— Carlisle ficará interessado nesta teoria.

— Teoria — zombei.

Ele ficou em silêncio por um momento, olhando a chuva pela janela; imaginei que estivesse contemplando o fato de que a presença de sua família estava transformando os habitantes em cães gigantes.

— Curioso, mas não é exatamente relevante — murmurou ele depois de um momento. — A situação é a mesma.

Eu podia traduzir isso muito bem: nada de amigos lobisomens.

Eu sabia que devia ter paciência com Edward. Não era que ele não estivesse sendo razoável, era só que ele não *entendia*. Ele não fazia ideia de quanto eu devia a Jacob Black — muitas vezes, minha vida, e talvez minha sanidade também.

Eu não gostava de falar daquela época vazia com ninguém, em especial com Edward. Ele só estava tentando me salvar quando partiu, tentando salvar minha alma. Eu não o considerava responsável por todas as idiotices que eu fizera em sua ausência, ou pela dor que sofrera.

Mas ele era.

Então eu teria de exprimir meus esclarecimentos com muito cuidado.

Levantei-me e contornei a mesa. Ele abriu os braços para mim e me sentei em seu colo, aninhando-me em seu abraço frio de pedra. Olhei suas mãos enquanto falava.

— Por favor, ouça por um minuto. Isto é muito mais importante do que atender a alguns caprichos de um velho amigo. Jacob está *sofrendo*. — Minha voz distorceu a palavra. — Não posso me *negar* a ajudá-lo... Não posso desistir dele agora, quando ele precisa de mim. Só porque ele não é humano o tempo todo... Bom, ele estava a meu lado quando eu mesma... não era tão humana. Você não sabe como foi... — Eu hesitei. Os braços de Edward estavam rígidos à minha volta; as mãos agora em punhos, os tendões se destacando. — Se Jacob não tivesse me ajudado... não tenho certeza se você teria por que voltar. Tenho que fazer alguma coisa. Eu devo a ele mais do que isso, Edward.

Olhei seu rosto, preocupada. Seus olhos estavam fechados, e o queixo, tenso.

— Nunca vou me perdoar por tê-la deixado — sussurrou ele. — Nem que eu viva cem mil anos.

Coloquei a mão em seu rosto frio e esperei até que ele suspirou e abriu os olhos.

— Você estava tentando fazer o que era certo. E tenho certeza de que teria funcionado com qualquer pessoa menos retardada do que eu. Além disso, você está aqui agora. É só isso que importa.

— Se eu não tivesse partido, você não teria necessidade de arriscar sua vida para consolar um *cão*.

Eu me encolhi. Estava acostumada com Jacob e todas as suas calúnias pejorativas — *sanguessuga, parasita*... De certo modo, parecia mais áspero na voz aveludada de Edward.

— Não sei como expressar isso adequadamente — disse Edward, e seu tom de voz era triste. — Imagino que vá parecer cruel. Mas já estive perto demais de perder você. Sei o que é pensar que perdi. Eu *não* vou tolerar nenhum risco.

— Tem que confiar em mim neste caso. Eu vou ficar bem.

Seu rosto era de dor outra vez.

— Por favor, Bella — ele sussurrou.

Olhei em seus olhos dourados subitamente ardentes.

— Por favor o quê?

— Por favor, por mim. Por favor, faça um esforço para se manter segura. Farei tudo o que eu puder, mas agradeceria se tivesse uma ajudazinha.

— Vou dar um jeito — murmurei.

— Você faz mesmo alguma ideia da importância que tem para mim? Alguma noção do quanto a amo? — Ele me puxou para mais perto de seu peito duro, colocando minha cabeça sob seu queixo.

Apertei os lábios em seu pescoço frio como neve.

— Eu sei o quanto *eu* amo você — respondi.

— Você compara uma árvore pequena com toda uma floresta.

Revirei os olhos, mas ele não pôde ver.

— Impossível.

Ele beijou o alto de minha cabeça e suspirou.

— Nada de lobisomens.

— Não vou concordar com isso. Preciso ver Jacob.

— Então terei de impedi-la.

Ele parecia totalmente confiante de que isso não seria um problema.

Eu tinha certeza de que ele estava com a razão.

— Veremos — blefei mesmo assim. — Ele ainda é meu amigo.

Pude sentir o bilhete de Jacob em meu bolso, como se de repente pesasse dez quilos. Pude ouvir as palavras em sua voz, e ele parecia concordar com Edward — algo que nunca aconteceria na realidade.

Isso não muda nada. Desculpe.

2. EVASÃO

EU ME SENTIA ESTRANHAMENTE ANIMADA ENQUANTO IA DA AULA de espanhol para o refeitório, e não só porque estava de mãos dadas com a pessoa mais perfeita do mundo, embora certamente também fosse por isso.

Talvez fosse por saber que minha sentença estava cumprida e eu era de novo uma mulher livre.

Ou talvez não tivesse nada a ver especificamente comigo. Talvez fosse o clima de liberdade que pairava em toda a escola. O ano letivo estava terminando e, em especial para a turma do terceiro ano, havia uma excitação perceptível no ar.

A liberdade estava tão próxima que era tangível, palatável. Havia sinais dela por toda parte. Cartazes abarrotavam as paredes do refeitório e as lixeiras transbordavam uma saia colorida de folhetos: lembretes para comprar livros do ano, anéis de formatura e convites; prazos para encomendar becas, capelos e borlas de formatura; panfletos de cores berrantes — alunos do primeiro ano em campanha para representantes de turma; anúncios agourentos enfeitados de rosa para o baile deste ano. O grande baile seria naquele fim de semana, mas Edward me prometera solenemente que eu não seria submetida àquilo de novo. Afinal, eu já tinha tido *essa* experiência humana.

Não, devia ser minha liberdade particular que me iluminava. O término do ano letivo não me dava o prazer que parecia dar aos outros alunos. Na verdade, eu ficava enjoada de tão nervosa sempre que pensava no assunto. Eu tentava *não* pensar.

Mas era difícil escapar de um tema tão onipresente como a formatura.

— Já mandou seus convites? — perguntou Angela quando Edward e eu nos sentamos a nossa mesa. Ela estava com o cabelo castanho-claro puxado num rabo de cavalo frouxo, e não com o penteado liso de sempre, e havia algo de frenético em seus olhos.

Alice e Ben também já estavam lá, cada um de um lado de Angela. Ben concentrado numa HQ, os óculos escorregando pelo nariz fino. Alice examinava meu visual sem graça, jeans e uma camiseta, de um jeito que me deixou constrangida. Provavelmente tramando outra repaginada. Eu suspirei. Minha indiferença pela moda era um tormento constante ao lado dela. Se eu deixasse, ela adoraria me vestir todos os dias — talvez várias vezes por dia —, como uma boneca de papel gigante em três dimensões.

— Não — respondi a Angela. — Não tem sentido fazer isso. Renée sabe quando vou me formar. Para quem mais eu mandaria?

— E você, Alice?

Alice sorriu.

— Está tudo pronto.

— Sorte sua. — Angela suspirou. — Minha mãe tem uns mil primos e espera que eu mande um convite escrito à mão a cada um deles. Vou ficar com síndrome do túnel do carpo. Não posso mais adiar isso, e estou morta de medo.

— Vou ajudar você — ofereci-me. — Se não se importar com minha letra pavorosa.

Charlie ia gostar daquilo. Pelo canto do olho, vi Edward sorrir. Ele devia gostar também — que eu satisfizesse as condições de Charlie sem envolver lobisomens.

Angela pareceu aliviada.

— É uma delicadeza de sua parte. Apareço na hora que você quiser.

— Na verdade, prefiro ir à sua casa, se não tiver problema... Estou enjoada da minha. Charlie me liberou do castigo ontem à noite. — Sorri ao anunciar as boas-novas.

— É mesmo? — perguntou Angela. Uma animação discreta iluminou seus olhos castanhos e sempre gentis. — Pensei que tivesse dito que ia ser para a vida toda.

— Estou mais surpresa do que você. Estava certa de que já teria no mínimo terminado o ensino médio antes que ele me liberasse.

— Bom, que ótimo, Bella! Vamos ter que sair para comemorar.

— Não faz ideia de como isso parece bom.

— O que a gente vai fazer? — Alice refletiu, o rosto iluminado com as possibilidades. As ideias de Alice, em geral, eram um pouco grandiosas para mim, e naquele momento eu podia ver isso em seus olhos: a tendência a levar as coisas longe demais entrando em ação.

— Não sei em que está pensando, Alice, mas duvido que eu esteja *tão* livre.

— Livre é livre, não é? — insistiu ela.

— Tenho certeza de que ainda tenho limites... Como, por exemplo, as fronteiras do país.

Angela e Ben riram, mas Alice deu um sorriso amarelo de decepção.

— Então, o que vamos fazer hoje à noite? — continuou ela.

— Nada. Olhe, vamos esperar alguns dias para ter certeza de que ele não estava brincando. De qualquer forma, amanhã temos aula.

— Então vamos comemorar neste fim de semana. — Era impossível reprimir o entusiasmo de Alice.

— Claro — falei, esperando aplacá-la. Eu sabia que não faria nada exótico demais; seria mais seguro pegar leve com Charlie. Dar-lhe a oportunidade de perceber o quanto eu era madura e digna de confiança antes de lhe pedir algum favor.

Angela e Alice começaram a falar das opções; Ben aderiu à conversa, deixando os quadrinhos de lado. Minha atenção dispersou. Fiquei surpresa ao descobrir que o assunto da minha liberdade de repente não era tão recompensador como tinha sido um instante antes. Enquanto eles discutiam o que fazer em Port Angeles ou talvez em Hoquiam, comecei a ficar irritada.

Não precisei de muito tempo para localizar a origem de minha inquietude.

Desde que me despedi de Jacob Black na floresta perto de casa, era perseguida por certa imagem mental persistente e desconfortável. Saltava em meus pensamentos a intervalos regulares, como um despertador irritante programado para tocar a cada meia hora, enchendo minha cabeça com o rosto de Jacob, retorcido de dor. Era a última lembrança que eu tinha dele.

Quando a visão perturbadora surgiu de novo, soube exatamente por que estava insatisfeita com minha liberdade. Porque era incompleta.

É claro que eu estava livre para ir aonde quisesse, exceto La Push; livre para fazer o que eu quisesse, exceto ver Jacob. Fitei a mesa, de cara feia. *Tinha* de haver algum meio-termo.

— Alice? Alice!

A voz de Angela arrancou-me de meus devaneios. Ela acenava diante dos olhos inexpressivos e fixos de Alice. Eu reconhecia aquela expressão — uma expressão que provocou automaticamente um choque de pânico em meu corpo. O olhar vago me dizia que ela estava vendo algo muito diferente da cena comum de almoço que nos cercava, mas que, a seu modo, era tão real quanto aquilo ali. Algo que estava chegando, que aconteceria em breve. Senti o sangue escapar de meu rosto.

E então Edward riu, um som muito natural e relaxado. Angela e Ben olharam para ele, mas meus olhos estavam fixos em Alice. Ela pulou de repente, como se alguém a tivesse chutado por baixo da mesa.

— Já está na hora do cochilo, Alice? — brincou Edward.

Alice estava de volta a seu estado normal.

— Desculpe, acho que estava sonhando acordada.

— É melhor sonhar acordada do que encarar mais duas horas de aula — disse Ben.

Alice lançou-se à conversa com mais ânimo do que antes — um pouquinho demais. Vi seus olhos se fixarem nos de Edward, só por um momento, e ela se virou para Angela antes que qualquer outra pessoa percebesse. Edward ficou em silêncio, brincando de modo distraído com uma mecha de meu cabelo.

Esperei, ansiosa, por uma chance de perguntar a Edward o que Alice tinha visto, mas a tarde passou sem que tivéssemos um único minuto a sós.

Isso me pareceu estranho, quase deliberado. Depois do almoço, Edward diminuiu o passo para acompanhar Ben, falando de um trabalho que eu sabia que ele já havia terminado. Depois sempre havia alguém presente entre as aulas, embora em geral tivéssemos alguns minutos para nós. Quando tocou o último sinal, Edward lançou-se numa conversa com Mike Newton, justamente ele, caminhando ao lado do garoto enquanto ia para o estacionamento. Eu me arrastava atrás, deixando Edward me rebocar.

Ouvi, confusa, Mike responder às perguntas excepcionalmente simpáticas de Edward. Parecia que Mike estava com problemas no carro.

— ... mas acabei de trocar a bateria — dizia. Os olhos miraram à frente e de volta a Edward, preocupados. Aturdidos, como eu estava.

— Quem sabe não são os cabos? — propôs Edward.

— Talvez. Na verdade não entendo nada de carros — admitiu Mike. — Preciso que alguém dê uma olhada, mas não tenho dinheiro para levar ao Dowling.

Abri a boca para sugerir meu mecânico, depois a fechei depressa. Meu mecânico andava ocupado ultimamente — correndo por aí como um lobo gigante.

— Eu entendo um pouco... Posso dar uma olhada, se quiser — ofereceu Edward. — Só preciso deixar Alice e Bella em casa.

Mike e eu encaramos Edward, boquiabertos.

— Er... obrigado — murmurou Mike quando se recuperou. — Mas tenho que ir para o trabalho. Talvez outro dia.

— Perfeitamente.

— A gente se vê. — Mike entrou no carro, sacudindo a cabeça, incrédulo.

O Volvo de Edward, com Alice já dentro dele, estava a dois carros de distância.

— Mas o que foi *isso*? — murmurei enquanto Edward segurava a porta do carona para mim.

— Só estava sendo prestativo — respondeu Edward.

E então Alice, esperando no banco de trás, começou a tagarelar em alta velocidade.

— Você não é *tão* bom mecânico, Edward. Talvez deva deixar Rosalie dar uma olhada nele hoje à noite, assim você vai ficar bem se Mike decidir considerar sua ajuda, sabe como é. Não que não fosse ser divertido ver a cara dele se *Rosalie* aparecesse para ajudar. Mas como Rosalie deveria estar do outro lado do país, cursando a faculdade, acho que não é a melhor ideia. Que pena. Mas, a julgar pelo carro de Mike, imagino que vá conseguir. Seria como a regulagem de um bom carro esporte italiano, que você conhece tão bem. E por falar na Itália e em carros esporte que roubei por lá, você ainda está me devendo um Porsche amarelo. Não sei se vou querer esperar até o Natal...

Parei de ouvir depois de um minuto, deixando que sua voz acelerada se tornasse só um zumbido ao fundo, enquanto me colocava no modo "paciência".

Minha impressão era de que Edward tentava evitar minhas perguntas. Tudo bem. Ia ficar sozinho comigo em breve. Era só uma questão de tempo.

Edward também parecia saber disso. Deixou Alice na entrada de carro dos Cullen, como sempre fazia, embora àquela altura eu esperasse que ele a levasse até a porta e a acompanhasse até dentro de casa.

Ao sair, Alice lançou um olhar incisivo para ele. Edward parecia completamente à vontade.

— A gente se vê depois — falou. E então, com o máximo de sutileza, Edward assentiu.

Alice se virou e desapareceu no meio das árvores.

Ele ficou em silêncio enquanto manobrava o carro e voltava para Forks. Eu esperei, imaginando se ia tocar no assunto. Ele nada falou, e isso me deixou tensa. O que Alice *vira* no almoço? Algo que ele não queria me contar, então tentei pensar em um motivo para guardar segredo. Talvez fosse melhor me preparar antes de perguntar. Não queria perder o controle e fazê-lo pensar que eu não podia lidar com a situação, qualquer que fosse.

Assim, ficamos os dois em silêncio até que chegamos à casa de Charlie.

— Pouco dever de casa hoje — comentou ele.

— Hmmm — assenti.

— Acha que tenho permissão para entrar de novo?

— Charlie não deu um ataque quando você me pegou para ir à escola.

Mas eu tinha certeza de que Charlie ficaria mal-humorado assim que entrasse em casa e encontrasse Edward ali. Talvez eu devesse preparar algo extraespecial para o jantar.

Dentro de casa, subi a escada e Edward me seguiu. Ele se acomodou em minha cama e olhou pela janela, sem parecer se importar com minha impaciência.

Guardei minha bolsa e liguei o computador. Havia um e-mail de minha mãe que eu não respondera, e ela entrava em pânico quando eu demorava demais. Eu tamborilava os dedos enquanto esperava que o computador decrépito acordasse; os dedos batiam na mesa, ritmados e ansiosos.

E depois os dedos dele estavam nos meus, imobilizando-os.

— Está um pouco impaciente hoje? — murmurou ele.

Olhei para cima, na intenção de fazer um comentário sarcástico, mas o rosto dele estava mais perto do que eu esperava. Os olhos dourados eram ardentes, a poucos centímetros de distância, e seu hálito era frio em meus lábios entreabertos. Eu podia sentir o cheiro dele em minha língua.

Não consegui lembrar a resposta espirituosa que estava prestes a dar. Não consegui lembrar meu nome.

Ele não me deu chance de me recuperar.

Se fosse por mim, passaria a maior parte de meu tempo beijando Edward. Não havia nada que eu tivesse experimentado na vida que se comparasse à sensação de seus lábios frios, duros como mármore, mas sempre tão delicados, movendo-se com os meus.

Mas não era sempre como eu queria.

Então me surpreendeu um pouco quando os dedos dele entrelaçaram-se em meu cabelo, segurando meu rosto junto ao dele. Cruzei os braços atrás de seu pescoço e desejei ser mais forte — forte o suficiente para mantê-lo prisioneiro ali. Uma das mãos desceu por minhas costas, apertando-me mais contra seu peito de pedra. Mesmo através do suéter, a pele dele era bastante fria para me fazer tremer — era um tremor de prazer, de felicidade, mas as mãos de Edward começaram a se afrouxar por causa disso.

Sabia que tinha uns três segundos antes que ele suspirasse e me afastasse com habilidade, dizendo que eu já arriscara o bastante de minha vida naquela tarde. Aproveitando ao máximo meus últimos segundos, eu me aconcheguei mais ao corpo dele, moldando-me nas formas de Edward. A ponta de minha língua acompanhou a curva de seu lábio inferior; era de uma suavidade impecável, como se tivesse sido polido, e o *sabor*...

Ele afastou meu rosto, desfazendo meu abraço com facilidade — provavelmente nem percebeu que eu estava usando toda a minha força.

Edward deu uma risada, um som baixo e gutural. Seus olhos estavam brilhantes da excitação que ele tão severamente disciplinava.

— Ah, Bella — ele suspirou.

— Eu deveria pedir desculpas, mas não vou.

— E eu devia me lamentar por você não pedir desculpas, mas não vou. Talvez deva me sentar na cama.

Soltei o ar, meio tonta.

— Se acha que é necessário...

Ele sorriu torto e se separou de mim.

Sacudi a cabeça algumas vezes, tentando clareá-la, e me virei para o computador. Estava a todo vapor e agora zumbia. Bom, não era tanto um zumbido, mais parecia um gemido.

— Diga a Renée que mando lembranças.

— Pode deixar.

Li rapidamente o e-mail de Renée, sacudindo a cabeça de vez em quando para algumas coisas mais amalucadas que ela fizera. Divertiu-me e me apavorou tanto quanto na primeira vez em que o li. Era típico de minha mãe só se lembrar de que ficava paralisada pela altitude quando já estava presa a um paraquedas e um instrutor de salto. Senti-me meio decepcionada com Phil, marido dela havia quase dois anos, por permitir aquilo. Eu teria cuidado melhor de Renée. Eu a conhecia muito melhor.

Um dia você vai ter de deixá-los seguirem a vida sozinhos, lembrei a mim mesma. Precisa deixar que eles tenham a própria vida...

Passei a maior parte da vida cuidando de Renée, orientando-a pacientemente a abandonar os planos mais loucos, suportando de boa vontade aqueles dos quais eu não conseguia demovê-la. Sempre fui indulgente com minha mãe, divertindo-me com ela, até um pouco condescendente. Via sua coleção de equívocos e ria comigo mesma em segredo. A maluca da Renée.

Eu era uma pessoa muito diferente de minha mãe. Era precavida e cautelosa. A responsável, a adulta. Era assim que eu me via. Esta era a pessoa que eu conhecia.

Com o sangue ainda pulsando na cabeça por causa do beijo de Edward, não consegui deixar de pensar no erro que mais transformara a vida de minha mãe. Tola e romântica, casou-se com um homem que mal conhecia assim que terminou o ensino médio, e me gerou um ano depois. Ela sempre me garantiu que não tinha arrependimentos, que eu era a maior dádiva que a vida lhe dera. E, no entanto, insistia comigo sem parar — gente inteligente leva o casamento a sério. Gente madura vai para a universidade e começa a vida profissional antes de se envolver profundamente num relacionamento. Ela sabia que eu nunca seria tão irracional, pateta e *provinciana* quanto ela tinha sido...

Trinquei os dentes e tentei me concentrar na resposta a seu e-mail.

Você não fala nada sobre Jacob há um bom tempo, ela escreveu. *O que ele anda fazendo ultimamente?*

Charlie a induzira a isso, eu tinha certeza.

Dei um suspiro e digitei depressa, enfiando a resposta a sua pergunta entre dois parágrafos pouco emotivos.

> Jacob está bem, eu acho. Não o vejo muito; ele tem passado a maior parte do tempo com um grupo de amigos em La Push.

Sorrindo maliciosamente comigo mesma, acrescentei as lembranças de Edward e cliquei em "enviar".

Só percebi que Edward estava parado em silêncio de novo atrás de mim quando desliguei o computador e me afastei da mesa. Estava prestes a lhe dar uma bronca por ler por sobre meu ombro quando percebi que ele não prestava atenção em mim. Examinava uma caixa preta e achatada, com fios enroscados e pendurados de uma forma que não parecia saudável para qualquer que fosse o objeto. Depois de um segundo, reconheci o aparelho de som de carro que Emmett, Rosalie e Jasper haviam me dado no aniversário passado. Tinha me esquecido dos presentes escondidos debaixo de um monte cada vez maior de poeira no chão do meu closet.

— O que você *fez* com isso? — perguntou ele numa voz cheia de espanto.

— Não queria sair do painel.

— Então sentiu necessidade de torturá-lo?

— Você sabe como eu sou com ferramentas. Não provoquei nenhuma dor intencionalmente.

Ele sacudiu a cabeça, o rosto numa máscara de tragédia encenada.

— Você o matou.

Dei de ombros.

— Ah, tanto faz.

— Ia ferir os sentimentos deles se vissem isso — disse ele. — Acho que foi bom você ter ficado em prisão domiciliar. Vou ter que colocar outro no lugar antes que eles percebam.

— Obrigada, mas eu não preciso de um som caro.

— Não é por você que vou substituí-lo.

Suspirei.

— Você não aproveitou muito seus presentes de aniversário do ano passado — disse ele num tom irritado. De repente, estava se abanando com um retângulo duro de papel.

Não respondi, por medo de que minha voz tremesse. Meu aniversário desastroso de 18 anos — com todas as suas amplas consequências — não era uma ocasião da qual eu quisesse me lembrar, e eu estava surpresa que ele tocasse no assunto. Aquilo ainda o incomodava mais do que a mim.

— Sabia que isto aqui está prestes a expirar? — perguntou ele, estendendo o papel para mim. Era o outro presente: a reserva das passagens de avião que Esme e Carlisle me deram para visitar Renée na Flórida.

Respirei fundo e respondi de modo monótono.

— Não. Na verdade, esqueci isso por completo.

A expressão dele era cuidadosamente animada e positiva; não havia vestígio de qualquer emoção profunda enquanto continuava.

— Bem, ainda temos algum tempo. Você foi libertada... E não temos planos para este fim de semana, já que você se recusa a ir ao baile comigo. — Ele deu um sorriso duro. — Por que não comemorar sua liberdade desse jeito?

Eu arfei.

— Ir à Flórida?

— Você disse algo sobre a América continental ser admissível.

Eu o fuzilei com os olhos, desconfiada, tentando entender o porquê daquilo.

— E então? — perguntou ele. — Vai ver Renée ou não?

— Charlie nunca permitiria.

— Charlie não pode impedir que visite sua mãe. Ela ainda tem a custódia primária.

— Ninguém tem minha custódia. Eu sou adulta.

Ele abriu um sorriso reluzente.

— Exatamente.

Pensei naquilo por um curto minuto antes de concluir que não valia a pena brigar. Charlie ficaria furioso — não por eu viajar para ver Renée, mas por Edward ir junto. Charlie não falaria comigo durante meses, e era provável que eu acabasse de castigo de novo. Sem dúvida, seria muito mais inteligente nem mesmo tocar no assunto. Talvez dali a algumas semanas, como um presente de formatura ou algo do tipo.

Mas era difícil resistir à ideia de ver minha mãe *naquela hora*, e não dali a semanas. Já havia passado muito tempo desde que eu vira Renée pela última vez. E ainda mais tempo desde que a vira em circunstâncias agradáveis. Na última vez em que estive com ela, em Phoenix, fiquei o tempo todo num leito de hospital. Na última vez em que ela veio aqui, eu estava mais ou menos catatônica. Não eram exatamente as melhores lembranças a deixar para ela.

E talvez, se ela visse como eu estava feliz com Edward, pudesse dizer a Charlie para pegar mais leve.

Edward examinou meu rosto enquanto eu refletia.

Eu suspirei.

— Neste fim de semana, não.

— E por que não?

— Não quero brigar com Charlie. Não tão cedo, depois de ele me perdoar.

As sobrancelhas dele se uniram.

— Acho que este fim de semana é perfeito — murmurou ele.

Sacudi a cabeça.

— Em outra ocasião.

— Sabia que você não foi a única a ficar presa nesta casa? — Ele fez cara feia para mim.

A desconfiança voltou. Esse tipo de comportamento não combinava com ele. Ele era sempre tão impossivelmente altruísta; eu sabia que aquilo me deixava mimada.

— Pode ir aonde quiser — assinalei.

— O mundo não me interessa sem você.

Revirei os olhos com a hipérbole.

— Estou falando sério — disse ele.

— Vamos dominar o mundo aos poucos, está bem? Podemos começar, por exemplo, com um cinema em Port Angeles...

Ele gemeu.

— Deixe pra lá. Vamos falar disso depois.

— Não há mais o que discutir.

Ele deu de ombros.

— Tudo bem, então, assunto novo — falei. Eu quase me esqueci de minhas preocupações sobre aquela tarde... Será que ele tinha feito de propósito? — O que Alice viu hoje no almoço?

Meus olhos estavam fixos no rosto dele, avaliando sua reação.

A expressão de Edward era tranquila; apenas seus olhos topázio endureceram um pouco.

— Ela tem visto Jasper num lugar estranho, um lugar no sudoeste, acha ela, perto da antiga... família dele. Mas ele não tem nenhuma intenção consciente de voltar. — Ele suspirou. — Isso a deixou preocupada.

— Ah! — Não era nada do que eu esperava. Mas é claro que fazia sentido que Alice ficasse vigiando o futuro de Jasper. Ele era sua alma gêmea, sua verdadeira cara-metade, embora não fossem tão extravagantes em seu relacionamento como Rosalie e Emmett. — Por que não me contou isso antes?

— Não percebi que você tinha notado — disse ele. — De qualquer modo, não deve ser nada importante.

Minha imaginação estava tristemente descontrolada. Peguei uma tarde normal e a distorci até parecer que Edward mudara seu comportamento para esconder coisas de mim. Eu precisava de terapia.

Descemos para fazer o dever de casa, para o caso de Charlie aparecer mais cedo. Edward terminou em minutos; eu me arrastei com dificuldade por meu dever de cálculo, até que decidi que estava na hora de preparar o jantar de Charlie. Edward ajudou, a toda a hora fazendo caretas para os ingredientes crus — a comida humana era um tanto repulsiva para ele. Fiz o estrogonofe da receita de vovó Swan, porque eu queria bajular. Não era uma de minhas preferidas, mas ia agradar a Charlie.

Charlie pareceu já estar de bom humor quando chegou em casa. Nem se incomodou em ser grosseiro com Edward. Edward não comeu conosco, como sempre. O som do noticiário da noite vagava da sala da frente, mas eu duvidava que Edward estivesse de fato assistindo.

Depois de se servir três vezes, Charlie pôs os pés sobre a cadeira vazia e, satisfeito, cruzou as mãos na enorme barriga.

— Estava ótimo, Bells.

— Que bom que gostou. Como foi o trabalho? — Ele estivera concentrado demais na comida para eu começar uma conversa.

— Meio devagar. Bom, na verdade, totalmente devagar. Mark e eu jogamos cartas boa parte da tarde — admitiu ele, com um sorriso. — Eu ganhei: dezenove mãos contra sete. E depois fiquei um tempo ao telefone com Billy.

Tentei manter a expressão inalterada.

— Como ele está?

— Bem, bem. Suas articulações incomodam um pouco.

— Ah. Que chato.

— É. Ele nos convidou a fazer uma visita neste fim de semana. Estava pensando em chamar os Clearwater e os Uley também. Algo como uma festa de desempate...

— Ah... — foi minha resposta genial. Mas o que eu poderia dizer? Sabia que não teria permissão para ir a uma festa de lobisomens, mesmo com supervisão paterna. Perguntei-me se Edward veria problemas em Charlie ir a La Push. Ou ele acharia que, uma vez que Charlie passaria a maior parte do tempo com Billy, que era só humano, meu pai não correria perigo?

Levantei-me e empilhei os pratos sem olhar para Charlie. Coloquei-os na pia e abri a torneira. Edward apareceu em silêncio e pegou o pano de prato.

Charlie suspirou e desistiu por um tempo, embora eu imaginasse que retomaria o assunto quando estivéssemos a sós de novo. Ele se levantou a caminho da tevê, como em todas as outras noites.

— Charlie — disse Edward num tom despreocupado.

Charlie parou no meio da cozinha pequena.

— Sim?

— Bella alguma vez lhe contou que meus pais deram a ela passagens aéreas de presente de aniversário para visitar Renée?

Deixei cair o prato que estava lavando. Ele bateu na bancada e caiu no chão, fazendo barulho. Não quebrou, mas espalhou água com sabão pelo chão e em nós três. Charlie nem pareceu perceber.

— Bella? — perguntou ele numa voz pasma.

Mantive os olhos no prato que pegava no chão.

— Sim, eles deram.

Charlie engoliu em seco, depois seus olhos se estreitaram enquanto ele se virava para Edward.

— Não, ela nunca falou nisso.

— Hmmm... — murmurou Edward.

— Houve uma razão para você tocar nesse assunto? — perguntou Charlie numa voz ríspida.

Edward deu de ombros.

— Elas estão prestes a expirar. Acho que pode ferir os sentimentos de Esme se Bella não usar o presente. Não que Esme tenha comentado algo.

Encarei Edward, incrédula.

Charlie pensou por um minuto.

— Pode ser uma boa ideia você visitar sua mãe, Bella. Ela adoraria. Mas estou surpreso por não ter falado nada sobre isso.

— Eu me esqueci — admiti.

Ele franziu a testa.

— Você esqueceu que alguém lhe deu passagens de avião?

— Hmmm — murmurei vagamente e me virei para a pia.

— Percebi que você disse que *elas* vão expirar, Edward — continuou Charlie. — Quantas passagens seus pais deram a ela?

— Só uma para ela... e uma para mim.

O prato que deixei cair desta vez foi dentro da pia, então não fez tanto barulho. Eu podia muito bem ouvir a respiração irritada de meu pai. O sangue corou meu rosto, incitado pela irritação e por pesar. Por que Edward estava fazendo aquilo? Fitei as bolhas na pia, entrando em pânico.

— Está fora de cogitação! — Charlie de repente estava furioso, falando aos gritos.

— Por quê? — perguntou Edward, a voz saturada de uma surpresa inocente. — Você acaba de dizer que é uma boa ideia ela ver a mãe.

Charlie o ignorou.

— Você não vai a lugar nenhum com ele, mocinha! — gritou Charlie.

Eu girei e ele estava apontando o dedo para mim.

A raiva pulsou por meu corpo automaticamente, uma reação instintiva ao tom de voz dele.

— Não sou criança, pai. E não estou mais de castigo, lembra?

— Ah, sim, você está. A partir de agora.

— Por quê?!

— Porque eu disse que está.

— Preciso lembrar a você que, pela lei, eu sou adulta, Charlie?

— Esta é minha casa... Tem que seguir minhas regras!

Meu olhar ficou gélido.

— Se é assim que você quer. Quer que me mude esta noite? Ou pode me dar alguns dias para fazer as malas?

A cara de Charlie assumiu um vermelho vivo. Na mesma hora me senti péssima por usar esse trunfo.

Respirei fundo e tentei falar num tom mais razoável.

— Vou cumprir meus castigos sem reclamar sempre que fizer algo errado, pai, mas não vou tolerar seus preconceitos.

Ele gaguejou, mas não saiu nada coerente.

— Agora, sei que *você* sabe que tenho todo o direito de ver a mamãe no fim de semana. Seja sincero e me diga que não concordaria com o plano se eu fosse com Alice ou Angela.

— Meninas — ele grunhiu, assentindo.

— Você se incomodaria se eu levasse Jacob?

Só escolhi esse nome porque sabia da preferência de meu pai por Jacob, mas me arrependi na mesma hora; os dentes de Edward se trincaram com um estalo audível.

Meu pai lutou para se recompor antes de responder.

— Sim — disse numa voz pouco convincente. — Isso me incomodaria.

— Você mente muito mal, pai.

— Bella...

— Até parece que vou a Las Vegas virar dançarina ou coisa assim. Eu vou ver *mamãe* — lembrei a ele. — Ela tem tanta autoridade sobre mim quanto você.

Ele me fuzilou com os olhos.

— Tem algo a dizer sobre a capacidade de minha mãe de cuidar de mim?

Charlie se encolheu à ameaça implícita de minha pergunta.

— É melhor torcer para eu não contar isso a ela — falei.

— Melhor não fazer isso — alertou ele. — Não estou satisfeito com essa situação, Bella.

— Não há motivo para você estar aborrecido.

Ele revirou os olhos, mas eu sabia que a tempestade tinha passado.

Virei-me para destampar o ralo da pia.

— Então meu dever de casa está pronto, seu jantar está pronto, os pratos estão lavados e eu não estou de castigo. Vou sair. Voltarei antes das dez e meia.

— Aonde você vai? — O rosto dele, quase de volta ao normal, ficou vermelho de novo.

— Não sei bem — admiti. — Mas vou ficar num raio de quinze quilômetros. Tudo bem?

Ele grunhiu alguma palavra que não parecia uma aprovação e saiu da cozinha. Naturalmente, assim que venci a briga, comecei a me sentir culpada.

— Nós vamos sair? — perguntou Edward, a voz baixa, mas entusiasmada.

Eu me virei para ele de cara feia.

— Sim. Acho que quero falar com você *a sós*.

Ele não pareceu tão apreensivo como eu esperava que ficasse.

Deixei para começar quando estávamos seguros no carro dele.

— O que foi *aquilo*? — perguntei.

— Sei que você quer ver sua mãe, Bella... Você anda falando dela enquanto dorme. Preocupada, na verdade.

— Ando, é?

Ele assentiu.

— Mas claramente você foi covarde demais para lidar com Charlie, então eu intercedi a seu favor.

— Intercedeu? Você me atirou aos tubarões!

Ele revirou os olhos.

— Não acho que você corresse algum risco.

— Eu lhe disse que não quero brigar com Charlie.

— Ninguém disse que tinha de brigar.

Eu fechei a cara para ele.

— Não consigo evitar quando ele fica mandão daquele jeito... Meus instintos naturais de adolescente me dominam.

Ele riu.

— Bem, não é por culpa minha.

Eu o fitei, pensando a respeito. Ele não pareceu perceber. Seu rosto estava sereno enquanto olhava pelo para-brisa. Algo estava errado, mas eu não conseguia perceber o que era. Ou talvez fosse só minha imaginação outra vez, descontrolada como naquela tarde.

— Esse impulso súbito de ir à Flórida tem alguma relação com a festa na casa de Billy?

O queixo dele caiu.

— De jeito nenhum. Não importaria se você estivesse aqui ou do outro lado do mundo, ainda assim não iria.

Foi exatamente como aconteceu antes com Charlie — sendo tratada como uma criança malcomportada. Trinquei os dentes para não gritar. Eu não queria brigar também com Edward.

Ele suspirou, e quando voltou a falar a voz era calorosa e aveludada.

— E o que quer fazer hoje à noite? — perguntou.

— Podemos ir à sua casa? Não vejo Esme há muito tempo.

Ele sorriu.

— Ela vai gostar disso. Em especial quando souber o que vamos fazer no fim de semana.

Eu gemi, derrotada.

Não ficamos fora até tarde, como eu prometera. Não me surpreendi ao ver as luzes ainda acesas quando paramos na frente da casa — sabia que Charlie estaria esperando para gritar mais comigo.

— É melhor você não entrar — eu disse. — Só vai piorar a situação.

— Os pensamentos dele estão relativamente calmos — zombou Edward. A expressão dele me fez perguntar se havia alguma piada que eu estava perdendo. Os cantos da boca se retorceram, reprimindo um sorriso.

— Vejo você mais tarde — murmurei de mau humor.

Ele riu e me deu um beijo no alto da testa.

— Voltarei quando Charlie estiver roncando.

A tevê estava alta quando entrei. Por um instante considerei tentar passar de fininho por ele.

— Pode vir até aqui, Bella? — chamou Charlie, estragando meus planos.

Meus pés se arrastaram enquanto eu dava os cinco passos necessários.

— Que foi, pai?

— Tiveram uma noite divertida? — perguntou ele. Charlie parecia pouco à vontade. Procurei por significados ocultos em suas palavras antes de responder.

— Sim — falei, hesitante.

— O que fizeram?

Dei de ombros.

— Ficamos com Alice e Jasper. Edward derrotou Alice no xadrez, depois eu joguei com Jasper. Ele acabou comigo.

Eu sorri. Edward e Alice jogando xadrez foi um dos eventos mais divertidos que eu já vira. Eles ficaram sentados quase imóveis, encarando o tabuleiro, enquanto Alice previa os movimentos que ele faria e ele captava em sua mente os movimentos que ela ia fazer. Jogaram a maior parte da partida mentalmente; acho que cada um tinha movido dois peões quando Alice de repente derrubou seu rei e se rendeu. Tudo isso levou três minutos.

Charlie apertou o botão *mute* — uma atitude incomum.

— Olhe, tem algo que eu preciso dizer. — Ele franziu a testa, parecendo muito sem graça.

Sentei-me imóvel, esperando. Ele encontrou meu olhar por um segundo antes de desviar os olhos para o chão. Não disse mais nada.

— O que é, pai?

Charlie suspirou.

— Não sou bom nesse tipo de coisa. Nem sei como começar...

Esperei novamente.

— Tudo bem, Bella. É o seguinte. — Ele se levantou do sofá e começou a andar de um lado para outro da sala, olhando para os pés o tempo todo. — Você e Edward parecem estar namorando a sério e você precisa ter alguns cuidados. Sei que agora é adulta, mas ainda é nova, Bella, e há um monte de informações importantes que é preciso saber quando... Bem, quando se tem um envolvimento físico com...

— Ah, por favor, *por favor*, não! — implorei, colocando-me de pé num salto. — Por favor, diga que não está tentando ter um papinho sobre sexo comigo, Charlie.

Ele encarou o chão.

— Sou seu pai. Tenho responsabilidades. Lembre-se, estou tão constrangido quanto você.

— Não acho que isso seja humanamente possível. De qualquer modo, mamãe passou à sua frente uns dez anos atrás. Está livre dessa.

— Há dez anos você não tinha namorado — murmurou ele, de má vontade. Sabia que ele estava lutando contra o desejo de deixar o assunto de lado. Nós dois estávamos de pé, fitando o chão, evitando olhar nos olhos do outro.

— Não acho que o que importa tenha mudado tanto — murmurei, e meu rosto devia estar tão vermelho quanto o dele. Aquilo estava além do sétimo círculo do Hades; pior ainda era perceber que Edward sabia que ia acontecer. Não surpreende que ele estivesse tão presunçoso no carro.

— Só me diga que vocês dois estão sendo responsáveis — pediu Charlie, obviamente querendo que um buraco se abrisse no chão para se enfiar nele.

— Não se preocupe com isso, pai, eu não sou assim.

— Não é que eu não confie em você, Bella, mas eu sei que não quer me contar nada sobre o assunto, e você sabe que eu não quero realmente ouvir. Mas vou tentar ter a mente aberta. Sei que os tempos mudaram.

Eu ri, sem graça.

— Talvez os tempos tenham mudado, mas Edward é muito antiquado. Não tem motivo algum para se preocupar.

Charlie suspirou.

— Com certeza — murmurou ele.

— Urgh! — gemi. — Gostaria muito que não me obrigasse a dizer isso em voz alta, pai... *De verdade*. Mas... eu sou... virgem, e não tenho planos imediatos de mudar essa situação.

Nós dois nos encolhemos, mas depois a cara de Charlie se suavizou. Ele pareceu acreditar em mim.

— Posso ir para a cama agora? *Por favor*.

— Só um minuto — disse ele.

— Ai, por favor, pai? Estou implorando.

— A parte constrangedora acabou, prometo — garantiu-me.

Lancei-lhe um olhar e fiquei grata ao ver que ele parecia mais relaxado, que seu rosto estava de volta à cor normal. Ele afundou no sofá, suspirando de alívio por ter passado pelo sermão do sexo.

— O que é agora?

— Só queria saber como está indo a história do equilíbrio.

— Ah. Bem, acho. Combinei umas coisas com Angela hoje. Vou ajudá-la com os convites da formatura. Só meninas.

— Isso é bom. E Jake?

Suspirei.

— Isso eu ainda não consegui resolver, pai.

— Continue tentando, Bella. Sei que vai fazer o que é certo. Você é uma boa pessoa.

Que ótimo. Então, se eu não pensasse num jeito de acertar o relacionamento com Jacob, seria *má* pessoa? Isso foi golpe baixo.

— Claro, claro — concordei. A resposta automática quase me fez sorrir... era algo que adquiri de Jacob. Até mesmo falei no mesmo tom paternalista que ele usava com o pai.

Charlie sorriu e aumentou outra vez o som da tevê. Afundou mais nas almofadas, satisfeito com seu trabalho da noite. Sabia que ele ficaria acordado por um tempo, vendo o jogo.

— Boa noite, Bells.

— Vejo você de manhã!

Eu disparei para a escada.

Edward tinha ido embora havia muito tempo e só voltaria depois de Charlie dormir — talvez estivesse caçando ou fazendo algo para passar o tempo —, então não tive pressa a fim de me preparar para dormir. Não estava com humor para ficar sozinha, mas decerto não ia voltar para baixo e ficar com meu pai, para o caso de ele pensar em algum ponto de educação sexual que não tivesse mencionado antes. Estremeci.

Assim, graças a Charlie, eu estava magoada e ansiosa. Meu dever de casa estava feito e eu não sentia a mínima vontade de ler ou simplesmente de ouvir música. Pensei em ligar para Renée com a notícia de minha visita, mas depois lembrei que o horário na Flórida era três horas adiantado, ela devia estar dormindo.

Eu podia ligar para Angela, pensei.

Mas de repente percebi que nao era com Angela que eu queria falar. Com quem eu precisava falar.

Olhei a janela escura e vazia, mordendo o lábio. Não sei quanto tempo fiquei parada ali, pesando os prós e os contras — tomar a atitude certa em relação a Jacob, ver meu melhor amigo de novo, ser uma boa pessoa *versus* deixar Edward furioso comigo. Dez minutos, talvez. Tempo suficiente para decidir que os prós eram válidos, os contras, não. Edward só estava preocupado com minha segurança, e eu sabia que não havia problema algum nesse sentido.

O telefone não ajudava em nada; Jacob se recusava a atender meus telefonemas desde a volta de Edward. Além disso, eu precisava *vê-lo* — vê-lo sorrindo de novo, como fazia. Se quisesse ter alguma paz de espírito, precisava substituir a última lembrança medonha de seu rosto retorcido de dor.

Eu tinha provavelmente uma hora. Podia fazer uma viagem rápida a La Push e voltar antes que Edward percebesse que eu tinha saído. Já passava da hora de meu toque de recolher, mas Charlie se importaria mesmo com isso já que Edward não estaria envolvido? Só havia um modo de descobrir.

Peguei meu casaco e enfiei os braços nas mangas enquanto descia a escada correndo.

Charlie olhou para mim, imediatamente desconfiado.

— Se importa se eu for ver o Jake esta noite? — perguntei sem fôlego. — Não vou demorar muito.

Assim que disse o nome de Jake, a expressão de Charlie relaxou num sorriso presunçoso. Não pareceu nada surpreso que seu sermão tivesse surtido efeito com tanta rapidez.

— Claro, garota. Tudo bem. Fique o tempo que quiser.

— Obrigada, pai — falei enquanto disparava para a porta.

Como qualquer fugitiva, não consegui evitar olhar algumas vezes por sobre o ombro enquanto corria até minha picape, mas a noite estava tão escura que não havia sentido em fazer isso. Tive de tatear pela lateral do carro até achar a maçaneta.

Meus olhos estavam começando a se adaptar quando coloquei a chave na ignição. Girei a chave rápido para a esquerda mas, em vez de roncar de forma ensurdecedora, o motor só estalou. Tentei novamente, com o mesmo resultado.

E depois um discreto movimento em minha visão periférica me fez pular.

— Gah! — Arquejei de choque quando vi que não estava sozinha na cabine do carro.

Edward estava sentado ali, imóvel, um ponto fraco de luz na escuridão, só as mãos se mexendo enquanto ele girava sem parar um objeto preto e misterioso. Olhou para o objeto ao falar.

— Alice ligou — murmurou ele.

Alice! Droga. Tinha me esquecido de contar com ela em meus planos. Ele devia ter colocado Alice para me vigiar.

— Ela ficou nervosa quando seu futuro desapareceu de repente, cinco minutos atrás.

Meus olhos, já arregalados de surpresa, saltaram ainda mais.

— Porque ela não consegue ver os lobos, entendeu? — explicou ele no mesmo murmúrio baixo. — Esqueceu? Quando resolve misturar seu destino com o deles, você também desaparece. Podia não saber dessa parte, como estou percebendo. Mas consegue entender por que isso me deixa um pouco... angustiado? Alice a viu desaparecer, e não era capaz de dizer nem se você voltaria para casa. Seu futuro se perdeu, exatamente como o deles. Não sabemos por quê. Alguma defesa natural e inata que eles tenham?

Agora ele falava como se fosse consigo mesmo, ainda olhando a peça do motor de meu carro que girava nas mãos.

— Isso não parece cem por cento provável, uma vez que não tive nenhum problema para ler a mente deles. Pelo menos a de Black. Pela teoria de Carlisle, a vida deles é extremamente dominada pelas transformações. É mais uma reação involuntária do que uma decisão. Completamente imprevisível, e muda tudo a respeito deles. Num minuto, quando mudam de uma forma para outra, eles não existem de verdade. O futuro não se aplica a eles...

Eu ouvia as reflexões dele num silêncio pétreo.

— Vou consertar seu carro a tempo de ir para a escola, caso prefira dirigir — garantiu-me ele depois de um minuto.

Com os lábios cerrados, peguei minha chave e, decidida, saí da picape.

— Feche a janela se quiser que eu fique longe esta noite. Vou entender — sussurrou ele antes que eu batesse a porta.

Entrei em casa num rompante, batendo a porta também.

— Qual é o problema? — perguntou Charlie do sofá.

— A picape não quer pegar — resmunguei.

— Quer que eu dê uma olhada?

— Não. Vou tentar de manhã.

— Quer usar meu carro?

Eu não cogitava dirigir a viatura policial. Charlie devia estar muito desesperado para que eu fosse a La Push. Quase tão desesperado quanto eu.

— Não. Estou cansada — murmurei. — Boa noite.

Subi a escada pisando duro e fui direto até minha janela. Baixei com força o caixilho de metal — que se fechou num baque, e a vidraça tremeu.

Olhei o vidro escuro tremendo por um longo tempo, até que parasse. Depois suspirei e abri a janela o máximo que pude.

3. MOTIVOS

O SOL ESTAVA TÃO ENCOBERTO PELAS NUVENS, QUE NÃO HAVIA como saber se tinha se posto ou não. Depois do longo voo — perseguindo o sol em seu movimento para o oeste, que por isso parecia não se mover no céu —, a sensação era especialmente desorientadora; parecia que o tempo não variava. Fiquei surpresa quando a floresta deu lugar aos primeiros prédios, indicando que estávamos quase chegando.

— Você ficou muito quieta — observou Edward. — O avião a deixou enjoada?

— Não, eu estou bem.

— Está triste por partir?

— Acho que mais aliviada do que triste.

Ele ergueu uma sobrancelha para mim. Sabia que era inútil e — o que eu odiava admitir — desnecessário pedir-lhe para manter os olhos na estrada.

— De certa forma, Renée é muito mais... *perceptiva* do que Charlie. Isso estava me deixando nervosa.

Edward riu.

— Sua mãe tem uma mente muito interessante. Quase infantil, mas muito perspicaz. Ela vê tudo de modo diferente dos outros.

Perspicaz. Era uma boa descrição de minha mãe — quando ela estava prestando atenção. Na maior parte do tempo, Renée ficava tão perdida na própria vida que não percebia muito mais do que isso. Mas naquele fim de semana estava prestando bastante atenção em mim.

Phil esteve ocupado — o time de beisebol da escola que ele treinava estava nas finais —, e ficar sozinha comigo e com Edward só aguçou a atenção de Renée. Assim que cessaram os abraços e os gritos de alegria, ela começou a observar. E, enquanto observava, os grandes olhos azuis, primeiro, ficaram confusos, depois, preocupados.

Naquela manhã, tínhamos saído para dar uma caminhada na praia. Ela queria mostrar todas as belezas de seu novo lar, ainda na esperança, segundo penso, de que o sol pudesse me convencer a deixar Forks. Queria também conversar comigo a sós, e isso foi facilmente arranjado. Edward inventara um trabalho da escola como desculpa para ficar trancado em casa o dia todo.

Repassei a conversa em minha cabeça.

Renée e eu andávamos pela calçada, tentando permanecer no leque de sombra das palmeiras aqui e ali. Embora fosse cedo, o calor era sufocante. O ar estava tão pesado com a umidade que o simples ato de respirar exigia esforço de meus pulmões.

— Bella? — perguntou minha mãe, olhando de passagem a areia e as ondas fracas, que se quebravam enquanto ela falava.

— Que foi, mãe?

Ela suspirou, sem me olhar nos olhos.

— Estou preocupada...

— Qual é o problema? — perguntei, ansiosa pela primeira vez. — O que eu posso fazer?

— Não é comigo. — Ela sacudiu a cabeça. — Estou preocupada com você e... Edward.

Enfim Renée me olhou, quando disse o nome dele, no rosto um pedido de desculpas.

— Ah — murmurei, fixando os olhos numa dupla de corredores que passavam por nós, ensopados de suor.

— O namoro de vocês está mais sério do que eu pensava — continuou ela.

Franzi a testa, analisando rapidamente os dois dias anteriores. Edward e eu mal tínhamos tocado um no outro — pelo menos, na frente dela. Imaginei se Renée também ia me dar um sermão sobre responsabilidade. Eu não me importaria, como me importei no caso de Charlie. Não era constrangedor com minha mãe. Afinal, nos últimos dez anos era eu que de vez em quando lhe passava esse sermão.

— Tem algo... estranho no modo como vocês dois se comportam juntos — murmurou ela, a testa se vincando sobre os olhos aflitos. — O modo como ele olha para você... É tão... protetor. Como se estivesse a ponto de se atirar na frente de uma bala para salvá-la ou algo assim.

Eu ri, embora ainda não conseguisse olhar nos olhos dela.

— Isso é ruim?

— Não. — Ela franziu a testa enquanto lutava com as palavras. — Só é *diferente*. Ele é muito intenso com relação a você... e muito cuidadoso. Tenho a impressão de que não compreendi exatamente a relação de vocês. Como se houvesse um segredo que eu não conhecesse...

— Acho que está imaginado coisas, mãe — falei depressa, esforçando-me para manter a voz tranquila. Senti meu estômago se agitar. Tinha me esquecido de quanto minha mãe *via*. Algo em sua maneira simples de enxergar o mundo eliminava todas as distrações e ia direto ao ponto. Isso nunca foi um problema. Até agora, nunca tinha havido um segredo que eu não pudesse contar a ela.

— Não é só ele. — Ela endureceu os lábios, na defensiva. — Queria que você pudesse ver como se movimenta perto dele.

— Como assim?

— O modo como se mexe... Você se orienta em torno dele sem nem mesmo pensar. Quando ele se move, mesmo um pouquinho, você imediatamente muda de posição. Como ímãs... ou a gravidade. Você parece um... satélite ou algo parecido. Nunca vi nada assim.

Ela franziu os lábios e fitou o chão.

— Deixe-me adivinhar — brinquei, forçando um sorriso. — Anda lendo histórias de mistério de novo, não é? Ou desta vez é ficção científica?

Renée corou num rosa delicado.

— Isso é irrelevante.

— Achou algo de bom?

— Bom, teve uma... Mas isso não importa. Agora estamos falando de você.

— Devia se prender ao livro, mãe. Você sabe mesmo como pirar.

Os cantos de seus lábios se ergueram.

— Estou sendo uma boba, não é?

Por meio segundo não consegui responder. Era fácil demais manipular Renée. Às vezes isso era bom, porque nem todas as ideias dela eram práticas. Mas me doeu ver a rapidez com que ela cedeu quando banalizei seu comentário, em especial porque dessa vez ela estava coberta de razão.

Ela me olhou e eu controlei minha expressão.

— Boba, não... só está sendo mãe.

Renée riu e fez um gesto largo para a areia branca que se estendia até a água azul.

— E isso tudo não basta para trazer você de volta a sua mãe boba?

Passei a mão na testa de modo teatral, depois fingi torcer o cabelo.

— A gente se acostuma com a umidade — prometeu ela.

— É possível se acostumar com a chuva também — contra-ataquei.

Ela me deu uma cotovelada, brincando, e pegou minha mão ao voltarmos para o carro.

Excetuando as preocupações comigo, ela parecia bem feliz. Contente. Ainda se derretia quando olhava para Phil, e isso era reconfortante. Certamente sua vida era plena e satisfatória. Sem dúvida, não sentia muito minha falta, mesmo agora...

Os dedos gelados de Edward afagaram meu rosto. Olhei para ele, piscando, voltando ao presente. Ele se inclinou e me deu um beijo na testa.

— Estamos em casa, Bela Adormecida. Hora de acordar.

Estávamos parados na frente da casa de Charlie. A luz da varanda estava acesa, e a viatura, estacionada na entrada. Enquanto eu examinava a casa, vi a cortina se mexer na janela da sala, lançando um feixe de luz amarela no gramado escuro.

Suspirei. É claro que Charlie estava esperando para dar o bote.

Edward deve ter pensado o mesmo, porque estava com a expressão tensa e os olhos distantes quando saiu para abrir a porta para mim.

— É tão ruim assim? — perguntei.

— Charlie não vai ser duro — prometeu Edward, o tom da voz sem a menor sugestão de humor. — Ele sentiu sua falta.

Meus olhos se estreitaram de dúvida. Se era assim, então por que Edward estava tenso como se fosse entrar numa batalha?

Minha mala era pequena, mas ele insistiu em levá-la para dentro de casa. Charlie mantinha a porta aberta para nós.

— Bem-vinda ao lar, garota! — gritou Charlie com sinceridade. — Como estava Jacksonville?

— Úmida. E cheia de insetos.

— Então Renée não a convenceu a ir para a Universidade da Flórida?

— Ela tentou. Mas prefiro beber a água, não respirá-la.

Os olhos de Charlie vacilaram de má vontade para Edward.

— Você se divertiu?

— Sim — respondeu Edward numa voz serena. — Renée foi muito hospitaleira.

— Que... hmmm, bom. Que bom que se divertiu. — Charlie se afastou de Edward e me puxou num abraço inesperado.

— Impressionante — sussurrei no ouvido dele.

Ele trovejou uma risada.

— Senti muito sua falta, Bells. A comida por aqui fica uma porcaria quando você não está.

— Vou compensar isso — falei enquanto ele me soltava.

— Não quer ligar para Jacob primeiro? Ele está me incomodando a cada cinco minutos desde as seis da manhã. Prometi que você ligaria antes mesmo de desfazer as malas.

Não precisei olhar para Edward para sentir que ele estava imóvel demais, frio demais a meu lado. Então era esse o motivo da tensão.

— Jacob quer conversar comigo?

— Desesperadamente, eu diria. Ele nem me contou sobre o que era... Só disse que era importante.

O telefone tocou então, estridente e exigente.

— É ele de novo, aposto meu próximo salário nisso — murmurou Charlie.

— Eu atendo. — Corri até a cozinha.

Edward me seguiu enquanto Charlie desaparecia na sala.

Peguei o fone no meio de um toque e me virei, para ficar de frente para a parede.

— Alô?

— Você voltou — disse Jacob.

A voz rouca e familiar me provocou uma onda de tristeza. Mil lembranças giraram em minha mente, emaranhando-se — um trecho de praia rochosa com troncos caídos, uma oficina com telheiro de plástico, refrigerantes quentes num saco de papel, uma sala pequena com um velho sofazinho de dois lugares. O riso em seus olhos negros e fundos, o calor febril de sua mão enorme na minha, o brilho dos dentes brancos na pele morena, o rosto se esticando num sorriso largo que sempre parecia uma porta secreta, por onde só espíritos irmãos podiam entrar.

Senti certa nostalgia, aquela vontade de correr para o lugar e a pessoa que me abrigaram em minha noite mais escura.

Dei um pigarro para me livrar do nó na garganta.

— Sim — respondi.

— Por que não me ligou? — perguntou Jacob.

O tom de raiva dele me irritou na mesma hora.

— Porque estou em casa há exatamente quatro segundos e seu telefonema interrompeu Charlie quando ele estava dizendo que você havia ligado.

— Ah. Desculpe.

— Claro. E, então, por que está incomodando Charlie?

— Preciso falar com você.

— Sei, isso eu deduzi sozinha. Continue.

Houve uma pausa breve.

— Vai à escola amanhã?

Franzi a testa, incapaz de ver sentido naquela pergunta.

— Claro que vou. Por que não iria?

— Sei lá. Só curiosidade.

Outra pausa.

— E, então, do que quer falar, Jake?

Ele hesitou.

— Na verdade, acho que não é nada. Eu... queria ouvir sua voz.

— Sim, sei. Estou *muito* feliz por ter me ligado, Jake. Eu... — Não sabia mais o que dizer. Queria falar que estava indo para La Push naquele instante. E não podia dizer isso a ele.

— Tenho que ir — disse ele repentinamente.

— O que foi?

— A gente se fala depois, está bem?

— Mas Jake...

Ele já desligara. Ouvi, incrédula, o ruído de discagem.

— Essa foi rápida — murmurei.

— Está tudo bem? — perguntou Edward. A voz dele era baixa e cautelosa.

Virei para ele devagar. Sua expressão estava perfeitamente relaxada — era impossível interpretá-la.

— Não sei. Ainda estou me perguntando o que foi isso. — Eu não via sentido em Jacob ter perturbado Charlie o dia todo só para me perguntar se eu iria à escola. E se ele queria ouvir minha voz, por que desligou tão rápido?

— Suas conjecturas devem ser melhores do que as minhas — disse Edward, com um ar de sorriso no canto da boca.

— Hmmm — murmurei. Aquilo era verdade. Eu conhecia Jake por dentro e por fora. Não deveria ser complicado entender as motivações dele.

Com os pensamentos a quilômetros de distância — a uns vinte e cinco quilômetros, subindo a estrada para La Push —, comecei a vasculhar a geladeira, pegando ingredientes para o jantar de Charlie. Edward encostou-se à bancada e eu tinha a vaga sensação de que seus olhos fitavam meu rosto, mas estava preocupada demais para me importar com o que ele via.

A resposta me parecia estar na história da escola. Foi a única pergunta que Jake fez de fato. E queria uma resposta, ou não teria insistido tanto em incomodar Charlie.

Mas por que minha frequência escolar importaria para ele?

Tentei pensar com lógica. Assim, se eu *não* fosse à escola no dia seguinte, qual seria o problema, da perspectiva de Jacob? Charlie teria me dado uma bronca por faltar a um dia de aula tão perto das provas finais, mas eu o convenceria de que uma sexta-feira não atrapalharia meus estudos. Jake dificilmente se importaria com isso.

Meu cérebro se recusava a ter qualquer *insight* inteligente. Talvez me faltasse alguma informação essencial.

O que podia ter mudado nos últimos três dias de tão importante para Jacob interromper sua prolongada recusa a atender a meus telefonemas e entrar em contato comigo? Que diferença três dias podiam fazer?

Fiquei paralisada no meio da cozinha. A embalagem de hambúrguer congelado que eu segurava escorregou pelos dedos entorpecidos. Precisei de um demorado segundo para perceber que eu não ouvi o baque daquilo no chão.

Edward a pegara e jogara na bancada. Seus braços já estavam em volta de mim, os lábios em minha orelha.

— Qual é o problema?

Sacudi a cabeça, tonta.

Três dias podiam mudar tudo.

Eu não estivera justamente pensando em como a faculdade seria impossível? Como não poderia ficar em lugar nenhum perto de outras pessoas depois que passasse pelos dolorosos três dias da transformação que me libertaria da mortalidade e que me permitiria passar a eternidade com Edward? A transformação que me tornaria para sempre prisioneira de minha própria sede...

Charlie teria dito a Billy que fiquei fora por três dias? E Billy tirou conclusões precipitadas? Será que Jacob na verdade estava me perguntando se eu ainda era humana? Certificando-se de que o pacto com os lobisomens não fora quebrado — que nenhum dos Cullen tivera o atrevimento de morder uma humana... morder, e não matar...?

Mas, se fosse assim, ele pensava mesmo que eu voltaria para a casa de Charlie?

Edward me sacudiu.

— Bella? — perguntou ele, agora realmente angustiado.

— Acho... acho que ele estava sondando — murmurei. — Para ter certeza. Quer dizer, de que eu sou humana.

Edward enrijeceu e um silvo baixo soou em meu ouvido.

— Vamos ter que ir embora — sussurrei. — Antes. Para que o pacto não seja quebrado. Nem vamos poder voltar.

Os braços dele enrijeceram em minha cintura.

— Eu sei.

— Arrã. — Charlie deu um pigarro alto atrás de nós.

Dei um salto, depois me libertei dos braços de Edward, sentindo o rosto esquentar. Edward encostou-se à bancada. Os olhos estavam fixos. Eu podia ver preocupação neles, e raiva.

— Se não quiser fazer o jantar, posso pedir uma pizza — sugeriu Charlie.

— Não, está tudo bem, já comecei.

— O.k. — disse Charlie. Ele se encostou no batente da porta e cruzou os braços.

Eu suspirei e parti para o trabalho, tentando ignorar minha plateia.

— Se eu lhe pedisse para fazer algo, confiaria em mim? — perguntou Edward, com um traço de tensão na voz suave.

Estávamos quase na escola. Um minuto antes Edward estava relaxado e brincando, e então, de repente, suas mãos apertavam o volante, os nós dos dedos tensos do esforço para não fazê-lo em pedaços.

Fitei sua expressão ansiosa — os olhos estavam distantes, como se ele ouvisse vozes ao longe.

Minha pulsação acelerou em resposta ao estresse dele, mas respondi com cautela.

— Depende.

Entramos no estacionamento da escola.

— Temia que dissesse isso.

— O que deseja que eu faça, Edward?

— Quero que fique no carro. — Ele parou na vaga de sempre e desligou o motor. — Quero que espere aqui até eu voltar.

— Mas... *por quê?*

Foi quando eu o vi. Teria sido difícil não vê-lo, destacando-se tão mais alto que os alunos, mesmo que não estivesse encostado na moto preta, estacionada ilegalmente na calçada.

— Ah.

O rosto de Jacob era a máscara de calma que eu reconhecia. Era a expressão que ele assumia quando estava decidido a controlar as emoções, a manter a si mesmo sob controle. Deixava-o parecido com Sam, o mais velho dos lobos, o líder da alcateia quileute. Mas Jacob nunca conseguiria a serenidade perfeita que Sam transmitia.

Tinha me esquecido de como aquele rosto me perturbava. Embora tivesse conhecido melhor Sam antes da volta dos Cullen — e até gostasse dele —, nunca consegui me livrar completamente do ressentimento que sentia quando Jacob imitava sua expressão. Era o rosto de um estranho. Ele não era o meu Jacob quando usava a máscara.

— Chegou à conclusão errada ontem à noite — murmurou Edward. — Ele perguntou sobre a escola porque sabia que eu estaria onde você estivesse. Estava procurando um lugar seguro para falar comigo. Um lugar com testemunhas.

Então na noite anterior eu interpretara mal os motivos de Jacob. Falta de informação, era esse o problema, informação sobre por que diabos Jacob ia querer conversar com Edward.

— Não vou ficar no carro — falei.

Edward gemeu baixinho.

— Claro que não vai. Bem, vamos acabar com isso.

O rosto de Jacob enrijeceu enquanto nos aproximávamos dele de mãos dadas.

Percebi também outros rostos — os de meus colegas de escola. Notei que seus olhos se arregalaram ao ver o metro e noventa e cinco de altura de Jacob, o corpo musculoso que um rapaz normal de 16 anos jamais teria. Vi aqueles olhos esquadrinharem a camiseta preta e apertada — de manga curta, embora o dia estivesse frio para a estação —, o jeans rasgado e sujo e a moto preta e reluzente em que ele se encostava. Os olhos deles não se demoraram no rosto de Jacob — algo em sua expressão os fazia virar a cara rapidamente. E eu percebi o amplo espaço que todos lhe davam, a bolha que ninguém se atrevia a invadir.

Abismada, percebi que Jacob parecia *perigoso* para eles. Que estranho.

Edward parou a alguns metros de Jacob, e eu sabia que ele não estava à vontade vendo-me tão perto de um lobisomem. Ele recuou a mão com sutileza, puxando-me um pouco para trás de seu corpo.

— Podia ter ligado para nós — disse Edward numa voz de aço.

— Desculpe — respondeu Jacob, o rosto se retorcendo num esgar. — Eu não tinha nenhum sanguessuga na discagem rápida.

— Podia ter me achado na casa de Bella, é claro.

O queixo de Jacob se contraiu e as sobrancelhas se uniram. Ele não respondeu.

— Este não é o melhor lugar, Jacob. Podemos discutir isso mais tarde?

— Claro, claro. Vou passar na sua cripta depois da aula. — Jacob bufou. — Por que não agora?

Edward olhou sugestivamente em volta, os olhos parando nas testemunhas que quase podiam nos ouvir. Algumas pessoas hesitavam na calçada, o olhar brilhando de expectativa. Como se esperassem uma briga para aliviar o tédio de outra manhã de segunda-feira. Vi Tyler Crowley cutucar Austin Marks, e os dois pararam a caminho da aula.

— Já sei o que você veio dizer — lembrou Edward a Jacob, numa voz tão baixa que *eu* mal conseguia ouvir. — Recado dado. Considere-nos avisados.

Edward me olhou por um segundo fugaz com uma expressão preocupada.

— Avisados? — perguntei, sem entender. — Do que vocês estão falando?

— Não contou a ela? — perguntou Jacob, os olhos se arregalando de descrença. — O que foi, tem medo de que ela fique do nosso lado?

— Por favor, pare com isso, Jacob — disse Edward numa voz firme.

— Por quê? — desafiou-o Jacob.

Eu franzi a testa, confusa.

— Do que eu não sei, Edward?

Edward fitava Jacob como se não tivesse me ouvido.

— Jake?

Jacob ergueu as sobrancelhas para mim.

— Ele não contou que o... *irmão* mais velho dele passou dos limites no sábado à noite? — perguntou Jacob, o tom de voz repleto de sarcasmo. Depois seus olhos se voltaram para Edward. — Paul tinha todos os motivos para...

— Era uma terra de ninguém! — sibilou Edward.

— Não era!

Jacob estava visivelmente furioso. As mãos tremiam. Ele sacudiu a cabeça e respirou duas golfadas de ar.

— Emmett e Paul? — sussurrei. Paul era o membro mais volátil do bando de Jacob. Tinha sido ele quem perdera o controle naquele dia no bosque... De repente, a lembrança do lobo cinza que grunhia era nítida em minha mente. — O que aconteceu? Eles brigaram? — Minha voz ficou mais aguda de pânico. — Por quê? Paul se machucou?

— Ninguém lutou — disse Edward baixinho, só para mim. — Ninguém se feriu. Não fique ansiosa.

Jacob nos fitava com o olhar incrédulo.

— Não contou nada a ela, não é? Foi por isso que a levou para longe? Assim ela não saberia que...?

— Agora vá embora. — Edward o interrompeu no meio da frase, e seu rosto de repente era assustador... verdadeiramente assustador. Por um segundo, ele parecia... parecia um *vampiro*. Fuzilou Jacob com um ódio nítido e maligno nos olhos.

Jacob ergueu as sobrancelhas, mas não se mexeu.

— Por que não contou a ela?

Eles se encararam em silêncio por um longo tempo. Outros alunos se reuniam atrás de Tyler e Austin. Vi Mike ao lado de Ben — Mike com a mão no ombro do colega, como se o mantivesse ali.

No silêncio mortal, todos os detalhes de repente se encaixaram, numa explosão de intuição.

Havia algo que Edward não queria que eu soubesse.

Algo que Jacob não teria escondido de mim.

Algo que pôs tanto os Cullen quanto os lobos no bosque, movendo-se juntos numa proximidade perigosa.

Algo que levou Edward a insistir que eu atravessasse o país num avião.

Algo que Alice vira na semana anterior — uma visão sobre a qual Edward mentira para mim.

Algo que eu, de algum modo, esperava. Que eu sabia que aconteceria de novo, tanto quanto desejava que jamais acontecesse. Nunca teria um fim, teria?

Ouvi o arfar acelerado do ar se arrastando por meus lábios, mas não consegui reprimir. Parecia que a escola estava tremendo, como se houvesse um terremoto, mas eu sabia que era meu próprio tremor que provocava a ilusão.

— Ela voltou para me buscar — falei, com a voz embargada.

Victoria jamais desistiria, até que eu estivesse morta. Repetiria o mesmo padrão — dissimular e correr, dissimular e correr — até encontrar uma brecha por entre meus defensores.

Talvez eu tivesse sorte. Talvez os Volturi me encontrassem primeiro — pelo menos eles me matariam mais rápido.

Edward me segurou com firmeza ao lado dele, inclinando o corpo de modo a se colocar entre mim e Jacob, e afagou meu rosto com as mãos ansiosas.

— Está tudo bem — sussurrou ele. — Está tudo bem. Nunca vou deixar que ela chegue perto de você, está tudo bem.

Depois fuzilou Jacob com os olhos.

— Isso responde à sua pergunta, vira-lata?

— Não acha que Bella tem o direito de saber? — perguntou Jacob, em desafio. — É a vida dela.

Edward manteve a voz baixa; nem Tyler, que se aproximou um pouco, seria capaz de ouvir.

— Por que deveria assustá-la, se não correu perigo algum?

— Melhor assustada que enganada.

Tentei me recompor, mas meus olhos nadavam em umidade. Eu podia ver com as pálpebras cerradas — podia ver o rosto de Victoria, os dentes arreganhados, os olhos carmim cintilando com a obsessão da vingança. Ela considerava Edward responsável pela morte de seu amor, James. Só pararia quando o amor de Edward também fosse extirpado.

Edward limpou as lágrimas de meu rosto com a ponta dos dedos.

— Acha realmente que magoá-la é melhor do que protegê-la? — murmurou ele.

— Ela é mais forte do que você pensa — disse Jacob. — E já passou por situações piores.

De repente, a expressão de Jacob mudou, e ele encarava Edward com curiosidade, especulando. Seus olhos se estreitaram como se ele tentasse resolver mentalmente um complicado problema de matemática.

Senti Edward encolher. Olhei para ele e seu rosto estava retorcido no que só podia ser dor. Por um momento horrível lembrei-me de nossa tarde na Itália, na sala macabra da torre dos Volturi, onde Jane torturara Edward com seu dom maligno, fazendo-o arder só com o pensamento...

A lembrança me arrancou de minha quase histeria e colocou tudo em perspectiva. Porque eu preferia mil vezes que Victoria me matasse a ver Edward sofrer daquele jeito de novo.

— Que engraçado — disse Jacob, rindo enquanto olhava o rosto de Edward.

Edward estremeceu, mas, com algum esforço, relaxou a expressão. Mal conseguia esconder a agonia em seus olhos.

Eu olhei, vidrada, da careta de Edward para o esgar de Jacob.

— O que está fazendo com ele? — perguntei.

— Não é nada, Bella — disse-me Edward em voz baixa. — Jacob só tem boa memória, é apenas isso.

Jacob sorriu e Edward estremeceu de novo.

— Pare! Seja lá o que estiver fazendo.

— Claro, se é o que quer. — Jacob deu de ombros. — Mas se ele não gosta das minhas lembranças, a culpa é dele.

Eu o olhei com ferocidade, e ele sorriu timidamente — como uma criança fazendo algo que sabe que não devia, flagrada por alguém que sabe que não vai castigá-la.

— O diretor está vindo para cá a fim de desestimular a vadiagem na propriedade da escola — murmurou Edward para mim. — Vá para a aula de inglês, Bella, assim você não estará envolvida.

— Superprotetor, não é? — disse Jacob, dirigindo-se só a mim. — A vida fica mais divertida com uns probleminhas. Deixe-me adivinhar, você não tem permissão para se divertir, não é?

Edward fez cara feia e seus lábios recuaram um pouco sobre os dentes.

— Cale a boca, Jake — eu disse.

Jacob riu.

— Isso me parece um *não*. Olhe, se um dia tiver vontade de viver de novo, pode me procurar. Ainda tenho sua moto na garagem.

Essa novidade me desviou do ponto.

— Devia vendê-la. Você prometeu a Charlie que venderia. — Se eu não tivesse implorado em favor de Jacob, afinal, ele dedicara semanas de trabalho às duas motos e merecia algum tipo de recompensa, Charlie teria atirado minha moto em uma caçamba de lixo. E muito provavelmente ateado fogo nela.

— É, é verdade. Até parece que eu ia fazer isso. É sua, não minha. De qualquer forma, vou guardá-la até que a queira de volta.

De repente, uma pontinha do sorriso de que eu me lembrava brincou no canto de seus lábios.

— Jake...

Ele se inclinou para a frente, o rosto agora sincero, o sarcasmo amargurado desaparecendo.

— Acho que posso ter me enganado antes, sobre não podermos ser amigos. Talvez a gente possa contornar isso, do meu lado da fronteira. Venha me ver.

Eu estava nitidamente consciente de Edward, com os braços protetores ainda me envolvendo, imóvel feito uma pedra. Olhei depressa para seu rosto — era calmo e paciente.

— Eu, er, não sei não, Jake.

Jacob abandonou de vez a fachada hostil. Era como se tivesse esquecido que Edward estava ali, ou pelo menos estivesse decidido a agir dessa maneira.

— Sinto saudades suas todo dia, Bella. Não é o mesmo sem você.

— Eu sei, e lamento por isso, Jake, é só que eu...

Ele sacudiu a cabeça e suspirou.

— Eu sei. Não importa, não é? Acho que vou sobreviver. Quem precisa de amigos? — Ele fez uma careta, tentando encobrir a dor, tentando mostrar coragem, com pouco sucesso.

O sofrimento de Jacob sempre incitava meu lado protetor. Não era inteiramente racional — Jacob não precisava de nenhuma proteção física que eu pudesse oferecer. Mas meus braços, presos sob os de Edward, queriam alcançá-lo. Para envolver sua cintura grande e quente numa promessa silenciosa de aceitação e conforto.

Os braços protetores de Edward tinham se transformado em travas.

— Muito bem, para a aula — soou uma voz severa atrás de nós. — Andando, Sr. Crowley.

— Vá para a escola, Jake — sussurrei, ansiosa, assim que reconheci a voz do diretor. Jacob era aluno da escola quileute, mas ainda podia se meter em problemas por invasão de propriedade particular ou algo do tipo.

Edward me soltou, pegando apenas minha mão e me puxando de novo para trás dele.

O Sr. Greene abriu caminho pela roda de espectadores, as sobrancelhas unidas pesando acima de seus olhos pequenos como nuvens carregadas e agourentas.

— Eu falei sério — ele ameaçou. — Qualquer um que ainda estiver aqui quando eu voltar ficará na escola depois do horário.

A plateia se desfez antes que ele terminasse a frase.

— Ah, Sr. Cullen. Temos algum problema aqui?

— Nenhum, Sr. Greene. Estávamos justamente a caminho da aula.

— Ótimo. Acho que não reconheço seu amigo. — O Sr. Greene virou o olhar penetrante para Jacob. — É aluno novo daqui?

Os olhos do Sr. Greene examinaram Jacob, e eu pude ver que ele chegou à mesma conclusão de todos os outros: perigoso. Um encrenqueiro.

— Não — respondeu Jacob, com um meio sorriso nos lábios grossos.

— Então sugiro que se retire da propriedade da escola imediatamente, meu jovem, antes que eu chame a polícia.

O sorrisinho de Jacob se transformou num sorriso largo, e eu sabia que ele estava imaginando Charlie aparecendo para prendê-lo. O sorriso era amargo demais, carregado demais de zombaria para me satisfazer. Não era o sorriso que eu esperava ver.

— Sim, senhor — disse Jacob, e bateu continência enquanto subia na moto e dava a partida ali mesmo na calçada. O motor roncou e os pneus cantaram quando ele girou a moto com determinação. Em segundos, Jacob desapareceu de vista.

O Sr. Greene rangeu os dentes ao assistir à cena.

— Sr. Cullen, espero que peça a seu amigo para não invadir nossa propriedade de novo.

— Ele não é meu amigo, Sr. Greene, mas darei o recado.

O Sr. Greene franziu os lábios. As notas perfeitas e o histórico imaculado de Edward evidentemente tiveram importância na avaliação que o diretor fez do incidente.

— Entendo. Se estiver com algum problema, ficarei feliz em...

— Não há motivo para se preocupar, Sr. Greene. Não haverá problema algum.

— Espero que tenha razão. Bem, então. Para a aula. Você também, Srta. Swan.

Edward assentiu e me puxou depressa para o prédio de inglês.

— Está se sentindo bem para ir à aula? — sussurrou ele quando passamos pelo diretor.

— Sim — respondi também aos sussurros, sem ter certeza se era uma mentira.

Estar ou não me sentindo bem não era a consideração mais importante a fazer. Precisava falar com Edward naquele momento, e a aula de inglês não era o lugar ideal para a conversa que eu tinha em mente.

Mas com o Sr. Greene bem atrás de nós, não havia muitas alternativas.

Chegamos um pouco atrasados à sala de aula e nos sentamos a nossas carteiras rapidamente. O Sr. Berty recitava um poema de Frost. Ele ignorou nossa entrada, recusando-se a permitir que interrompêssemos seu ritmo.

Arranquei uma página em branco de meu caderno e comecei a escrever, a letra mais ilegível do que o normal, graças a minha agitação.

O que aconteceu? Conte-me tudo. E que se dane isso de me poupar, por favor.

Passei o bilhete a Edward. Ele suspirou, depois começou a escrever. Levou menos tempo do que eu, embora tenha escrito um parágrafo inteiro em sua peculiar caligrafia antes de deslizar o papel para mim.

Alice viu que Victoria estava voltando. Tirei você da cidade apenas por precaução — nunca houve a menor chance de ela se aproximar de você. Emmett e Jasper quase a pegaram, mas Victoria parece ter um instinto de evasão. Ela escapou para a fronteira quileute como se estivesse lendo um mapa. Para piorar, as habilidades de Alice foram anuladas pelo envolvimento dos quileutes. Para ser justo, os quileutes quase a pegaram também, se não tivéssemos atrapalhado. O cinzento grande pensou que Emmett tinha ultrapassado os limites e ficou na defensiva. É claro que Rosalie reagiu a isso e todos deixaram a caçada para proteger seus companheiros. Carlisle e Jasper conseguiram acalmar a situação antes que saísse de controle. Mas, a essa altura, Victoria tinha escapado. É só.

Franzi a testa para as letras no papel. Todos tinham estado envolvidos — Emmett, Jasper, Alice, Rosalie e Carlisle. Talvez até Esme, embora ele não a tivesse mencionado. E depois Paul e os outros quileutes. Podia muito bem ter se transformado numa luta, opondo minha futura família a meus velhos amigos. Qualquer um deles podia ter se ferido. Imaginei que os lobos corressem maior risco, mas só de imaginar a pequena Alice ao lado de um daqueles lobisomens imensos, *lutando*...

Estremeci.

Com cuidado, apaguei o parágrafo inteiro e escrevi no alto:

E Charlie? Ela podia ter ido atrás dele.

Edward sacudiu a cabeça antes que eu terminasse, obviamente menosprezando qualquer perigo para Charlie. Ele estendeu a mão, mas eu ignorei e recomecei.

Você não pode saber se ela não estava pensando nisso, porque não estava lá. A Flórida foi uma péssima ideia.

Ele puxou o papel da minha mão.

Eu não ia mandar você sozinha. Com sua sorte, nem a caixa-preta sobreviveria.

Não era o que eu queria dizer; não pensei em ir sem ele. Quis dizer que devíamos ter ficado ali juntos. Mas a resposta dele me distraiu e fiquei meio irritada. Como se eu não pudesse cruzar o país voando sem fazer com que o avião caísse. Muito engraçado.

Então, digamos que minha falta de sorte provocasse um acidente de avião. O que exatamente você ia fazer a respeito?

Qual o motivo do acidente?

Ele agora tentava esconder um sorriso.

Os pilotos desmaiaram de bêbados.

Fácil. Eu pilotaria o avião.

Claro. Franzi os lábios e tentei de novo.

Os dois motores explodiram e estamos caindo numa espiral mortal.

Eu esperaria até que chegássemos bem perto do chão, agarraria você, derrubaria a lateral e pularia. Depois levaria você correndo de volta à cena do acidente e ficaríamos cambaleando como os dois sobreviventes de maior sorte na história.

Eu o fitei sem dizer nada.

— Que foi? — ele sussurrou.

Sacudi a cabeça, pasma.

— Nada — murmurei.

Apaguei a conversa desconcertante e escrevi mais uma frase.

Você vai me contar da próxima vez.

Eu sabia que haveria uma próxima vez. O padrão continuaria até que alguém fosse derrotado.

Edward me fitou nos olhos por um bom tempo. Perguntei-me como estava meu rosto — parecia frio, então o sangue não tinha voltado a minhas bochechas. Minhas pálpebras ainda estavam molhadas.

Ele suspirou e assentiu uma vez.

Obrigada.

O papel desapareceu da minha mão. Olhei para cima, piscando de surpresa, assim que o Sr. Berty veio andando pelo corredor.

— Isso é algo que queria partilhar conosco, Sr. Cullen?

Edward olhou inocentemente e estendeu a folha de papel por cima da pasta.

— Minhas anotações? — perguntou ele, parecendo confuso.

O Sr. Berty olhou as anotações — sem dúvida uma transcrição perfeita da aula dele — e se afastou de testa franzida.

Mais tarde, na aula de cálculo — minha única aula sem Edward —, eu ouvi as fofocas.

— Aposto minha grana no índio grandalhão — dizia alguém.

Espiei e vi que Tyler, Mike, Austin e Ben estavam com a cabeça inclinada para a frente, imersos numa conversa.

— É — sussurrou Mike. — Você viu o *tamanho* daquele cara, o Jacob? Acho que ele podia acabar com o Cullen. — Mike parecia satisfeito com a ideia.

— Acho que não — discordou Ben. — Tem alguma coisa no Edward. Ele é sempre tão... confiante. Tenho a sensação de que ele sabe se defender.

— Estou com o Ben — concordou Tyler. — Além disso, se o outro cara se metesse com Edward, você sabe que os irmãos mais velhos dele acabariam se envolvendo.

— Tem ido a La Push ultimamente? — perguntou Mike. — Lauren e eu fomos à praia há algumas semanas, e, pode acreditar, os amigos de Jacob são tão grandes quanto ele.

— Hmmm — disse Tyler. — Que pena que não deu em nada. Acho que nunca vamos saber o que aconteceria.

— Para mim, não parece que acabou — disse Austin. — Talvez a gente ainda veja.

Mike sorriu.

— Alguém aí topa uma aposta?

— Dez no Jacob — disse Austin na mesma hora.

— Dez no Cullen — intrometeu-se Tyler.

— Dez no Edward — concordou Ben.

— Jacob — disse Mike.

— Ei, sabem o motivo daquilo tudo? — perguntou Austin. — Isso pode afetar as probabilidades.

— Posso imaginar — disse Mike, depois olhou rapidamente para mim, ao mesmo tempo em que Ben e Tyler.

Pela expressão, nenhum deles percebeu que eu podia ouvir. Logo todos desviaram os olhos, remexendo nos papéis em suas carteiras.

— Ainda assim, fico com Jacob — murmurou Mike.

4. NATUREZA

MINHA SEMANA FOI PÉSSIMA.

Eu sabia que, essencialmente, nada havia mudado. Tudo bem, então Victoria não tinha desistido, mas teria eu sonhado só por um momento que ela desistiria? Seu reaparecimento só confirmou o que eu já sabia. Não havia motivo para novo pânico.

Em tese. Era mais fácil falar em não entrar em pânico do que não entrar de fato.

A formatura aconteceria dali a apenas algumas semanas, mas eu me perguntava se não era meio tolo ficar sentada, frágil e saborosa, esperando pelo desastre seguinte. Parecia perigoso demais ser humana — era procurar por problemas. Alguém como eu não deveria *ser* humana. Alguém com minha sorte deveria ser um pouco menos indefesa.

Mas ninguém ia me ouvir.

Carlisle dissera: "Nós somos sete, Bella. E tendo Alice do nosso lado, não penso que Victoria vá nos pegar desprevenidos. Para o bem de Charlie, acho importante mantermos o plano original."

Esme dissera: "Nunca permitiríamos que algo lhe acontecesse, querida. Sabe disso. Por favor, não fique ansiosa." E depois me dera um beijo na testa.

Emmett dissera: "Fico muito feliz por Edward não ter matado você. Tudo fica muito mais divertido com você por perto."

Rosalie o fuzilara com os olhos.

Alice tinha revirado os olhos e dito: "Estou ofendida. Não está sinceramente *preocupada* com isso, está?"

Se não era tão importante, então por que Edward me arrastou para a Flórida, eu quis saber.

"Ainda não percebeu, Bella, que Edward é um pouquinho dado a reações exageradas?"

Jasper eliminou todo o pânico e a tensão em meu corpo com seu curioso talento para controlar atmosferas emocionais. Eu me senti tranquilizada e deixei que eles me dissuadissem do pedido desesperado.

É claro que essa calma se esvaiu assim que Edward e eu saímos da sala.

Então, era consenso que eu devia esquecer a vampira louca que me perseguia, decidida a me matar. Devia cuidar de minha vida.

Eu tentei. E surpreendentemente *havia mesmo* outros assuntos quase igualmente estressantes além de meu *status* de espécie ameaçada de extinção...

Porque a resposta de Edward tinha sido a mais frustrante de todas.

"Isso é assunto seu com Carlisle", dissera. "É claro que você sabe que estou disposto a fazer, só nós dois, na hora que você quiser. Sabe de minhas condições." E dera um sorriso angelical.

Urgh. Eu sabia das condições dele. Edward prometera que me transformaria quando eu quisesse... Desde que primeiro eu me *casasse* com ele.

Às vezes me perguntava se ele não estava apenas fingindo que não podia ler meus pensamentos. Por que mais ele se agarraria à única condição que eu teria dificuldade de aceitar? A única condição que me fazia ir mais devagar.

No todo, uma semana muito ruim. E aquele era o pior dia.

O dia era sempre ruim quando Edward estava ausente. Alice não previra nada de extraordinário naquele fim de semana, então insisti que ele aproveitasse a oportunidade para ir caçar com os irmãos. Sabia como o entediava caçar as presas próximas e fáceis.

— Vá se divertir — disse a ele. — Pegue uns leões da montanha por mim.

Eu jamais admitiria para Edward como era difícil para mim quando ele partia — como aquilo me levava de volta aos pesadelos de abandono. Se ele soubesse, se sentiria péssimo e teria medo de me deixar sozinha, mesmo pelos motivos mais necessários. Foi assim no início, logo que ele voltou da Itália. Seus olhos dourados ficaram escuros e ele sofreu com a sede mais do que necessariamente já sofria. Então eu fazia cara de corajosa e quase o chutava porta afora quando Emmett e Jasper queriam partir.

Mas acho que, de certa forma, ele percebeu isso. Um pouco. Naquela manhã havia um bilhete em meu travesseiro:

Voltarei tão rápido que você não terá tempo de sentir minha falta. Cuide de meu coração — ele ficou com você.

Desse modo, eu tinha então um grande sábado vazio sem qualquer atividade para me distrair a não ser o turno da manhã na Newton's Olympic Outfitters. E, é claro, a promessa "Ah, que reconfortante!" de Alice.

"Caçarei perto de casa. Estarei a apenas quinze minutos de distância, se precisar de mim. Vou ficar de olho em problemas."

Tradução: não tente alguma gracinha só porque Edward não está aqui.

Alice, com certeza, era tão capaz de estropiar minha picape quanto Edward.

Tentei ver o lado positivo daquilo. Depois do trabalho, pretendia ajudar Angela com os convites, o que seria uma distração. E Charlie estava de excelente humor devido à ausência de Edward, então eu podia muito bem aproveitar isso enquanto durasse. Alice passaria a noite comigo, se eu fosse bastante patética para pedir a ela. Depois, no dia seguinte, Edward estaria de volta. Eu sobreviveria.

Sem querer chegar ridiculamente cedo ao trabalho, tomei meu café da manhã devagar, um Cheerio de cada vez. Depois, quando os pratos estavam lavados, arrumei os ímãs da geladeira numa fila perfeita. Talvez eu estivesse desenvolvendo TOC.

Os últimos dois ímãs — os redondos e pretos, que eram meus preferidos porque podiam segurar dez folhas de papel na geladeira sem dificuldade — não queriam cooperar com minha fixação. Tinham polaridade invertida; sempre que eu tentava alinhar o último para cima, o outro saía do lugar.

Por algum motivo — mania iminente, talvez — isso me irritou muito. Por que eles não se comportavam? Com uma teimosia idiota, continuava a juntá-los como se esperasse que de repente desistissem. Eu podia ter virado um deles, mas seria como uma derrota. Por fim, mais zangada comigo mesma do que com os ímãs, eu os tirei da geladeira e os uni com as duas mãos. Foi preciso algum esforço — eles eram bastante fortes para comprar a briga —, mas eu os obriguei a coexistir lado a lado.

— Estão vendo? — disse em voz alta; falar com objetos inanimados nunca era um bom sinal. — Não é tão terrível assim, é?

Fiquei ali feito uma pateta por um segundo, sem conseguir admitir que não obtinha nenhum efeito duradouro contra os princípios científicos. Depois, com um suspiro, devolvi os ímãs à geladeira, a trinta centímetros de distância.

— Não precisam ser tão inflexíveis — murmurei.

Ainda era cedo demais, mas concluí que era melhor sair de casa antes que os objetos inanimados começassem a me responder.

Quando cheguei à Newton's, Mike estava passando um pano seco nos corredores, de modo metódico, enquanto a mãe arrumava um novo mostruário de balcão. Peguei-os no meio de uma discussão, alheios à minha chegada.

— Mas é a única oportunidade em que o Tyler pode ir — reclamava Mike. — Você disse que depois da formatura...

— Vai ter que esperar — rebateu a Sra. Newton. — Você e Tyler podem pensar em algo diferente para fazer. Não vão a Seattle antes que a polícia resolva o que anda acontecendo por lá. Sei que Bet Crowley disse o mesmo ao Tyler, então não aja como se eu fosse a vilã da história... Ah, bom dia, Bella — disse ela quando me viu, acalmando depressa o tom de voz. — Chegou cedo.

Karen Newton era a última pessoa a quem eu pediria informação em uma loja de equipamento para esportes ao ar livre. Seu cabelo louro com luzes perfeitas estava sempre arrumado num coque elegante, na nuca, as unhas das mãos eram feitas por profissionais, assim como as dos pés — à mostra nas sandálias de salto alto que não pareciam com nada que a Newton's oferecia na fila comprida de botas de alpinismo.

— Não tinha trânsito — brinquei enquanto pegava meu horroroso colete laranja fluorescente debaixo do balcão. Fiquei surpresa que a Sra. Newton estivesse tão agitada com aquela história de Seattle quanto Charlie. Achava que ele tinha exagerado.

— Bom, er... — A Sra. Newton hesitou por um momento, mexendo pouco à vontade numa pilha de folhetos que arrumava perto da caixa registradora.

Parei com um braço no colete. Eu conhecia aquele olhar.

Quando comuniquei aos Newton que não trabalharia ali no verão — abandonando-os na temporada mais movimentada, na verdade —, eles começaram a treinar Katie Marshall para o meu lugar. Não podiam colocar nós duas na folha de pagamento ao mesmo tempo, então, quando parecia que o dia seria de pouco movimento...

— Eu ia telefonar — continuou a Sra. Newton. — Não estamos esperando uma tonelada de vendas para hoje. Mike e eu podemos cuidar de tudo. Desculpe por você ter acordado e vindo para cá...

Em um dia normal, eu ficaria em êxtase com essa reviravolta nos acontecimentos. Hoje... nem tanto.

— Tudo bem — suspirei. Meus ombros arriaram. O que faria agora?

— Isso não é justo, mãe — disse Mike. — Se a Bella quer trabalhar...

— Não, está tudo bem, Sra. Newton. É verdade, Mike. Tenho que estudar para as provas finais e tal... — Não queria ser o motivo da discórdia familiar quando eles já estavam discutindo.

— Obrigada, Bella. Mike, você pulou o corredor 4. Hmmm, Bella, importa-se de atirar esses folhetos na lixeira quando sair? Eu disse à garota que os deixou aqui que ia colocar no balcão, mas não tenho tanto espaço.

— Claro, tudo bem. — Tirei meu colete, depois enfiei os folhetos debaixo do braço e fui para a chuva nevoenta.

A lixeira ficava ao lado da Newton's, perto de onde os empregados deviam estacionar. Eu me arrastei para lá, chutando o cascalho com raiva. Estava prestes a atirar a pilha de papel amarelo vivo na lixeira quando a chamada impressa em negrito atraiu minha atenção. Uma palavra, em particular.

Segurei os papéis com as duas mãos e fitei a foto embaixo da legenda. Senti um nó na garganta.

SALVEM OS LOBOS DE OLYMPIC

Abaixo das palavras havia um desenho detalhado de um lobo diante de um abeto, a cabeça lançada para trás, uivando para a lua. Era uma imagem desconcertante; algo na postura melancólica do lobo o fazia parecer aflito. Como se estivesse uivando de tristeza.

E depois eu estava correndo para minha picape, minhas mãos ainda segurando os folhetos.

Quinze minutos — era tudo o que eu tinha. Mas devia ser tempo suficiente. Eram só quinze minutos até La Push e, certamente, eu cruzaria a fronteira do tratado alguns minutos antes de chegar à cidade.

Minha picape roncou sem dificuldade alguma.

Alice não podia ter me visto fazendo isso, porque eu não planejei. Uma decisão repentina, a chave era essa! E se eu fosse bem rápida, conseguiria tirar proveito disso.

Na pressa, atirei de qualquer jeito os folhetos úmidos, e eles se espalharam numa bagunça de cores vivas no banco do carona — cem chamadas em negrito, cem lobos escuros delineados no fundo amarelo, uivando.

Desci sem controle a estrada molhada, com os limpadores de para-brisa ligados no máximo e ignorando o gemido do motor antigo. Noventa por hora era o máximo que eu podia arrancar de meu carro, e rezei para que fosse suficiente.

Não tinha ideia de onde ficava a fronteira, mas comecei a me sentir mais segura quando passei pelas primeiras casas nos arredores de La Push. Deviam ficar além de onde Alice tinha permissão para me seguir.

Ligaria para ela quando estivesse na casa de Angela naquela tarde, raciocinei, assim ela saberia que eu estava bem. Não havia motivo para ela se preocupar. Alice não precisava ficar chateada comigo — Edward ficaria com raiva suficiente pelos dois quando voltasse.

Minha picape, definitivamente, estava "ofegando" quando parei diante da familiar casa vermelha e desbotada. O nó na garganta voltou quando olhei a casinha que no passado era meu refúgio. Passara-se muito tempo desde que eu estivera ali.

Antes mesmo que eu desligasse o motor, Jacob estava parado na porta da casa, a expressão perplexa.

No silêncio súbito quando o motor do carro parou, eu o ouvi arfar.

— Bella?

— Oi, Jake!

— Bella! — ele gritou, e o sorriso que eu esperava se espalhou por seu rosto como o sol rompendo as nuvens. Seus dentes cintilaram na pele avermelhada. — Nem acredito nisso!

Ele correu para a picape e meio que me arrancou pela porta aberta; depois nós dois ficamos pulando feito crianças.

— Como conseguiu chegar aqui?

— Eu fugi!

— Incrível!

— Oi, Bella! — Billy tinha chegado na soleira da porta para ver o motivo de tanta comoção.

— Oi, Bil...!

Nesse momento fiquei sem ar — Jacob me pegou num abraço de urso tão apertado que não consegui respirar, e me girou num círculo.

— Puxa, é bom ver você aqui!

— Não consigo... respirar — ofeguei.

Ele riu e me colocou no chão.

— Bem-vinda de volta, Bella — disse ele, sorrindo. E pelo modo como falou isso, parecia ter dito *bem-vinda ao lar*.

Fomos caminhar, agitados demais para ficar sentados na casa. Jacob praticamente quicava, e por várias vezes tive de lembrá-lo de que eu não tinha pernas de três metros.

Enquanto andávamos, senti que me ajustava a outra versão de mim mesma, a Bella que eu era com Jacob. Um pouco mais nova, um pouco menos responsável. Alguém que, de vez em quando, podia fazer algo realmente idiota, sem ter nenhum bom motivo.

Nossa animação durou ao longo dos primeiros assuntos: como estávamos passando, o que estávamos fazendo, quanto tempo eu tinha e o que me levara ali. Quando, hesitante, contei-lhe sobre o folheto do lobo, seu riso aos urros ecoou nas árvores.

Mas, enquanto passávamos pelos fundos do armazém e pelo denso arbusto que contornava a extremidade mais distante da First Beach, chegamos às partes difíceis. Logo estávamos falando dos motivos por trás de nossa longa separação, e eu vi o rosto de meu amigo enrijecer na máscara de amargura que já me era tão familiar.

— Então, qual é a história? — perguntou-me Jacob, chutando com força exagerada um pedaço de madeira do caminho, que viajou pela areia e se espatifou nas pedras. — Quer dizer, desde a última vez que a gente... Bom, antes, você sabe... — Ele lutava com as palavras. Respirou fundo e tentou de novo: — O que estou perguntando é... está tudo como era antes de *ele* ir embora? Você o perdoou por tudo aquilo?

Respirei fundo.

— Não havia nada para perdoar.

Queria pular essa parte, as traições, as acusações, mas eu sabia que tinha de falar nelas antes de conseguirmos passar para qualquer outro assunto.

A cara de Jacob se franziu como se ele tivesse lambido limão.

— Queria que Sam tivesse tirado uma foto quando a encontrou naquela noite em setembro passado. Seria a prova A.

— Ninguém está sendo julgado.

— Talvez alguém devesse.

— Nem mesmo você o culparia por ter ido embora, se soubesse dos motivos.

Ele me olhou com severidade por alguns segundos.

— Tudo bem — desafiou ele, ácido. — Surpreenda-me.

Sua hostilidade estava me cansando, esfolando a ferida; doía vê-lo com raiva de mim. Lembrou-me da tarde melancólica, muito tempo antes, quando — sob ordens de Sam — ele me disse que não poderíamos ser amigos. Precisei de um segundo para me recompor.

— Edward me deixou no outono passado porque não achava que eu devesse andar com vampiros. Pensou que seria mais saudável para mim se ele fosse embora.

Jacob reagiu com surpresa. Precisou lutar por um minuto. O que quer que pretendesse dizer, claramente não era mais válido. Fiquei feliz por ele não saber o catalisador por trás da decisão de Edward. Mal podia imaginar o que ele pensaria se soubesse que Jasper tentara me matar.

— Mas ele voltou, não foi? — murmurou Jacob. — Que pena que não tenha se prendido à decisão que tomou.

— Se você se lembra, *eu* fui *buscá-lo*.

Jacob me fitou por um momento, depois recuou. Sua expressão relaxou e a voz agora era mais calma.

— É verdade. E eu nunca entendi a história. O que aconteceu?

Eu hesitei, mordendo o lábio.

— É um segredo? — A voz dele assumiu um tom de zombaria. — Não tem permissão para me contar?

— Não — rebati. — Só que é uma longa história.

Jacob sorriu, arrogante, e voltou a andar pela praia, esperando que eu o seguisse.

Não seria divertido ficar com Jacob se ele ia agir daquela maneira. Andei atrás dele automaticamente, sem ter certeza se devia dar a volta e ir embora. Contudo, eu teria de encarar Alice quando chegasse em casa... Acho que não tinha pressa alguma.

Jacob andou até um tronco imenso e familiar — uma árvore inteira, com raízes e tudo, esbranquiçada e enterrada na areia; era, de certa forma, a *nossa* árvore.

Sentou-se no banco natural e deu um tapinha no espaço ao lado dele.

— Não ligo para longas histórias. Tem alguma ação?

Revirei os olhos enquanto me sentava.

— Tem um pouco — concordei.

— Não seria uma história de terror de verdade se não tivesse.

— Terror! — ridicularizei. — Vai me ouvir ou vai ficar interrompendo com comentários grosseiros sobre meus amigos?

Ele fingiu trancar os lábios e atirar a chave invisível por sobre o ombro. Procurei não sorrir, sem sucesso.

— Vou ter que começar por onde você já sabe — decidi, tentando organizar as histórias em minha mente antes de iniciar.

Jacob ergueu a mão.

— Pode falar.

— Que bom — disse ele. — Não entendi bem o que aconteceu na época.

— Bom, a história vai se complicando, então preste atenção. Sabia que Alice *vê* coisas?

Considerei sua carranca um sim — os lobos não ficavam animados com a veracidade das lendas de vampiros com dons sobrenaturais — e continuei com o relato de minha corrida pela Itália para resgatar Edward.

Fui o mais sucinta possível — deixei de fora qualquer parte que não fosse essencial. Tentei interpretar as reações de Jacob, mas seu rosto estava enigmático enquanto me ouvia explicar como Alice tinha visto Edward planejando se matar ao saber que eu estava morta. Às vezes, Jacob parecia tão imerso em pensamentos que eu não tinha certeza se estava ouvindo. Ele só me interrompeu uma vez.

— A vampira adivinha não pode nos ver? — arguiu, o rosto ao mesmo tempo feroz e alegre. — É sério? Mas isso é *ótimo*!

Trinquei os dentes e ficamos sentados em silêncio, a expressão dele cheia de expectativa, esperando que eu continuasse. Olhei-o com firmeza até que ele percebeu o erro que tinha cometido.

— Epa! — falou. — Desculpe. — E trancou os lábios de novo.

Foi mais fácil entender sua reação quando eu cheguei à parte sobre os Volturi. Seus dentes se cerraram, arrepios surgiram em seus braços e as narinas inflaram. Não entrei em detalhes, só contei que Edward havia nos tirado de problemas, sem revelar as promessas que tivemos de fazer ou a visita que estávamos prevendo. Jacob não precisava ter meus pesadelos.

— Agora você sabe da história toda — concluí. — Então é sua vez de falar. O que aconteceu enquanto eu estava com minha mãe neste fim de semana? — Eu sabia que Jacob me daria mais detalhes do que Edward. Ele não tinha medo de me assustar.

Jacob se inclinou para a frente, animado de imediato.

— Embry, Quil e eu estávamos patrulhando no sábado à noite, só rotina, quando, saindo do nada... bam! — Ele lançou os braços para a frente, imitando uma explosão. — Havia... um rastro fresco, de menos de quinze minutos. Sam queria que esperássemos por ele, mas eu não sabia que você tinha viajado e não sabia se seus sanguessugas estavam ou não cuidando de você. Então fomos atrás dela a toda, mas ela atravessou a fronteira do tratado antes que a alcançássemos. Nós nos espalhamos pela fronteira, na esperança de que ela a cruzasse de novo. Quer saber? Foi frustrante. — Ele sacudiu a cabeça, e o cabelo, crescido depois do corte à escovinha que adotou quando se juntou à alcateia, voou em seus olhos. — Acabamos muito ao sul. Os Cullen a perseguiram até nosso lado, alguns quilômetros ao norte de nós. Teríamos a emboscada perfeita se soubéssemos onde esperar.

Ele sacudiu a cabeça, agora sorrindo.

— Foi aí que ficou arriscado. Sam e os outros a alcançaram antes de nós, mas ela estava dançando pela fronteira e todo o bando estava bem ali do outro lado. O grandão, sei lá como se chama...

— Emmett.

— É, esse aí, ele se lançou para ela, mas aquela ruiva é rápida! Ele voou bem atrás dela e quase foi de encontro a Paul. Então Paul... bem, você conhece Paul.

— Conheço.

— Perdeu o foco. Eu não poderia culpá-lo... O vampiro grandão estava bem em cima dele. Ele saltou... Ei, não me olhe desse jeito. O vampiro estava nas nossas terras.

Tentei recompor minha expressão para ele continuar. Minhas unhas cavavam a palma das mãos com o estresse da história, embora eu soubesse que tudo acabara bem.

— Mas, então, Paul errou e o grandão voltou para o lado dele. Aí, er, bom, a, hmmm, loura... — A expressão de Jacob era uma mistura cômica de nojo e de admiração involuntária enquanto tentava encontrar uma palavra que descrevesse a irmã de Edward.

— Rosalie.

— Essa aí. Ela resolveu realmente defender o território, então Sam e eu voltamos para flanquear Paul. Depois o líder deles e o outro louro...

— Carlisle e Jasper.

Ele me olhou, exasperado.

— Sabe que não me interessa. Mas aí *Carlisle* falou com Sam, tentando acalmar a situação. Depois foi estranho, porque todo mundo ficou calmo muito rápido. Foi aquele outro de quem você me falou, bagunçando a cabeça da gente. Embora soubéssemos o que ele estava fazendo, não conseguimos *não* nos acalmar.

— Sim, sei como é.

— É bem irritante, isso sim. Só que você só consegue ficar irritado depois. — Ele sacudiu a cabeça com raiva. — Então Sam e o vampiro-chefe concordaram que Victoria era a prioridade, e partirmos atrás dela de novo. Carlisle nos deu o rumo dela, assim poderíamos rastrear o cheiro, mas depois ela subiu os penhascos ao norte de Makah, onde a fronteira contorna a costa por alguns quilômetros. Ela entrou na água de novo. O grandão e o calmo queriam permissão para atravessar a fronteira e ir atrás dela, mas é claro que não demos.

— Que bom. Quer dizer, vocês estavam sendo idiotas, mas fico feliz. Emmett nunca tem muita cautela. Ele podia ter se machucado.

Jacob bufou.

— Então seu vampiro contou que nós atacamos sem motivo nenhum e que o bando totalmente inocente dele...

— Não — interrompi. — Edward me contou a mesma história, só que não entrou em tantos detalhes.

— Sei — disse Jacob a meia voz e se inclinou para pegar uma pedra entre os milhões de seixos a nossos pés. Com um peteleco despreocupado, ele a fez voar a uns cem metros na baía. — Bem, acho que ela vai voltar. Vamos ter outra chance de nos livrar dela.

Eu estremeci. É claro que ela voltaria. Edward iria mesmo me contar da próxima vez? Eu não tinha certeza. Precisava ficar de olho em Alice, procurar por sinais de que o padrão ia se repetir...

Jacob não pareceu perceber minha reação. Fitava as ondas com a expressão pensativa, os lábios grossos franzidos.

— Em que está pensando? — perguntei depois de um longo período de silêncio.

— Estou pensando no que me disse. Sobre quando a adivinha viu você pulando do penhasco e pensou que tivesse cometido suicídio, e como tudo saiu de controle... Não vê que se você tivesse esperado por mim, como eu lhe disse para fazer, então a vamp... *Alice* não teria conseguido ver você saltando? Nada teria mudado. Provavelmente estaríamos na minha garagem agora, como nos outros sábados. Não haveria nenhum vampiro em Forks, e você e eu... — ele se interrompeu, imerso em pensamentos.

Fiquei desconcertada com o modo como ele disse aquilo, como se fosse bom não ter vampiros em Forks. Meu coração martelava descompassado com o vazio do quadro que ele pintava.

— Edward teria voltado, de qualquer modo.

— Tem certeza disso? — perguntou ele, agressivo de novo assim que pronunciei o nome de Edward.

— A separação... não foi tão boa para nenhum de nós dois.

Ele começou a dizer alguma coisa, algo colérico, pela expressão que tinha, mas se interrompeu, respirou e recomeçou.

— Sabia que Sam está chateado com você?

— Comigo? — Precisei de um segundo. — Ah. Entendi. Ele acha que eles teriam ficado longe se eu não estivesse aqui.

— Não. Não é por isso.

— Então, qual é o problema?

Jacob se inclinou para pegar outra pedra. Revirou-a nos dedos; seus olhos estavam fixos na pedra preta enquanto ele falava em voz baixa.

— Quando Sam viu... como você estava no início, quando Billy disse a eles que Charlie se preocupava por você não melhorar, e depois quando você começou a pular de penhascos...

Fiz uma careta. Ninguém ia me deixar esquecer aquilo.

Os olhos de Jacob faiscaram nos meus.

— Sam pensou que você fosse a única pessoa no mundo com motivos suficientes para odiar os Cullen como ele odeia. Ele se sentiu um pouco... traído por você ter deixado que eles voltassem para sua vida, como se nunca a tivessem magoado.

Não acreditei nem por um segundo que Sam fosse o único a sentir aquilo. E a acidez em minha voz agora era para os dois.

— Pode dizer a Sam para ir à...

— Olhe isso — Jacob me interrompeu, apontando uma águia mergulhando no mar de uma altura incrível. Ela se retraiu no último minuto, somente as garras rompendo a superfície das ondas, só por um instante. Depois voou, as asas lutando contra a resistência do peixe imenso que tinha fisgado.

— A gente vê isso em toda parte — disse Jacob, a voz de repente distante. — A natureza seguindo seu curso... predador e presa, o ciclo interminável de vida e morte.

Não entendi aonde ele queria chegar com a aula sobre a natureza; imaginei que só estivesse tentando mudar de assunto. Mas depois ele me fitou com humor negro nos olhos.

— E, no entanto, você não vê o peixe tentando dar um beijo na águia. Nunca se vê *isso*. — Ele deu um sorriso debochado.

Sorri também, rígida, embora o gosto ácido ainda estivesse em minha boca.

— Talvez o peixe esteja tentando — sugeri. — É difícil saber o que um peixe pensa. As águias são aves bonitas, sabe disso.

— Então tudo se resume a isso? — A voz dele de repente era mais severa. — Beleza?

— Não seja idiota, Jacob.

— Então é o dinheiro? — insistiu ele.

— Mas que gentil — murmurei, levantando-me do tronco. — Estou lisonjeada que pense tão bem de mim. — Dei as costas para ele e me afastei.

— Ei, não fique chateada. — Ele estava bem a meu lado; pegou-me pelo pulso e me girou. — Estou falando sério! Estou tentando entender isso e não chego a nada.

Suas sobrancelhas se uniram de raiva, os olhos estavam negros em traços fundos.

— Eu o *amo*. Não porque ele é bonito ou porque é *rico*! — Cuspi a palavra para Jacob. — Preferia que não fosse nem uma coisa nem outra. Assim o abismo entre nós seria um pouquinho menor... Porque ele ainda seria a pessoa mais adorável, altruísta, inteligente e *decente* que já conheci. É evidente que eu o amo. É tão difícil entender isso?

— É impossível entender.

— Então me explique, por favor, Jacob. — Destilei todo o meu sarcasmo. — O que *é* um motivo válido para alguém amar uma pessoa? Já que, ao que parece, estou fazendo isso errado.

— Acho que o melhor ponto de partida seria procurar em sua própria espécie. Em geral funciona.

— Mas que chato! — rebati. — Acho que só me resta Mike Newton, no final das contas.

Jacob vacilou e mordeu o lábio. Eu podia ver que minhas palavras o tinham magoado, mas estava enfurecida demais para me sentir mal com isso. Ele largou meu pulso e cruzou os braços, dando-me as costas e olhando o mar.

— Eu sou humano — murmurou, a voz quase inaudível.

— Não é tão humano quanto Mike — continuei, sem piedade. — Ainda acha que essa é a questão mais importante?

— Não é comparável. — Jacob não desviava os olhos das ondas cinzentas. — Não escolhi isso.

Dei uma risada, incrédula.

— Acha que Edward escolheu? Nem sabia o que estava acontecendo, não mais do que você. Ele não procurou exatamente por isso.

Jacob sacudia a cabeça com um movimento rápido e curto.

— Quer saber, Jacob, você é pavorosamente hipócrita... considerando que é um lobisomem e tudo.

— Não é a mesma coisa — repetiu Jacob, fechando a cara para mim.

— Não entendo por quê. Você podia ser um *pouco* mais compreensivo com os Cullen. Não faz ideia de como eles são verdadeiramente bons... no fundo, Jacob.

Ele fechou ainda mais a carranca.

— Eles não deviam existir. A existência deles contraria a natureza.

Eu o fitei por um longo momento com uma sobrancelha erguida, sem acreditar. Levou algum tempo para que ele percebesse.

— Que foi?

— Por falar no que não é natural... — sugeri.

— Bella — disse ele, a voz vagarosa e diferente. Envelhecido. Percebi que ele, de repente, parecia mais velho que eu, como um pai ou um professor. — O que eu sou nasceu comigo. Faz parte de mim, de quem é minha família, de quem todos somos como tribo... É o motivo para ainda estarmos aqui. — Olhou para mim, os olhos negros indecifráveis. — Além disso, *ainda* sou humano.

Ele pegou minha mão e a apertou no peito febril. Pela camiseta, pude sentir o batimento constante de seu coração sob minha palma.

— Seres humanos normais não podem restaurar motocicletas como você pode.

Ele deu um meio sorriso fraco.

— Seres humanos normais fogem de monstros, Bella. E eu nunca afirmei ser normal. Só humano.

Era esforço demais ficar com raiva de Jacob. Comecei a sorrir enquanto tirava a mão de seu peito.

— Você me parece muito humano — concedi. — Neste momento.

— Eu me sinto humano. — Ele olhou para além de mim, o rosto distante. O lábio inferior tremeu e ele o mordeu com força.

— Ah, Jake — sussurrei, pegando a mão dele.

Era por isso que eu estava ali. Era por isso que ia enfrentar qualquer tipo de recepção que me esperasse na volta. Porque, por baixo de toda raiva e sarcasmo, Jacob sofria. Naquele momento, isso estava muito claro em seus olhos. Eu não sabia como ajudá-lo, mas sabia que precisava tentar. Não apenas porque devia isso a ele. Era porque sua dor doía também em mim. Jacob se tornara parte de mim, e agora não havia como mudar isso.

5. IMPRINTING

— Você está bem, Jake? Charlie disse que estava passando por dificuldades... Não melhorou nada?

Sua mão quente enroscou-se na minha.

— Não está tão ruim — disse ele, mas não me olhou nos olhos.

Ele andou devagar de volta ao tronco, fitando os seixos cor de arco-íris e me arrastando a seu lado. Sentei-me em nossa árvore, mas ele preferiu se sentar no solo rochoso e molhado, e não comigo. Imaginei se era para esconder seu rosto mais facilmente. Ele segurava minha mão.

Comecei a tagarelar para preencher o silêncio.

— Faz tanto tempo desde que estive aqui. Devo ter perdido uma tonelada de acontecimentos. Como estão Sam e Emily? E Embry? Quil já...?

Interrompi a frase no meio, lembrando-me de que o amigo de Jacob, Quil, era um tema delicado.

— Ah, Quil — Jacob suspirou.

Então devia ter acontecido — Quil devia ter se unido ao grupo.

— Eu lamento — murmurei.

Para minha surpresa, Jacob bufou.

— Não diga isso a *ele*.

— Como assim?

— Quil não está precisando de pena. É justamente o contrário... Ele está vibrando. Todo animado.

Aquilo não fazia sentido para mim. Todos os outros lobos estavam tão deprimidos com a ideia de o amigo compartilhar seu destino.

— Hein?

Jacob tombou a cabeça para trás para me olhar. Sorriu e revirou os olhos.

— Quil acha que foi a coisa mais legal que já aconteceu com ele. Em parte por enfim saber o que estava rolando. E ele está empolgado por ter os amigos de volta... Por fazer parte da "turma". — Jacob bufou de novo. — Acho que não devia surpreender. Isso é tão *Quil*.

— Ele *gostou*?

— Para ser sincero... a maioria gosta — admitiu Jacob lentamente. — Sem dúvida, tem pontos positivos... A velocidade, a liberdade, a força... O senso de... de *família*... Sam e eu somos os únicos na história que de fato ficamos chateados. E Sam já superou há muito tempo. Então agora o chorão sou eu. — Jacob riu consigo mesmo.

Havia tanto que eu queria saber.

— Por que você e Sam são diferentes? O que aconteceu com Sam, aliás? Qual é o problema dele? — As perguntas tropeçavam para fora sem esperar pelas respostas, e Jacob riu de novo.

— É uma longa história.

— Eu contei uma longa história. Além disso, não estou com a menor pressa de voltar — falei, e depois sorri ao pensar no problema em que tinha me metido.

Jake me olhou rapidamente, ouvindo o duplo sentido de minhas palavras.

— Ele vai ficar chateado com você?

— Vai — admiti. — Ele odeia quando eu faço algo que ele acha... arriscado.

— Como andar com lobisomens.

— É.

Jacob deu de ombros.

— Então não volte. Vou dormir no sofá.

— Grande ideia — murmurei. — Daí ele viria procurar por mim.

Jacob enrijeceu, depois deu um sorriso amarelo.

— Ele faria isso?

— Se achasse que fui ferida ou coisa assim... talvez.

— Minha ideia soa melhor ainda.

— Por favor, Jake. Isso me chateia muito.

— O que chateia você?

— Que vocês dois estejam tão dispostos a se matar! — reclamei. — Isso me deixa louca. Por que não podem simplesmente ser civilizados?

— Ele está mesmo disposto a me matar? — perguntou Jacob com um sorriso cruel, sem se importar com minha raiva.

— Não tanto quanto você parece estar! — Percebi que eu estava gritando. — Pelo menos *ele* consegue ser adulto com relação a isso. Ele sabe que machucar você ia me magoar... e não faria isso. Você não parece se importar nem um pouco!

— Ah, certo — murmurou Jacob. — Sem dúvida nenhuma ele é o pacifista.

— Ugh!

Soltei minha mão da dele e empurrei sua cabeça. Depois puxei os joelhos para o peito e os abracei com força.

Fitei o horizonte, furiosa.

Jacob ficou em silêncio por alguns minutos. Por fim se levantou e se sentou a meu lado, colocando o braço em meus ombros. Eu o afastei.

— Desculpe — disse ele baixinho. — Vou tentar me comportar.

Não respondi.

— Ainda quer saber de Sam? — ele propôs.

Eu dei de ombros.

— Como eu disse, é uma longa história. E muito... estranha. Há tantas coisas estranhas nesta nova vida. Não tive tempo de contar nem a metade a você. E a do Sam... bom, não sei nem se vou conseguir explicar direito.

As palavras dele atiçaram minha curiosidade, apesar da irritação.

— Estou ouvindo — falei de modo áspero.

Pelo canto dos olhos, vi a lateral do rosto dele se repuxar num sorriso.

— Sam teve muito mais dificuldade do que nós. Porque ele foi o primeiro, estava sozinho e não tinha ninguém para explicar o que estava acontecendo. O avô de Sam morreu antes de ele nascer e o pai nunca esteve com ele. Não havia ninguém ali para reconhecer os sinais. Na primeira vez em que aconteceu... a primeira transformação... ele pensou que tivesse enlouquecido. Precisou de duas semanas para se acalmar e conseguir voltar à forma humana.

Ele continuou:

— Isso foi antes de você chegar a Forks, então não tinha como se lembrar. A mãe de Sam e Leah Clearwater colocaram a guarda-florestal procurando por ele, a polícia. As pessoas pensaram que ele tivesse sofrido um acidente ou algo assim...

— Leah? — perguntei, surpresa. Leah era filha de Harry. Ouvir o nome dela me provocou um surto automático de pena. Harry Clearwater, o amigo de toda vida de Charlie, tinha morrido de ataque cardíaco na última primavera.

A voz dele mudou, ficou mais pesada.

— É, Leah e Sam eram namorados na escola. Começaram a namorar quando ela estava no primeiro ano. Ela ficou louca quando ele desapareceu.

— Mas ele e Emily...

— Vou chegar lá... é parte da história — disse ele. E inspirou lentamente, depois soltou o ar de uma vez.

Acho que foi tolice minha imaginar que Sam nunca amara ninguém antes de Emily. A maioria das pessoas se apaixona e desapaixona muitas vezes na vida. Só que eu tinha visto Sam com Emily e não conseguia imaginá-lo com outra. O modo como ele olhava para ela... Bem, lembrava-me de um olhar que às vezes eu via em Edward, quando ele olhava para mim.

— Sam voltou — disse Jacob —, mas não falou com ninguém sobre onde tinha estado. Surgiram boatos... Em especial de que ele não estava aprontando nada de bom. E depois Sam apareceu de repente na casa do avô de Quil, numa tarde, quando o velho Quil Ateara foi visitar a Sra. Uley. Sam apertou a mão dele. O Velho Quil quase teve um infarto. — Jacob parou para rir.

— Por quê?

Jacob pôs a mão em meu rosto e o puxou, para que eu o olhasse — estava inclinado sobre mim, o rosto a centímetros do meu. A palma de sua mão queimou em minha pele, como se ele estivesse com febre.

— Ah, tudo bem — falei. Era desconfortável ter meu rosto tão perto do dele, com sua mão quente em minha pele. — Sam estava fervendo.

Jacob riu de novo.

— A mão de Sam parecia ter ficado numa boca acesa de fogão.

Ele estava tão perto que eu podia sentir seu hálito quente. Estendi a mão casualmente, para pegar a dele e libertar meu rosto, mas entrelacei os dedos nos dele para não ferir seus sentimentos. Ele sorriu e se recostou, sem se deixar enganar por minha tentativa de demonstrar indiferença.

— Então o Sr. Ateara procurou logo os outros anciãos — continuou Jacob. — Eram os únicos que ainda sabiam, que se lembravam. O Sr. Ateara, Billy e Harry tinham visto os avós se transformarem. Quando o velho Quil contou, eles se reuniram em segredo com Sam e explicaram tudo.

Jake prosseguiu:

— Ficou mais fácil depois que ele entendeu... depois que não estava mais sozinho. Sabiam que ele não seria o único a ser afetado pela volta dos Cullen — ele pronunciou o nome com uma amargura inconsciente —, mas ninguém tinha idade suficiente. Então Sam esperou que os outros se unissem a ele...

— Os Cullen não sabiam de nada — falei num sussurro. — Eles não achavam que ainda existissem lobisomens aqui. Não faziam ideia de que vir para cá transformaria vocês.

— Isso não muda o fato de que nos transformou.

— É bom me lembrar de não provocar você.

— Acha que eu devia ser tão magnânimo quanto você? Não dá para todos nós sermos santos e mártires.

— Vê se cresce, Jacob.

— Bem que eu queria — murmurou ele.

Eu o fitei, tentando encontrar sentido naquela resposta.

— Como é?

Jacob riu.

— Uma das muitas esquisitices de que falei.

— Você... não pode... crescer? — falei, pasma. — Você está o quê? Não... *envelhecendo*? Isso é uma piada?

— Não. — Ele esticou a palavra.

Senti o sangue corar meu rosto. Lágrimas — lágrimas de raiva — encheram meus olhos. Meus dentes trincaram com um ranger audível.

— Bella? O que foi que eu disse?

Eu estava de pé novamente, as mãos em punho, todo o meu corpo tremendo.

— Você. Não. Envelhece — rosnei entredentes.

Jacob puxou meu braço com delicadeza, tentando me fazer sentar.

— Nenhum de nós envelhece. Qual é seu problema?

— Eu sou a única que tem que ficar *velha*? Eu fico mais velha a cada maldito dia! — Eu quase gritava, atirando as mãos para o alto. Uma pequena parte de mim reconhecia que eu estava dando um ataque típico do Charlie, mas a parte racional era quase completamente dominada pela parte irracional. — Mas que *droga*! Que mundo é esse? Onde está a *justiça*?

— Calma, Bella.

— Cale a boca, Jacob. Cale a boca! Isso é *tão* injusto!

— É verdade mesmo que você está batendo o pé? Pensei que as meninas só fizessem isso na tevê.

Eu grunhi, sem dar bola para aquilo.

— Não é tão ruim quanto você parece estar pensando. Sente-se e eu vou explicar.

— Vou ficar de pé.

Ele revirou os olhos.

— Tudo bem. Já que prefere assim. Mas, escute, eu *vou* ficar mais velho... um dia.

— Explique.

Ele deu um tapinha no tronco. Fiz cara feia por um segundo, mas depois me sentei; eu me acalmei tão depressa quanto tinha explodido, tempo suficiente para perceber que estava fazendo papel de boba.

— Quando conseguimos controle suficiente para parar... — disse Jacob. — Quando não nos transformamos por um bom tempo, voltamos a envelhecer. Não é fácil. — Ele sacudiu a cabeça, de repente inseguro. — Acho que leva muito tempo para se aprender esse tipo de freio. Nem Sam tem ainda. É claro que não ajuda em nada que exista um bando de vampiros no fim da rua. Nem podemos pensar em parar, já que a tribo precisa de proteção. Mas não devia ficar toda irritada por isso, porque eu já sou mais velho do que você, pelo menos fisicamente.

— Do que está falando?

— Olhe para mim, Bells. Eu pareço ter 16 anos?

Olhei o corpo imenso de cima abaixo, tentando ser imparcial.

— Acho que não exatamente.

— Não mesmo. Chegamos à idade adulta em alguns meses, quando os genes de lobisomem são estimulados. É um tremendo surto de crescimento. — Ele fez uma careta. — Fisicamente, devo ter mais ou menos 25 anos, por aí. Então não precisa pirar sobre ser velha demais para mim, pelo menos pelos próximos sete anos.

Mais ou menos 25 anos. A ideia me deixava desnorteada. Mas eu me lembrava do tal surto de crescimento — eu me lembrava de tê-lo visto esticar e criar corpo bem diante de meus olhos. De como ele ficou diferente de um dia para outro... Sacudi a cabeça, tonta.

— Então, quer saber a história de Sam ou quer gritar mais comigo por questões que estão fora de meu controle?

Respirei fundo.

— Desculpe. A idade é um tema delicado para mim. Toca numa ferida.

Os olhos de Jacob endureceram e ele parecia estar tentando decidir como contar algo.

Uma vez que eu não queria falar do assunto verdadeiramente delicado — meus planos para o futuro, ou pactos que podiam ser rompidos pelos ditos planos, eu o encorajei:

— Então, depois que Sam entendeu o que estava havendo, depois que teve Billy, Harry e o Sr. Ateara, você disse que não foi mais tão difícil. E, como você também disse, há partes legais... — hesitei um pouco. — Por que Sam os odeia tanto? Por que ele queria que eu os odiasse?

Jacob suspirou.

— Essa é a parte realmente esquisita.

— Tenho Ph.D. em esquisitice.

— É, eu sei. — Ele sorriu antes de continuar. — Pois é, você tem razão. Sam sabia o que estava acontecendo e tudo estava quase bem. Em quase todos os sentidos a vida dele tinha voltado, bem, não ao normal. Estava melhor. — Depois a expressão de Jacob se enrijeceu, como se estivesse vindo algo doloroso. — Sam não podia contar a Leah. Não devemos contar a ninguém que não precise saber. E não era seguro que ele ficasse perto dela... Mas ele trapaceava, como eu fiz com você. Leah ficava furiosa por ele não contar o que estava havendo... Onde tinha estado, aonde ia à noite, por que estava sempre tão cansado... Mas eles estavam se dando bem. Estavam tentando. Eles se amavam de verdade.

— Ela descobriu? Foi isso?

Ele sacudiu a cabeça.

— Não, o problema não foi esse. A prima dela, Emily Young, veio da reserva de Makah para visitá-la num fim de semana.

Eu arfei.

— Emily é prima de Leah?

— De segundo grau. Mas elas são próximas. Eram como irmãs quando crianças.

— Isso é... horrível. Como Sam pôde...? — Eu me interrompi, sacudindo a cabeça.

— Não o julgue ainda. Alguém um dia já falou a você... Já ouviu falar em *imprinting*?

— *Imprinting*? — repeti a palavra desconhecida. — Não. O que significa?

— É uma das coisas estranhas com que tenho de lidar. Não acontece com todo mundo. Na verdade, é uma exceção rara, não a regra. Sam àquela altura conhecia todas as histórias, as histórias que todos achávamos que eram lendas. Tinha ouvido falar de *imprinting*, mas nunca tinha imaginado...

— O que é? — insisti.

Os olhos de Jacob vagaram para o mar.

— Sam amava Leah. Mas quando viu Emily, isso não importava mais. Às vezes... não sabemos bem por quê... encontramos nossa parceira assim. — Os olhos dele faiscaram para mim, o rosto ficando vermelho. — Quer dizer... nossa alma gêmea.

— De que jeito? Amor à primeira vista? — eu zombei.

Jacob não estava sorrindo. Os olhos escuros criticavam minha reação.

— É um pouco mais forte do que isso. Mais incontrolável.

— Desculpe — murmurei. — Está falando sério, não é?

— É, estou.

— Amor à primeira vista? E mais forte? — Minha voz ainda demonstrava dúvida, e ele percebeu isso.

— Não é fácil de explicar. Mas não importa. — Ele deu de ombros com indiferença. — Você queria saber o que aconteceu com Sam para que ele odiasse os vampiros que o obrigaram a se transformar, que o fizeram odiar a si mesmo. E foi isso que aconteceu. Ele magoou Leah. Quebrou todas as promessas que tinha feito a ela. Todo dia tinha de ver a acusação nos olhos dela e saber que Leah tinha razão.

Ele parou de falar de repente, como se tivesse dito algo que não devia.

— Como Emily lida com isso? Se ela era tão próxima de Leah...? — Sam e Emily eram completamente *perfeitos* juntos, duas peças de quebra-cabeça, modeladas exatamente uma para a outra. Ainda assim... Como Emily superou o fato de que ele tinha sido de outra? Quase irmã dela.

— No início, Emily tinha muita raiva. Mas é difícil resistir a tanto compromisso e adoração. — Jacob suspirou. — E, ainda, Sam pôde contar tudo a ela. Não há regras capazes de nos impedir quando encontramos nossa outra metade. Sabe como Emily se machucou?

— Sei. — A história que contavam em Forks era de que ela fora atacada por um urso, mas eu sabia do segredo.

Lobisomens são instáveis, dissera Edward. *As pessoas próximas a eles podem se ferir.*

— Bom, por mais estranho que pareça, foi assim que a situação se resolveu. Sam ficou tão apavorado, tão enojado de si mesmo, tão cheio de ódio pelo que fizera... Ele teria se atirado embaixo de um ônibus se isso a fizesse se sentir melhor. Podia mesmo ter feito isso, só para escapar do que fizera. Estava arrasado... E depois, de algum modo, era *ela* que o estava consolando, e depois disso...

Jacob não concluiu seu raciocínio, e senti que a história tinha ficado pessoal demais para ser contada.

— Coitada da Emily — sussurrei. — Coitado do Sam. Pobre Leah...

— É, Leah saiu perdendo nessa — concordou ele. — Mas ela enfrenta tudo com coragem. Vai ser dama de honra.

Eu virei a cara, para as pedras irregulares que se erguiam do mar como dedos quebrados e grossos no arco ao sul da enseada, enquanto tentava ver sentido naquilo tudo. Podia sentir os olhos dele em meu rosto, esperando que eu dissesse algo.

— Isso aconteceu com você? — perguntei por fim, ainda olhando o mar. — Essa história de amor à primeira vista?

— Não — respondeu ele depressa. — Sam e Jared são os únicos.

— Hmmm — murmurei, tentando parecer educadamente interessada. Fiquei aliviada e tentei explicar minha reação para mim mesma. Concluí que só estava feliz por ele não ter afirmado que havia alguma ligação mística de lobo entre nós dois. Nossa relação já era bastante confusa daquele jeito. Eu não precisava lidar com nada mais sobrenatural do que já tinha.

Ele também ficou mudo, e o silêncio pareceu meio estranho. Minha intuição me disse que eu não ia gostar de ouvir o que ele estava pensando.

— Como foi com Jared? — perguntei, para romper o silêncio.

— Não houve drama. Era só uma garota ao lado de quem ele se sentou na escola todo dia, durante um ano inteiro, e em quem ele nunca tinha reparado. E então, depois que se transformou, ele a viu de novo e nunca mais tirou os olhos dela. Kim ficou emocionada. Era apaixonada por ele. Escreveu o sobrenome dele no final do nome dela em todo o diário. — Ele riu, zombando disso.

Eu franzi a testa.

— Jared contou isso a você? Ele não devia ter contado.

Jacob mordeu o lábio.

— Acho que eu não devia rir. Mas é engraçado.

— Mas que alma gêmea.

Ele suspirou.

— Jared não falou de propósito. Eu já contei essa parte, lembra?

— Ah, sim. Vocês podem ouvir os pensamentos dos outros, mas só quando são lobos, não é isso?

— É. Assim como o seu sanguessuga. — Ele fechou a cara.

— Edward — corrigi.

— Claro, claro. Foi assim que fiquei sabendo como Sam se sentia. Mas acho que ele não teria nos contado, se tivesse essa opção. Na verdade, é uma característica que todos nós odiamos. — A amargura de repente era forte em sua voz. — É medonho. Nenhuma privacidade, nenhum segredo. Tudo de que você se envergonha ali, exposto para todo o mundo ver. — Ele estremeceu.

— Parece horrível — sussurrei.

— Às vezes *é* mesmo útil, quando precisamos agir em conjunto — disse ele de má vontade. — Muito raramente, quando alguns vampiros atravessam nosso território. Laurent foi divertido. E se os Cullen não tivessem nos atrapalhado no sábado... ah! — ele gemeu. — Nós a teríamos apanhado! — Seus punhos se fecharam em bolas de raiva.

Eu me encolhi. Por mais que me preocupasse que Jasper ou Emmett se machucassem, não era nada como o pânico que sentia com a ideia de Jacob enfrentar Victoria. Emmett e Jasper eram o mais próximo do indestrutível que eu podia imaginar. Jacob ainda era quente, ainda era comparativamente humano. Mortal. Pensei em Jacob enfrentando Victoria, os cabelos brilhantes dela voando em torno do rosto estranhamente felino... e estremeci.

Jacob olhou para mim com uma expressão curiosa.

— Mas não é assim para você o tempo todo? *Ele* não lê sua mente?

— Ah, não. Edward nunca leu minha mente. Bem que ele queria.

Jacob ficou confuso.

— Ele não consegue me ouvir — expliquei, a voz um pouquinho presunçosa, por hábito. — Eu sou a única assim, para ele. Não sabemos *por que* ele não consegue.

— Que estranho — disse Jacob.

— É. — A presunção desapareceu. — Deve significar que há algo errado com meu cérebro — admiti.

— Eu já sabia que havia alguma coisa errada com seu cérebro — murmurou Jacob.

— Obrigada.

De repente o sol rompeu as nuvens, uma surpresa que eu não esperava, e tive de semicerrar os olhos para o brilho na água. Tudo mudou de cor — as ondas passaram do cinza para o azul, as árvores do oliva opaco para o jade brilhante e os seixos de arco-íris cintilavam feito joias.

Piscamos por um momento, deixando que a visão se adaptasse. Não havia barulho além do rugido oco das ondas que ecoavam de cada lado da enseada protegida, o ranger suave das pedras sob o movimento da água e o grito de gaivotas no alto. Era muito tranquilo.

Jacob se acomodou mais perto de mim, para se encostar em meu braço. Ele era tão quente! Depois de um minuto assim, tirei o casaco de chuva.

Ele soltou um ruído gutural de satisfação e pousou o rosto no alto de minha cabeça. Eu podia sentir o sol aquecendo minha pele — embora não fosse tão quente como Jacob — e me perguntei quanto tempo levaria para me queimar.

Distraída, girei a mão direita para o lado e vi o sol cintilar sutilmente na cicatriz que James deixara ali.

— Em que está pensando? — murmurou ele.

— No sol.

— Hmmm. É bom.

— E no que você está pensando? — perguntei.

Ele riu consigo mesmo.

— Estava me lembrando do filme imbecil que você me levou para ver. E de Mike Newton vomitando as tripas.

Eu ri também, surpresa ao ver como o tempo mudara a lembrança. Costumava ser estressante e confusa. Tanta coisa mudou naquela noite... E agora eu podia rir. Foi a última noite que Jacob e eu tivemos antes de ele saber a verdade sobre sua herança. A última lembrança humana. Agora uma lembrança estranhamente agradável.

— Sinto falta disso — disse Jacob. — De como era tão fácil antes... Era descomplicado. Ainda bem que tenho boa memória. — Ele suspirou.

Ele sentiu a tensão súbita em meu corpo enquanto suas palavras incitavam em mim uma lembrança.

— O que foi? — perguntou ele.

— Sobre essa sua boa memória... — Eu me afastei para ver seu rosto. Naquele momento, estava confuso. — Pode me dizer o que estava fazendo na segunda de manhã? Estava tendo algum pensamento que incomodou Edward. — *Incomodou* não era a palavra mais adequada, mas eu queria uma resposta, então achei melhor não começar com severidade demais.

A compreensão iluminou o rosto de Jacob e ele riu.

— Eu estava pensando em você. Ele não gostou muito, não é?

— Em *mim*? Mas o quê?

Jacob riu, desta vez com mais aspereza.

— Estava me lembrando de você naquela noite em que Sam a encontrou... Eu vi isso na mente dele e foi como se eu estivesse lá; essa lembrança sempre assombrou Sam, sabia? E depois me lembrei de como você estava na primeira vez em que veio à minha casa. Aposto que você nem percebeu que estava horrível, Bella. Isso foi semanas antes de voltar a parecer humana. E me lembrei de que você costumava se abraçar, tentando juntar seus pedaços... — Jacob estremeceu, depois sacudiu a cabeça. — Para mim é difícil lembrar como você estava triste, o que não foi *minha* culpa. Então imaginei que seria pior para ele. E pensei que ele devia dar uma olhada no que tinha causado.

Eu dei um soco em seu ombro. Minha mão doeu.

— Jacob Black, não faça isso de novo! Prometa que não vai fazer.

— De jeito nenhum. Havia meses eu não me divertia tanto.

— Então faça isso por mim, Jake...

— Ah, tenha dó, Bella. Quando é que eu vou vê-lo de novo? Não se preocupe com isso.

Eu fiquei de pé, ele pegou minha mão e comecei a andar. Tentei me libertar.

— Vou embora, Jacob.

— Não, ainda não — protestou ele, a mão apertando a minha. — Desculpe. E... tudo bem, eu não vou fazer aquilo de novo. Eu prometo.

Suspirei.

— Obrigada, Jake.

— Vem, vamos para minha casa — disse ele com ansiedade.

— Na verdade, acho que preciso ir. Angela Weber está esperando por mim e sei que Alice está preocupada. Não quero aborrecê-la demais.

— Mas você acabou de chegar!

— Parece mesmo — concordei. Olhei o sol, de algum modo já a pino. Como foi que o tempo passou tão rápido?

As sobrancelhas dele se uniram sobre os olhos.

— Não sei quando a verei de novo — disse ele numa voz magoada.

— Vou voltar da próxima vez em que ele viajar — prometi por impulso.

— *Viajar?* — Jacob revirou os olhos. — É um modo delicado de descrever o que ele está fazendo. Parasitas nojentos.

— Se você não for bonzinho, não vou voltar nunca mais! — ameacei, tentando libertar minha mão. Ele se recusava a me soltar.

— Ei, não fique irritada — disse ele, sorrindo. — Foi sem querer.

— Se quiser que eu tente voltar, vamos ter que esclarecer uma coisa, está bem?

Ele esperou.

— Escute — expliquei. — Não me importa quem é vampiro e quem é lobisomem. Isso é irrelevante. Você é Jacob, ele é Edward e eu sou Bella. E nada mais interessa.

Os olhos dele se estreitaram um pouco.

— Mas eu *sou* um lobisomem — disse ele de má vontade. — E ele *é* um vampiro — acrescentou com repugnância evidente.

— E eu sou do signo de Virgem! — gritei, exasperada.

Ele ergueu as sobrancelhas, avaliando minha expressão com olhos curiosos. Por fim, deu de ombros.

— Se consegue entender dessa forma...

— Consigo. E entendo.

— Tudo bem. Só Bella e Jacob. Nada dessa birutice de Virgem por aqui. — Ele sorriu para mim, o sorriso familiar e caloroso de que eu sentia tanta falta. Senti o sorriso de resposta se espalhando por meu rosto.

— Senti muita saudade, Jake — admiti impulsivamente.

— Eu também. — Seu sorriso se alargou. Os olhos estavam felizes e claros, pela primeira vez sem aquela amargura colérica. — Mais do que você imagina. Vai voltar logo?

— Assim que eu puder — prometi.

6. SUÍÇA

Ao seguir para casa de carro, eu não prestava muita atenção à estrada que brilhava molhada ao sol. Estava pensando no monte de informações que Jacob dividira comigo, tentando organizá-las, forçá-las a fazer sentido. Apesar da sobrecarga, eu me sentia mais leve. Ver Jacob sorrir, revelar todos os segredos... não deixava a vida perfeita, mas a tornava melhor. Eu tive razão em ir até lá. Jacob precisava de mim. E, obviamente, pensei enquanto semicerrava os olhos para a luz, não havia perigo algum.

Veio do nada. Num minuto não havia nada além da estrada brilhante em meu retrovisor. No outro, o sol estava cintilando num Volvo prata em minha cola.

— Ah, droga — choraminguei.

Pensei em parar no acostamento. Mas eu era covarde demais para enfrentá-lo ali. Estava contando com algum tempo para me preparar... e em ter Charlie por perto como anteparo. Pelo menos isso o obrigaria a conservar a voz baixa.

O Volvo seguia a centímetros de mim. Mantive os olhos na estrada à frente.

Completamente covarde, dirigi direto para a casa de Angela sem nem uma vez encontrar o olhar que eu podia sentir abrindo um buraco a fogo em meu retrovisor.

Ele me seguiu até eu parar junto ao meio-fio diante da casa dos Weber. Não parou e eu não olhei quando ele passou. Não queria ver sua expressão. Corri pela curta calçada de concreto até a porta de Angela assim que ele saiu de vista.

Ben atendeu à porta antes que eu pudesse terminar de bater, como se estivesse parado atrás dela.

— Oi, Bella! — disse ele, surpreso.

— Oi, Ben. Er, Angela está? — perguntei-me se Angela tinha se esquecido de nossos planos e me encolhi ao pensar em ir para casa cedo.

— Claro — disse Ben assim que Angela gritou "Bella!" e apareceu no alto da escada.

Ben espiou em volta de mim quando ouvimos o som de um carro na rua; o som não me assustou — esse motor falhou até parar, e seguiu-se um estalo alto do escapamento. Nada parecido com o ronronar do Volvo. Devia ser o visitante que Ben estava esperando.

— Austin chegou — disse Ben enquanto Angela se colocava a seu lado.

Uma buzina soou na rua.

— Vejo você depois — prometeu Ben. — Já estou com saudade.

Ele passou o braço pelo pescoço de Angela e a puxou para baixo a fim de beijá-la com entusiasmo. Um segundo depois disso Austin buzinou de novo.

— Tchau, Ang! Eu amo você! — gritou Ben enquanto passava disparado por mim.

Angela cambaleou, o rosto ligeiramente rosado, depois se recuperou e acenou até que Ben e Austin não estivessem à vista. Depois se virou para mim e sorriu pesarosa.

— Obrigada por fazer isso, Bella — disse ela. — Do fundo do coração. Não só está poupando minhas mãos de uma lesão permanente, como também me livra de duas longas horas de um filme de artes marciais mal dublado e sem qualquer trama. — Ela suspirou de alívio.

— É um prazer servi-la. — Meu pânico diminuíra, eu era capaz de respirar de modo um pouco mais normal. Parecia tão comum ali. Os dramas humanos e simples de Angela eram estranhamente tranquilizadores. Era bom saber que a vida era normal *em algum lugar*.

Segui Angela pela escada até o quarto dela. Ela chutou brinquedos pelo caminho ao andar. A casa estava incomumente silenciosa.

— Onde está sua família?

— Meus pais levaram os gêmeos a uma festa de aniversário em Port Angeles. Nem acredito que você vai mesmo me ajudar com isso. Ben está fingindo que tem tendinite. — Ela fez uma careta.

— Não me importo nem um pouco — disse, depois entrei no quarto de Angela e vi as pilhas de envelopes que nos esperavam.

— Ah! — arfei. Angela virou-se para me olhar, as desculpas nos olhos. Pude entender por que ela protelara aquilo e por que Ben se livrara da tarefa.

— Pensei que estivesse exagerando — admiti.

— Bem que eu queria. Tem certeza de que quer fazer isso?

— Mãos à obra. Eu tenho o dia todo.

Angela dividiu uma pilha em duas e pôs a agenda de endereços da mãe na mesa entre nós duas. Por algum tempo ficamos concentradas, e só havia o som de nossas canetas escrevendo rapidamente pelo papel.

— O que Edward vai fazer esta noite? — perguntou ela depois de alguns minutos.

Minha caneta se enterrou no envelope em que eu trabalhava.

— Foi passar o fim de semana na casa de Emmett. Eles *devem* estar fazendo trilha.

— Pelo jeito como falou, você não parece ter certeza.

Eu dei de ombros.

— Tem sorte por Edward ter os irmãos para todas essas caminhadas e camping. Não sei o que eu faria se Ben não tivesse Austin para as coisas de homem.

— É, essa história de ficar ao ar livre não é para mim. E eu não conseguiria acompanhar o ritmo deles.

Angela riu.

— Eu também prefiro ficar entre quatro paredes.

Ela se concentrou em sua pilha por um minuto. Escrevi mais quatro endereços. Com Angela, nunca havia pressão para preencher o silêncio com tagarelice sem importância. Como Charlie, ela ficava à vontade com o silêncio.

Mas, como Charlie, às vezes ela também era observadora demais.

— Tem algo errado? — perguntou, agora numa voz baixa. — Você parece... ansiosa.

Eu sorri timidamente.

— Está tão evidente assim?

— Na verdade, não.

Ela devia estar mentindo para que eu me sentisse melhor.

— Não precisa falar sobre isso, se não quiser — garantiu-me. — Vou ouvir, se achar que vai ajudar.

Eu estava prestes a dizer *obrigada, mas não precisa*. Afinal, havia tantos segredos que eu devia guardar. Na verdade eu não podia discutir meus problemas com nenhum ser humano. Isso contrariava as regras.

E, no entanto, com uma intensidade estranha e súbita, era exatamente o que eu queria. Queria conversar com uma amiga humana normal. Queria lamentar um pouquinho, como qualquer outra adolescente. Queria que meus problemas fossem simples. Também seria bom ter alguém de fora de toda essa confusão de vampiros e lobisomens para avaliar tudo de outra perspectiva. Alguém imparcial.

— Vou cuidar da minha vida — prometeu Angela, sorrindo para o endereço em que estava trabalhando.

— Não — eu disse. — Você tem razão. Eu estou angustiada. É... é Edward.

— Qual é o problema?

Era fácil falar com Angela. Quando ela fazia esta pergunta, eu sabia que não estava só morbidamente curiosa ou procurando fofoca, como Jessica teria feito. Ela se importava que eu estivesse aborrecida.

— Ah, ele está chateado comigo.

— É difícil acreditar — disse ela. — Está chateado com o quê?

Eu suspirei.

— Lembra de Jacob Black?

— Ah — disse ela.

— Pois é.

— Ele está com ciúme.

— Não, não é *ciúme*... — Eu devia manter minha boca fechada. Não havia como explicar aquilo direito. Mas, mesmo assim, eu queria continuar falando. Não tinha percebido o quanto estava louca por uma conversa humana. — Edward acha que Jacob é... má influência para mim, eu acho. Meio... perigoso. Sabe em quantos problemas eu me meti há alguns meses... Mas é tudo ridículo.

Fiquei surpresa ao ver Angela sacudindo a cabeça.

— Que foi? — perguntei.

— Bella, eu vi como Jacob Black olha para você. Aposto que o verdadeiro problema é ciúme.

— Não é assim com Jacob.

— Para você, talvez. Mas para Jacob...

Eu franzi a testa.

— Jacob sabe como eu me sinto. Eu contei tudo a ele.

— Edward é só humano, Bella, ele vai reagir como qualquer outro garoto.

Fiz uma careta. Não tinha resposta para aquilo.

Ela afagou minha mão.

— Ele vai superar isso.

— Espero que sim. Jake está passando por uma fase complicada. Ele precisa de mim.

— Você e Jacob são muito amigos, não é?

— Como família — concordei.

— E Edward não gosta dele... Deve ser difícil. Fico me perguntando como Ben lidaria com isso — refletiu ela.

Dei um meio sorriso.

— Provavelmente, como qualquer outro garoto.

Ela sorriu.

— Bem provável.

Depois ela mudou de assunto. Angela não era de xeretar e pareceu sentir que eu não diria mais nada — não podia dizer.

— Recebi minha indicação de alojamento ontem. O prédio mais distante do *campus*, claro.

— Ben já sabe onde ele vai ficar?

— No alojamento mais perto do *campus*. Ele tem uma sorte danada. E você? Decidiu para onde vai?

Olhei para baixo, concentrando-me no garrancho desajeitado de minha letra. Por um segundo fiquei distraída ao pensar em Angela e Ben na Universidade de Washington. Eles iriam para Seattle dali a alguns meses. Seria seguro na época? A ameaça do vampiro jovem e desenfreado teria se mudado para outro lugar? Haveria um novo lugar então, outra cidade sobressaltada com as manchetes de filme de terror?

Aquelas manchetes eram culpa *minha*?

Tentei me livrar desses pensamentos e respondi à pergunta meio tarde demais.

— Acho que para o Alasca. A universidade de Juneau.

Pude ouvir a surpresa na voz dela.

— Alasca? Ah. É mesmo? Quer dizer, isso é ótimo. Mas imaginava que você fosse para um lugar... mais quente.

Eu ri um pouco, ainda fitando o envelope.

— É. Forks mudou mesmo minha perspectiva de vida.

— E Edward?

Embora o nome dele provocasse borboletas em meu estômago, ergui a cabeça e sorri para ela.

— O Alasca também não é frio demais para Edward.

Ela sorriu também.

— É claro que não. — E depois ela suspirou. — É tão longe. Não vão poder vir para casa com muita frequência. Vou sentir sua falta. Vai me mandar e-mails?

Fui atingida por uma onda de tristeza silenciosa; talvez fosse um erro ficar mais próxima de Angela naquele momento. Mas não seria mais triste ainda perder essas últimas oportunidades? Afugentei as ideias infelizes para responder a ela num tom brincalhão.

— Se eu conseguir digitar de novo depois disso. — Indiquei a pilha de envelopes que eu fizera.

Nós duas rimos, e então foi fácil conversar animadamente sobre aulas e matérias enquanto eu terminava o restante — bastava que eu não pensasse no assunto. De qualquer modo, havia questões mais urgentes me preocupando.

Também a ajudei a colocar os selos. Tinha medo de ir embora.

— Como está sua mão? — perguntou ela.

Flexionei os dedos.

— Acho que vou recuperar o pleno uso delas... um dia.

A porta bateu no primeiro andar e nós duas olhamos.

— Ang? — chamou Ben.

Tentei sorrir, mas meus lábios tremeram.

— Acho que é minha deixa para ir embora.

— Não precisa ir. Embora ele provavelmente vá me contar o filme... em detalhes.

— Charlie vai se perguntar onde eu estou, de qualquer forma.

— Obrigada por me ajudar.

— Na verdade, foi divertido. A gente devia fazer coisas assim de novo. É bom ter um tempo de meninas.

— Claro que sim.

Houve uma batida leve na porta do quarto.

— Entre, Ben — disse Angela.

Eu me levantei e me espreguicei.

— Oi, Bella! Você sobreviveu. — Ben me cumprimentou depressa antes de assumir meu lugar ao lado de Angela. Ele olhou nossa tarefa. — Bom trabalho. Que pena que não sobrou nada para fazer. Eu teria... — ele interrompeu o pensamento, e depois recomeçou, animado. — Ang, nem acredito que perdeu esse! Foi incrível. Tinha uma sequência de luta no final... A coreografia era inacreditável! Aquele cara... bom, você vai ter que ver para saber do que eu estou falando...

Angela revirou os olhos para mim.

— A gente se vê na escola — eu disse com um riso nervoso.

Ela suspirou.

— Tchau.

Eu estava tensa a caminho de minha picape, mas a rua estava vazia. Passei todo o tempo no carro olhando, ansiosa, por todos os retrovisores, mas não vi sinal algum do carro prata.

O carro dele também não estava na frente da casa, mas isso nada queria dizer.

— Bella? — chamou Charlie quando abri a porta da frente.

— Oi, pai.

Eu o encontrei na sala de estar, diante da tevê.

— E aí, como foi seu dia?

— Bom — eu disse. Podia muito bem contar tudo — ele ia saber pelo Billy muito em breve. Além disso, ele ficaria feliz. — Não precisaram de mim no trabalho, então eu fui a La Push.

Não houve surpresa bastante em seu rosto. Billy já havia conversado com ele.

— Como está Jacob? — perguntou Charlie, tentando parecer indiferente.

— Bem — eu disse, igualmente despreocupada.

— Você foi à casa dos Weber?

— Fui. Já endereçamos todos os convites.

— Isso é bom. — Charlie deu um sorriso largo. Ele estava estranhamente atento, considerando que havia um jogo na tevê. — Que bom que passou algum tempo com seus amigos hoje.

— Também acho.

Fui para a cozinha, procurando me manter ocupada. Infelizmente, Charlie já havia lavado os pratos do almoço. Fiquei ali por alguns minutos, encarando o feixe de luz que o sol lançava no chão. Mas eu sabia que não podia adiar aquilo para sempre.

— Vou estudar — anunciei mal-humorada enquanto ia para a escada.

— Vejo você depois — disse Charlie às minhas costas.

Se eu sobreviver, pensei comigo mesma.

Fechei a porta do quarto com cuidado antes de me virar.

É claro que ele estava lá. De pé, encostado na parede à minha frente, na sombra ao lado da janela aberta. Seu rosto era duro e a postura, tensa. Ele me fitou sem dizer nada.

Eu me encolhi, esperando pela torrente, mas não aconteceu. Ele continuava a olhar, talvez com raiva demais para falar.

— Oi — eu disse por fim.

Seu rosto podia ter sido entalhado em pedra. Contei mentalmente até cem, mas não houve qualquer alteração.

— Er... e, então, ainda estou viva — comecei.

Um grunhido ressoou baixo em seu peito, mas sua expressão não se alterou.

— Não houve danos — insisti com um dar de ombros.

Ele se mexeu. Os olhos se fecharam e ele apertou a ponte do nariz com os dedos da mão direita.

— Bella — sussurrou ele. — Faz *alguma* ideia de como cheguei perto da fronteira hoje? De quebrar o tratado e ir atrás de você? Sabe o que isso teria significado?

Eu arfei e seus olhos se abriram. Eram frios e duros como a noite.

— Não pode fazer isso! — eu disse alto demais. Procurei controlar o volume de minha voz para Charlie não ouvir, mas eu queria gritar. — Edward, eles iam usar qualquer desculpa para uma briga. Iam adorar isso. Não pode quebrar as regras!

— Talvez eles não fossem os únicos que gostariam de uma briga.

— Não comece — rebati. — Vocês fizeram o tratado... Têm de respeitá-lo.

— Se ele a machucar...

— Chega! — eu o interrompi. — Não há motivo nenhum para se preocupar. Jacob não é perigoso.

— Bella. — Ele revirou os olhos. — Você não é exatamente a melhor juíza do que é ou não perigoso.

— Eu sei que não preciso me preocupar com Jake. Nem você.

Ele trincou os dentes. Suas mãos estavam fechadas em punho ao lado do corpo. Ainda estava encostado na parede, e eu odiava o espaço entre nós.

Respirei fundo e atravessei o quarto. Ele não se mexeu quando o abracei. Perto do calor do sol de final de tarde que jorrava pela janela, sua pele era especialmente fria. Ele parecia de gelo, paralisado como estava.

— Desculpe se deixei você preocupado — murmurei.

Edward suspirou e relaxou um pouco. Seus braços envolveram minha cintura.

— *Preocupado* é subestimar um pouco a situação — murmurou ele. — Foi um dia muito longo.

— Você não devia saber disso — lembrei a ele. — Pensei que ficaria caçando mais tempo.

Ele olhou meu rosto, os olhos na defensiva; com o estresse do momento eu não tinha percebido, mas estavam escuros demais. As olheiras eram de um roxo profundo. Franzi a testa em desaprovação.

— Quando Alice a viu desaparecer, eu voltei — explicou ele.

— Não devia ter feito isso. Agora terá de ir de novo. — Minha testa se franziu ainda mais.

— Eu posso esperar.

— Isso é ridículo. Quer dizer, eu sei que ela não pode me ver com Jacob, mas você devia saber...

— Mas não sei — ele me interrompeu. — E não pode esperar que eu permita que você...

— Ah, sim, eu posso — interrompi. — É exatamente o que espero...

— Isso não vai acontecer de novo.

— É isso mesmo! Porque você não vai exagerar da próxima vez.

— Porque não vai haver uma próxima vez.

— Eu entendo quando você tem de partir, mesmo que eu não goste disso...

— Não é a mesma coisa. Não estou arriscando minha vida.

— Nem eu a minha.

— Os lobisomens são um risco.

— Discordo.

— Não estou negociando isso, Bella.

— Nem eu.

Suas mãos estavam em punho de novo. Eu podia senti-las em minhas costas.

As palavras saltaram sem que eu pensasse.

— Trata-se realmente de minha segurança?

— O que quer dizer com isso? — perguntou ele.

— Você não está... — A teoria de Angela parecia mais tola do que antes. Foi difícil terminar a frase. — Quer dizer, você sabe muito bem que não precisa ter ciúme, não é?

Ele ergueu uma sobrancelha.

— Eu sei?

— Fale sério.

— Perfeitamente... Não há nada cômico nisso.

Eu franzi a testa, desconfiada.

— Ou... é outro motivo completamente diferente? Algum absurdo de "vampiros e lobisomens são sempre inimigos"? Só alguma coisa provocada pela testosterona...

Seus olhos arderam.

— Trata-se *apenas* de você. Só o que me importa é sua segurança.

O fogo negro em seus olhos não deixava dúvida alguma.

— Tudo bem — suspirei. — Acredito nisso. Mas quero que saiba... No que diz respeito a todo esse absurdo de *inimigos*, eu estou fora. Sou um país neutro. Sou a Suíça. Recuso-me a ser afetada por disputas territoriais entre criaturas míticas. Jacob é da família. Você é... bom, não exatamente o amor da minha vida, porque eu espero amar você por muito mais tempo do que isso. O amor de minha existência. Não ligo para quem é lobisomem e quem é vampiro. Se Angela se transformar em bruxa, poderá se juntar à festa também.

Ele me fitou em silêncio com os olhos semicerrados.

— Suíça — repeti, para dar ênfase.

Ele franziu a testa para mim, depois suspirou.

— Bella... — começou ele, mas parou, e seu nariz franziu de nojo.

— O que é agora?

— Bom... Não se ofenda, mas você está fedendo a cachorro.

E depois ele deu um sorriso torto, então eu sabia que a briga terminara. Por enquanto.

Edward precisava compensar a viagem de caça perdida e partiria na sexta à noite com Jasper, Emmett e Carlisle para uma reserva no norte da Califórnia que estava com problemas com um leão da montanha.

Não chegamos a um acordo na questão do lobisomem, mas eu não me senti culpada por ligar para Jake — durante minha breve oportunidade, quando Edward levou o Volvo para casa e antes de voltar pela minha janela — para que ele soubesse que eu iria no sábado de novo. Não era uma traição. Edward sabia o que eu sentia. E se ele quebrasse minha picape outra vez, eu pediria a Jacob para me buscar. Forks era neutra, como a Suíça — como eu.

Então, quando saí do trabalho na quinta-feira e era Alice e não Edward esperando por mim no Volvo, não desconfiei de nada no início. A porta do carona estava aberta e uma música que não reconheci sacudia o carro quando o baixo tocava.

— Oi, Alice — esgoelei mais alto que os gritos enquanto entrava. — Onde está seu irmão?

Ela cantava com a música, a voz uma oitava acima da melodia, tecendo, ambas, uma harmonia complicada. Ela assentiu para mim, ignorando minha pergunta, concentrada na música.

Fechei a porta e pus as mãos nas orelhas. Ela sorriu e baixou o som até que ele se transformou em música de fundo. Depois fechou as trancas e ligou o carro no mesmo segundo.

— O que está havendo? — perguntei, começando a ficar inquieta. — Onde está Edward?

Ela deu de ombros.

— Eles saíram antes.

— Ah. — Tentei controlar a decepção absurda. Se ele saiu antes, isso significava que voltaria antes, lembrei a mim mesma.

— Todos os meninos foram, e vamos fazer uma festinha do pijama! — anunciou ela numa voz vibrante e cantarolada.

— Festinha do pijama? — repeti, a desconfiança finalmente tomando lugar.

— Não está animada? — cantarolou ela.

Encontrei seu olhar empolgado por um longo segundo.

— Está me raptando, não é?

Ela riu e concordou.

— Até sábado. Esme resolveu tudo com Charlie; você vai ficar comigo por duas noites, e amanhã vou levar e pegar você na escola.

Virei o rosto para a janela, os dentes trincados.

— Desculpe — disse Alice, sem parecer nem um pouco penitente. — Ele me pagou por isso.

— Como? — sibilei entredentes.

— O Porsche. É idêntico ao que eu roubei na Itália. — Ela soltou um forte suspiro. — Eu não devia dirigi-lo por Forks mas, se quiser, podemos ver em quanto tempo ele faz daqui a Los Angeles... Aposto que posso trazer você de volta à meia-noite.

Respirei fundo.

— Acho melhor não — suspirei, reprimindo um tremor.

Seguimos, sempre rápido demais, pela entrada da propriedade. Alice parou na garagem e eu logo olhei os carros. O jipão de Emmett estava ali, com um Porsche amarelo-canário brilhante entre ele e o conversível vermelho de Rosalie.

Alice pulou graciosamente para fora e foi passar a mão em seu suborno.

— Não é lindo?

— Muito chamativo — resmunguei, incrédula. — Ele lhe deu *isso* só para me manter refém por dois dias?

Alice fez uma careta.

Um segundo depois, eu compreendi e ofeguei de pavor.

— É por todo tempo que ele estiver fora, não é?

Ela assentiu.

Bati minha porta e marchei para a casa. Ela dançou a meu lado, ainda sem mostrar arrependimento.

— Alice, não acha que isso é meio controlador? Só meio psicótico, talvez?

— Na verdade, não. — Ela fungou. — Parece que você não entende como um lobisomem jovem pode ser perigoso. Em especial quando não consigo vê-los. Edward não tem como saber se você está segura. Você não devia ficar tão despreocupada.

Minha voz ficou acre.

— Sim, porque uma festinha do pijama de vampiros é o cúmulo do comportamento seguro.

Alice riu.

— Eu posso fazer as unhas dos seus pés e tudo — prometeu ela.

Então não era assim tão ruim, exceto pelo fato de que eu estava sendo mantida ali contra minha vontade. Esme trouxe comida italiana — a boa comida, vinda de Port Angeles — e Alice estava preparada com meus filmes preferidos. Até Rosalie estava ali, ao fundo, em silêncio. Alice insistiu na questão das unhas, e eu me perguntei se ela estava seguindo uma lista de afazeres — talvez algo que tenha compilado vendo seriados de tevê ruins.

— Quer ficar acordada até que horas? — perguntou ela quando as unhas dos meus pés estavam cintilando de vermelho-sangue. O entusiasmo de Alice ainda era indiferente a meu humor.

— Não quero ficar acordada. Temos aula de manhã.

Ela fez um biquinho.

— Aliás, onde é que eu vou dormir? — Medi o sofá com os olhos. Era meio pequeno. — Não pode me manter sob vigilância em minha própria casa?

— Que tipo de festinha do pijama seria essa? — Alice sacudiu a cabeça, exasperada. — Você vai dormir no quarto de Edward.

Eu suspirei. O sofá de couro preto dele *era mesmo* mais comprido do que aquele. Na verdade, o carpete dourado no quarto dele devia ser bastante espesso para que o chão também não fosse tão ruim.

— Posso pelo menos voltar à minha casa para pegar minhas coisas?

Ela sorriu.

— Já cuidei disso.

— Tenho permissão de usar o telefone?

— Charlie sabe que você está aqui.

— Eu não ia ligar para Charlie. — Franzi a testa. — Ao que parece, tenho alguns compromissos para cancelar.

— Ah. — Ela pensou. — Não tenho certeza disso.

— Alice! — eu gemi alto. — O que é isso!

— Tudo bem, tudo bem — disse ela, voejando da sala. Voltou meio segundo depois com o celular na mão. — Ele não proibiu *especificamente* isso... — murmurou consigo mesma enquanto me entregava o aparelho.

Disquei o número de Jacob, na esperança de que ele não tivesse saído com os amigos naquela noite. A sorte estava comigo — foi Jacob quem atendeu.

— Alô?

— Oi, Jake, sou eu. — Alice me observou com os olhos inexpressivos por um segundo, antes de se virar e se sentar entre Rosalie e Esme no sofá.

— Oi, Bella — disse Jacob, cauteloso de repente. — O que foi?

— Nada bom. Não posso ir aí no sábado, afinal.

Fez-se silêncio por um minuto.

— Sanguessuga idiota — murmurou ele por fim. — Pensei que ele tivesse saído. Você não pode viver e ele pode? Ou ele a trancou num caixão?

Eu ri.

— Não acho isso engraçado.

— Só estou rindo porque você está presa — disse a ele. — Mas ele chegará no sábado, então isso não importa.

— Ele está se alimentando aqui em Forks, então? — perguntou Jacob, cortante.

— Não. — Eu não me permitia ficar irritada com ele. Não sentia nem de longe a raiva que Jacob tinha. — Ele saiu antes.

— Ah. Bom, olha, então venha agora — disse ele com um entusiasmo súbito. — Não é tão tarde. Ou eu vou pegá-la na casa do Charlie.

— Bem que eu queria. Não estou na casa do Charlie — disse com amargura. — Estou meio prisioneira.

Ele ficou em silêncio como se tentasse entender, depois grunhiu.

— Vamos pegar você — prometeu ele numa voz monótona, passando automaticamente para o plural.

Um frio desceu por minha espinha, mas eu respondi numa voz leve e brincalhona.

— Que tentação. Eu até *fui* torturada... Alice pintou as unhas dos meus pés.

— Estou falando sério.

— Não fale. Eles só estão tentando garantir minha segurança.

Ele grunhiu de novo.

— Eu sei que é tolice, mas eles estão fazendo isso de coração.

— De *coração*! — ele zombou.

— Desculpe por sábado — eu disse. — Tenho que ir para a cama — para o sofá, corrigi mentalmente —, mas vou ligar de novo, logo.

— Tem certeza de que eles vão deixar? — perguntou ele num tom azedo.

— Não completamente — eu suspirei. — Boa noite, Jake.

— A gente se vê.

Alice de repente estava a meu lado, a mão estendida para o telefone, mas eu ainda estava discando. Ela viu o número.

— Não acho que ele esteja com o telefone — disse ela.

— Vou deixar um recado.

O telefone tocou quatro vezes, seguido por um bip. Não havia saudaçao.

— Você criou um problema — eu disse devagar, destacando cada palavra. — Um problema enorme. Os ursos coléricos vão parecer domesticados perto do que está esperando por você aqui.

Bati o telefone e o coloquei na mão que esperava.

— Acabei.

Ela sorriu.

— Essa história de refém é divertida.

— Agora eu vou dormir — anunciei, indo para a escada. Alice me seguiu.

— Alice — eu suspirei. — Não vou fugir. Você saberia se eu estivesse planejando e me alcançaria se eu tentasse.

— Só vou lhe mostrar onde estão as coisas — disse ela inocentemente.

O quarto de Edward ficava no fim do corredor do terceiro andar, difícil de confundir quando a casa imensa tornou-se mais familiar. Mas, quando acendi a luz, parei, confusa. Será que tinha escolhido a porta errada?

Alice riu.

Era o mesmo quarto, logo percebi; a mobília tinha sido reorganizada. O sofá fora empurrado para a parede norte e o aparelho de som, encostado à ampla estante de CDs — para dar espaço à cama colossal que agora dominava o espaço central.

A parede de vidro ao sul refletia a cena como um espelho, tornando-a duas vezes ruim.

A cama combinava. O edredom era de um dourado opaco, um pouco mais claro do que as paredes; a estrutura era preta, de ferro, com um padrão complicado. Rosas de metal esculpidas subiam em gavinhas pelos altos postes e formavam uma trama frondosa. Meu pijama estava cuidadosamente dobrado ao pé da cama, minha *nécessaire* ao lado.

— Mas que diabos é isso? — gaguejei.

— Não achava mesmo que ele ia fazê-la dormir no sofá, não é?

Murmurei algo ininteligível enquanto avançava para pegar meus objetos na cama.

— Vou lhe dar alguma privacidade — Alice riu. — Vejo você de manhã.

Depois de escovar os dentes e me trocar, peguei um travesseiro de penas na cama imensa e arrastei o edredom dourado para o sofá. Eu sabia que estava sendo boba, mas não me importava. Porsches como suborno e camas *king-size* em casas onde ninguém dormia eram para lá de irritante. Apaguei as luzes e me enrosquei no sofá, imaginando se estaria irritada demais para dormir.

No escuro, a parede de vidro não era mais um espelho negro duplicando o quarto. A luz da lua iluminava as nuvens do lado de fora da janela. À medida que meus olhos se adaptavam, pude ver o brilho difuso destacando o topo das árvores e cintilando em um pequeno trecho do rio. Olhei a luz prateada, esperando que meus olhos ficassem pesados.

Houve uma leve batida na porta.

— O que é, Alice? — sibilei. Eu estava na defensiva, imaginando sua diversão quando visse minha cama improvisada.

— Sou eu — disse Rosalie em tom suave, abrindo a porta o suficiente para que eu pudesse ver o brilho prateado de seu rosto perfeito. — Posso entrar?

7. FINAL INFELIZ

ROSALIE HESITOU À PORTA, O ROSTO MARAVILHOSO INSEGURO.

— Claro — respondi, minha voz uma oitava mais alta de surpresa. — Entre.

Eu me sentei, deslizando para a ponta do sofá para dar espaço. Meu estômago se revirava de nervosismo enquanto uma Cullen que não gostava de mim movia-se em silêncio para se sentar no espaço vazio. Tentei pensar num motivo para ela querer me ver, mas minha mente a essa altura estava oca.

— Pode conversar comigo por uns minutos? — perguntou ela. — Eu não acordei você nem nada, não é? — Seus olhos passaram pela cama despojada e voltaram a meu sofá.

— Não, eu estava acordada. Claro, podemos conversar. — Perguntei-me se ela podia ouvir o sobressalto em minha voz com a clareza que eu ouvia.

Ela riu de leve e me pareceu um coro de sinos.

— Ele raras vezes a deixa sozinha — disse ela. — Imaginei que era melhor aproveitar a oportunidade.

O que ela queria falar que não podia ser dito na frente de Edward? Minhas mãos não paravam de torcer a ponta do edredom.

— Por favor, não pense que sou terrivelmente intrometida — disse Rosalie, a voz gentil e quase suplicante. Ela cruzou as mãos no colo e as olhou ao falar. — Sei que feri seus sentimentos no passado e não quero fazer isso de novo.

— Não se preocupe com isso, Rosalie. Meus sentimentos estão ótimos. O que foi?

Ela riu outra vez, parecendo estranhamente constrangida.

— Vou tentar lhe dizer por que acho que você deve continuar humana... Por que eu continuaria humana, se fosse você.

— Ah!

Ela sorriu com o tom de choque na minha voz, depois suspirou.

— Edward já lhe contou o que levou a isso? — perguntou ela, gesticulando para seu glorioso corpo imortal.

Assenti devagar, melancólica de repente.

— Ele disse que foi parecido com o que aconteceu comigo naquela vez em Port Angeles, só que ninguém estava lá para salvar *você*. — Estremeci com a lembrança.

— Foi só isso que ele lhe disse? — perguntou ela.

— Foi — falei, minha voz inexpressiva de confusão. — Tem mais?

Ela me olhou e sorriu; era uma expressão severa, amargurada — mas ainda assim estonteante.

— Sim — disse ela. — Há mais.

Esperei enquanto ela desviava o olhar para a janela. Rosalie parecia estar tentando se acalmar.

— Gostaria de ouvir minha história, Bella? Não tem um final feliz... Mas qual das nossas histórias tem? Se tivéssemos finais felizes, todos estaríamos sob lápides.

Concordei, embora estivesse assustada com o tom de sua voz.

— Eu vivia num mundo diferente do seu, Bella. Meu mundo humano era um lugar muito mais simples. Era o ano de 1933. E tinha 18 anos e era linda. Minha vida era perfeita.

Ela fitou as nuvens prateadas pela janela com a expressão distante.

— Meus pais eram de classe média. Meu pai tinha um emprego estável em um banco, algo que agora percebo que o deixava presunçoso... Ele via sua prosperidade como recompensa pelo talento e pelo trabalho árduo, em vez de reconhecer a sorte que havia nisso. Na época, tudo era garantido para mim; em minha casa, era como se a Grande Depressão fosse só um boato perturbador. É claro que eu via os pobres, aqueles que não tinham tanta sorte. Meu pai me deixou com a impressão de que aquelas pessoas procuravam por seus problemas.

"Era tarefa de minha mãe manter nossa casa — e a mim e meus dois irmãos mais novos — numa ordem imaculada. Estava claro que eu era sua prioridade e sua preferida. Eu não entendia muito bem na época, mas sempre tive vaga ciência de que meus pais não estavam satisfeitos com o que tinham, mesmo que fosse muito mais do que a maioria possuía. Queriam mais. Tinham aspirações sociais — eram alpinistas sociais, acho que pode chamá-los assim. Minha beleza era uma dádiva para eles. Eles viam muito mais potencial nela do que eu.

"Eles não estavam satisfeitos, mas *eu* estava. Estava emocionada por ser eu, por ser Rosalie Hale. Agradava-me que os olhos dos homens me seguissem aonde quer que eu fosse quando completei 12 anos. Ficava deliciada que minhas amigas suspirassem de inveja ao tocarem meus cabelos. Feliz por minha mãe ter orgulho de mim e por meu pai gostar de me comprar vestidos caros.

"Eu sabia o que queria da vida e não parecia haver um modo de não conseguir exatamente o que queria. Eu queria ser amada, ser adorada. Queria ter um casamento imenso e cheio de flores, onde todos da cidade pudessem me ver andar pela nave central no braço de meu pai e pensar que eu era a pessoa mais linda que viram na vida. A admiração era como ar para mim, Bella. Eu era tola e fútil, mas estava feliz."

Ela sorriu, entretida com a própria avaliação.

— A influência de meus pais era tanta que eu também queria bens materiais. Queria uma casa grande, com mobília elegante, que outra pessoa limparia, e uma cozinha moderna, em que alguém que não seria eu cozinharia. Como eu disse, fútil. Jovem e muito fútil. E eu não via qualquer motivo para não conseguir isso.

"Havia alguns desejos que eram mais significativos. Um, em particular. Minha melhor amiga se chamava Vera. Ela se casou jovem, com apenas 17 anos. Casou-se com um homem que meus pais jamais teriam cogitado para mim — um carpinteiro. Um ano depois, ela teve um filho, um lindo menino de covinhas e cabelos cacheados. Foi a primeira vez em que senti uma inveja verdadeira de outra pessoa em toda a minha vida."

Ela me fitou com os olhos insondáveis.

— Era uma época diferente. Eu tinha sua idade, mas estava pronta para tudo. Ansiava por ter meu próprio filho. Queria minha casa e um marido que me beijasse quando chegasse do trabalho... Como Vera. Só que eu tinha em mente um tipo de casa diferente...

Para mim, era difícil imaginar o mundo que Rosalie conheceu. Sua história me parecia um conto de fadas. Com um leve choque, percebi que era muito semelhante ao mundo em que Edward teria vivido quando era humano. O mundo em que ele fora criado. Eu me perguntei — enquanto Rosalie ficou em silêncio por um momento — se meu mundo parecia tão desconcertante para ele como o de Rosalie era para mim.

Rosalie suspirou, e a voz era diferente quando voltou a falar, a nostalgia se fora.

— Em Rochester, havia uma família real... Os King, por ironia. Royce King era dono do banco em que meu pai trabalhava e de quase todos os outros negócios lucrativos da cidade. Foi assim que o filho dele, Royce King II — sua boca se retorceu com o nome, que saiu entre os dentes —, viu-me pela primeira vez. Ele ia assumir o comando do banco, então começou a supervisionar os diferentes cargos. Dois dias depois, minha mãe convenientemente se esqueceu de mandar o almoço de meu pai. Lembro-me de ter ficado confusa quando ela insistiu que eu usasse meu vestido de organza branco e prendesse o cabelo no alto só para ir até o banco.

Rosalie riu sem humor algum.

— Não percebi que Royce me olhava minuciosamente. Todo mundo me olhava. Mas, naquela noite, chegaram as primeiras rosas. Toda noite, durante nossa corte, ele me mandava um buquê de rosas. Meu quarto sempre estava inundado delas. Chegou ao ponto em que eu tinha cheiro de rosas quando saía de casa.

"Royce também era bonito. Tinha os cabelos mais claros do que os meus e olhos azul-claros. Ele disse que meus olhos eram como violetas, e depois disso estas começaram a chegar, junto com as rosas.

"Meus pais aprovavam — para dizer o mínimo. Era tudo o que eles sonhavam. E Royce parecia ser tudo o que *eu* sonhava. O príncipe do conto de fadas, que aparecera para me tornar princesa. Tudo o que eu queria, e no entanto não mais do que eu esperava. Nos conhecíamos havia menos de dois meses quando ficamos noivos.

"Não passávamos muito tempo sozinhos. Royce me disse que tinha muitas responsabilidades no trabalho, e quando ficávamos juntos, ele gostava que as pessoas nos vissem, para que me vissem nos braços dele. Eu gostava disso também. Havia muitas festas, bailes e vestidos bonitos. Quando você era uma King, todas as portas eram abertas, todos os tapetes vermelhos se estendiam para recebê-la.

"Não foi um noivado longo. Planos para o casamento mais pródigo prosseguiram. Eu seria tudo o que sempre quis. Estava completamente feliz. Quando pensava em Vera, não tinha mais inveja. Imaginei meus filhos louros brincando no imenso gramado da propriedade dos King e tive pena dela."

Rosalie se interrompeu de repente, trincando os dentes. Isso me afastou de sua história e eu percebi que o pavor não estava muito longe. Como Rosalie prometera, não haveria final feliz. Perguntei-me se era por isso que ela era muito mais amargurada do que os outros — porque estava a ponto de conseguir tudo o que queria quando sua vida humana foi interrompida.

— Eu havia ido à casa de Vera naquela noite — sussurrou Rosalie. Seu rosto era liso como mármore e igualmente duro. — O filhinho, Henry, era mesmo lindo, todo sorrisos e covinhas... Ele começara a se sentar sozinho. Vera me acompanhou até a porta quando eu estava indo embora, o bebê nos braços e o marido a seu lado, com o braço em sua cintura. Ele a beijou na testa quando pensou que eu não estava olhando. Isso me incomodou. Quando Royce me beijava, não era igual... Não tinha a mesma doçura... Eu afastei esse pensamento. Royce era meu príncipe. Um dia, eu seria rainha.

Era difícil de dizer à luz da lua, mas parecia que o rosto branco de Rosalie ficara mais pálido.

— Estava escuro nas ruas, as lâmpadas dos postes já acesas. Não percebi que era tão tarde. — Ela continuou a falar em sussurros quase inaudíveis. — Também fazia frio. Muito frio para o final de abril. O casamento aconteceria dali a uma semana, e eu estava preocupada com o clima enquanto corria para casa... Posso me lembrar disso com clareza. Lembro-me de cada detalhe sobre aquela noite. Prendi-me tanto a isso... no começo. Não pensava em nada mais.

"E então me lembro disso, quando tantas lembranças agradáveis desapareceram por completo..."

Ela suspirou e começou a sussurrar de novo.

— Sim, eu estava preocupada com o clima... Não queria ter que transferir o casamento para dentro da casa...

"Eu estava a algumas ruas de minha casa quando os ouvi. Um grupo de homens sob um poste quebrado, rindo alto demais. Bêbados. Eu queria ligar para meu pai, pedindo que me acompanhasse para casa, mas o caminho era tão curto, parecia tolice. E então ele chamou meu nome.

"'Rose!', gritou ele, e os outros riram como idiotas.

"Eu não tinha percebido que os bêbados estavam tão bem-vestidos. Eram Royce e alguns amigos dele, filhos de outros homens ricos.

"'Esta é a minha Rose!', Royce gritou, rindo com eles, parecendo igualmente idiota. 'Está atrasada. Estamos com frio, você nos deixou esperando tempo demais.'

"Eu nunca o havia visto beber. Um brinde, vez ou outra, numa festa. Ele dissera que não gostava de champanhe. Eu não tinha percebido que preferia algo muito mais forte.

"Ele tinha um novo amigo — o amigo de um amigo, vindo de Atlanta.

"'O que foi que lhe disse, John?', gritou Royce, pegando meu braço e me puxando para mais perto. 'Não é a coisa mais adorável de todas as belezinhas da Geórgia?'

"O homem chamado John tinha cabelos escuros e era bronzeado. Ele olhou para mim como se eu fosse um cavalo que estivesse comprando.

"'É difícil dizer', disse ele de forma lenta e arrastada. 'Ela ainda está completamente vestida.'

"Eles riram, Royce e os outros.

"De repente, Royce rasgou meu casaco dos ombros — havia sido um presente dele —, arrancando os botões de bronze. Eles se espalharam pela rua.

"'Mostre-lhe como você é, Rose!' Ele riu de novo e tirou meu chapéu. Os grampos arrancaram meus cabelos pela raiz e eu gritei de dor. Eles pareceram gostar disso — de ouvir minha dor..."

Rosalie me olhou subitamente, como se tivesse se esquecido de que eu estava ali. Eu tinha certeza de que meu rosto estava tão branco quanto o dela. A menos que estivesse verde.

— Não vou obrigá-la a ouvir o restante — disse ela baixinho. — Eles me deixaram na rua, ainda rindo enquanto se afastavam, trôpegos. Pensaram que eu estivesse morta. Estavam zombando de Royce por ele ter de encontrar uma nova noiva. Riam e diziam que primeiro ele precisava aprender a ter paciência.

"Eu esperei pela morte na rua. Fazia frio, embora houvesse tanta dor que me surpreendi que isso me incomodasse. Fiquei olhando a neve e me perguntei por que eu não estava morrendo. Estava impaciente pela morte, para dar um fim à dor. Demorava tanto...

"Então, Carlisle me encontrou. Ele sentiu o cheiro de sangue e veio investigar. Lembro-me de ter ficado vagamente irritada enquanto ele cuidava de mim, tentando salvar minha vida. Jamais gostara do Dr. Cullen, da esposa ou do irmão dele — como Edward fingia ser. Aborrecia-me que todos fossem mais bonitos do que eu, em especial os homens. Mas eles não se misturavam em sociedade, então eu só os havia visto uma ou duas vezes.

"Pensei que ia morrer quando ele me tirou do chão e correu comigo — por causa da velocidade —, parecia que eu estava voando. Lembro-me de ficar apavorada que a dor não fosse cessar...

"Depois eu estava numa casa iluminada e quente. Eu estava desmaiando e fiquei grata pela dor começar a ceder. Mas de repente algo afiado me cortou: minha garganta, meus pulsos, meus tornozelos. Eu gritei de choque, pensando que ele me levara até lá para me ferir ainda mais. Depois um fogo começou a arder através de mim, e eu não me importei com mais nada. Implorei que ele me matasse. Quando Esme e Edward voltaram para casa, implorei-lhes que me matassem também. Carlisle ficou sentado comigo. Segurou minha mão e disse que lamentava muito, prometendo que aquilo terminaria. Contou-me tudo e eu ouvia parcialmente. Disse-me o que ele era e o que eu estava me tornando. Não acreditei nele. Ele se desculpava sempre que eu gritava.

"Edward não estava satisfeito. Lembro-me de ouvi-los discutindo sobre mim. De vez em quando eu parava de gritar. Gritar não me fazia bem algum.

"'Em que você está pensando, Carlisle?', disse Edward. 'Rosalie Hale?'"

Rosalie imitou com perfeição o tom irritado de Edward.

— Não gostei do modo como ele disse meu nome, como se houvesse algo errado comigo.

"'Eu não podia deixá-la morrer', disse Carlisle em voz baixa. 'Era demais — horrível demais, desperdício demais.'

"'Eu sei', disse Edward, e eu pensei que ele parecia me repudiar. Isso me irritou. Na época, eu não sabia que ele de fato podia ver exatamente o que Carlisle vira.

"'Era desperdício demais. Eu não podia deixá-la', repetiu Carlisle num sussurro.

"'É claro que não podia', concordou Esme.

"'Morre gente o tempo todo', lembrou-lhe Edward numa voz severa. 'Mas não acha que ela é um pouco fácil de reconhecer? Os King proporão uma busca imensa — e é claro que ninguém suspeitará do demônio', ele grunhiu.

"Agradou-me que eles parecessem saber que Royce era o culpado.

"Eu não percebi que estava quase acabando — que eu estava ficando mais forte e que por isso conseguia me concentrar no que eles diziam. A dor começava a ceder a partir da ponta de meus dedos.

"'O que vamos fazer com ela?', perguntou Edward, enojado — ou, pelo menos, assim me pareceu.

"Carlisle suspirou. 'Cabe a ela decidir, é claro. Ela pode seguir seu próprio caminho.'

"Eu acreditei no que ele me disse, o suficiente para ficar apavorada. Sabia que minha vida tinha terminado e que não havia volta para mim. Não podia suportar a ideia de ficar só...

"A dor, enfim, cessou e eles me explicaram novamente o que eu era. Desta vez eu acreditei. Sentia sede, minha pele doía; vi meus olhos vermelhos e brilhantes.

"Sendo fútil, senti-me melhor quando vi meu reflexo no espelho pela primeira vez. Apesar dos olhos, eu era a pessoa mais linda que já vira."

Ela riu consigo mesma por um momento.

— Precisei de algum tempo para começar a culpar a beleza pelo que acontecera comigo... Para ver a maldição nela. Para querer ter sido... bom, não feia, mas normal. Como Vera. Assim eu poderia ter me casado com alguém que *me* amasse e ter tido lindos bebês. Era o que eu realmente queria, o tempo todo. Ainda não parece demais pedir por isso.

Ela ficou pensativa por um momento, e me perguntei se tinha se esquecido de minha presença de novo. Mas depois Rosalie sorriu para mim, a expressão de repente triunfante.

— Sabe, meu histórico é quase tão limpo quanto o de Carlisle — disse-me ela. — Melhor do que o de Esme. Mil vezes melhor do que o de Edward. Jamais senti o gosto de sangue humano — anunciou com orgulho.

Ela entendeu minha expressão confusa enquanto eu me perguntava por que o histórico dela era *quase* tão limpo.

— Eu matei cinco humanos — disse-me ela num tom complacente. — Se puder chamá-los de *humanos*. Mas eu tive o cuidado de não derramar sangue... Eu sabia que não seria capaz de resistir e não queria parte alguma deles em mim, compreende?

"Poupei Royce para o fim. Tinha esperança de que ele soubesse da morte dos amigos e entendesse, soubesse que eu procurava por ele. Tinha esperança de que o medo piorasse seu fim. Acho que funcionou. Ele estava escondido em um quarto sem janelas, atrás de uma porta grossa como a de um cofre de banco, resguardado do lado de fora por homens armados, quando eu o alcancei. Epa... sete assassinatos. Eu me esqueci dos guardas. Só levei um segundo com eles.

"Foi teatral em excesso; eu era meio infantil. Estava com o vestido de noiva que roubara para a ocasião. Ele gritou quando me viu. Gritou muito naquela noite. Deixá-lo por último foi uma boa ideia — era mais fácil me controlar, fazer tudo bem devagar..."

Ela se interrompeu de repente e olhou para mim.

— Desculpe — disse ela numa voz pesarosa. — Estou assustando você, não é?

— Estou bem — menti.

— Eu me entusiasmei.

— Não se preocupe com isso.

— Surpreende-me que Edward não tenha lhe contado mais sobre isso.

— Ele não gosta de contar as histórias dos outros... Sente que está traindo a confiança, porque ele toma conhecimento de muito mais do que as partes que devia ouvir.

Ela sorriu e sacudiu a cabeça.

— Isso deve conferir mais algum mérito a ele. Ele é mesmo decente, não é?

— *Eu* acho que sim.

— Sei disso. — Depois ela suspirou. — Também não tenho sido justa com você, Bella. Ele lhe disse por quê? Ou isso também é confidencial?

— Ele disse que era porque eu era humana. Disse que era mais difícil para você aceitar que alguém de fora soubesse.

O riso musical de Rosalie me interrompeu.

— Agora eu me sinto bem culpada. Ele é muito, mas muito mais gentil comigo do que eu mereço. — Ela parecia mais calorosa rindo, como se baixasse a guarda que nunca estava ausente em minha presença. — Mas que mentiroso ele é. — Ela riu de novo.

— Ele estava mentindo? — perguntei, cautelosa de repente.

— Bem, deve ser exagero meu colocar desta forma. Ele só não lhe contou a história toda. O que ele lhe disse era verdade, ainda mais verdadeiro agora do que antes. Porém, na época... — Ela parou, rindo nervosamente. — É constrangedor. Entenda, no início, eu tinha principalmente ciúmes porque ele queria *você* e não a mim.

Suas palavras me provocaram um arrepio de medo. Sentada ali, à luz prateada, ela era mais linda do que qualquer outra coisa que eu pudesse imaginar. Eu não podia competir com Rosalie.

— Mas você ama Emmett... — murmurei.

Ela sacudiu a cabeça, divertindo-se.

— Eu não quero Edward dessa maneira, Bella. Jamais quis... Eu o amo como a um irmão, apesar de ele ter me irritado desde o primeiro momento em que o ouvi falar. Mas você precisa entender... Eu estava acostumada com as pessoas *me* querendo. E Edward não estava nem um pouco interessado. Isso no início me frustrou, me ofendeu. Mas ele jamais quis ninguém, então não me incomodou por muito tempo. Inclusive quando conhecemos o clã de Tanya, em Denali... Todas aquelas mulheres!... Edward jamais demonstrou qualquer interesse.E depois ele conheceu você.

Ela me olhou com uma expressão confusa. Eu não prestava muita atenção. Estava pensando em Edward e Tanya e *todas aquelas mulheres*, e meus lábios se fecharam numa linha firme.

— Não é que você não seja bonita, Bella — disse ela, interpretando mal minha expressão. — Mas só significa que ele a achou mais atraente do que a mim. Sou bastante fútil para me importar com isso.

— Mas você disse "no início". Isso ainda... a incomoda? Quer dizer, nós duas sabemos que você é a pessoa mais bonita do mundo.

Eu ri ao ter que pronunciar as palavras — era tão evidente! Que estranho que Rosalie precisasse desse tipo de reafirmação.

Rosalie também riu.

— Obrigada, Bella. E não, não me incomoda mais em nada. Edward sempre foi meio estranho. — Ela riu de novo.

— Mas você ainda não gosta de mim — sussurrei.

Seu sorriso desapareceu.

— Eu lamento por isso.

Ficamos sentadas em silêncio por um momento, e ela não pareceu inclinada a continuar.

— Pode me dizer por quê? Eu fiz alguma coisa...? — Ela estaria com raiva por eu ter colocado sua família, seu Emmett, em perigo? Repetidas vezes. James e agora Victoria...

— Não, você não fez nada — murmurou ela. — Ainda não.

Eu a fitei, perplexa.

— Não entende, Bella? — Sua voz de repente era mais apaixonada do que antes, mesmo quando contou a história infeliz. — Você já tem *tudo*. Tem toda uma vida pela frente... Tudo o que eu quero. E quer *jogar tudo fora*. Não entende que eu trocaria qualquer coisa que tenho para ser você? Você tem a alternativa que eu não tive e está tomando a decisão *errada*!

Eu recuei ao ver sua expressão veemente. Percebi que minha boca se abrira e a fechei rapidamente.

Ela me olhou por um longo tempo e, aos poucos, o fervor de seus olhos diminuiu; de repente, ela estava envergonhada.

— Não tenho certeza de que posso fazer isso com calma. — Ela sacudiu a cabeça, parecendo meio tonta pelo dilúvio de emoções. — É só que é mais difícil agora do que antes, quando não passava de vaidade.

Ela olhou a lua em silêncio. Isso alguns momentos antes de eu ter coragem de interromper seus devaneios.

— Você me consideraria melhor se eu preferisse continuar humana?

Ela se virou para mim, os lábios se retorcendo numa sugestão de sorriso.

— Talvez.

— Mas você conseguiu seu final feliz — lembrei a ela. — Você conseguiu Emmett.

— Mais ou menos. — Ela sorriu. — Sabe que eu salvei Emmett de um urso que o atacava e o levei para a casa de Carlisle. Mas pode imaginar por que eu impedi que o urso o devorasse?

Sacudi a cabeça.

— Com os cachos escuros... As covinhas que apareciam mesmo quando ele fazia caretas de dor... A estranha inocência que parecia tão deslocada num rosto de adulto... Ele me lembrou o filho de Vera, Henry. Eu não queria que ele morresse... Embora odiasse essa vida, fui egoísta o suficiente para pedir a Carlisle para transformá-lo para mim.

"Tive mais sorte do que merecia. Emmett é tudo o que eu pediria se me conhecesse bem o bastante para saber o que pedir. Ele é exatamente o tipo de pessoa necessária a alguém como eu. E, é estranho, ele também precisa de mim. Essa parte funcionou melhor do que eu poderia esperar. Mas nunca haverá mais do que nós dois. E nunca me sentarei em alguma varanda, com ele grisalho a meu lado, cercada de netos."

Seu sorriso agora era gentil.

— Isso parece bem bizarro para você, não é? De certa maneira, você é muito mais madura do que eu aos 18 anos. Mas, por outro lado... Há muitas considerações em que você não deve ter pensado com seriedade. É nova demais para saber o que quer daqui a dez, quinze anos... E nova demais para desistir de tudo sem pensar com cuidado. Não pode ser imprudente com o que é para sempre, Bella.

Ela afagou minha cabeça, mas o gesto não parecia condescendente.

Eu suspirei.

— Só pense um pouco. Depois que for feito, não pode ser desfeito. Esme nos trata como substitutos... E Alice não se lembra de nada humano, então não pode sentir falta... Mas você vai se lembrar. É muito para se abrir mão.

Mas há mais em troca, eu não disse em voz alta.

— Obrigada, Rosalie. É bom entender... conhecer você melhor.

— Desculpe-me por ser um monstro. — Ela sorriu. — De agora em diante, vou tentar me comportar.

Eu sorri para ela.

Ainda não éramos amigas, mas eu tinha certeza absoluta de que ela não me odiaria tanto para sempre.

— Agora vou deixar você dormir. — Os olhos de Rosalie voltaram-se para a cama e seus lábios se retorceram. — Sei que está frustrada por ele tê-la prendido desse jeito, mas não fique muito brava quando ele voltar. Ele a ama mais do que você entende. Apavora-o ficar longe de você. — Ela se levantou em silêncio e foi como um fantasma para a porta. — Boa noite, Bella — sussurrou ao fechar a porta depois de passar.

— Boa-noite, Rosalie — murmurei um segundo tarde demais.

Quando dormi, tive um pesadelo. Eu estava rastejando no escuro, nas pedras frias de uma rua desconhecida, sob a neve que caía suave, deixando uma trilha de sangue. Um anjo sombrio, de roupa longa e branca, observava meu progresso com olhos ressentidos.

Na manhã seguinte, Alice me levou à escola enquanto, mal-humorada, eu olhava pelo para-brisa. Sentia-me privada de sono e isso tornava ainda mais forte minha irritação pela prisão.

— Esta noite vamos a Olympia ou outro programa assim — prometeu ela. — Vai ser divertido, não é?

— Por que não me tranca no porão — sugeri — e deixa a bajulação para lá?

Alice franziu a testa.

— Ele vai pegar o Porsche de volta. Não estou fazendo um trabalho muito bom. Você devia estar se divertindo.

— Não é culpa sua — murmurei. Nem acreditava que eu realmente me sentia culpada. — A gente se vê no almoço.

Andei com passos pesados para a aula de inglês. Sem Edward, o dia, com certeza, seria insuportável. Fiquei amuada em minha primeira aula, ciente de que minha atitude não ajudava em nada.

Quando a sineta tocou, levantei-me sem muito entusiasmo. Mike estava na porta, mantendo-a aberta para mim.

— Edward foi fazer trilha neste fim de semana? — perguntou ele socialmente enquanto andávamos para a chuva leve.

— Foi.

— Quer fazer algo hoje à noite?

Como ele ainda podia ter esperanças?

— Não posso. Tenho uma festinha de pijama — resmunguei.

Ele me olhou de um jeito estranho enquanto processava meu estado de espírito.

— Quem você vai...

A pergunta de Mike foi interrompida quando um rugido alto surgiu de trás de nós no estacionamento. Todos na calçada se viraram para olhar, encarando incrédulos a moto preta e barulhenta que parava cantando pneu na borda de concreto, o motor ainda roncando.

Jacob acenou para mim com urgência.

— Corra, Bella! — gritou ele mais alto que o ronco do motor.

Fiquei paralisada por um segundo antes de entender.

Olhei para Mike rapidamente. Eu sabia que tinha apenas segundos.

Até que ponto Alice me reprimiria em público?

— Eu fiquei enjoada e fui para casa, está bem? — disse a Mike, a voz de repente cheia de excitação.

— Tudo bem — murmurou ele.

Belisquei de leve o rosto de Mike.

— Obrigada, Mike. Fico devendo uma! — gritei enquanto disparava dali.

Jacob acelerou o motor, sorrindo. Pulei na garupa, passando os braços com firmeza em sua cintura.

Tive um vislumbre de Alice, paralisada na beira do refeitório, os olhos cintilando de fúria, o lábio retorcido por sobre os dentes.

Lancei-lhe um olhar suplicante.

Depois estávamos correndo tão rápido pelo asfalto que meu estômago se perdeu em algum lugar atrás de mim.

— Segure-se — gritou Jacob.

Escondi meu rosto em suas costas enquanto ele acelerava na estrada. Eu sabia que ele devia reduzir quando chegássemos à fronteira quileute. Só precisava me segurar bem até lá. Rezei em silêncio e fervorosamente para que Alice não nos seguisse e Charlie não me visse por acaso...

Ficou evidente quando chegamos à área segura. Jacob reduziu a marcha da moto, se endireitou e uivou aos risos. Eu abri os olhos.

— Conseguimos — gritou ele. — Nada mal para uma fuga da prisão, hein?

— Boa ideia, Jake.

— Eu me lembrei do que você disse sobre a sanguessuga paranormal não conseguir prever o que *eu* vou fazer. Ainda bem que *você* não pensou nisso... Ela não teria deixado você ir à escola.

— Foi por isso que não pensei no assunto.

Ele riu, triunfante.

— O que quer fazer hoje?

— Qualquer coisa! — Eu também ri. Sentia-me ótima por estar livre.

8. MAU GÊNIO

ACABAMOS NA PRAIA DE NOVO, ANDANDO SEM RUMO. JACOB ESTAVA cheio de si por ter planejado minha fuga.

— Acha que virão procurar por você? — perguntou ele, parecendo esperançoso.

— Não. — Eu tinha certeza disso. — Mas esta noite vão ficar furiosos comigo.

Ele pegou uma pedra e a atirou nas ondas.

— Então não volte — sugeriu ele de novo.

— Charlie adoraria isso — eu disse com sarcasmo.

— Aposto que ele não se importaria.

Não respondi. Jacob devia ter razão, e isso me fez trincar os dentes. A preferência patente de Charlie por meus amigos quileutes era muito injusta. Perguntei-me se ele sentiria o mesmo se soubesse que a escolha era, na verdade, entre vampiros e lobisomens.

— E aí, qual é o último escândalo da alcateia? — perguntei alegremente.

Jacob parou e me olhou, chocado.

— Que foi? Era brincadeira.

— Ah. — Ele virou a cara.

Esperei que Jacob recomeçasse a andar, mas ele parecia imerso em pensamentos.

— Há *mesmo* um escândalo? — perguntei.

Jacob deu uma risada.

— Esqueci como é nem todo mundo saber de tudo o tempo todo. Ter um lugar privativo e secreto em minha mente.

Andamos pela praia rochosa em silêncio por alguns minutos.

— Então, o que é? — perguntei por fim. — O que todo mundo em sua cabeça já sabe?

Ele hesitou por um momento, como se não tivesse certeza do quanto me contaria. Depois suspirou e disse:

— Quil sofreu *imprinting*. Agora são três. O restante de nós está começando a ficar preocupado. Talvez seja mais comum do que dizem as histórias...

Ele franziu o cenho, depois se virou para me fitar. Olhou em meus olhos sem falar nada, a testa vincada de concentração.

— O que está olhando? — perguntei, sem graça.

Ele suspirou.

— Nada.

Jacob recomeçou a andar. Sem parecer pensar no assunto, ele pegou minha mão. Nós andamos em silêncio pelas pedras.

Pensei na impressão que devíamos passar, caminhando de mãos dadas pela praia — certamente como um casal —, e me perguntei se devia me opor a isso. Mas era sempre assim com Jacob... Não havia motivo para me preocupar agora.

— Por que o *imprinting* de Quil é um escândalo? — perguntei quando ele deu a entender que não continuaria. — É porque ele é o mais novo?

— Isso não tem nada a ver.

— Então, qual é o problema?

— É outra daquelas lendas. Quando será que vamos parar de nos surpreender que *todas* sejam verdade? — murmurou ele para si mesmo.

— Vai me contar? Ou vou ter que adivinhar?

— Você jamais conseguiria. Olhe, o Quil só começou a andar conosco recentemente. Então ele não esteve muito na casa de Emily.

— O Quil sofreu *imprinting* com a Emily também? — eu arquejei.

— Não! Eu disse que não ia adivinhar. Emily tem duas sobrinhas de visita... E Quil conheceu Claire.

Ele não continuou. Pensei nisso por um momento.

— Emily não quer a sobrinha com um lobisomem? Isso é meio hipócrita — eu disse.

Mas eu podia entender por que justo ela se sentiria assim. Pensei novamente nas longas cicatrizes que desfiguravam seu rosto e se estendiam até o braço direito. Sam perdeu o controle uma vez quando ficou perto demais dela. Foi o que bastou... Eu vi a dor nos olhos de Sam quando ele olhava o que fizera com Emily. Podia entender por que Emily queria proteger a sobrinha disso.

— Pode parar de tentar adivinhar? Não está acertando uma. Emily não se importa com essa parte, só é, bom, meio prematuro.

— O que quer dizer com *prematuro*?

Jacob avaliou-me com os olhos semicerrados.

— Procure não ser muito crítica, está bem?

Eu assenti, cautelosa.

— Claire tem 2 anos — disse-me Jacob.

A chuva começou a cair. Pisquei furiosamente para as gotas que golpeavam minha cara.

Jacob esperava em silêncio. Não estava de casaco, como sempre; a chuva deixava borrifos escuros na camiseta preta e pingava de seus cabelos desgrenhados. O rosto observava inexpressivo o meu.

— Quil... sofreu *imprinting* com... uma *menina de 2 anos*? — Finalmente consegui falar.

— Acontece. — Jacob deu de ombros. Ele se curvou para pegar outra pedra e a mandou voando para a baía. — Ou assim dizem as histórias.

— Mas ela é um bebê — protestei.

Ele olhou para mim com uma diversão sombria.

— O Quil não vai ficar mais velho — lembrou-me, meio acre no tom de voz. — Só terá de ser paciente por algumas décadas.

— Eu... não sei o que dizer.

Eu tentava ao máximo não ser crítica, mas, na verdade, estava apavorada. Desde o dia em que descobri que eles não estavam cometendo os assassinatos que eu lhes imputava, nada sobre os lobisomens me incomodara. Até ali.

— Está julgando mal — acusou ele. — Posso ver isso em seu rosto.

— Desculpe — murmurei. — Mas parece mesmo arrepiante.

— Não é isso; você entendeu tudo errado. — Jacob defendeu o amigo com uma veemência súbita. — Eu vi como é, pelos olhos dele. Não há nada de *romântico* nisso, não para o Quil, não agora. — Ele respirou fundo, frustrado. — É difícil de descrever. Não é como o amor à primeira vista. É mais como... uma atração gravitacional. Quando a *vê*, de repente não é mais a Terra que mantém você aqui. É ela. E nada importa mais do que ela. E você faria qualquer coisa por ela, seria qualquer coisa por ela... Você se torna o que ela precisa que seja, um protetor, amante, amigo ou irmão.

"Quil será o melhor e mais gentil irmão mais velho que qualquer criança já teve. Não há um único bebê no mundo que será mais bem cuidado do que essa garotinha. E depois, quando ela ficar mais velha e precisar de um amigo, ele será mais compreensivo, mais digno de confiança e leal que qualquer outra pessoa que ela conhecer. E mais tarde, quando ela for adulta, eles serão felizes, como Emily e Sam.

Uma pontada estranha de amargura aguçou sua voz bem no fim, ao falar de Sam.

— Nesse caso, Claire não tem escolha?

— Claro que tem. Mas por que ela não o escolheria, no final? Ele será seu parceiro perfeito. Como se fosse projetado só para ela.

Andamos em silêncio por um momento, até que parei para atirar uma pedra no mar. Ela caiu na praia, vários metros antes. Jacob riu de mim.

— Nem todos somos incrivelmente fortes — murmurei.

Ele suspirou.

— Quando acha que vai acontecer com você? — perguntei em voz baixa.

A resposta dele foi monótona e imediata.

— Nunca.

— Não é algo que se possa controlar, é?

Ele ficou em silêncio por alguns minutos. Inconscientemente, nós reduzimos o passo, mal nos movendo.

— Não devia ser — admitiu ele. — Mas você tem que *vê-la*... Aquela que deve ser para você.

— E acha que se você ainda não a viu, então ela não está por aí? — perguntei, cética. — Jacob, você não viu muita coisa do mundo... Viu até menos do que eu.

— Não, não vi — disse ele em voz baixa. Ele fitou meu rosto com os olhos repentinamente penetrantes. — Mas nunca mais verei ninguém, Bella. Só vejo você. Mesmo quando fecho meus olhos e tento ver outra coisa. Pergunte ao Quil ou ao Embry. Isso os deixa malucos.

Baixei os olhos para as pedras.

Não estávamos mais andando. O único som era das ondas quebrando na praia. Eu mal conseguia ouvir a chuva com aquele rugido.

— Talvez seja melhor eu ir para casa — sussurrei.

— Não! — ele protestou, surpreso com essa conclusão.

Voltei a olhar para ele, e agora seus olhos eram ansiosos.

— Você tem o dia todo, não é? O sanguessuga ainda não chegou em casa.

Eu o encarei.

— Eu não pretendia ofender — disse ele depressa.

— Sim, eu tenho o dia todo, mas Jake...

Ele ergueu as mãos.

— Desculpe — disse ele. — Não serei mais assim, serei só o Jacob.

Eu suspirei.

— Mas se é nisso que você está *pensando*...

— Não se preocupe comigo — insistiu ele, sorrindo com uma alegria estudada, animado demais. — Sei o que estou fazendo. Só me avise se eu aborrecer você.

— Não sei, não...

— Por favor, Bella. Vamos voltar para casa e pegar nossas motos. É preciso andar numa moto com frequência para mantê-la regulada.

— Não acho que tenha permissão para isso.

— E quem proíbe? Charlie ou o sanguess... ou *ele*?

— Os dois.

Jacob abriu o *meu* sorriso e de repente era o Jacob de quem eu sentia falta, ensolarado e quente.

Não pude deixar de sorrir também.

A chuva atenuou, transformando-se numa névoa.

— Não vou contar a ninguém — prometeu ele.

— Só a cada um de seus amigos.

Ele sacudiu a cabeça com bom-senso e ergueu a mão direita.

— Eu prometo não pensar nisso.

Eu ri.

— Se eu me machucar, foi porque tropecei.

— O que você disser.

Andamos com nossas motos nas estradas secundárias de La Push até que a chuva as deixou lamacentas demais, e Jacob insistiu que ia desmaiar se não comesse logo. Billy me recebeu tranquilamente quando chegamos à casa, como se meu reaparecimento repentino não significasse nada mais complicado do que eu querer passar o dia com meu amigo. Depois que comemos os sanduíches preparados por Jacob fomos para a oficina e eu o ajudei a limpar as motos. Eu não ia lá havia meses — desde a volta de Edward —, mas não tinha sentido me importar com isso. Era só outra tarde na oficina.

— Isso é ótimo — comentei quando ele pegou refrigerantes quentes no saco do armazém. — Eu estava com saudade deste lugar.

Ele sorriu, olhando o telheiro de plástico sobre nossa cabeça.

— É, posso entender isso. Todo o esplendor do Taj Mahal, sem a inconveniência nem as despesas de viagem para a Índia.

— Ao pequeno Taj Mahal de Washington — eu brindei, levantando minha lata.

Ele tocou a lata dele na minha.

— Lembra o Dia dos Namorados? Acho que foi a última vez em que você esteve aqui... A última vez em que as coisas foram... normais, quero dizer.

Eu ri.

— É claro que me lembro. Eu troquei uma vida toda de escravidão por uma caixa de corações entrelaçados. Não é algo de que se possa esquecer.

Ele riu comigo.

— Tem razão. Hmmm, escravidão. Vou ter que pensar numa coisa boa. — Depois ele suspirou. — Parece que já faz anos. Outra era. Uma época mais feliz.

Eu não podia concordar com ele. Esta era a minha época de felicidade. Mas fiquei surpresa ao perceber de quantas coisas de minhas eras sombrias eu sentia falta. Olhei pela abertura a floresta escura. A chuva tinha aumentado de novo, mas fazia calor na pequena oficina, sentada ao lado de Jacob. Ele era tão bom como uma fornalha.

Os dedos dele afagaram minha mão.

— As coisas mudaram mesmo.

— É — eu disse, depois estendi a mão e afaguei o pneu traseiro de minha moto. — Charlie *costumava* gostar de mim. Espero que Billy não diga nada sobre hoje... — Eu mordi o lábio.

— Não vai dizer. Ele não fica preocupado como Charlie. Olha, eu nunca me desculpei oficialmente por aquela atitude idiota sobre a moto. Lamento de verdade por ter dedurado você para Charlie. Não queria ter feito isso.

Revirei os olhos.

— Nem eu.

— Desculpe, me desculpe mesmo.

Ele olhou para mim cheio de esperança, os cabelos pretos embaraçados e molhados apontando para todo lado em volta da cara suplicante.

— Ah, tudo bem! Está perdoado.

— Obrigado, Bells!

Trocamos um sorriso por um segundo, depois seu rosto ficou sombrio.

— Sabe aquele dia, quando eu levei a moto... Eu estava querendo fazer uma pergunta — disse ele devagar. — Mas, ao mesmo tempo... não queria.

Fiquei completamente imóvel — uma reação de estresse. Era um hábito que eu adquirira de Edward.

— Você estava sendo teimosa porque estava chateada comigo ou era mesmo a sério? — sussurrou ele.

— Sobre o quê? — sussurrei também, mas tinha certeza de saber o que ele queria dizer.

Ele me encarou.

— Sabe o que é. Quando você disse que não era da minha conta... se... se ele tinha mordido você. — Ele se encolheu visivelmente no final.

— Jake... — Minha garganta parecia inchada. Eu não conseguia terminar.

Ele fechou os olhos e respirou fundo.

— Estava falando sério?

Ele tremia só um pouco. Seus olhos ficaram fechados.

— Estava — sussurrei.

Jacob respirou, lenta e profundamente.

— Acho que eu sabia disso.

Fitei seu rosto, esperando que os olhos dele se abrissem.

— Sabe o que isso vai significar? — perguntou ele de repente. — Você entende, não é? O que vai acontecer se eles quebrarem o tratado?

— Vamos embora primeiro — eu disse numa voz fininha.

Seus olhos se abriram num rompante, as profundezas negras cheias de raiva e dor.

— O tratado não tem limite geográfico, Bella. Nossos bisavós só concordaram em manter a paz porque os Cullen juraram que eram diferentes, que as pessoas não corriam perigo com eles. Prometeram que nunca matariam nem mudariam mais ninguém. Se eles voltarem atrás, o tratado perde o sentido e eles não serão diferentes dos outros vampiros. Já que isso está determinado, quando os encontrarmos outra vez...

— Mas, Jake, você já não quebrou o tratado? — perguntei, aproveitando a deixa. — Não quebrou a parte de não contar às pessoas sobre os vampiros? E você contou a mim. Então o tratado não é meio discutível de alguma forma?

Jacob não gostou do lembrete; a dor em seus olhos endureceu em animosidade.

— É, eu quebrei o tratado... Antes até de acreditar nele. E tenho certeza de que eles foram informados disso. — Ele fitou de mau humor minha testa, sem encontrar meu olhar, envergonhado. — Mas isso não dá um brinde a eles nem nada disso. Não se troca uma culpa por outra. Eles só terão uma alternativa se fizerem objeção ao que eu fiz. A mesma opção que eu terei quando eles romperem o tratado. Atacar. Começar a guerra.

Ele fazia aquilo parecer tão inevitável! Eu tremi.

— Jake, não precisa ser assim.

Seus dentes trincaram.

— Mas *é* assim.

O silêncio depois da declaração dele parecia muito alto.

— Nunca vai me perdoar, Jacob? — sussurrei. Assim que pronunciei as palavras, desejei não ter falado nada. Eu não queria ouvir a reposta dele.

— Você não seria mais a Bella — disse-me ele. — Minha amiga não vai existir. Não haverá a quem perdoar.

— Isso me parece um *não* — sussurrei.

Nós nos encaramos por um instante interminável.

— Então é adeus, Jake?

Ele piscou rapidamente, sua expressão colérica derretendo-se em surpresa.

— Por quê? Ainda temos alguns anos. Não podemos ser amigos até esgotarmos nosso tempo?

— Anos? Não, Jake, não são anos. — Sacudi a cabeça e ri uma vez sem humor algum. — *Semanas* seria mais preciso.

Eu não esperava pela reação dele.

De repente ele ficou de pé e houve um estouro alto quando a lata de refrigerante explodiu em sua mão. Voou refrigerante para todo lado, como que espirrado de uma mangueira, ensopando-me.

— Jake! — comecei a reclamar, mas me calei quando percebi todo seu corpo tremendo de raiva. Ele me encarava desvairado, um rosnado se formando no peito.

Fiquei paralisada, chocada demais para lembrar como me mexer.

O tremor rolou por ele, acelerando, até que ele parecia vibrar. Sua forma se nublou...

E depois Jacob trincou os dentes e o rosnado parou. Ele fechou os olhos com firmeza, concentrado; o tremor se reduziu até que só as mãos se agitavam.

— Semanas — disse Jacob numa voz monótona.

Não consegui responder; ainda estava paralisada.

Ele abriu os olhos. Agora estavam além da fúria.

— Ele vai transformar você numa maldita sanguessuga só em algumas *semanas*! — Jacob sibilou entredentes.

Atordoada demais para me ofender com as palavras dele, eu só assenti, muda.

Seu rosto ficou esverdeado sob a pele avermelhada.

— É claro, Jake — sussurrei depois de um longo minuto de silêncio. — Ele tem *17* anos, Jacob. E eu fico mais perto dos 19 a cada dia que passa. Além disso, que sentido tem esperar? Ele é tudo o que eu quero. O que mais posso fazer?

Eu pretendia que essa fosse uma pergunta retórica.

As palavras dele estalaram como os golpes de um chicote.

— Qualquer coisa. Qualquer outra coisa. É melhor até morrer. Eu preferia que morresse.

Recuei como se ele tivesse me batido. Magoou mais do que se tivesse feito.

E então, enquanto a dor me atingia, meu mau gênio explodiu em chamas.

— Talvez você tenha sorte — eu disse com frieza, colocando-me de pé. — Talvez eu seja atropelada por um caminhão quando voltar para casa.

Peguei minha moto e a empurrei para a chuva. Ele não se mexeu quando passei por ele. Assim que cheguei à trilha pequena e lamacenta, subi na moto e dei a partida. O pneu traseiro cuspiu um jato de lama para a oficina e eu esperava que o tivesse atingido.

Fiquei completamente ensopada ao acelerar pela estrada escorregadia até a casa dos Cullen. O vento parecia congelar a chuva em minha pele, e meus dentes batiam antes que eu chegasse na metade do caminho.

Motos não são nada práticas em Washington. Eu venderia aquela coisa idiota na primeira oportunidade que tivesse.

Entrei com a moto na garagem cavernosa dos Cullen e não me surpreendi ao ver Alice esperando por mim, empoleirada no capô do Porsche. Alice afagava a tinta amarela brilhante.

— Ainda nem tive chance de dirigir. — Ela suspirou.

— Desculpe — soltei entre os dentes que batiam.

— Parece que você precisa de um banho — disse ela, bruscamente, enquanto se colocava de pé.

— É.

Ela franziu os lábios, examinando minha expressão com cuidado.

— Quer conversar sobre isso?

— Não.

Ela assentiu, mas seus olhos ardiam de curiosidade.

— Quer ir a Olympia hoje à noite?

— Não. Posso ir para casa?... Deixa pra lá, Alice — eu disse, depois que ela fez uma careta. — Vou ficar, se isso facilitar a situação para você.

— Obrigada. — Ela suspirou de alívio.

Fui para a cama cedo naquela noite, enroscando-me no sofá de novo.

Ainda estava escuro quando acordei. Eu estava grogue, mas sabia que ainda não havia amanhecido. Meus olhos se fecharam e eu me espreguicei, rolando no sofá. Precisei de um segundo para perceber que o movimento devia ter me derrubado no chão. E que eu estava confortável demais.

Rolei de novo, tentando enxergar. Estava mais escuro do que na noite anterior — as nuvens eram espessas demais para a lua brilhar através delas.

— Desculpe-me — murmurou ele, tão suavemente que sua voz pareceu parte da escuridão. — Não queria acordar você.

Fiquei tensa, esperando pela fúria — a dele e a minha —, mas só havia silêncio e quietude na escuridão do quarto dele. Eu quase podia sentir o gosto da doçura do reencontro no ar; a fragrância distinta do perfume de seu hálito; o vazio de nossa separação deixara seu próprio gosto amargo, algo de que só tive consciência quando foi removido.

Não havia atrito no espaço entre nós. A quietude era pacífica — não como a calma antes da tempestade, mas como uma noite limpa, intocada até pelo sonho de uma tempestade.

E eu não me incomodei em ficar com raiva dele. Não me incomodei em sentir raiva de todo mundo. Estendi a mão até ele, encontrei suas mãos no escuro e me puxei para mais perto. Seus braços me envolveram, aninhando-me no peito. Meus lábios procuraram, famintos, por seu peito, seu pescoço, até que enfim encontraram sua boca.

Edward me beijou delicadamente por um momento, depois riu.

— Eu estava prevenido para a ira que colocaria os ursos no chinelo e é isso que eu recebo? Eu devia enfurecê-la com mais frequência.

— Me dê um minuto para me preparar — brinquei, beijando-o novamente.

— Vou esperar o tempo que quiser — sussurrou ele em meus lábios. Seus dedos se prenderam em meus cabelos.

— Talvez de manhã — respondi, com a respiração irregular.

— Como preferir.

— Bem-vindo ao lar — eu disse enquanto seus lábios frios pressionavam sob meu queixo. — Estou feliz por ter voltado.

— Isso é muito bom.

— Hmmmm — concordei, apertando meus braços em seu pescoço.

Sua mão envolveu meu cotovelo, movendo-se bem devagar por meu braço, por minhas costelas e em volta de minha cintura, acompanhando meu quadril e descendo por minha perna, contornando meu joelho. Ele parou ali, a mão enroscando-se na panturrilha. De repente ele puxou minha perna, enganchando-a em seu quadril.

Parei de respirar. Não era o tipo de carinho que ele costumava fazer. Apesar das mãos frias, senti-me quente de imediato. Seus lábios moveram-se por meu pescoço.

— Não quero provocar sua ira prematuramente — sussurrou ele —, mas importa-se de me dizer o motivo de você rejeitar esta cama?

Antes que eu pudesse responder, antes até que pudesse me concentrar o suficiente para compreender as palavras dele, ele rolou de lado, puxando-me para cima. Segurou meu rosto nas mãos, inclinando-o para que sua boca chegasse a meu pescoço. Minha respiração era alta demais — era quase constrangedor, mas eu não me importava o suficiente para ficar envergonhada.

— A cama? — perguntou ele de novo. — *Eu* acho ótima.

— É desnecessária — consegui arfar.

Ele puxou meu rosto e meus lábios moldaram-se aos dele. Devagar desta vez, ele rolou até pairar em cima de mim. Sustentou-se com cuidado para eu não sentir seu peso, mas eu podia sentir o frio de mármore de seu corpo contra o meu. Meu coração martelava tão alto que era difícil ouvir seu riso baixo.

— Isso é discutível — discordou ele. — Isto aqui seria difícil num sofá.

Fria como gelo, sua língua acompanhou com leveza a forma de meus lábios.

Minha cabeça girava — o ar entrava rápido e superficial demais.

— Você mudou de ideia? — perguntei sem fôlego. Talvez ele tivesse repensado suas regras cautelosas. Talvez houvesse mais significado naquela cama do que eu pensara. Meu coração pulsava quase dolorosamente enquanto eu esperava por sua resposta.

Edward suspirou, rolando de costas e ficando a meu lado de novo.

— Não seja ridícula, Bella — disse ele, a censura forte em sua voz; com certeza, ele entendeu o que eu quis dizer. — Só estava tentando ilustrar os benefícios da cama de que você parece não gostar. Não exagere.

— Tarde demais — murmurei. — E eu gosto da cama — acrescentei.

— Que bom. — Eu podia ouvir o sorriso em sua voz quando ele beijou minha testa. — Eu também gosto.

— Mas ainda acho desnecessária — continuei. — Se não vamos nos deixar levar, que sentido tem?

Ele suspirou de novo.

— Pela centésima vez, Bella... É perigoso demais.

— Gosto do perigo — insisti.

— Eu sei. — Havia um tom amargo em sua voz e percebi que ele devia ter visto a moto na garagem.

— Vou lhe dizer o que é perigoso — eu disse rapidamente, antes que ele pudesse passar a outro assunto. — Vou entrar em combustão espontânea um dia desses... e você só poderá culpar a si mesmo.

Ele começou a me afastar.

— O que está fazendo? — objetei, prendendo-me a ele.

— Protegendo-a da combustão. Já que é demais para você...

— Posso lidar com isso — insisti.

Ele permitiu que eu me aninhasse novamente no círculo de seus braços.

— Desculpe por ter dado a impressão errada — disse ele. — Eu não queria deixá-la infeliz. Isso não foi bom.

— Na verdade, foi muito, muito bom.

Ele respirou fundo.

— Não está cansada? Eu devia deixá-la dormir.

— Não, não estou. Se não se importa, quero que dê a impressão errada de novo.

— Não deve ser uma boa ideia. Você não é a única que se empolga.

— Sou, sim — murmurei.

Ele riu.

— Não faz ideia, Bella. E também não ajuda em nada que você esteja tão ansiosa por acabar com meu autocontrole.

— Não vou me desculpar por isso.

— Mas será que *eu* posso me desculpar?

— Pelo quê?

— Você estava com raiva de mim, lembra?

— Ah, isso.

— Desculpe. Eu errei. É muito mais fácil ter a perspectiva correta quando tenho você em segurança *aqui*. — Seus braços se estreitaram à minha volta.

— Eu fico um tanto frenético quando tenho de deixá-la. Não acho que irei tão longe de novo. Não vale a pena.

Eu sorri.

— Encontrou algum leão da montanha?

— Sim, na verdade sim. Ainda não compensou a ansiedade. Mas lamento que Alice a tenha feito refém. Foi uma ideia ruim.

— Foi — concordei.

— Não vou fazer isso de novo.

— Tudo bem — eu disse tranquilamente. Ele já estava perdoado. — Mas as festinhas de pijama têm suas vantagens... — Eu me enrosquei mais perto dele, colocando os lábios na reentrância acima da clavícula. — *Você* pode me manter refém a hora que quiser.

— Hmmm — suspirou ele. — Olha que eu posso me aproveitar de você.

— Então agora é minha vez?

— Sua vez? — A voz dele era confusa.

— De pedir desculpas.

— O que você fez para se desculpar?

— Não está chateado comigo? — perguntei sem entender.

— Não.

Ele parecia sincero.

Senti minhas sobrancelhas se unirem.

— Não viu Alice quando chegou em casa?

— Vi... Por quê?

— Vai pegar o Porsche de volta?

— É claro que não. Foi um presente.

Eu queria poder ver a expressão dele. Sua voz me deu a impressão de que eu o insultara.

— Não quer saber o que eu fiz? — perguntei, começando a ficar confusa com a aparente despreocupação dele.

Eu o senti dar de ombros.

— Sempre estou interessado em tudo o que você faz... Mas não precisa me contar, a não ser que queira.

— Mas eu fui a La Push.

— Eu sei.

— E matei aula.

— E eu também.

Virei-me para o som de sua voz, acompanhando suas feições com os dedos, tentando entender seu estado de espírito.

— De onde veio toda essa tolerância? — perguntei.

Ele suspirou.

— Concluí que você tem razão. Meu problema antes era mais com meu... preconceito contra lobisomens do que qualquer outra coisa. Vou tentar ser mais razoável e confiar em seu julgamento. Se você diz que é seguro, então vou acreditar em você.

— Caramba.

— E... mais importante... Não estou disposto a deixar que isso crie atrito entre nós.

Pousei minha cabeça em seu peito e fechei os olhos, totalmente satisfeita.

— E então — murmurou ele num tom casual. — Você pretende voltar a La Push em breve?

Não respondi. A pergunta dele trouxe as lembranças das palavras de Jacob e minha garganta de repente se fechou.

Ele interpretou mal meu silêncio e a tensão de meu corpo.

— Só para que eu faça meus planos — explicou ele depressa. — Não quero que sinta que tem que correr de volta porque estou esperando sentado por você.

— Não — eu disse num tom que me pareceu estranho. — Não tenho planos de voltar.

— Ah. Não precisa fazer isso por mim.

— Não acho que vá ser bem-recebida — sussurrei.

— Você atropelou o gato de alguém? — perguntou ele descontraído.

Eu sabia que ele não queria arrancar a história de mim, mas eu podia ouvir a curiosidade ardendo por trás de suas palavras.

— Não. — Respirei fundo, depois murmurei rapidamente a explicação. — Eu pensei que Jacob entenderia... Não achei que isso o surpreenderia.

Edward esperou enquanto eu hesitava.

— Ele não estava esperando... que fosse tão cedo.

— Ah! — disse Edward baixinho.

— Ele disse que prefere me ver morta. — Minha voz falhou na última palavra.

Edward ficou imóvel demais por um momento, controlando qualquer reação que não queria que eu visse.

Depois me apertou delicadamente contra seu peito.

— Eu sinto muito.

— Pensei que ficaria feliz com isso — sussurrei.

— Feliz com algo que a faz sofrer? — murmurou ele em meus cabelos. — Acho que não, Bella.

Eu suspirei e relaxei, acomodando-me a sua forma de pedra. Mas ele estava imóvel de novo, tenso.

— Qual é o problema? — perguntei.

— Nada.

— Pode me falar.

Ele parou por um minuto.

— Pode deixá-la irritada.

— Ainda assim quero saber.

Ele suspirou.

— Eu podia literalmente matá-lo por dizer isso a você. É o que *quero* fazer.

Eu ri com frieza.

— Acho ótimo que você tenha tanto autocontrole.

— Eu podia ter um lapso. — Sua voz era pensativa.

— Se vai ter um lapso de controle, posso pensar num lugar melhor para isso. — Estendi a mão para seu rosto, tentando me içar para beijá-lo. Seus braços me seguraram com força, restringindo-me.

Ele suspirou.

— O único responsável aqui sou eu?

Eu sorri com malícia no escuro.

— Não. Deixe a carga da responsabilidade comigo por uns minutos... Ou horas.

— Boa-noite, Bella.

— Espere... Há outra pergunta que quero fazer.

— O que é?

— Eu estava conversando com Rosalie outra noite...

Seu corpo ficou tenso de novo.

— Sim. Ela estava pensando nisso quando cheguei. Ela lhe deu muito em que pensar, não foi?

A voz dele era ansiosa, e percebi que ele achava que eu queria falar dos motivos que Rosalie me dera para continuar humana. Mas eu estava interessada em algo muito mais premente.

— Ela me falou um pouco... da época em que sua família morou em Denali.

Houve uma curta pausa; este início o pegou de surpresa.

— Sim?

— Ela falou em algo sobre um bando de vampiras... e você.

Ele não respondeu, mas esperei por um longo momento.

— Não se preocupe — eu disse, depois que o silêncio ficou desagradável. — Ela me disse que você não... mostrou nenhum interesse. Mas só estava me perguntando se alguma *delas* demonstrou. Uma preferência por você, quero dizer.

Novamente, ele não disse nada.

— Qual delas? — perguntei, tentando manter a voz despreocupada, sem conseguir grande resultado. — Ou havia mais de uma?

Nenhuma resposta. Eu queria poder ver seu rosto, para tentar adivinhar o que significava o silêncio.

— Alice vai me contar — eu disse. — Vou perguntar a ela agora mesmo.

Seus braços se estreitaram; fui incapaz de me mexer um centímetro que fosse.

— É tarde — disse ele. Sua voz tinha uma pontada de algo novo. Meio nervosa, talvez um pouco constrangida. — Além disso, acho que Alice saiu...

— Que pena — eu disse. — É mesmo ruim, não é? — Comecei a entrar em pânico, meu coração se acelerando enquanto eu imaginava a linda imortal rival que nunca percebi que tivesse.

— Calma, Bella — disse ele, beijando a ponta de meu nariz. — Está perdendo o senso.

— Estou? Então por que não me conta?

— Porque não há nada a contar. Você está levando isso de maneira totalmente desproporcional.

— Qual delas? — insisti.

Ele suspirou.

— Tanya expressou algum interesse. Eu a fiz entender, com muita gentileza, como um cavalheiro, que eu não retribuía esse interesse. Fim da história.

Mantive a voz o mais estável possível.

— Me diga... Como é a Tanya?

— Como os demais de nós... pele branca, olhos dourados — respondeu ele, rápido demais.

— E, é claro, extraordinariamente bonita.

Senti-o dar de ombros.

— Acho que sim, aos olhos humanos — disse ele, indiferente. — Mas quer saber?

— O quê? — Minha voz era petulante.

Ele pôs os lábios em minha orelha; seu hálito frio me fez cócegas.

— Eu prefiro as morenas.

— Ela é loura. Era de imaginar.

— Loura arruivada... Não faz meu gênero.

Pensei nisso por um tempinho, tentando me concentrar enquanto seus lábios moviam-se lentamente por meu queixo, descendo para meu pescoço e voltando a subir. Ele fez o circuito três vezes antes de eu falar.

— Então eu *acho* que está tudo bem — concluí.

— Hmmm — sussurrou ele em minha pele. — Você fica linda quando está com ciúme. É surpreendentemente desfrutável.

Eu fiz uma careta no escuro.

— É tarde — disse ele de novo, murmurando, agora quase arrulhando, a voz mais macia do que seda. — Durma, minha Bella. Tenha sonhos felizes. Você foi a única que tocou meu coração. Sempre serei seu. Durma, meu único amor.

Ele começou a murmurar uma cantiga de ninar e eu sabia que era uma questão de tempo para eu sucumbir, então fechei os olhos e me aninhei mais em seu peito.

9. ALVO

ALICE ME LEVOU PELA MANHÃ, PARA MANTER A FARSA DA FESTA do pijama. Em pouco tempo Edward apareceria, voltando oficialmente de sua suposta "excursão para fazer trilha". Todo aquele fingimento estava começando a me cansar. Não ia sentir falta dessa parte de ser humana.

Charlie espiou pela janela da frente quando me ouviu bater a porta do carro. Ele acenou para Alice, depois foi até a porta me receber.

— Você se divertiu? — perguntou Charlie.

— Claro, foi ótimo. Bem de... garotas.

Levei meus pertences para dentro, larguei-os no chão da escada e entrei na cozinha para fazer um lanche.

— Tem um recado para você — disse Charlie atrás de mim.

Na bancada da cozinha, o bloco de recados telefônicos estava visível, encostado em uma caçarola.

Jacob ligou, escrevera Charlie.

Ele disse que não teve a intenção e pede desculpas. Quer que você ligue para ele. Seja boazinha e dê a ele um tempo. Ele parecia triste.

Eu fiz uma careta. Charlie, em geral, não expressava opinião em meus recados.

Jacob que ficasse triste à vontade. Eu não queria falar com ele. Da última vez, eles não foram muito permissivos com telefonemas do outro lado. Se Jacob preferia me ver morta, então talvez devesse se acostumar com o silêncio.

Meu apetite se evaporou. Dei meia-volta e fui pegar minhas coisas.

— Não vai ligar para Jacob? — perguntou Charlie. Ele estava encostado na parede da sala, vendo-me pegar as bolsas.

— Não.

Comecei a subir a escada.

— Não é um comportamento muito simpático, Bella — disse ele. — Perdoar é divino.

— Cuide de sua própria vida — murmurei, baixo demais para ele ouvir.

Eu sabia que a roupa suja estava se acumulando, então, depois de pegar minha pasta de dentes e atirar minhas roupas sujas no cesto, fui fazer a cama de Charlie. Deixei os lençóis dele numa pilha no alto da escada e fui arrumar minha cama.

Parei ao lado dela, a cabeça tombada de lado.

Onde estava meu travesseiro? Girei o corpo, olhando o quarto. Nada de travesseiro. Percebi que meu quarto parecia estranhamente arrumado. Meu suéter cinza não estava dobrado na guarda ao pé da cama? E eu seria capaz de jurar que havia um par de meias sujas atrás da cadeira de balanço, junto com a blusa vermelha que experimentei dois dias antes, mas que decidi que era elegante demais para a escola e a pendurei no braço... Girei outra vez. Meu cesto de roupa suja não estava vazio, mas também não transbordava, como eu pensei que estaria.

Charlie andou lavando roupa? Isso não era típico dele.

— Pai, você começou a lavar roupa? — gritei da minha porta.

— Hmmm, não — gritou ele, parecendo culpado. — Quer que eu lave?

— Não, eu faço. Andou procurando por algo no meu quarto?

— Não. Por quê?

— Não consigo encontrar... uma blusa...

— Eu nem estive aí.

E depois me lembrei de que Alice estivera ali para pegar meu pijama. Não tinha percebido que ela pegara meu travesseiro também — provavelmente porque eu evitei a cama. Parecia que ela havia arrumado enquanto estava de passagem. Eu corei por minhas maneiras desleixadas.

Mas a blusa vermelha não estava suja, então eu ia poupá-la do cesto.

Eu esperava encontrá-la por cima das outras no cesto, mas não estava ali. Cavouquei toda a pilha e ainda assim não a encontrei. Eu sabia que devia estar ficando paranoica, mas parecia que faltava outra coisa, ou talvez mais de uma. Eu não tinha nem metade do cesto cheio.

Tirei meus lençóis e fui para a lavanderia, pegando no caminho a roupa de cama de Charlie. A máquina de lavar estava vazia. Olhei a secadora também, como se esperasse encontrar uma leva de roupa lavada aguardando por mim, cortesia de Alice. Nada. Franzi a testa, confusa.

— Achou o que estava procurando? — gritou Charlie.

— Ainda não.

Voltei para o segundo andar, para procurar embaixo da cama. Nada, a não ser rolos de poeira. Comecei a vasculhar minha cômoda. Talvez eu tivesse guardado a blusa vermelha ali e esquecido.

Desisti quando a campainha tocou. Devia ser Edward.

— A porta — informou-me Charlie do sofá enquanto eu passava correndo por ele.

— Não se canse, pai.

Abri a porta com um sorriso enorme.

Os olhos dourados de Edward estavam arregalados, as narinas infladas, os lábios repuxados por sobre os dentes.

— Edward? — Minha voz era aguda de choque enquanto eu lia sua expressão. — O que...

Ele pôs o dedo em meus lábios.

— Me dê dois segundos — sussurrou ele. — Não se mexa.

Fiquei paralisada na soleira da porta e ele... desapareceu. Movimentou-se tão rapidamente que Charlie nem o teria visto passar.

Antes que eu pudesse me recompor o suficiente para contar até dois, ele estava de volta. Pôs o braço em minha cintura e me puxou depressa para a cozinha. Seus olhos disparavam pelo cômodo e ele me mantinha junto a seu corpo como se estivesse me protegendo de algo. Lancei um olhar para Charlie no sofá, mas ele nos ignorava diligentemente.

— Alguém esteve aqui — murmurou ele em meu ouvido depois de me puxar para o fundo da cozinha. Sua voz era tensa; era difícil ouvi-lo com o barulho da máquina de lavar.

— Eu juro que nenhum lobisomem... — comecei a dizer.

— Não foi um deles — ele logo me interrompeu, sacudindo a cabeça. — Um de nós.

Seu tom de voz deixou claro que ele não queria dizer um membro de sua família.

Senti o sangue fugir de meu rosto.

— Victoria? — eu disse com a voz embargada.

— Não é um cheiro que eu reconheça.

— Um dos Volturi — conjecturei.

— Talvez.

— Quando?

— É por isso que acho que deve ter sido um deles... Não faz muito tempo, de manhã cedo, enquanto Charlie estava dormindo. E quem quer que tenha sido, não o tocou, então devia ter outro propósito.

— Procurar por mim.

Ele não respondeu. Seu corpo estava paralisado, uma estátua.

— O que vocês dois estão cochichando aí? — perguntou Charlie desconfiado, aparecendo no canto com uma tigela vazia de pipoca nas mãos.

Eu me sentia verde. Um vampiro tinha estado na casa procurando por mim enquanto Charlie dormia. O pânico me dominou, fechou minha garganta. Não conseguia responder, só o encarava, apavorada.

A expressão de Charlie mudou. De repente, ele estava sorrindo.

— Se vocês dois estão brigando... bom, eu não quero interromper.

Ainda sorrindo, ele pôs a tigela na pia e saiu da cozinha.

— Vamos — disse Edward numa voz baixa e severa.

— Mas Charlie! — O medo esmagava meu peito, dificultando a respiração.

Ele pensou por um curto segundo, depois estava com o celular na mão.

— Emmett — murmurou no aparelho.

Começou a falar tão rápido que eu não entendi o que dizia. Durou meio minuto. Ele começou a me puxar para a porta.

— Emmett e Jasper estão a caminho — sussurrou ele quando sentiu minha resistência. — Vão passar a noite no bosque. Charlie está bem.

Em pânico demais para pensar com clareza, deixei que ele me arrastasse. Charlie viu meus olhos assustados com um sorriso presunçoso, que de repente se transformou em confusão. Edward tinha me levado porta afora antes que Charlie pudesse dizer alguma palavra.

— Aonde nós vamos? — Eu não conseguia deixar de sussurrar, mesmo depois de estarmos dentro do carro.

— Vamos falar com Alice — a voz num volume normal, mas seca.

— Acha que ela pode ter tido alguma visão?

Ele olhava a estrada com os olhos semicerrados.

— Talvez.

Eles esperavam por nós em alerta, depois do telefonema de Edward. Era como se entrássemos num museu, todos parados como esculturas em várias poses de estresse.

— O que aconteceu? — perguntou Edward assim que passamos pela porta. Fiquei chocada ao ver que ele olhou feio para Alice, as mão cerradas em punhos.

Alice estava de braços cruzados. Só seus lábios se mexeram.

— Não faço ideia. Eu não vi nada.

— Como isso é *possível*? — sibilou ele.

— Edward — eu disse, uma censura baixa. Eu não gostava que ele falasse daquele jeito com Alice.

Carlisle interrompeu, numa voz tranquilizadora.

— Não é ciência exata, Edward.

— Ele esteve no quarto *dela*, Alice. Ainda podia estar lá... esperando por ela.

— Eu teria visto isso.

Edward lançou as mãos para cima, exasperado.

— É mesmo? Tem certeza?

A voz de Alice era fria.

— Você já me pediu para observar as decisões dos Volturi, vigiar a volta de Victoria, cuidar de cada passo de Bella. Quer acrescentar mais um pedido? Eu tenho de vigiar Charlie, o quarto de Bella, ou a casa, ou a rua toda também? Edward, se eu tentar demais, as coisas vão começar a vazar pelas frestas.

— Parece que já estão vazando— rebateu Edward.

— Ela nunca esteve em perigo. Não havia o que ver.

— Se você estava observando a Itália, por que não os viu mandar...

— Não acho que sejam eles — insistiu Alice. — Eu teria visto isso.

— Quem mais deixaria Charlie vivo?

Eu estremeci.

— Não sei — disse Alice.

— Mas é de muita utilidade.

— Pare com isso, Edward — eu sussurrei.

Ele se virou para mim, a cara ainda lívida, os dentes trincados. Encarou-me por meio segundo e depois, de repente, soltou a respiração. Seus olhos se arregalaram e o queixo relaxou.

— Tem razão, Bella. Desculpe. — Ele olhou para Alice. — Perdoe-me, Alice. Eu não devia responsabilizá-la por isso. Foi indesculpável.

— Eu entendo — Alice o tranquilizou. — Também não estou satisfeita.

Edward respirou fundo.

— Tudo bem, vamos olhar a questão pela lógica. Quais são as possibilidades?

Todos pareceram degelar de imediato. Alice relaxou e se encostou nas costas do sofá. Carlisle andou lentamente até ela, os olhos distantes. Esme sentou-se no sofá diante de Alice, cruzando as pernas. Só Rosalie continuava imóvel, de costas para nós, fitando a parede de vidro.

Edward me puxou para o sofá e eu me sentei ao lado de Esme, que se mexeu para colocar o braço à minha volta. Ela manteve firme uma de minhas mãos na dela.

— Victoria? — perguntou Carlisle.

Edward sacudiu a cabeça.

— Não. Não reconheci o cheiro. Ele pode ter vindo dos Volturi, alguém que não conhecemos...

Alice sacudiu a cabeça.

— Aro ainda não mandou ninguém procurar por ela. Isso eu posso *ver*. Estou esperando por isso.

Edward virou a cabeça de repente.

— Está esperando por uma ordem oficial.

— Acha que alguém está agindo por conta própria? Por quê?

— Ideia de Caius — sugeriu Edward, o rosto endurecendo de novo.

— Ou de Jane... — disse Alice. — Os dois têm recursos para mandar um desconhecido...

Edward fechou a cara.

— E motivação.

— Mas isso não faz sentido — disse Esme. — Se o sujeito estava esperando por Bella, Alice teria visto. Ele... ou ela... não tinha a intenção de ferir Bella. Nem Charlie, a propósito.

Eu me encolhi ao ouvir o nome de meu pai.

— Vai ficar tudo bem, Bella — murmurou Esme, afagando meus cabelos.

— Mas, então, qual é o sentido? — refletiu Carlisle.

— Verificar se ainda sou humana? — conjecturei.

— É possível — disse Carlisle.

Rosalie soltou um suspiro, alto o suficiente para que eu ouvisse. Saiu da paralisia e seu rosto virou-se cheio de expectativa para a cozinha. Edward, por outro lado, pareceu desanimado.

Emmett irrompeu pela porta da cozinha, com Jasper ao lado dele.

— Já foi há muitas horas — anunciou Emmett, decepcionado. — O rastro foi para o oeste, depois para o sul e desapareceu numa estrada vicinal. Tinha um carro esperando.

— Que falta de sorte — murmurou Edward. — Se ele foi para oeste... Bem, seria ótimo que aqueles cachorros fizessem algo de útil.

Eu estremeci e Esme afagou meu ombro.

Jasper olhou para Carlisle.

— Nenhum de nós o reconheceu. Mas olhe isso. — Ele estendeu um objeto verde e amarfanhado. Carlisle o pegou e levou até o rosto. Eu vi, enquanto passava de mão em mão, que era uma haste quebrada de samambaia. — Talvez você reconheça o cheiro.

— Não — disse Carlisle. — Não é familiar. Ninguém que eu tenha conhecido.

— Talvez estejamos procurando no lado errado. Talvez seja coincidência... — começou Esme, mas parou quando viu a expressão incrédula de todos os outros. — Não quero dizer coincidência que um estranho por acaso tenha escolhido aleatoriamente visitar a casa de Bella. Quero dizer que talvez alguém só esteja curioso. Nosso cheiro está em volta dela. Ele não estaria se perguntando o que nos atraiu para cá?

— Por que ele não veio justo para cá? Se estava curioso? — perguntou Emmett.

— Você viria — disse Esme com um sorriso súbito e carinhoso. — O restante de nós nem sempre é tão franco. Nossa família é muito grande... Ele ou ela pode estar assustado. Mas Charlie não foi prejudicado. Não precisa ser um inimigo.

Só curioso. Como James e Victoria ficaram curiosos, no início? Pensar em Victoria me fez tremer, embora a única certeza fosse que não tinha sido ela. Não desta vez. Ela se prenderia a seu padrão obsessivo. Era outra pessoa, um estranho.

Aos poucos eu percebia que os vampiros participavam muito mais deste mundo do que eu pensava. Quantas vezes o ser humano comum cruzava com eles, sem fazer a menor ideia? Quantas mortes, obviamente consideradas crimes e acidentes, deviam-se na verdade a sua sede? O quanto esse novo mundo ficaria superpovoado quando eu enfim me juntasse a ele?

O futuro amortalhado provocou um arrepio em minha espinha.

Os Cullen ponderaram sobre as palavras de Esme com expressões variadas. Eu podia ver que Edward não aceitava a teoria e que Carlisle queria muito que fosse assim.

Alice franziu os lábios.

— Não acredito nisso. O *timing* foi perfeito demais... Esse visitante foi cauteloso demais para não fazer contato. Quase como se soubesse que eu veria...

— Ele pode ter outros motivos para não fazer contato — lembrou Esme.

— Importa realmente quem foi? — perguntei. — Por acaso, alguém *estava mesmo* procurando por mim... Isso não é motivo suficiente? Não podemos esperar pela formatura.

— Não, Bella — disse Edward rapidamente. — Não é tão ruim assim. Se você estivesse em perigo, nós saberíamos.

— Pense em Charlie — lembrou-me Carlisle. — Pense em como ele ficaria magoado se você desaparecesse.

— Eu *estou* pensando em Charlie! É com ele que me preocupo! E se minha visitinha estivesse com sede ontem à noite? Como estou morando com Charlie, ele é alvo também. Se algo ruim acontecer a ele, será por minha culpa!

— Claro que não, Bella — disse Esme, afagando meus cabelos de novo. — E nada vai acontecer com Charlie. Só precisamos ser mais cuidadosos.

— *Mais* cuidadosos? — repeti, incrédula.

— Vai ficar tudo bem, Bella — prometeu Alice.

Edward apertou minha mão.

E eu pude ver, olhando para cada um de seus lindos rostos, que nada que eu dissesse ia fazê-los mudar de ideia.

Voltamos para casa em silêncio. E eu estava frustrada. Contrariando o meu bom senso, eu ainda era humana.

— Não vai ficar sozinha nem por um segundo — prometeu Edward ao me levar para a casa de Charlie. — Sempre haverá alguém lá. Emmett, Alice, Jasper...

Eu suspirei.

— Isso é ridículo. Eles vão ficar entediados, terão de me matar eles mesmos só para ter o que fazer.

Edward olhou para mim com amargura.

— Que hilário, Bella.

Charlie estava de bom humor quando voltamos. Ele podia ver a tensão entre nós, Edward e eu, e a interpretou mal. Observou-me preparar seu jantar com um sorriso presunçoso. Edward pediu licença por um momento, para fazer uma inspeção, imaginei, mas Charlie esperou até que ele voltasse para dar meus recados.

— Jacob ligou de novo — disse Charlie assim que Edward estava na sala.

Mantive a expressão vazia enquanto colocava um prato diante dele.

— É mesmo?

Charlie franziu a testa.

— Não seja mesquinha, Bella. Ele parecia mal mesmo.

— Jacob está pagando a você por todo o trabalho de relações públicas ou você mesmo se prontificou?

Charlie resmungou algo desconexo até que a comida interrompeu suas queixas.

Embora não percebesse, ele tinha tocado a ferida.

Minha vida agora parecia muito um jogo de dados — será que na jogada seguinte sairiam dois 1? E se algo *acontecesse mesmo* comigo? Parecia para lá de mesquinho deixar Jacob sentir-se culpado pelo que disse.

Mas eu não queria falar com ele tendo Charlie por perto, ter de estar atenta a cada palavra para não deixar escapar nada de errado. Ao pensar nisso, senti inveja do relacionamento de Jacob com Billy. Como devia ser fácil não ter segredos para a pessoa com quem se mora.

Então eu ia esperar pela manhã. Mais provavelmente, eu não morreria naquela noite, afinal, e não ia doer sentir-se culpado por mais doze horas. Podia até fazer bem a ele.

Quando Edward saiu oficialmente naquela noite, perguntei-me quem estava embaixo daquele aguaceiro, cuidando de Charlie e de mim. Senti-me péssima por Alice ou qualquer outro, mas ainda assim estava reconfortada. Eu tinha de admitir que era bom saber que não estava sozinha. E Edward voltou em tempo recorde.

Ele cantou de novo para que eu dormisse e — ciente até na inconsciência de que ele estava ali — eu dormi sem ter pesadelos.

De manhã, Charlie foi pescar com o subdelegado Mark antes que eu levantasse. Decidi usar essa falta de supervisão para ser sublime.

— Vou tirar Jacob do castigo — avisei a Edward depois de tomar o café da manhã.

— Eu sabia que você ia perdoá-lo — disse ele com um sorriso tranquilo. — Guardar mágoas não é um de seus muitos talentos.

Revirei os olhos, mas fiquei satisfeita. Parecia que Edward tinha mesmo superado toda aquela história antilobisomens.

Só olhei o relógio depois que disquei. Era um pouco cedo para telefonemas e fiquei preocupada de ter acordado Billy ou Jake, mas alguém atendeu antes do segundo toque. então não devia estar muito longe do telefone.

— Alô? — disse uma voz apática.

— Jacob?

— Bella! — exclamou ele. — Ah, Bella, me desculpe! — Ele tropeçou nas palavras, na pressa de colocá-las para fora. — Eu juro que não tive a intenção. Só estava sendo idiota. Estava com raiva... Mas isso não é desculpa. Foi a coisa mais imbecil que já disse em toda a minha vida e peço perdão. Não fique chateada comigo, por favor. Por favor. Uma vida inteira de escravidão de prêmio... Só o que tem que fazer é me perdoar.

— Não estou chateada. Está perdoado.

— Obrigado. — Ele respirava com fervor. — Nem acredito que fui tão imbecil.

— Não se preocupe com isso... Estou acostumada.

Ele riu, exuberante de alívio.

— Venha me ver — pediu ele. — Quero compensá-la.

Eu franzi a testa.

— Como?

— O que você quiser. Mergulhar do penhasco — sugeriu ele, rindo de novo.

— Ah, *esta sim* é uma ideia brilhante.

— Vou manter você segura — prometeu ele. — Independente do que queira fazer.

Olhei para Edward. Seu rosto era muito calmo, mas eu tinha certeza de que não era hora para aquilo.

— Agora não.

— *Ele* não está estremecido comigo, está? — A voz de Jacob era envergonhada, e não amarga, pela primeira vez.

— O problema não é esse. Há... bem, há outro problema que é um pouco mais preocupante do que um lobisomem adolescente pirralho... — Tentei manter o tom brincalhão, mas isso não o enganou.

— O que foi? — perguntou ele.

— Hmmm. — Eu não sabia bem se devia contar a ele.

Edward estendeu a mão para o telefone. Olhei seu rosto com cuidado. Ele *parecia* bem calmo.

— Bella? — perguntou Jacob.

Edward suspirou, estendendo a mão para mais perto.

— Importa-se de falar com Edward? — perguntei, apreensiva. — Ele quer conversar com você.

Houve uma longa pausa.

— Tudo bem — Jacob afinal concordou. — Deve ser interessante.

Passei o fone a Edward; eu esperava que ele pudesse ler o alerta em meus olhos.

— Olá, Jacob — disse Edward, perfeitamente educado.

Houve um silêncio. Mordi o lábio, tentando adivinhar a resposta de Jacob.

— Alguém esteve aqui... Não é um cheiro que eu conheça — explicou Edward. — Seu grupo cruzou com alguma novidade?

Outra pausa, enquanto Edward assentia para si mesmo, sem se surpreender.

— Este é o dilema, Jacob, não vou deixar Bella sumir de vista até que consiga resolver isso. Não é nada pessoal...

Jacob o interrompeu, e eu pude ouvir o zumbido de sua voz no fone. O que quer que estivesse dizendo, ele estava mais exaltado do que antes. Tentei, sem sucesso, discernir as palavras.

— Pode ser que tenha razão... — começou Edward, mas Jacob estava discutindo de novo. Pelo menos nenhum dos dois parecia ter raiva.

— É uma sugestão interessante. Estamos dispostos a renegociar. Se Sam for receptivo.

A voz de Jacob era baixa de novo. Comecei a roer a unha do polegar enquanto tentava entender a expressão de Edward.

— Obrigado — respondeu Edward.

Depois Jacob disse algo que provocou uma rápida expressão de surpresa no rosto de Edward.

— Na verdade, eu pretendia ir sozinho — disse Edward, respondendo à pergunta inesperada. — E deixá-la com os outros.

A voz de Jacob se elevou um tom e me pareceu que ele tentava ser convincente.

— Vou pensar nisso objetivamente — prometeu Edward. — Com a maior objetividade que eu puder.

A pausa desta vez foi mais curta.

— Não é uma ideia de todo ruim. Quando?... Não, está bem. Gostaria de ter a oportunidade de seguir o rastro pessoalmente, de qualquer forma. Dez minutos... Com certeza — disse Edward. Ele estendeu o fone para mim. — Bella?

Eu o peguei lentamente, confusa.

— Do que se trata tudo isso? — perguntei a Jacob, a voz irritada. Eu sabia que estava sendo infantil, mas me sentia excluída.

— Acho que é uma trégua. Olha, me faça um favor — sugeriu Jacob. — Procure convencer seu sanguessuga de que o lugar mais seguro para você... em especial quando ele está fora... é na reserva. Nós podemos lidar com qualquer coisa.

— Era do que tentava convencer Edward?

— Era. Faz sentido. É provável que Charlie fique melhor aqui também. Na medida do possível.

— Coloque Billy nisso — concordei. Eu odiava meter Charlie na mira que sempre parecia estar centrada em mim. — O que mais?

— Só o rearranjo de algumas fronteiras, para podermos pegar qualquer um que chegar perto demais de Forks. Não sei se Sam vai concordar com isso, mas, até que ele apareça, vou ficar de olho na situação.

— O que quer dizer com "ficar de olho na situação"?

— Quero dizer que se você vir um lobo correndo perto de sua casa, não atire nele.

— É claro que não. Mas você não devia fazer nada... é arriscado demais.

Ele bufou.

— Não seja boba. Eu sei me cuidar.

Eu suspirei.

— Também tentei convencê-lo a deixar que você me visite. Ele tem preconceitos, então não deixe que ele fale nenhuma besteira sobre segurança. Ele sabe tão bem quanto eu que você ficará segura aqui.

— Sei disso.

— A gente se vê daqui a pouco — disse Jacob.

— Você virá aqui?

— Sim. Vou ter que pegar o cheiro de seu visitante, para podermos rastreá-lo, se ele voltar.

— Jake, não gosto da ideia de você seguindo rastros...

— Ah, *francamente*, Bella. — Jacob me interrompeu e riu, depois desligou.

10. CHEIRO

ERA TUDO MUITO INFANTIL. POR QUE DIABOS EDWARD TERIA DE sair para Jacob vir aqui? Já não havíamos superado esse tipo de imaturidade?

— Não é que eu sinta qualquer antagonismo pessoal por ele, Bella, só é mais fácil para nós dois — disse-me Edward à porta. — Não estarei longe. Você ficará segura.

— Não estou preocupada com *isso*.

Ele sorriu, depois seu rosto assumiu uma expressão maliciosa. Ele me puxou para perto, enterrando o rosto em meus cabelos. Pude sentir seu hálito frio saturando as mechas enquanto ele expirava; provocou arrepios em minha nuca.

— Voltarei logo — disse ele, rindo alto como se eu tivesse acabado de contar uma piada.

— Qual é a graça?

Mas Edward limitou-se a sorrir e correr para as árvores, sem responder.

Resmungando comigo mesma, fui limpar a cozinha. Antes até de ter a pia cheia de água, a campainha tocou. Era difícil me acostumar com a rapidez de Jacob *sem* o carro. Como todo mundo parecia ser muito mais rápido do que eu...

— Entre, Jake! — gritei.

Eu estava concentrada em empilhar os pratos na água com sabão e me esqueci de que ultimamente Jacob se movimentava como um fantasma. Então dei um pulo quando sua voz de repente estava atrás de mim.

— Você devia mesmo deixar a porta destrancada desse jeito? Ah, desculpe.

Tinha deixado a água respingar em mim quando ele me assustou.

— Não estou preocupada com ninguém que se deixaria intimidar por uma porta trancada — eu disse enquanto secava a frente da blusa com um pano de prato.

— Bom argumento — concordou ele.

Virei-me para ele, olhando-o criticamente.

— É mesmo impossível usar uma roupa, Jacob? — perguntei. De novo, Jacob estava com o peito nu, vestindo só uma calça jeans velha e cortada. No fundo, eu me perguntava se ele tinha orgulho de seus novos músculos a tal ponto que não conseguia cobri-los. Eu tinha de admitir que eram impressionantes, mas nunca pensei que ele fosse tão fútil. — Quer dizer, eu sei que você não sente mais frio, mas mesmo assim...

Ele passou a mão nos cabelos molhados; estavam caindo nos olhos.

— Só é mais fácil — explicou ele.

— O que é mais fácil?

Ele sorriu com condescendência.

— Já é um porre carregar a bermuda comigo, que dirá uma muda completa de roupas. O que acha que eu sou, um burro de carga?

Eu franzi a testa.

— Do que você está falando, Jacob?

Sua expressão era superior, como se eu estivesse deixando passar alguma obviedade.

— Minhas roupas não entram e saem da existência simplesmente quando eu mudo... Tenho que carregá-las comigo enquanto corro. Perdoe-me por manter meu fardo leve.

Eu mudei de cor.

— Acho que não tinha pensado nisso — murmurei.

Ele riu e apontou para uma corda de couro preto, tão fina quanto um fio de seda, enrolada três vezes em seu tornozelo, como uma tornozeleira. Eu não havia percebido que ele estava descalço.

— É mais do que uma expressão de moda... É chato carregar jeans com a boca.

Eu não sabia o que dizer.

Ele sorriu.

— Minha seminudez a incomoda?

— Não.

Jacob riu de novo, e eu lhe dei as costas para me concentrar nos pratos. Esperava que ele tivesse percebido que meu rubor era de constrangimento por minha estupidez e nada tinha a ver com a pergunta dele.

— Bom, acho que devo trabalhar. — Ele suspirou. — Não quero dar a ele uma desculpa para dizer que estou relaxando minha parte.

— Jacob, não é seu trabalho...

Ele ergueu a mão para me interromper.

— Trabalho voluntário. Agora, onde o cheiro do invasor é mais forte?

— Acho que no meu quarto.

Seus olhos se estreitaram. Ele não gostava daquilo mais do que Edward.

— Só vou levar um minuto.

Esfreguei metodicamente o prato que segurava. O único som era o das cerdas de plástico da escova girando na louça. Procurei ouvir algum barulho lá em cima, um estalo do assoalho, um clique de uma porta. Não houve nada. Percebi que estava lavando o mesmo prato por mais tempo que o necessário e procurei prestar atenção no que fazia.

— Bu! — disse Jacob, a centímetros de mim, assustando-me de novo.

— Meu Deus, Jake, pare com isso!

— Desculpe. Olha... — Jacob pegou o pano de prato e secou a água que de novo espirrou em mim. — Vou recompensá-la. Você ensaboa, eu enxáguo e seco.

— Tudo bem. — Eu lhe dei um prato.

— Bom, foi fácil pegar o cheiro. A propósito, seu quarto fede.

— Vou comprar um pouco de ar fresco.

Ele riu.

Eu lavei e ele secou num silêncio amigável por alguns minutos.

— Posso fazer uma pergunta?

Passei-lhe outro prato.

— Depende do que quer saber.

— Não quero ser idiota, nem nada disso... É só curiosidade, é sério — garantiu-me Jacob.

— Tudo bem. Pode perguntar.

Ele parou por meio segundo.

— Como é... ter um namorado vampiro?

Eu revirei os olhos.

— A melhor coisa do mundo.

— Estou falando sério. A ideia não a perturba... Nunca lhe dá arrepios?

— Nunca.

Ele ficou em silêncio enquanto pegava a tigela em minhas mãos. Olhei seu rosto por um instante — estava com a testa franzida, o lábio inferior projetado para a frente.

— Mais alguma informação? — perguntei.

Ele franziu o nariz de novo.

— Bom... Eu estava me perguntando... Você... Sei lá, o *beija*?

Eu ri.

— Sim.

Ele estremeceu.

— Eca.

— Cada um pensa de um jeito — murmurei.

— Não se preocupa com as presas?

Dei um soco no braço dele, espirrando-lhe água.

— Pare com isso, Jacob! Sabe que ele não tem presas!

— Mas chega perto — murmurou ele.

Trinquei os dentes e esfreguei uma faca de desossar com mais força do que o necessário.

— Posso fazer outra pergunta? — disse ele delicadamente quando lhe passei a faca. — É só curiosidade de novo.

— Tudo bem — rebati.

Ele girou a faca várias vezes nas mãos sob o jato de água. Quando falou, foi apenas um sussurro.

— Você disse algumas semanas... Quando, exatamente?... — Ele não conseguiu terminar.

— Formatura — sussurrei a resposta, vendo seu rosto preocupado. Será que isso o provocaria de novo?

— Tão cedo? — Ele respirou, os olhos se fechando. Não parecia uma pergunta. Parecia mais um lamento. Os músculos de seus braços se retesaram e os ombros estavam rígidos.

— AI! — ele gritou.

O silêncio na cozinha era tanto que sua explosão me fez pular.

Sua mão direita tinha se fechado num punho tenso em torno da lâmina da faca. Ele abriu a mão e a faca retiniu na bancada. Na palma havia um corte longo e fundo. O sangue jorrava por seus dedos e caía no chão.

— Droga! Ai! — ele reclamou.

Minha cabeça girou e meu estômago se revirou. Agarrei-me à bancada com uma das mãos, respirei fundo pela boca e me obriguei a aguentar, para poder cuidar dele.

— Ah, não, Jacob! Ah, que droga! Tome, enrole com isso! — Atirei-lhe o pano de prato, pegando sua mão. Ele se afastou de mim.

— Não é nada, Bella, não se preocupe com isso.

As paredes da cozinha começaram a girar à minha volta.

Respirei fundo de novo.

— Não me preocupar?! Você abriu um talho na mão!

Ele ignorou o pano de prato que lhe atirei. Pôs a mão sob a torneira e deixou que a água lavasse a ferida. A água ficou vermelha. Minha cabeça rodava.

— Bella — disse ele.

Desviei os olhos do ferimento, olhando para o rosto dele. Ele estava com a testa franzida, mas a expressão era calma.

— Que foi?

— Parece que você vai desmaiar, e está mordendo o lábio. Pare com isso. Relaxe, respire. Eu estou bem.

Eu respirei pela boca e parei de morder o lábio inferior.

— Não precisa ser corajoso.

Ele revirou os olhos.

— Vamos. Levo você ao pronto-socorro. — Eu tinha certeza absoluta de que estaria bem para dirigir. Agora as paredes ficavam estáveis, finalmente.

— Não é necessário. — Jake fechou a água e pegou a toalha na minha mão. Ele a enrolou frouxa em volta da palma.

— Espere — protestei. — Deixe-me dar uma olhada. — Eu me agarrei com mais firmeza na bancada, para me manter ereta se a ferida me provocasse vertigem de novo.

— Tem algum diploma de medicina e eu não estava sabendo disso?

— Me dê a chance de decidir se vou ter que dar um ataque e levar você ao hospital.

Ele fez uma careta de pavor fingido.

— Por favor, um ataque, não!

— Se não me deixar ver sua mão, certamente haverá um ataque.

Ele respirou fundo, depois soltou um suspiro.

— Tudo bem.

Desenrolou a toalha, e quando estendi a mão para pegar o pano, Jacob pôs a mão na minha.

Precisei de alguns segundos. Eu até virei a mão dele, mas tinha certeza de que ele cortara a palma. Virei sua mão de novo, e então percebi que a cicatriz rosada e inflamada era tudo o que restava do ferimento.

— Mas... você estava sangrando... tanto.

Ele recolheu a mão, os olhos estáveis e sérios nos meus.

— Eu me curo rápido.

— Estou vendo — murmurei.

Eu tinha visto o corte longo com clareza, vira o sangue que escorreu para a pia. O cheiro de ferrugem e sal do sangue quase me derrubou. Devia precisar de pontos. Devia levar dias para formar uma casca e semanas para desaparecer na cicatriz rosada e brilhante que agora marcava sua pele.

Ele entortou a boca num meio sorriso e bateu no peito com o punho, uma vez.

— Lobisomem, lembra?

Seus olhos se mantiveram nos meus por um momento imensurável.

— É verdade — eu disse por fim.

Ele riu da minha expressão.

— Eu lhe contei isso. Você viu a cicatriz de Paul.

Sacudi a cabeça para clareá-la.

— É um pouco diferente, vendo a sequência da ação em primeira mão.

Ajoelhei-me e peguei um alvejante no armário debaixo da pia. Depois coloquei um pouco num trapo e comecei a limpar o chão. O cheiro ardido do alvejante limpou o que restava da vertigem que eu sentia.

— Deixe que eu limpo — disse Jacob.

— Já limpei. Coloque este pano na máquina, está bem?

Quando eu tive certeza de que o chão só estava com cheiro de alvejante, levantei-me e limpei também a lateral da pia. Depois fui até a lavanderia ao lado da despensa e coloquei um copo de alvejante na máquina de lavar antes de ligá-la. Jacob me olhava com censura.

— Você tem TOC? — perguntou quando eu terminei.

Hmmm. Talvez. Mas pelo menos dessa vez eu tinha uma boa desculpa.

— Somos meio sensíveis a sangue por aqui. Sei que pode entender isso.

— Ah! — Ele franziu o nariz de novo.

— Por que não facilitar as coisas para ele? O que ele está fazendo já é bem difícil.

— Claro, claro. Por que não?

Eu puxei o tampo do ralo e deixei que a água suja escorresse da pia.

— Posso lhe fazer uma pergunta, Bella?

Eu suspirei.

— Como é... ter um lobisomem como melhor amigo?

A pergunta me pegou de guarda baixa. Eu ri alto.

— Isso não lhe dá arrepios? — pressionou ele antes que eu pudesse responder.

— Não. Quando o lobisomem está sendo bonzinho — esclareci —, é a melhor experiência do mundo.

Ele deu um sorriso largo, os dentes brilhantes novamente contra a pele avermelhada.

— Obrigado, Bella — disse ele, pegando minha mão e me esmagando num de seus abraços de quebrar os ossos.

Antes que eu tivesse tempo de reagir, ele soltou os braços e recuou.

— Ui — disse ele, o nariz franzindo. — Seu cabelo fede mais do que seu quarto.

— Desculpe — murmurei. De repente entendi do que Edward estava rindo pouco antes, depois de respirar em meu cabelo.

— Um dos muitos riscos de socializar com vampiros — disse Jacob, dando de ombros. — Você fica cheirando mal. Um risco de menor importância, comparativamente.

Eu o encarei.

— Só cheiro mal para você, Jake.

Ele sorriu.

— Tchau, Bells.

— Já vai embora?

— Ele está esperando que eu vá. Posso ouvi-lo lá fora.

— Ah.

— Eu vou voltar — disse ele, depois parou. — Espere um segundo... Ei, acha que pode ir a La Push esta noite? Vamos ter uma festa com fogueira. Emily estará lá e você pode conhecer Kim... E eu sei que o Quil quer ver você também. Ele ficou bem irritado por você ter descoberto antes dele.

Eu sorri. Até podia imaginar como aquilo devia ter aborrecido Quil... A amiguinha humana de Jacob com os lobisomens enquanto ele não fazia a menor ideia. E depois suspirei.

— Jake, não sei, não. Olha, agora está tudo meio tenso...

— O que é isso, você acha que alguém vai passar por nós... nós seis?

Houve uma estranha pausa enquanto ele gaguejava no fim da pergunta. E me perguntei se ele tinha problemas para dizer a palavra *lobisomem* em voz alta, como em geral eu tinha dificuldade com *vampiro*.

Seus olhos grandes e negros estavam cheios de uma súplica indisfarçável.

— Vou perguntar — eu disse, em dúvida.

Ele soltou um ruído do fundo da garganta.

— Agora ele também é seu carcereiro? Sabe, eu vi uma matéria no noticiário na semana passada sobre relações abusivas e controladoras entre adolescentes e...

— Muito bem! — eu o interrompi, depois empurrei seu braço. — Hora de lobisomem sair!

Ele sorriu.

— Tchau, Bells. E não se esqueça de pedir *permissão*.

Ele se enfiou pela porta dos fundos antes que eu pudesse encontrar algum objeto para atirar nele. Resmunguei sem coerência para o cômodo vazio.

Segundos depois de ele ter ido, Edward entrou lentamente na cozinha, as gotas de chuva cintilando como diamantes no bronze de seus cabelos. Seus olhos eram preocupados.

— Vocês dois brigaram? — perguntou ele.

— Edward! — cantarolei, atirando-me para ele.

— Oi, e aí? — Ele riu e passou os braços em mim. — Está tentando me distrair? Estou trabalhando.

— Não. Não briguei com Jacob. Não muito. Por quê?

— Só estava me perguntando se você o esfaqueou. Não que eu me oponha a isso. — Com o queixo, ele gesticulou para a faca na bancada.

— Droga! Pensei que tivesse limpado tudo.

Eu me afastei dele e corri para colocar a faca na pia antes de despejar alvejante.

— Eu não o esfaqueei — expliquei enquanto trabalhava. — Ele se esqueceu de que tinha uma faca na mão.

Edward riu.

— Não é nem de longe tão divertido quanto eu imaginei.

— Seja bonzinho.

Ele pegou um envelope grande no bolso do casaco e o atirou na bancada.

— Peguei sua correspondência.

— Alguma notícia boa?

— *Eu* acho que sim.

Meus olhos se estreitaram de desconfiança com o tom de voz dele. Fui investigar.

Ele tinha dobrado o envelope ofício pelo meio. Eu o abri, alisando, surpresa com o peso do papel caro, e li o endereço do remetente.

— Dartmouth? É alguma piada?

— Tenho certeza de que é uma admissão. É exatamente igual à minha.

— Meu Deus, Edward... O que você *fez*?

— Mandei seu requerimento, só isso.

— Posso não ser esperta o bastante para Dartmouth, mas não sou idiota para acreditar *nisso*.

— Dartmouth parece achar que você é esperta para Dartmouth.

Respirei fundo e contei devagar até dez.

— É muita generosidade da parte deles — eu disse por fim. — Mas, aceita ou não, ainda há o detalhe das taxas. Não posso pagar e não vou deixar que você gaste dinheiro suficiente para comprar outro carro esporte só para eu poder fingir que vou para Dartmouth no ano que vem.

— Eu não preciso de outro carro esporte. E você não tem que fingir nada — murmurou ele. — Um ano de faculdade não vai matá-la. Talvez você até goste. Pense nisso, Bella. Imagine como Charlie e Renée ficariam animados...

Sua voz aveludada pintou o quadro em minha mente antes que eu pudesse bloqueá-lo. É claro que Charlie explodiria de orgulho — ninguém na cidade de Forks seria capaz de escapar da tempestade de sua empolgação. E Renée ficaria histérica de alegria com meu triunfo — embora ela pudesse jurar não ter ficado nada surpresa...

Tentei expulsar a imagem de minha cabeça.

— Edward. Estou preocupada em sobreviver à formatura, que dirá este verão ou o próximo outono.

Seus braços me envolveram de novo.

— Ninguém vai feri-la. Você terá todo o tempo do mundo.

Eu suspirei.

— Amanhã vou mandar para o Alasca tudo o que tenho em minha conta. É todo o álibi de que preciso. É bastante longe para que Charlie não espere uma visita antes do Natal, no mínimo. E tenho certeza de que vou pensar numa desculpa na época. Sabe como é — brinquei, de má vontade —, todo esse segredo e enganação é meio chato.

A expressão de Edward endureceu.

— Fica mais fácil. Depois de algumas décadas, todo o mundo que você conhece estará morto. Problema resolvido.

Eu me encolhi.

— Desculpe, isso foi rude.

Olhei o grande envelope branco, sem vê-lo.

— Mas ainda é verdade.

— Se eu conseguir resolver isso, com o que quer que seja que estejamos lidando, pode por favor *pensar* em esperar?

— Não.

— Sempre teimosa demais.

— É.

A máquina de lavar engasgou e parou.

— Porcaria de sucata idiota — resmunguei ao me afastar dele. Desloquei uma toalha pequena que tinha desequilibrado a máquina quase vazia e recomecei. — O que me lembra de uma coisa — eu disse. — Pode perguntar a Alice o que ela fez com minhas roupas quando limpou meu quarto? Não consigo encontrar nada.

Ele olhou para mim, confuso.

— Alice limpou seu quarto?

— Limpou, acho que foi o que ela fez. Quando veio pegar meu pijama, meu travesseiro e outros pertences para me manter refém. — Olhei furiosa para ele por um instante. — Ela pegou tudo o que estava espalhado, minhas blusas, minhas meias, e não sei onde as colocou.

Edward continuou a olhar confuso por um breve instante, depois, de repente, ficou rígido.

— Quando você percebeu que as roupas tinham sumido?

— Quando voltei da falsa festinha de pijama. Por quê?

— Não acho que Alice tenha pego nada. Não as suas roupas, nem o travesseiro. As coisas que foram retiradas eram as que você usou... tocou... e dormiu com elas?

— Sim. O que é, Edward?

A expressão dele era tensa.

— Coisas com seu cheiro.

— Ah!

Nós nos fitamos nos olhos por um longo tempo.

— Meu visitante — murmurei.

— Ele estava pegando vestígios... indícios. Para provar que encontrou você.

— Por quê? — sussurrei.

— Não sei. Mas, Bella, eu juro que *vou* descobrir. Juro que vou.

— Eu sei que vai — eu disse, deitando a cabeça em seu peito. Encostada ali, senti o telefone vibrar em seu bolso.

Ele pegou o aparelho e olhou o número.

— Justamente a pessoa com quem eu preciso falar — murmurou ele, abrindo o celular. — Carlisle, eu... — Ele se interrompeu e escutou, o rosto tenso de concentração por alguns minutos. — Vou verificar. Escute...

Ele explicou sobre meus objetos desaparecidos, mas, pelo que eu ouvia, parecia que Carlisle não tinha nenhum *insight* para nós.

— Talvez eu vá... — disse Edward, interrompendo-se enquanto os olhos vagavam para mim. — Talvez não. Não deixe que Emmett vá sozinho, você sabe como ele fica. Pelo menos peça a Alice para ficar de olho. Vamos resolver isso mais tarde.

Ele fechou o celular.

— Onde está o jornal? — perguntou-me.

— Hmmm, não sei bem. Por quê?

— Preciso ver uma coisa. Charlie já jogou fora?

— Talvez.

Edward desapareceu.

Voltou meio segundo depois, com um jornal molhado nas mãos. Abriu-o na mesa, os olhos percorrendo rápido as manchetes. Ele se curvou, concentrado em alguma informação que lia, um dedo acompanhando as passagens que mais o interessavam.

— Carlisle tem razão... Sim... Muito descuidado. Jovem e louco? Ou um desejo mortal? — murmurou para si mesmo.

Fui espiar por cima de seu ombro.

A manchete do *Seattle Times* dizia: "Continua Epidemia de Crimes — Polícia Não Tem Novas Pistas."

Era quase a mesma história de que Charlie vinha se queixando havia umas semanas — a violência nas grandes cidades, que estava colocando Seattle na lista de recordes de assassinatos do país. Mas não era exatamente a mesma história. Os números eram muito maiores.

— Está ficando pior — murmurei.

Ele franziu o cenho.

— Completamente descontrolado. Isso não pode ser obra de apenas *um* vampiro recém-criado. O que está havendo? É como se eles nunca tivessem ouvido falar dos Volturi. O que imagino que seja possível. Ninguém lhes explicou as regras... Então, quem os está criando?

— Os Volturi? — repeti, estremecendo.

— Este é exatamente o tipo que eles costumam eliminar... Imortais que ameaçam nos expor. Desfizeram uma confusão como essa há alguns anos em

Atlanta, e não era nem de longe tão ruim. Eles vão intervir logo, muito em breve, a não ser que encontremos um jeito de acalmar a situação. Sinceramente, eu preferiria que eles não viessem a Seattle agora. Com eles tão perto daqui... Podem decidir dar uma olhada em você.

Eu tremi de novo.

— O que podemos fazer?

— Precisamos saber mais antes de decidir. Se pudermos conversar com um dos jovens, explicar as regras, talvez isso possa ser resolvido de modo pacífico. — Ele franziu o cenho, como se não acreditasse que as chances fossem boas. — Vamos esperar até que Alice tenha uma ideia do que está havendo... Não queremos nos intrometer antes que seja absolutamente necessário. Afinal, não é nossa responsabilidade. Mas é bom termos Jasper — acrescentou ele, quase para si mesmo. — Se tivermos de lidar com recém-criados, ele será útil.

— Jasper? Por quê?

Edward deu um sorriso sombrio.

— Jasper é um tipo de especialista em vampiros jovens.

— Como assim, especialista?

— Terá de perguntar a ele... Há uma história envolvida nisso.

— Mas que confusão — murmurei.

— É mesmo, não é? Parece que vem de todos os lados ultimamente. — Ele suspirou. — Já pensou que sua vida poderia ser mais fácil se você não estivesse apaixonada por mim?

— Talvez. Mas não seria tanto uma vida.

— Para mim — emendou ele em voz baixa. — E agora, imagino — continuou, com um sorriso torto —, acho que você tem algo a me perguntar.

Eu o fitei sem expressão.

— Eu tenho?

— Ou talvez não. — Ele sorriu. — Tive a forte impressão de que você prometeu pedir minha permissão para ir a uma espécie de sarau de lobisomens nesta noite.

— Ouvindo por trás das portas de novo?

Ele sorriu.

— Só um pouco, e no finalzinho.

— Bom, eu não ia pedir nada a você mesmo. Imaginei que já tem estresse suficiente.

Ele pôs a mão sob meu queixo e segurou meu rosto para ler meus olhos.

— Quer ir?

— Não é importante. Não se preocupe com isso.

— Não precisa pedir minha permissão, Bella. Não sou seu pai... Graças a Deus não sou. Mas talvez você deva pedir a Charlie.

— Mas você sabe que Charlie dirá sim.

— Tenho um pouco mais de discernimento sobre a provável resposta dele do que a maioria das pessoas, é verdade.

Eu o olhei, tentando entender o que ele queria e tentando tirar da cabeça a vontade de ir a La Push, assim eu não seria influenciada por meus próprios desejos. Era idiotice querer ficar com um bando de lobos jovens e idiotas agora, quando havia tantos acontecimentos apavorantes e inexplicáveis. É claro que era *exatamente* por isso que eu queria ir. Queria escapar das ameaças de morte, só por algumas horas... Ser a Bella menos madura e mais despreocupada que podia rir com Jacob, pelo menos um pouco. Mas isso não importava.

— Bella — disse Edward. — Eu lhe disse que serei razoável e confiarei no seu julgamento. E fui sincero. Se você confia nos lobisomens, então eu não preciso me preocupar com eles.

— Caramba — eu disse, como na noite anterior.

— E Jacob tem razão... pelo menos num aspecto... um bando de lobisomens deve ser o bastante para proteger até você por uma noite.

— Tem certeza?

— Claro. Só que...

Eu me preparei.

— Espero que não se importe de tomar algumas precauções. Deixe que eu a leve até a fronteira, pelo menos. E leve um celular, assim vou saber quando pegá-la, está bem?

— Isso parece... muito razoável.

— Ótimo.

Ele sorriu para mim, e não vi qualquer vestígio de apreensão em seus olhos preciosos.

Não foi surpresa para ninguém Charlie não ter visto problema algum em minha ida a La Push para uma festa na fogueira. Jacob gritou com uma alegria indisfarçada quando liguei para dar a notícia e pareceu ansioso demais para adotar as medidas de segurança de Edward. Prometeu que nos encontraria às seis, na fronteira entre os territórios.

Eu decidi, depois de um curto debate íntimo, que não venderia minha moto. Eu a levaria a La Push, ao lugar a que pertencia, e quando não precisasse mais dela... bom, então eu insistiria para Jacob obter algum lucro com seu trabalho. Ele podia vender ou dar a um amigo. Isso não importava para mim.

Aquela noite parecia uma boa oportunidade para devolver a moto à oficina de Jacob. Embora ultimamente eu estivesse me sentindo melancólica com as circunstâncias, todo dia parecia uma última chance. Eu não tinha tempo para adiar nenhuma tarefa, por menor que fosse.

Edward limitou-se a assentir quando expliquei o que queria, mas pensei ter visto um lampejo de consternação em seus olhos, e eu sabia que ele não estava mais feliz do que Charlie com a ideia de me ver em uma moto.

Eu o segui até a casa dele, à garagem onde tinha deixado minha motocicleta. Foi só quando encostei a picape e saí que percebi que dessa vez o motivo da consternação poderia não ser minha segurança.

Ao lado de minha moto antiga, ofuscando-a, havia outro veículo. Não era justo chamar esse outro veículo de motocicleta, uma vez que não parecia pertencer à mesma família de minha moto subitamente esmolambada.

Era grande, lustrosa, prateada e — mesmo inteiramente imóvel — parecia veloz.

— O que é *isso*?

— Nada — murmurou Edward.

— Não *parece* nada.

A expressão de Edward era despreocupada; ele parecia decidido a desprezar o assunto.

— Bom, eu não sabia se você ia perdoar seu amigo ou se ele a perdoaria, e me perguntei se você ainda ia querer andar em sua moto. Parecia algo de que você gostava. Pensei que eu podia ir com você, se você quisesse. — Ele deu de ombros.

Eu olhei a bela máquina. Ao lado dela, minha moto parecia um triciclo quebrado. Senti uma onda repentina de tristeza quando percebi que não era uma analogia ruim para o modo como eu devia ficar ao lado de Edward.

— Eu não poderia acompanhar você — sussurrei.

Edward pôs a mão sob meu queixo e puxou meu rosto de modo a poder olhar diretamente para ele. Com um dedo, tentou empurrar o canto de minha boca para cima.

— Eu é que vou acompanhá-la, Bella.

— Isso não seria muito divertido para você.

— É claro que seria, se estivéssemos juntos.

Mordi o lábio e imaginei por um momento.

— Edward, se você achasse que eu estava indo rápido demais, perdendo o controle da moto ou algo assim, o que você faria?

Ele hesitou, obviamente tentando encontrar a resposta certa. Eu sabia da verdade: ele acharia um jeito de me salvar antes que eu caísse.

E então ele sorriu, e parecia espontâneo, a não ser pelo olhar um pouco defensivo.

— É uma atividade que você faz com Jacob. Agora eu entendo.

— É só que, bom, eu não o retardo tanto, sabe como é. Acho que eu podia tentar...

Olhei em dúvida a moto prateada.

— Não se preocupe com isso — disse Edward, e depois riu com alegria. — Eu vi o Jasper admirando-a. Talvez esteja na hora de ele descobrir um novo jeito de viajar. Afinal, Alice agora tem o Porsche.

— Edward, eu...

Ele me interrompeu com um beijo rápido.

— Eu disse para não se preocupar. Mas faria uma coisa por mim?

— O que você precisar — prometi de imediato.

Ele largou meu rosto, inclinou-se para o outro extremo da grande moto e pegou algo que guardara ali.

Voltou com um objeto preto e disforme, e outro que era vermelho e facilmente identificável.

— Por favor? — pediu ele, abrindo o sorriso torto que sempre destruía minha resistência.

Peguei o capacete, pesando-o nas mãos.

— Vou parecer uma idiota.

— Não, vai parecer inteligente. Bastante inteligente para não se machucar. — Ele atirou o volume preto, o que quer que fosse, no braço e pegou meu rosto nas mãos. — Não posso viver sem estas coisas que estão agora entre minhas mãos. Você pode cuidar delas.

— Tá, tudo bem. Qual é a outra? — perguntei, desconfiada.

Ele riu e sacudiu uma espécie de jaqueta acolchoada.

— É uma jaqueta de motociclismo. Ouvi dizer que o vento na estrada é muito desagradável, não que eu mesmo fosse perceber isso.

Ele a estendeu para mim. Com um suspiro fundo, joguei os cabelos para trás e coloquei o capacete. Depois enfiei os braços pelas mangas da jaqueta. Ele a fechou, um sorriso brincando nos cantos da boca, e recuou um passo.

Eu me senti gorda.

— Seja franco, eu estou horrenda, não estou?

Ele deu outro passo para trás e fez um beicinho.

— É tão ruim assim? — murmurei.

— Não, não, Bella. Na verdade... — Ele deu a impressão de lutar para encontrar a palavra certa. — você está... sensual.

Eu ri alto.

— Tá legal.

— Na verdade, muito sensual.

— Só está dizendo isso para eu usar — comentei. — Mas está tudo bem. Você tem razão, é mais inteligente.

Ele me abraçou e me puxou contra seu peito.

— Você é uma tola. Acho que faz parte de seu charme. Mas devo admitir que este capacete tem suas desvantagens.

E ele tirou o capacete para me beijar.

Pouco mais tarde, enquanto Edward me levava a La Push, percebi que aquela situação sem precedentes era estranhamente familiar. Precisei de um momento de reflexão para situar a fonte do *déjà vu*.

— Sabe o que isso me faz lembrar? De quando eu era criança e Renée me entregou a Charlie para passar o verão. Eu me sinto com 7 anos de idade.

Edward riu.

Eu não disse isso em voz alta, mas a maior diferença entre as duas circunstâncias era que Renée e Charlie se davam melhor.

A meio caminho de La Push, viramos a esquina e encontramos Jacob encostado na lateral do Volkswagen vermelho que ele montou sozinho do nada. A expressão cuidadosamente neutra de Jacob se dissolveu num sorriso quando acenei do banco da frente.

Edward estacionou o Volvo a uns trinta metros de distância.

— Ligue-me quando estiver pronta para ir para casa — disse ele. — E estarei aqui.

Edward tirou a moto e minha nova roupa da mala do carro — fiquei muito impressionada que coubesse tudo. Mas não era tão difícil conseguir isso quando se é bastante forte para erguer vans inteiras, que dirá motos pequenas.

Jacob olhava, sem se aproximar, sem sorrir e os olhos escuros indecifráveis.

Eu enfiei o capacete embaixo do braço e atirei a jaqueta no banco.

— Pegou tudo? — perguntou Edward.

— Tudo bem — garanti a ele.

Ele suspirou e se inclinou para mim. Ergui o rosto para um beijo de despedida, mas Edward me pegou de surpresa ao me abraçar firmemente e me beijar com o entusiasmo que teve na garagem — logo eu estava ofegando.

Edward riu baixinho, depois me soltou.

— Até logo — disse ele. — Eu realmente gosto da jaqueta.

Enquanto me afastava dele, pensei ter visto certo lampejo nos olhos dele que eu não devia ver. Eu não tinha certeza do que era. Preocupação, talvez. Por um segundo pensei que fosse pânico. Mas provavelmente eu estava fazendo tempestade em copo-d'água, como sempre.

Eu podia sentir seus olhos em minhas costas enquanto empurrava minha moto para a fronteira invisível do tratado vampiros-lobisomens a fim de encontrar Jacob.

— O que é tudo isso? — gritou Jacob para mim, a voz preocupada, examinando a moto com uma expressão enigmática.

— Pensei que devia devolver ao lugar a que ela pertence — disse a ele.

Ele ponderou sobre isso por um curto segundo, depois seu sorriso largo se espalhou pelo rosto.

Eu soube o ponto exato em que entrei em território de lobisomem porque Jacob saiu do carro e pulou rapidamente a meu encontro, encurtando a distância em três passadas longas. Ele pegou minha moto, equilibrou-a no apoio e me pegou para outro abraço de matar.

Ouvi o ronco do motor do Volvo e lutei para me libertar.

— Chega, Jake! — Eu ofeguei, sem fôlego.

Ele riu e me baixou. Virei-me para me despedir, mas o carro prateado já estava desaparecendo na curva da estrada.

— Que ótimo — comentei, deixando que alguma acidez vazasse para minha voz.

Seus olhos se arregalaram numa falsa inocência.

— O que foi?

— Ele está sendo muito gentil com a situação; você não precisava abusar da sorte.

Ele riu de novo, mais alto do que antes — achou o que eu disse muito engraçado. Tentei entender a piada enquanto ele contornava o Rabbit para abrir a porta para mim.

— Bella — disse ele por fim, ainda rindo, ao fechar a porta depois que entrei —, não se pode abusar do que não se tem.

11. LENDAS

— VAI COMER ESSA SALSICHA? — PERGUNTOU PAUL A JACOB, os olhos fixos no que restava da imensa refeição que os lobisomens haviam consumido.

Jacob se recostou em meus joelhos e brincou com a salsicha quente que tinha espetado em um arame esticado; as chamas na beira da fogueira lamberam a película empolada. Ele soltou um suspiro e afagou a barriga. Ainda estava plana, embora eu tivesse perdido a conta de quantos cachorros-quentes ele comera depois do décimo. Para não falar no saco tamanho supergrande de fritas ou nas duas garrafas de dois litros de refrigerante.

— Eu acho que sim — disse Jake devagar. — Estou tão cheio que podia vomitar, mas *acho* que posso forçar para dentro. Embora eu não vá gostar nada. — Ele suspirou de novo com tristeza.

Apesar do fato de Paul ter comido pelo menos tanto quanto Jacob, ele deu um olhar furioso e suas mãos se fecharam em punhos.

— Calminha. — Jacob riu. — É brincadeira, Paul. Tome.

Ele sacudiu o espeto improvisado. Achei que a salsicha cairia na areia, mas Paul pegou quase no último momento sem a menor dificuldade.

Ficar com pessoas extremamente hábeis o tempo todo estava me deixando com complexo.

— Obrigado, cara — disse Paul, já superado o breve ataque de mau humor.

O fogo estalou, afundando mais na areia. Centelhas subiram numa nuvem repentina de laranja vivo contra o céu escuro. Engraçado, eu não tinha percebido que o sol havia se posto. Pela primeira vez, perguntei-me se era tarde. Eu perdi a hora completamente. Era mais fácil ficar com meus amigos quileutes do que eu esperava.

Enquanto Jacob e eu deixávamos a moto na oficina — e ele admitiu pesaroso que o capacete tinha sido uma boa ideia que ele mesmo devia ter tido —, comecei a me preocupar em aparecer com ele na fogueira, perguntando-me se agora os lobisomens me considerariam uma traidora. Estariam eles com raiva de Jacob por me convidar? Será que eu estragaria a festa?

Mas quando Jacob me conduziu da floresta até o lugar de encontro, no alto do penhasco — onde o fogo já rugia mais brilhante do que o sol coberto pelas nuvens —, tudo foi muito despreocupado e leve.

— Ei, garota vampira! — Embry me recebeu ruidosamente. Quil pulou para me cumprimentar e me beijar no rosto. Emily apertou minha mão quando nos sentamos na pedra fria ao lado dela e de Sam.

Tirando algumas provocações brincalhonas — em especial de Paul — sobre manter o fedor de sanguessugas a favor do vento, eu fui tratada como alguém que pertencia àquele grupo.

Também não havia somente crianças na reunião. Billy estava presente, a cadeira de rodas estacionada no que parecia a cabeceira natural da roda. Ao lado dele, numa cadeira dobrável, parecendo muito frágil, o bisavô de cabelos brancos de Quil, o velho Quil. Sue Clearwater, viúva de Harry, amigo de Charlie, tinha uma cadeira do outro lado dele; seus dois filhos, Leah e Seth, também estavam lá, sentados no chão, como o restante de nós. Isso me surpreendeu, mas os três claramente sabiam do segredo. Pelo modo como Billy e o velho Quil conversavam com Sue, pareceu-me que ela assumira o lugar de Harry no conselho. Será que isso automaticamente tornava os filhos dela membros da sociedade mais secreta de La Push?

Perguntei-me como seria horrível para Leah ficar sentada na roda de frente para Sam e Emily. Seu rosto adorável não traía nenhuma emoção, mas ela jamais desviava os olhos do fogo. Olhando a perfeição das feições de Leah, não pude deixar de compará-las com o rosto arruinado de Emily. O que Leah pensava das cicatrizes de Emily, agora que sabia da verdade por trás delas? Será que pareciam justiça a seus olhos?

O pequeno Seth Clearwater não era mais tão pequeno. Com o sorriso imenso e feliz e o corpo longilíneo e desajeitado, ele me lembrava muito um Jacob jovem. A semelhança me fez sorrir, depois suspirar. Será que Seth estava condenado a ver sua vida mudar de forma tão drástica quanto os outros rapazes? Que futuro ele e sua família poderiam ter ali?

Todo o grupo estava presente: Sam com sua Emily, Paul, Embry, Quil e Jared com Kim, a garota com quem ele sofreu o *imprinting*.

Minha primeira impressão de Kim era de que ela era uma garota legal, meio tímida e um pouco modesta. Tinha feições largas, principalmente as maçãs do rosto, com olhos pequenos demais para dar equilíbrio. O nariz e a boca eram muito largos para a beleza tradicional. Os cabelos pretos e lisos eram finos e delicados no vento que nunca parecia deixar o alto do penhasco.

Esta foi minha primeira impressão. Mas, depois de algumas horas observando Jared e Kim, não pude mais achar nada de modesto na menina.

O jeito como ele a olhava! Era como um cego vendo o sol pela primeira vez. Como um colecionador encontrando um Da Vinci desconhecido, como uma mãe olhando o rosto do filho recém-nascido.

Seus olhos maravilhados fizeram-me ver coisas sobre ela — como sua pele parecia seda avermelhada à luz da fogueira, o formato dos lábios fazendo uma curva perfeita, os dentes brancos em contraste com a boca, o tamanho dos cílios, o rosto corando quando ela baixava os olhos.

A pele de Kim às vezes escurecia, quando ela encontrava o olhar pasmo de Jared, e seus olhos caíam como se estivesse constrangida, mas a garota tinha dificuldade para desviar os olhos dele pelo tempo que fosse.

Observando-os, senti que compreendia melhor o que Jacob me dissera sobre o *imprinting — é difícil resistir ao nível de compromisso e adoração.*

Kim agora cochilava no peito de Jared, os braços dele envolvendo-a. Imaginei que ela estivesse muito aquecida ali.

— Está ficando tarde — murmurei para Jacob.

— Não comece com *isso* — sussurrou Jacob, embora certamente metade do grupo tivesse audição bastante sensível para nos ouvir. — A melhor parte ainda está por vir.

— Qual é a melhor parte? Você engolindo uma vaca inteira?

Jacob deu sua risada baixa e gutural.

— Não. Esse é o desfecho. Não nos reunimos só para devorar a comida de uma semana. Tecnicamente, esta é uma reunião do conselho. É a primeira vez de Quil, e ele ainda não ouviu as histórias. Bom, ele as *ouviu*, mas esta será a primeira vez que ele sabe que são verdadeiras. Isso tende a fazer com que um cara preste mais atenção. Kim, Seth e Leah também estão aqui pela primeira vez.

— Histórias?

Jacob precipitou-se para o meu lado, onde eu repousava numa saliência baixa de pedra. Pôs o braço em meu ombro e falou ainda mais baixo em meu ouvido.

— As histórias que sempre pensamos serem lendas — disse ele. — As histórias de como nos transformamos. A primeira é a história dos guerreiros espíritos.

Foi quase como se o sussurro suave de Jacob fosse a introdução. O clima mudou de repente em volta da fogueira. Paul e Embry se sentaram eretos. Jared cutucou Kim e a puxou delicadamente para que se endireitasse.

Emily pegou um bloco em espiral e uma caneta, como uma estudante preparada para uma aula importante.

Sam girou ligeiramente ao lado dela — para ficar de frente para o Velho Quil, que estava do outro lado —, e de repente percebi que os mais velhos do conselho aqui não eram três, mas quatro.

Leah Clearwater, o rosto ainda uma máscara de beleza sem emoções, fechou os olhos — não como se estivesse cansada, mas para se concentrar. O irmão inclinou-se ansiosamente para os anciãos.

O fogo estalou, provocando outra explosão de faíscas cintilantes na noite.

Billy deu um pigarro e, sem outra introdução além do sussurro do filho, começou a contar a história em sua voz melodiosa e grave. As palavras eram pronunciadas com precisão, como se ele as soubesse de cor, mas também com sentimento e ritmo sutis. Como poesia apresentada por seu autor.

— No início, os quileutes eram um pequeno povo — disse Billy. — E ainda somos um pequeno povo, mas nunca desaparecemos. Isto porque sempre houve magia em nosso sangue. Nem sempre a magia da mudança de forma... Esta veio depois. Primeiro, éramos espíritos guerreiros.

Nunca antes eu percebera o tom de majestade na voz de Billy Black, embora eu agora reconhecesse que essa autoridade sempre estivera ali.

A caneta de Emily disparava pelas folhas de papel enquanto ela tentava acompanhá-lo.

— No princípio, a tribo se fixou neste porto e seus integrantes se tornaram habilidosos construtores de barcos e pescadores. Mas a tribo era pequena e o porto era rico em peixes. Havia outros que cobiçavam nossas terras, e éramos pequenos demais para mantê-las. Uma tribo maior avançou contra nós e pegamos nossos barcos para escapar dela.

“Kaheleha não foi o primeiro espírito guerreiro, mas não nos lembramos das histórias anteriores à dele. Não nos lembramos de quem foi o primeiro a descobrir este poder, ou como foi usado antes dessa crise. Kaheleha *foi* o primeiro grande Chefe Espírito de nossa história. Em seu surgimento, Kaheleha usou a magia para defender nossas terras.

"Ele e todos os seus guerreiros deixaram o barco — não seus corpos, mas em espírito. As mulheres observavam os corpos e as ondas, e os homens levaram seus espíritos de volta a nosso porto.

"Eles não podiam tocar fisicamente a tribo inimiga, mas tinham outros meios. As histórias contam que podiam soprar ventos ferozes nos campos inimigos; podiam produzir um grande grito no vento, um grito que apavorava os inimigos. As histórias também contam que os animais podiam ver os espíritos guerreiros e compreendê-los; os animais fariam sua vontade.

"Kaheleha levou esse exército de espíritos e arrasou os invasores. Essa tribo invasora tinha um bando de cães grandes e de pelos grossos usado para puxar os trenós no norte congelado. Os espíritos guerreiros viraram os cães contra seus donos e provocaram uma infestação de morcegos vindos das cavernas do penhasco. Usaram o vento uivante para ajudar os cães a confundir os homens. Os cachorros e os morcegos venceram. Os sobreviventes se espalharam, chamando nosso porto de lugar amaldiçoado. Os cães passaram a ser selvagens quando os espíritos guerreiros os libertaram. Os quileutes voltaram, vitoriosos, a seus corpos e a suas esposas.

"As outras tribos próximas, os hohs e os makahs, fizeram tratados com os quileutes. Não queriam se meter com nossa magia. Vivemos em paz com elas. Quando um inimigo vinha contra nós, os espíritos guerreiros o afugentavam.

"Passaram-se gerações. Depois veio o primeiro grande Chefe Espírito, Taha Aki. Era conhecido pela sabedoria e por ser um homem de paz. O povo vivia bem e satisfeito sob os cuidados dele.

"Mas havia um homem, Utlapa, que não estava satisfeito."

Um silvo baixo percorreu a fogueira. Eu fui lenta demais para perceber de onde vinha. Billy ignorou-o e continuou com a lenda.

— Utlapa era um dos mais fortes espíritos guerreiros do chefe Taha Aki... Um homem poderoso, mas também ganancioso. Ele pensava que o povo devia usar sua magia para expandir as terras, escravizar os hohs e os makahs e construir um império.

"Ora, quando estavam na forma de espírito, os guerreiros conheciam os pensamentos uns dos outros. Taha Aki viu o que Utlapa sonhava e ficou com raiva dele. Utlapa foi ordenado a deixar o povo e jamais voltar a usar seu espírito. Utlapa era um homem forte, mas os guerreiros do chefe estavam em maior número. Ele não teve alternativa a não ser partir. O furioso exilado escondeu-se na floresta próxima, esperando por uma oportunidade de se vingar do chefe.

"Mesmo em tempos de paz, o Chefe Espírito era vigilante na proteção de seu povo. Em geral, ia a um lugar secreto e sagrado nas montanhas. Deixava seu corpo e percorria as florestas e a costa, certificando-se de que nenhuma ameaça se aproximava.

"Um dia, quando Taha Aki saiu para cumprir com seu dever, Utlapa o seguiu. De início, Utlapa simplesmente planejava matar o chefe, mas este plano tinha suas desvantagens. Era certo que os espíritos guerreiros iam caçá-lo e destruí-lo, e eles podiam perseguir mais rápido do que Utlapa podia escapar. Enquanto estava escondido nas rochas e observava o chefe preparar-se para deixar o corpo, outro plano lhe ocorreu.

"Taha Aki deixou seu corpo no lugar secreto e voou com os ventos para vigiar seu povo. Utlapa esperou até ter certeza de que o chefe tinha percorrido certa distância em espírito.

"Taha Aki entendeu tudo no instante em que Utlapa se juntou a ele no mundo espiritual e também soube do plano assassino de Utlapa. Correu de volta ao lugar secreto, mas nem os ventos foram bastante rápidos para salvá-lo. Quando retornou, seu corpo já se fora. O corpo de Utlapa jazia abandonado, mas Utlapa não lhe deixara escapatória — cortara a garganta de seu próprio corpo com as mãos de Taha Aki.

"Taha Aki seguiu seu corpo pela montanha. Gritou para Utlapa, que o ignorou como se ele não passasse de vento.

"Taha Aki olhava com desespero enquanto Utlapa assumia seu lugar como chefe dos quileutes. Por algumas semanas, Utlapa nada fez além de se certificar de que todos acreditassem que ele era Taha Aki. Depois as mudanças começaram — o primeiro édito de Utlapa foi proibir qualquer guerreiro de entrar no mundo espiritual. Ele afirmou que tivera uma visão de perigo, mas na verdade tinha medo. Ele sabia que Taha Aki esperava por uma oportunidade de contar sua história. Utlapa também tinha medo de entrar no mundo espiritual, sabendo que Taha Aki rapidamente reclamaria seu corpo. Então eram impossíveis seus sonhos de conquista com um exército de espíritos guerreiros, e ele procurou se contentar com o governo da tribo. Ele se tornou um fardo — pediu privilégios que Taha Aki nunca solicitou, recusou-se a trabalhar com os guerreiros, tomou uma segunda esposa jovem e em seguida uma terceira, embora a esposa de Taha Aki estivesse viva —, fato de que a tribo nunca ouvira falar. Taha Aki observava numa fúria impotente.

"Um dia, Taha Aki tentou matar seu corpo para salvar a tribo dos excessos de Utlapa. Levou um lobo feroz das montanhas, mas Utlapa se escondeu atrás de seus guerreiros. Quando o lobo matou um jovem que estava protegendo o falso chefe, Taha Aki sentiu uma tristeza terrível e ordenou ao lobo que se afastasse.

"Todas as histórias contam que não era fácil ser um espírito guerreiro. Ser libertado do próprio corpo era mais assustador do que estimulante, e por isso eles só usavam a magia em épocas de necessidade. As jornadas solitárias do chefe para vigiar eram um fardo e um sacrifício. Ficar sem corpo era desorientador, desagradável, apavorante. A essa altura, Taha Aki estava longe do corpo havia tanto tempo que vivia em agonia. Sentia que estava condenado — nunca mais atravessaria a terra final onde esperavam seus ancestrais, preso naquele nada torturante para sempre.

"O grande lobo seguiu o espírito de Taha Aki enquanto ele se retorcia e se encolhia de agonia pelo bosque. O lobo era muito grande para sua espécie, e era belo. Taha Aki de repente teve inveja do animal obtuso. Pelo menos tinha um corpo. Pelo menos tinha uma vida. Mesmo a vida de animal seria melhor do que aquela terrível consciência vazia.

"E depois Taha Aki teve a ideia que nos mudaria a todos. Pediu ao grande lobo para dar espaço para ele, para dividir. O lobo aquiesceu. Taha Aki entrou no corpo do lobo com alívio e gratidão. Não era seu corpo humano, mas era melhor do que o vazio do mundo espiritual.

"Unos, homem e lobo voltaram à aldeia no porto. O povo correu de medo, gritando pelos guerreiros. Os guerreiros correram para encontrar o lobo com suas lanças. Utlapa, é claro, ficou escondido e seguro.

"Taha Aki não atacou seus guerreiros. Afastou-se devagar, falando com os olhos e tentando gritar as canções de seu povo. Os guerreiros começaram a perceber que o lobo não era um animal comum, que um espírito o influenciava. Um guerreiro mais velho, um homem de nome Yut, decidiu desobedecer à ordem do falso chefe e tentar se comunicar com o lobo.

"Assim que Yut atravessou para o mundo espiritual, Taha Aki deixou o lobo — o animal esperou obediente por sua volta — para falar com ele. Yut entendeu a verdade num instante e deu as boas-vindas a seu verdadeiro chefe.

"Nessa hora, Utlapa veio ver se o lobo havia sido derrotado. Quando viu Yut deitado sem vida no chão, cercado por guerreiros protetores, percebeu o que estava acontecendo. Sacou sua faca e correu para matar Yut antes que ele pudesse voltar a seu corpo.

"'Traidor', gritou ele, e os guerreiros não sabiam o que fazer. O chefe havia proibido as jornadas dos espíritos, e era decisão do chefe punir aqueles que lhe desobedecessem.

"Yut voltou a seu corpo, mas Utlapa estava com a faca em seu pescoço e a mão cobria sua boca. O corpo de Taha Aki era forte e a idade deixara Yut fraco. Yut não pôde dizer nem uma palavra para avisar os outros antes que Utlapa o silenciasse para sempre.

"Taha Aki observou o espírito de Yut deslizar para a derradeira terra que lhe era vedada por toda a eternidade. Sentiu uma raiva imensa, mais forte do que qualquer emoção que tinha sentido na vida. Entrou no grande lobo de novo, pretendendo dilacerar o pescoço de Utlapa. Mas, enquanto se unia ao lobo, aconteceu a magia maior.

"A raiva de Taha Aki era a raiva de um homem. O amor que ele tinha por seu povo e o ódio que tinha pelo opressor eram vastos demais para o corpo do lobo, eram humanos demais. O lobo tremeu e — diante dos olhares de choque dos guerreiros e de Utlapa — transformou-se num homem.

"O novo homem não tinha o corpo de Taha Aki. Era muito mais glorioso. Era a interpretação em carne do espírito de Taha Aki. No entanto os guerreiros o reconheceram imediatamente, porque já haviam voado com seu espírito.

"Utlapa tentou correr, mas Taha Aki tinha a força do lobo em seu novo corpo. Pegou o usurpador e arrancou seu espírito antes que ele pudesse sair do corpo roubado.

"O povo se alegrou ao entender o que acontecera. Taha Aki corrigiu tudo: voltou a trabalhar com seu povo e devolveu as jovens esposas a suas famílias. A única mudança que manteve foi o fim das viagens em espírito. Ele sabia que era perigoso demais, agora que estava presente a ideia de roubar uma vida. Os espíritos guerreiros deixaram de existir.

"A partir desse ponto, Taha Aki foi mais do que lobo ou homem. Chamavam-no Taha Aki, o Grande Lobo, ou Taha Aki, o Homem-Espírito. Ele liderou a tribo por muitos e muitos anos, porque não envelhecia. Quando o perigo ameaçava, ele reassumia sua identidade de lobo para lutar ou afugentar o inimigo. O povo vivia em paz. Taha Aki foi pai de muitos filhos, e alguns descobriram que também podiam se transformar em lobos quando chegavam à idade adulta. Os lobos eram diferentes, porque eram lobos-espíritos e refletiam o homem que traziam em si."

— Então é por isso que Sam é todo preto — murmurou Quil, sorrindo. — Coração preto, pelo preto.

Eu estava tão envolvida com a história que foi um choque retornar ao presente, à roda em volta do fogo moribundo. Com outro choque, percebi que o círculo era composto dos bisnetos de Taha Aki — embora em graus variados.

O fogo lançou uma salva de faíscas ao céu, e elas tremeram e dançaram, assumindo formas quase decifráveis.

— E seu pelo chocolate reflete o quê? — sussurrou Sam para Quil. — Como você é *doce*?

Billy ignorou as brincadeiras.

— Alguns filhos tornaram-se guerreiros com Taha Aki e não envelheceram mais. Outros, que não gostavam da transformação, recusaram-se a se unir ao bando de homens-lobo. Estes começaram a envelhecer novamente, e a tribo descobriu que os homens-lobo podiam ficar mais velhos como qualquer pessoa, se desistissem de seus lobos-espíritos. Taha Aki viveu o tempo de três anciãos. Casou-se com uma terceira esposa depois da morte das duas primeiras e encontrou nela sua verdadeira esposa espiritual. Embora ele tivesse amado as outras, essa era diferente. Ele decidiu abrir mão do lobo-espírito para morrer quando ela se fosse.

"Foi assim que a magia chegou a nós, mas este não é o fim da história..."

Ele olhou para o velho Quil Ateara, que se mexeu na cadeira, endireitando os ombros frágeis. Billy tomou um gole de uma garrafa de água e enxugou a testa. A caneta de Emily jamais hesitava ao escrever furiosamente no papel.

— Essa foi a história dos espíritos guerreiros — começou o velho Quil com uma voz fraca de tenor. — Agora é a vez da história do sacrifício da terceira esposa.

"Muitos anos depois de Taha Aki desistir do lobo-espírito, quando estava velho, surgiram problemas no norte, com os makahs. Várias jovens daquela tribo tinham desaparecido e eles culpavam os lobos vizinhos, que temiam e em quem não confiavam. Os homens-lobo ainda podiam ler os pensamentos uns dos outros enquanto estavam na forma de lobo, assim como seus ancestrais faziam quando estavam na forma de espírito. Eles sabiam que ninguém de seu grupo era culpado. Taha Aki tentou pacificar o chefe makah, mas havia medo demais. Taha Aki não queria ter uma guerra nas mãos. Não era mais um guerreiro para liderar seu povo. Ele encarregou o filho-lobo mais velho, Taha Wi, de descobrir o verdadeiro culpado antes que começassem as hostilidades.

"Taha Wi levou outros cinco lobos de seu grupo em uma busca pelas montanhas, à procura de qualquer prova das makahs desaparecidas. Deram na floresta com algo que nunca tinham visto — um cheiro doce e estranho, que ardia no nariz a ponto de doer."

Eu me encolhi para mais perto de Jacob. Vi o canto de sua boca se retorcer com humor e o braço se estreitou à minha volta.

— Eles não sabiam que criatura deixaria um cheiro daqueles, mas a seguiram — continuou o velho Quil. Sua voz trêmula não tinha a majestade da voz de Billy, mas tinha um tom de urgência estranho e veemente. Minha pulsação saltava à medida que suas palavras saíam com mais rapidez. — Eles encontraram traços fracos de cheiro humano e sangue humano no rastro. Tinham certeza de que era o inimigo que procuravam.

"A jornada os levou tão para o norte que Taha Wi mandou metade da alcateia, os mais novos, de volta ao porto para contar a Taha Aki.

"Taha Wi e seus dois irmãos não voltaram.

"Os irmãos mais novos procuraram pelos mais velhos, mas só encontraram silêncio. Taha Aki pranteou seus filhos. Queria se vingar da morte dos filhos, mas era velho. Foi ao chefe makah com seus trajes de luto e lhe contou tudo o que acontecera. O chefe makah acreditou em seu pesar e as tensões entre as tribos terminaram.

"Um ano depois, duas donzelas makahs desapareceram de suas casas na mesma noite. Os makahs chamaram os quileutes de imediato, que encontraram o mesmo fedor adocicado em toda a aldeia makah. Os lobos partiram à caça novamente.

"Só um deles voltou. Era Yaha Uta, o filho mais velho da terceira esposa de Taha Aki e o mais novo do grupo. Trouxe uma coisa que nunca fora vista em todos os dias dos quileutes — um cadáver estranho, frio e duro como pedra, que ele carregava aos pedaços. Todos que eram do sangue de Taha Aki, mesmo aqueles que nunca haviam sido lobos, puderam sentir o cheiro penetrante da criatura morta. Aquele era o inimigo dos makahs.

"Yaha Uta descreveu o que aconteceu: ele e os irmãos encontraram a criatura, que parecia um homem mas era duro como granito, com as duas filhas makahs. Uma menina já estava morta, branca e exangue no chão. A outra estava nos braços da criatura, que tinha a boca em seu pescoço. Ela podia estar viva quando eles chegaram à cena horrenda, mas a criatura rapidamente rompeu seu pescoço e atirou o corpo sem vida ao chão quando eles se aproximaram. Seus lábios brancos estavam cobertos do sangue da menina e os olhos cintilavam vermelhos.

"Yaha Uta descreveu a força brutal e a velocidade da criatura. Um dos irmãos logo se tornou vítima quando subestimou o poder da criatura, que o dilacerou como se fosse um boneco. Yaha Uta e o outro irmão foram mais cautelosos. Trabalharam juntos, abordando a criatura pelos flancos, manobrando melhor. Tiveram de chegar a seus limites de força e de velocidade de lobos, algo que nunca fora testado. A criatura era dura feito pedra e fria como gelo. Eles descobriram que só seus dentes podiam lhe provocar danos. Começaram a rasgar pequenos pedaços da criatura enquanto lutavam contra ela.

"Mas a criatura aprendia depressa e logo estava fazendo frente a suas manobras. Pôs as mãos no irmão de Yaha Uta. Yaha Uta encontrou uma abertura no pescoço da criatura e atacou. Seus dentes arrancaram a cabeça da criatura, mas as mãos continuavam a mutilar seu irmão.

"Yaha Uta dilacerou a criatura em partes irreconhecíveis, rasgando pedaços numa tentativa desesperada de salvar o irmão. Era tarde demais para ele, mas, no fim, a criatura estava destruída.

"Ou assim eles pensavam. Yaha Uta colocou no chão os restos fedorentos para que fossem examinados pelos mais velhos. A mão decepada estava ao lado de um pedaço do braço de granito. Os dois pedaços se tocaram quando os anciãos os cutucaram com bastões e a mão se estendeu para o pedaço de braço, tentando se remontar.

"Apavorados, os anciãos atearam fogo aos restos. Uma grande nuvem de fumaça sufocante e vil poluiu o ar. Quando não havia nada a não ser cinzas, eles separaram as cinzas em muitos saquinhos e as despacharam para longe — alguns no mar, outros na floresta, outros nas cavernas do penhasco. Taha Aki passou a usar um saco no pescoço, para ser avisado se a criatura tentasse se reconstituir novamente."

O velho Quil parou e olhou para Billy, que pegou um cordão longo no pescoço. Pendurado na ponta havia um saquinho, escurecido pelo tempo. Algumas pessoas arfaram. Pode ser que eu tenha sido uma delas.

— Eles o chamaram O Frio, Bebedor de Sangue, e viviam com medo de que não fosse apenas um. Só lhes restava um lobo protetor, o jovem Yaha Uta.

"Não tiveram de esperar muito tempo. A criatura tinha uma companheira, outra bebedora de sangue, que foi até os quileutes para se vingar.

"As histórias contam que A Fria era a coisa mais linda que os olhos humanos já tinham visto. Parecia a deusa da alvorada quando entrou na aldeia naquela manhã; o sol de repente brilhava, cintilando em sua pele branca e iluminando seus cabelos dourados, que caíam até os joelhos. Seu rosto era de uma beleza mágica, os olhos negros na face branca. Alguns caíram de joelhos em adoração a ela.

"Ela perguntou algo numa voz alta e penetrante, numa língua que ninguém conhecia. As pessoas estavam aturdidas, sem saber o que responder. Não havia nenhum sangue de Taha Aki entre as testemunhas, exceto um garotinho. Ele se agarrou à mãe e gritou que o cheiro estava machucando seu nariz. Um dos anciãos, a caminho do conselho, ouviu o menino e percebeu o que estava entre eles. Gritou para que o povo fugisse. Ela o matou primeiro.

"Houve vinte testemunhas da aproximação da Fria. Duas sobreviveram, só porque ela foi distraída pelo sangue e parou para saciar sua sede. Eles correram até Taha Aki, que estava sentado no conselho com os outros anciãos, seus filhos e a terceira esposa.

"Yaha Uta transformou-se em seu lobo-espírito assim que soube da notícia. Foi destruir a bebedora de sangue sozinho. Taha Aki, sua terceira esposa, seus filhos e os anciãos foram atrás dele.

"De início eles não conseguiam encontrar a criatura, só a prova de seu ataque. Corpos jaziam quebrados, alguns sem sangue, espalhados pela estrada onde ela aparecera. Depois ouviram os gritos e correram para a enseada.

"Alguns quileutes correram para se refugiar nos barcos. Ela nadou atrás deles como um tubarão e quebrou o casco do barco com sua força inacreditável. Quando o barco afundou, ela pegou os que tentavam se afastar a nado e os destruiu também.

"Ela viu o grande lobo na margem e se esqueceu dos nadadores em fuga. Nadou tão rápido que parecia um borrão, e chegou, gotejando e gloriosa, para se postar diante de Yaha Uta. Apontou para ele com um dedo branco e fez outra pergunta incompreensível. Yaha Uta esperou.

"Foi uma luta renhida. Ela não era a guerreira que fora seu companheiro. Mas Yaha Uta estava só — não havia ninguém para distrair dele a fúria da criatura.

"Quando Yaha Uta perdeu, Taha Aki gritou em desafio. Ele avançou e se transformou em um lobo velho, de focinho branco. O lobo era velho, mas aquele era Taha Aki, o Homem-Espírito, e sua raiva o deixava forte. A luta recomeçou.

"A terceira esposa de Taha Aki tinha acabado de ver o filho morrer diante dela. Agora o marido lutava, e ela não tinha esperanças de que ele vencesse. Ela ouviu cada palavra que as testemunhas contaram ao conselho sobre a chacina. Ouvira as histórias da primeira vitória de Yaha Uta e sabia que a distração do irmão salvara a vida dele.

"A terceira esposa pegou uma faca no cinto de um dos filhos ao lado dela. Todos eram jovens, ainda não eram homens, e ela sabia que eles morreriam quando o pai fracassasse.

"A terceira esposa correu para A Fria com a adaga erguida. A Fria sorriu, e mal se desviou da luta contra o lobo velho. Não tinha medo da mulher fraca e humana ou da faca que sequer arranharia sua pele, e estava prestes a dar o golpe mortal em Taha Aki.

"E então a terceira esposa tomou uma atitude que A Fria não esperava. Caiu de joelhos aos pés da bebedora de sangue e enfiou a faca no próprio coração.

"O sangue esguichou pelos dedos da terceira esposa e espirrou na Fria. A bebedora de sangue não pôde resistir à tentação do sangue fresco deixando o corpo da terceira esposa. Por instinto, virou-se para a moribunda, por um segundo inteiramente consumida pela sede.

"Os dentes de Taha Aki se fecharam em seu pescoço.

"Este não foi o fim da luta, mas Taha Aki agora não estava só. Vendo a mãe morrer, dois filhos jovens sentiram tal raiva que dispararam para a frente na forma de seus lobos-espíritos, embora ainda não fossem homens. Com o pai, eles deram cabo da criatura.

"Taha Aki jamais se reuniu à tribo. Nunca voltou à forma humana. Ficou deitado por um dia ao lado do corpo da terceira esposa, rosnando sempre que alguém tentava tocá-la, depois foi para a floresta e jamais voltou.

"Os problemas com os frios foram raros a partir de então. Os filhos de Taha Aki protegeram a tribo até que seus filhos fossem velhos o suficiente para assumir seu lugar. Nunca eram mais de três lobos de uma vez. Era o bastante. Ocasionalmente, um bebedor de sangue aparecia por essas terras, mas eles eram pegos de surpresa, pois não esperavam encontrar lobos. Às vezes, um lobo morria, mas nunca mais foram dizimados como na primeira vez. Eles aprenderam a lutar com os frios e transmitiram o conhecimento, de mente de lobo para mente de lobo, de espírito para espírito, de pai para filho.

"O tempo passou e os descendentes de Taha Aki não se transformavam mais em lobos quando chegavam à idade adulta. Só muito tempo depois, se um frio estivesse por perto, os lobos voltariam. Os frios sempre vinham sozinhos ou aos pares, e a alcateia continuava pequena.

"Chegou um bando maior, e os bisnetos prepararam-se para combatê-los. Mas o líder falou com Ephraim Black como se fosse homem e prometeu não prejudicar os quileutes. Seus estranhos olhos amarelos davam prova de sua alegação de que eles não eram iguais aos outros bebedores de sangue. Os lobos eram em menor número; não havia necessidade de os frios proporem um tratado quando podiam ter vencido a contenda. Ephraim aceitou. Eles cumpriram sua parte, embora a sua presença tendesse a atrair outros.

"E seu número forçou o surgimento de uma alcateia maior do que a tribo já havia testemunhado."

Por um momento seus olhos absortos, enterrados em rugas de dobras de pele, pareceram pousar em mim.

— Exceto, é claro, na época de Taha Aki — disse ele, depois suspirou. — E assim os filhos de nossa tribo carregam novamente o fardo e compartilham o sacrifício que seus pais suportaram antes deles.

Todos fizeram silêncio por um momento. Os descendentes vivos da magia e das lendas se fitavam através da fogueira com tristeza nos olhos. Todos, exceto um.

— Fardo — zombou ele numa voz baixa. — Eu acho bacana. — O lábio inferior e cheio de Quil fez um biquinho.

Do outro lado do fogo fraco, Seth Clearwater — os olhos arregalados de adulação pela fraternidade de protetores tribais — assentiu.

Billy riu, um riso grave e longo, e a magia pareceu esvair-se nas brasas cintilantes. De repente, era só uma roda de amigos de novo. Jared atirou uma pedrinha em Quil e todos riram quando isso o fez pular. A conversa baixa murmurava à nossa volta, brincalhona e despreocupada.

Os olhos de Leah Clearwater não se abriram. Pensei ter visto algo cintilando em seu rosto como uma lágrima, mas quando voltei a olhar um momento depois tinha desaparecido.

Nem Jacob nem eu falamos. Ele estava tão imóvel a meu lado, a respiração tão profunda e estável, que pensei que podia estar quase dormindo.

Minha mente estava a mil anos dali. Eu não pensava em Yaha Uta ou nos outros lobos, nem na bela Fria — eu podia *imaginá-la* com muita facilidade. Não, eu pensava em alguém de fora da magia. Tentava imaginar a face da mulher sem nome que salvara toda a tribo, a terceira esposa.

Só uma humana, sem nenhum dom nem poderes especiais. Fisicamente mais fraca e mais lenta do que qualquer dos monstros na história. Mas ela fora a chave, a solução. Ela salvou o marido, os filhos jovens, a tribo.

Eu queria que eles se lembrassem do nome dela...

Alguma coisa sacudiu meu braço.

— Vamos, Bells — disse Jacob em meu ouvido. — Nós chegamos.

Eu pisquei, confusa porque o fogo parecia ter desaparecido. Olhei a escuridão inesperada, tentando decifrar o ambiente. Precisei de um minuto para perceber que não estava mais no penhasco. Jacob e eu estávamos sós. Eu ainda estava sob o braço dele, mas não estava mais no chão.

Como foi que eu cheguei ao carro de Jacob?

— Ah, droga! — Eu arfei ao perceber que tinha dormido. — Que horas são? Porcaria, onde está aquele telefone idiota? — Dei tapinhas nos bolsos, frenética, mas nada encontrei.

— Calma. Ainda não é meia-noite. E eu já liguei para ele por você. Olhe... Ele está esperando lá.

— Meia-noite? — repeti feito uma idiota, ainda desorientada. Olhei a escuridão e meu coração parou quando meus olhos distinguiram a forma do Volvo, a uns trinta metros de distância. Estendi a mão para a maçaneta da porta.

— Tome — disse Jacob, e colocou algo pequeno em minha outra mão. O telefone.

— Você ligou para Edward por mim?

Meus olhos tinham se adaptado o suficiente para ver o brilho do sorriso de Jacob.

— Imaginei que se eu fosse legal conseguiria mais tempo com você.

— Obrigada, Jake — disse, comovida. — Muito obrigada mesmo. E agradeço por me convidar esta noite. Foi... — As palavras me fugiram. — Caramba. Foi demais.

— E você nem ficou para me ver engolir uma vaca. — Ele riu. — Não, fico feliz que tenha gostado. Foi... bom para mim. Ter você aqui.

Houve um movimento na distância escura — algo pálido movendo-se nas árvores sombrias. Andando de um lado para outro?

— É, ele não é tão paciente, né? — disse Jacob, percebendo minha distração. — Vá. Mas volte logo, está bem?

— Claro, Jake — prometi, e abri a porta do carro. O ar frio banhou minhas pernas e me fez tremer.

— Durma bem, Bells. Não se preocupe com nada... Eu estarei vigiando você esta noite.

Eu parei, com um dos pés no chão.

— Não, Jake. Vá descansar um pouco, eu vou ficar bem.

— Claro, claro — disse ele, mas pareceu mais paternalista do que de acordo.

— Boa noite, Jake. Obrigada.

— Boa noite, Bella — sussurrou enquanto eu corria no escuro.

Edward me pegou na fronteira.

— Bella — disse ele, o alívio intenso em sua voz; seus braços me envolveram com força.

— Oi, desculpe por chegar tão tarde. Eu dormi e...

— Eu sei. Jacob explicou. — Ele partiu para o carro e eu cambaleei trôpega a seu lado. — Está cansada? Posso carregá-la.

— Eu estou bem.

— Vamos para sua casa e você vai dormir. Você se divertiu?

— Sim... Foi maravilhoso, Edward. Queria que você pudesse ter ido. Nem posso explicar. O pai de Jake nos contou antigas lendas e foi como... como magia.

— Vai ter que me contar sobre isso. Depois que dormir.

— Não ia contar agora — eu disse, depois dei um bocejo imenso.

Edward riu. Abriu a porta para mim, ergueu-me para dentro do carro e prendeu meu cinto de segurança.

Luzes fortes lampejaram e passaram por nós. Eu acenei para os faróis de Jacob, mas não sei se ele viu o gesto.

Naquela noite — depois de eu ter passado por Charlie, que não me criou muitos problemas, como eu esperava, pois Jacob tinha ligado para ele também —, em vez de desmaiar na cama direto, curvei-me para fora da janela aberta enquanto esperava que Edward voltasse. A noite era surpreendentemente fria, quase de inverno. Eu não tinha percebido isso no penhasco ventoso; imaginei que tivesse menos relação com o fogo que com o fato de eu estar sentada ao lado de Jacob.

Gotas geladas bateram em meu rosto quando a chuva começou a cair.

Estava escuro demais para enxergar além dos triângulos negros dos abetos que se curvavam e se agitavam com o vento. Mesmo assim tentei enxergar, procurando por outras formas na tempestade. Uma silhueta pálida, movendo-se como um fantasma pela escuridão... Ou talvez o perfil sombrio de um lobo enorme... Meus olhos eram fracos demais.

Depois, houve um movimento na noite, bem a meu lado. Edward passou por minha janela aberta, as mãos mais frias do que a chuva.

— Jacob está aí fora? — perguntei, tremendo enquanto Edward me puxava para o círculo de seus braços.

— Sim... Em algum lugar. E Esme está indo para casa.

Eu suspirei.

— Está tão frio e úmido. Isso é tolice. — Eu tremi de novo.

Ele riu.

— Só está frio para *você*, Bella.

Estava frio também em meu sonho naquela noite, talvez porque eu tivesse dormido nos braços de Edward. Mas eu sonhei que estava lá fora, na tempestade, o vento chicoteando meus cabelos no rosto e me cegando. Eu estava no crescente rochoso da First Beach, tentando entender as formas que se movimentavam rapidamente e que eu mal conseguia distinguir na escuridão da praia. De início, nada havia, apenas um lampejo de branco e preto, disparando um até o outro e dançando. E depois, como se a lua tivesse de repente rompido as nuvens, eu pude ver tudo.

Rosalie, os cabelos balançando molhados e dourados até os joelhos, lançava-se para um lobo enorme — seu focinho era tingido de prata —, que eu instintivamente reconheci como Billy Black.

Comecei a correr, mas me vi andando na frustrante câmera lenta de quem sonha. Tentei gritar para eles, para dizer que parassem, mas minha voz foi roubada pelo vento e não proferi som algum. Algo lampejou em minha mão e percebi pela primeira vez que minha mão direita não estava vazia.

Eu segurava uma lâmina longa e afiada, antiga e prateada, com crostas de sangue escurecido e seco.

Encolhi, me afastando da faca, e meus olhos se abriram para a escuridão silenciosa de meu quarto. Logo percebi que não estava só e me virei para enterrar o rosto no peito de Edward, sabendo que o cheiro doce de sua pele afugentaria o pesadelo com mais eficácia do que qualquer outra coisa.

— Eu a acordei? — sussurrou ele. Ouvi o som de papel, do farfalhar de páginas e um baque fraco de algum objeto leve caindo no chão de madeira.

— Não — murmurei, suspirando de satisfação nos braços firmes de Edward à minha volta. — Eu tive um pesadelo.

— Quer me contar?

Sacudi a cabeça.

— Cansada demais. Talvez de manhã, se eu me lembrar.

Senti um riso silencioso sacudir o corpo dele.

— De manhã — concordou ele.

— O que estava lendo? — murmurei, não desperta de todo.

— *O morro dos ventos uivantes* — disse ele.

Franzi a testa, sonolenta.

— Pensei que você não gostasse desse livro.

— Você deixou à vista — murmurou ele, a voz suave embalando-me para a inconsciência. — Além disso... quanto mais tempo eu passo com você, mais emoções humanas ficam compreensíveis para mim. Estou descobrindo que posso me solidarizar com Heathcliff de um modo que não acreditava ser possível.

— Hmmm — eu suspirei.

Ele disse mais algumas palavras, algo baixo, mas eu já estava dormindo.

O dia seguinte amanheceu cinza-perolado e silencioso. Edward me perguntou de meu sonho, mas eu não conseguia me lembrar dele. Só me recordava de que estava frio e de que eu estava feliz por ele estar presente quando acordei. Ele me beijou, por tempo suficiente para acelerar minha pulsação, depois foi em casa trocar de roupa e pegar o carro.

Vesti-me depressa, com poucas alternativas. Quem quer que tivesse saqueado meu cesto de roupa tinha prejudicado seriamente meu guarda-roupa. Se eu não estivesse tão assustada, ficaria muito irritada.

Eu estava prestes a descer para o café da manhã quando percebi meu exemplar surrado de *O morro dos ventos uivantes* aberto no chão, onde Edward o largara à noite, marcando a página em que havia parado como a capa avariada sempre marcava a minha.

Peguei-o, curiosa, tentando me lembrar do que ele dissera. Algo sobre sentir solidariedade por Heathcliff, justo por ele! Aquilo não podia estar certo; eu devia ter sonhado essa parte.

Três palavras na página aberta atraíram minha atenção, e eu tombei a cabeça para ler o parágrafo mais de perto. Era Heathcliff falando e eu conhecia bem a passagem.

> *E ali se vê a distinção entre nossos sentimentos: ele estivera no meu lugar e eu no dele; embora eu o odiasse com um rancor que transformou minha vida em bile, jamais teria erguido a mão contra ele. Você pode estar incrédulo; se lhe apraz! Jamais o teria banido de sua sociedade, o que ela desejava. Cessado o momento de respeitá-la, eu teria arrancado seu coração e bebido seu sangue! Mas, até então — se não acredita em mim, não me conhece —, até então, eu teria morrido pouco a pouco antes de tocar num único fio de seu cabelo!*

As três palavras que me chamaram atenção foram "bebido seu sangue".

Eu estremeci.

Sim, certamente eu devia ter sonhado que Edward dissera algo positivo sobre Heathcliff. E aquela não devia ser a página que ele estava lendo. O livro podia ter-se aberto em qualquer página ao cair.

12. TEMPO

— EU PREVI... — COMEÇOU ALICE NUM TOM AGOURENTO.

Edward lançou o cotovelo para as costelas dela, do que ela se esquivou elegantemente.

— Tudo bem — grunhiu. — Edward está me obrigando a fazer isso. Mas eu *previ* que você seria mais difícil se eu a surpreendesse.

Estávamos andando para o carro depois da aula e eu não fazia a menor ideia do que ela estava falando.

— Pode falar na minha língua? — pedi.

— Não seja infantil. Nada de ter um acesso de raiva.

— Agora estou com medo.

— Então você... quer dizer, *nós*... vamos dar uma festa de formatura. Não é grande coisa. Nada de dar medo. Mas eu vi que você *ia* ficar louca se eu tentasse fazer uma festa-surpresa. — Ela se afastou dançando enquanto Edward tentava bagunçar seus cabelos. — E Edward disse que eu tinha que contar a você. Mas não será nada demais. Eu prometo.

Soltei um suspiro pesado.

— Tem algum sentido discutir?

— Nenhum.

— Tudo bem, Alice. Eu estarei lá. E vou odiar cada minuto. Eu prometo.

— O espírito é esse! A propósito, eu adoro meu presente. Você não devia fazer isso.

— Alice, eu não comprei!

— Ah, eu sei disso. Mas comprará.

Eu vasculhei o cérebro em pânico, tentando me lembrar do que havia decidido lhe dar de formatura que ela pudesse ter visto.

— Incrível — murmurou Edward. — Como alguém tão minúscula pode ser tão irritante?

Alice riu.

— É um talento.

— Não podia ter esperado algumas semanas para me contar sobre isso? — eu disse, petulante. — Agora vou ficar estressada por muito mais tempo.

Alice franziu a testa para mim.

— Bella — disse ela lentamente. — Sabe que dia é hoje?

— Segunda?

Ela revirou os olhos.

— Sim. É segunda... dia 4. — Ela pegou meu cotovelo, girou-me e apontou para um grande cartaz amarelo colado na porta da educação física. Ali, em letras pretas e nítidas, estava a data da formatura. Exatamente dali a uma semana.

— É dia 4? *De junho?* Tem certeza?

Ninguém respondeu. Alice só sacudiu a cabeça com tristeza, fingindo decepção, e as sobrancelhas de Edward se ergueram.

— Não pode ser! Como isso aconteceu? — Tentei fazer uma contagem regressiva mental, mas não consegui deduzir para onde o tempo tinha ido.

Senti como se alguém tivesse chutado minhas pernas. As semanas de estresse, de preocupação... De certo modo, no meio de toda minha obsessão com o tempo, meu tempo havia desaparecido. Meu espaço para organizar tudo, para fazer planos, tinha sumido. Eu estava sem tempo.

E não estava preparada.

Não sabia como fazer aquilo. Como dizer adeus a Charlie e a Renée... A Jacob... A ser humana.

Eu sabia exatamente o que queria, mas de repente me apavorei com a possibilidade de se tornar realidade.

Em tese, eu estava ansiosa, ainda mais ansiosa para trocar a mortalidade pela imortalidade. Afinal, essa era a chave para ficar com Edward para sempre. E depois havia o fato de que eu estava sendo caçada por coisas conhecidas e desconhecidas. Eu preferia não ficar parada, impotente e deliciosa, esperando que um deles me pegasse.

Em tese, tudo isso fazia sentido.

Na prática... ser humana era tudo o que eu sabia. O futuro era um grande abismo escuro que eu só poderia conhecer quando pulasse nele.

O simples conhecimento daquela data — que era tão óbvio que eu devia estar reprimindo inconscientemente — fez com que o prazo que eu contava com impaciência parecesse o dia do esquadrão de fuzilamento.

Eu percebia vagamente Edward segurando a porta do carro para mim, Alice tagarelando no banco traseiro, a chuva martelando no para-brisa. Edward pareceu perceber que eu só estava presente em corpo; não tentou me arrancar de minhas abstrações. Ou talvez tenha tentado e eu não notei.

Terminamos em minha casa, onde Edward me levou para o sofá e me puxou para perto dele. Eu fitava a janela, a névoa cinza e fluida, e tentava descobrir para onde fora minha determinação. Por que eu agora estava em pânico? Eu sabia que o prazo estava se encerrando. Por que me apavoraria que estivesse ali?

Ele pôs as mãos frias em meu rosto e fixou os olhos dourados nos meus.

— Pode por favor me dizer em que está pensando? *Antes* que eu enlouqueça?

O que eu podia dizer a ele? Que era uma covarde? Procurei pelas palavras certas.

— Seus lábios estão brancos. Fale, Bella.

Eu soltei uma lufada de ar. Por quanto tempo eu prendera a respiração?

— A data me pegou desprevenida — sussurrei. — É só isso.

Ele esperou, o rosto cheio de preocupação e ceticismo.

Tentei explicar.

— Não sei bem o que fazer... O que dizer a Charlie... O que dizer... Como... — Minha voz falhou.

— Não é por causa da festa?

Franzi a testa.

— Não. Mas obrigada por me lembrar.

A chuva ficou mais forte enquanto ele interpretava minha expressão.

— Você não está pronta — sussurrou ele.

— Estou — menti de imediato, uma reação reflexa. Eu sabia que ele percebera, então respirei fundo e contei a verdade. — Preciso estar.

— Não precisa estar pronta para nada.

Eu podia sentir o pânico vindo à tona em meus olhos antes de murmurar os motivos.

— Victoria, Jane, Caius, quem esteve no meu quarto...!

— São todos motivos para esperar.

— Isso não faz sentido, Edward!

Ele pressionou mais as mãos em meu rosto e falou com uma deliberação lenta.

— Bella. Nenhum de nós pôde escolher. Você sabe como foi... especialmente para Rosalie. Todos lutamos, tentando nos reconciliar com algo sobre o qual não tínhamos controle. Você *poderá* escolher.

— Eu já escolhi.

— Você não vai passar por isso porque tem uma espada pairando sobre sua cabeça. Vamos cuidar dos problemas e eu vou cuidar de você — jurou ele. — Quando acabarmos, e não há nada que a obrigue, você poderá decidir se juntar a mim, se ainda quiser. Mas não porque tem medo. Você não foi obrigada a isso.

— Carlisle prometeu — murmurei, mais por força do hábito. — Depois da formatura.

— Só quando estiver pronta — disse ele numa voz firme. — E sem dúvida não enquanto se sentir ameaçada.

Não respondi. Eu não tinha como argumentar; não parecia encontrar meu compromisso no momento.

— Pronto. — Ele beijou minha testa. — Não há nada com que se preocupar.

Dei uma risada trêmula.

— Nada a não ser a ruína iminente.

— Confie em mim.

— Eu confio.

Ele ainda me olhava no rosto, esperando que eu relaxasse.

— Posso lhe fazer uma pergunta? — eu disse.

— Qualquer uma.

Eu hesitei, mordendo o lábio, depois fiz uma pergunta diferente da que me preocupava.

— O que vou dar a Alice de formatura?

Ele riu.

— Parece que você ia nos dar ingressos de show...

— É isso mesmo! — Fiquei tão aliviada que quase sorri. — O show em Tacoma. Eu vi um anúncio no jornal na semana anterior e pensei que seria uma coisa de que você ia gostar, já que disse que o CD era bom.

— É uma ótima ideia. Obrigado.

— Espero que não esteja esgotado.

— O que vale é a intenção. Eu sei muito bem.

Eu suspirei.

— Há mais uma pergunta que você queria fazer — disse ele.

Eu franzi o cenho.

— Você é bom nisso.

— Tenho muita prática em ler suas expressões. Pergunte.

Fechei os olhos e me inclinei para ele, escondendo o rosto em seu peito.

— Você não quer que eu seja uma vampira.

— Não, eu não quero — disse ele delicadamente, e esperou por mais. — Isso não é uma pergunta — incitou ele depois de um instante.

— Bom... Eu estava preocupada... *Por que* você se sente assim?

— Preocupada? — ele destacou a palavra com surpresa.

— Você me diria por quê? Toda a verdade, sem poupar meus sentimentos?

Ele hesitou por um minuto.

— Se eu responder, você vai *explicar* a pergunta?

Eu assenti, a cara ainda escondida.

Ele respirou fundo antes de responder.

— Devia saber muito bem disso, Bella. Eu sei que *você* acredita que eu tenho alma, mas não estou inteiramente convencido disso, e arriscar a sua... — Ele sacudiu a cabeça devagar. — Que eu permita isso... deixar que você se torne o que eu sou para nunca mais perdê-la... É o ato mais egoísta que posso imaginar. Eu quero isso mais do que tudo, por *mim*. Mas, por você, quero muito mais. Ceder... parece um crime. É a escolha mais egoísta que vou fazer, mesmo que eu viva para sempre.

"Se houvesse uma maneira de eu me tornar humano por você... por pior que fosse o preço, eu pagaria."

Fiquei sentada completamente imóvel, absorvendo aquilo.

Edward pensou que estava *sendo egoísta*.

Senti o sorriso se espalhar devagar em meu rosto.

— Então... não é que você tenha medo de não... gostar tanto de mim quando eu for diferente... quando eu não for macia e quente e não tiver o mesmo cheiro? Você quer mesmo estar comigo, independentemente de como vou ficar?

Ele soltou o ar com aspereza.

— Você estava preocupada que eu não fosse *gostar* de você? — perguntou ele. Depois, antes que eu pudesse responder, ele estava rindo. — Bella, para uma pessoa tremendamente intuitiva, você pode ser muito obtusa!

Eu sabia que ele acharia tolice, mas fiquei aliviada. Se ele realmente me queria, eu podia passar pelo resto... de certo modo. *Egoísmo*, de repente, parecia uma linda palavra.

— Não acho que tenha percebido como será mais fácil para mim, Bella — disse ele, o eco de seu humor ainda ali na voz —, quando eu não tiver de me concentrar o tempo todo em não matar você. Com certeza, há coisas de que vou sentir falta. Por exemplo, isto...

Ele me fitou nos olhos enquanto afagava meu rosto, e senti o sangue corar minha pele. Ele riu delicadamente.

— E o som de seu coração — continuou ele mais sério, mas ainda sorrindo um pouco. — É o som mais importante de meu mundo. Estou tão sintonizado nele agora que juro que poderia ouvi-lo a quilômetros de distância. Mas nada disso importa. *Isto* — disse ele, pegando meu rosto. — *Você*. É o que guardo. Você sempre será a minha Bella, só que será um pouco mais durável.

Eu suspirei e fechei os olhos de satisfação, pousada em suas mãos.

— Agora vai responder a uma pergunta minha? Toda a verdade, sem poupar meus sentimentos? — perguntou ele.

— Claro — respondi de pronto, meus olhos se abrindo de surpresa. O que ele queria saber?

Ele pronunciou as palavras lentamente.

— Você não quer ser minha esposa.

Meu coração parou, depois deu uma disparada. Um suor frio orvalhou minha nuca e minhas mãos viraram gelo.

Ele esperou, observando e ouvindo minha reação.

— Isso não é uma pergunta — sussurrei por fim.

Ele baixou os olhos, os cílios lançando longas sombras nas maçãs do rosto, e baixou as mãos de meu rosto para pegar minha mão esquerda congelada. Brincou com meus dedos enquanto falava.

— Eu estava preocupado com o motivo de você se sentir assim.

Engoli em seco.

— Isso também não é uma pergunta — sussurrei.

— Por favor, Bella?

— A verdade? — perguntei, murmurando.

— Claro. Eu posso aguentar, seja ela qual for.

Respirei fundo.

— Você vai rir de mim.

Seus olhos lampejaram nos meus, chocados.

— Rir? Nem consigo imaginar isso.

— Você vai entender — murmurei, depois suspirei. Meu rosto foi do branco ao vermelho numa chama súbita de pesar. — Tudo bem, então! Tenho certeza de que vai parecer uma grande piada para você, mas, francamente! É só que... que... é tão *constrangedor*! — confessei e escondi o rosto em seu peito de novo.

Houve uma breve pausa.

— Eu não estou entendendo.

Tombei a cabeça para trás e o fitei, o constrangimento me fazendo discursar com ardor.

— Eu não sou *esse tipo de garota*, Edward. Aquela que se casa assim que termina a escola como uma caipira provinciana que engravida do namorado! Sabe o que as pessoas pensariam? Percebe em que século estamos? Ninguém se casa aos 18 anos! Não gente inteligente, responsável, madura! Eu não posso ser essa garota! Não é assim que eu sou... — E parei, perdendo gás.

Era impossível interpretar a expressão de Edward enquanto ele pensava em minha resposta.

— É só por isso? — perguntou ele por fim.

Eu pisquei.

— Não basta?

— Não é que você estivesse... mais ansiosa pela imortalidade do que por mim?

E então, embora eu tivesse previsto que *ele* ia rir, de repente eu tive uma crise histérica de riso.

— Edward! — ofeguei entre os paroxismos de riso. — Eu aqui... eu sempre... pensei que... você fosse... muito mais... *inteligente* do que eu!

Ele me pegou nos braços e pude sentir que ele estava rindo comigo.

— Edward — eu disse, conseguindo ser mais clara com algum esforço —, não tem sentido a eternidade sem você. Eu não ia querer viver um dia que fosse sem você.

— Bem, isso é um alívio — disse ele.

— Ainda assim... não muda nada.

— Mas é bom entender. E eu entendo sua perspectiva, Bella, de verdade. Mas gostaria muito mais que você tentasse considerar a minha.

A essa altura eu estava mais sóbria, então assenti e lutei para tirar a expressão carrancuda de meu rosto.

Seus claros olhos dourados ficaram hipnóticos, sustentando meu olhar.

— Veja só, Bella, eu sempre fui *esse tipo de homem*. No meu mundo, eu já era homem. Não procurava por amor... Não, eu desejava muito mais ser um soldado; eu só pensava na glória idealizada da guerra que vendiam aos possíveis alistados na época... Mas se eu tivesse encontrado... — Ele parou, tombando a cabeça de lado. — Eu ia dizer se eu tivesse encontrado *alguém*, mas isso não é verdade. Se eu tivesse encontrado *você*, eu não teria dúvida de como faria. Eu era *esse tipo de rapaz*, que teria... assim que descobrisse que você era o que eu procurava... ficado de joelhos e lutado para pedir sua mão. Eu teria esperado por você toda a eternidade, mesmo quando a palavra não tinha as mesmas conotações de hoje.

Ele abriu seu sorriso torto para mim.

Fitei-o de olhos arregalados.

— Respire, Bella — lembrou-me ele, sorrindo.

Eu respirei.

— Pode entender meu lado, Bella, mesmo que um pouquinho?

E por um segundo eu entendi. Vi a mim mesma com uma saia longa e uma blusa de renda de gola alta, com o cabelo num coque no alto da cabeça. Vi Edward elegante num terno leve com um buquê de flores silvestres na mão, sentado a meu lado num balanço de varanda.

Sacudi a cabeça e engoli em seco. Eu estava tendo *flashbacks* de *Anne of Green Gables*.

— O caso, Edward — eu disse numa voz trêmula, evitando a pergunta —, é que, em minha mente, *casamento* e *eternidade* não são conceitos mutuamente excludentes, nem mutuamente inclusivos. E uma vez que por enquanto vamos viver no meu mundo, talvez devamos acompanhar os tempos, está me compreendendo?

— Mas, por outro lado — contra-atacou ele —, você logo terá deixado o tempo para trás. Então, por que os costumes transitórios de uma cultura local devem afetar tanto a decisão?

Eu franzi os lábios.

— Quando em Roma...?

Ele riu para mim.

— Não precisa dizer sim ou não hoje, Bella. Mas é bom entender os dois lados, não acha?

— Então sua condição...?

— Ainda é válida. Entendo seu argumento, Bella, mas se quiser que eu mesmo a mude...

— Dam, dam, dam-dam — murmurei. Eu pretendia cantarolar a marcha nupcial, mas pareceu meio a marcha fúnebre.

O tempo continuava a passar rápido demais.

A noite voou sem sonhos, depois era manhã e a formatura me olhava na cara. Eu tinha uma pilha de matérias a estudar para as provas finais e sabia que não conseguiria fazer nem a metade nos poucos dias que me restavam.

Quando desci para tomar o café, Charlie já havia saído. Deixou o jornal na mesa, e isso me lembrou de que eu precisava fazer umas compras. Eu esperava que o anúncio do show ainda estivesse impresso; precisava do número do telefone para conseguir os ingressos idiotas. Não parecia tanto um presente, agora que a surpresa deixara de existir. É claro que tentar surpreender Alice não era o plano mais inteligente do mundo.

Eu queria folhear até a seção de entretenimento, mas a manchete preta e em negrito chamou minha atenção. Senti um arrepio de medo ao me curvar para ler a matéria de primeira página.

SEATTLE ATERRORIZADA POR MATANÇA

Há menos de uma década a cidade de Seattle foi área de caça do mais prolífico *serial killer* da história dos Estados Unidos. Gary Ridgway, o Assassino de Green River, foi condenado pelo homicídio de 48 mulheres.

E agora uma empalidecida Seattle deve enfrentar a possibilidade de abrigar um monstro ainda mais apavorante neste exato momento.

A polícia não está considerando obra de *serial killer* o recente surto de homicídios e desaparecimentos. Ao menos, ainda não. Relutam em acreditar que tanta carnificina possa ser obra de um único indivíduo. Esse assassino — se, na realidade, for uma só pessoa — seria então responsável por 39 homicídios e desaparecimentos relacionados só nos últimos três meses. Em comparação, a onda de assassinatos de 48 pessoas por Ridgway se espalhou por um período de 21 anos. Se essas mortes puderem ser ligadas a um só homem, essa será a onda mais violenta de assassinatos em série na história americana.

A polícia tende para a teoria de que há o envolvimento de uma gangue. Esta teoria encontra apoio no número de vítimas e no fato de que não parece haver um padrão na escolha das pessoas.

De Jack, o Estripador, a Ted Bundy, os alvos de assassinatos em série costumam estar relacionados por semelhanças na idade, no gênero, na raça ou uma combinação das três características, mas as vítimas dessa onda de crimes vão da estudante exemplar de 15 anos Amanda Reed ao carteiro aposentado de 67 anos Omar Jenks. As mortes relacionadas incluem um total de 18 mulheres e 21 homens. As vítimas têm raças diversas: são brancas, afro-americanas, hispânicas e asiáticas.

A seleção parece ser aleatória. O motivo não parece ser outro a não ser matar.

Então, por que considerar a ideia de um *serial killer*?

Há semelhanças suficientes no *modus operandi* para desconsiderar a hipótese de crimes não relacionados. Todas as vítimas encontradas tinham queimaduras a tal ponto que foram necessários os registros odontológicos para identificação. Os indícios apontam para o uso de algum tipo de combustível, como gasolina ou álcool, nas conflagrações; porém, nenhum vestígio foi encontrado. Todos os corpos tinham sido largados descuidadamente, sem nenhuma tentativa de escondê-los.

Ainda mais horrível: a maioria dos corpos mostra provas de violência brutal — ossos esmagados e rompidos por uma pressão imensa —, que os peritos médicos acreditam ter ocorrido antes da hora da morte, embora seja difícil ter certeza dessas conclusões, considerando o estado das provas.

Outra semelhança que aponta para a possibilidade de um *serial killer*: não há qualquer vestígio nas cenas dos crimes, exceto os próprios restos mortais. Nem uma digital, nem uma marca de pneu, nem um fio de cabelo estranho fica para trás. Nenhum suspeito pôde ser apontado.

E há os próprios desaparecimentos — dificilmente de pessoas que passam despercebidas. Nenhuma das vítimas é o que pode ser considerado alvo fácil. Nenhuma delas é foragida ou sem-teto, o tipo de gente que some com muita facilidade e de cujo desaparecimento mal dão queixa. As vítimas sumiram de seus lares, de um apartamento no quarto andar, de uma academia, de uma recepção de casamento. Talvez o mais surpreendente: o boxeador amador de 30 anos Robert Walsh entrou numa sala de cinema com a namorada; alguns minutos depois do início do filme, a mulher percebeu que ele não estava em seu lugar. Seu corpo só foi encontrado três horas depois, quando os bombeiros foram chamados para a cena de uma caçamba em chamas, a trinta quilômetros de distância.

Outro padrão está presente nas mortes: todas as vítimas desapareceram à noite.

E o padrão mais alarmante: aceleração. Seis dos homicídios foram cometidos no primeiro mês, onze no segundo. Vinte e dois ocorreram só nos últimos dez dias. E a polícia não está mais perto de descobrir o responsável do que estava depois de encontrado o primeiro corpo carbonizado.

As provas são conflitantes, os casos, apavorantes. Uma nova gangue cruel ou um *serial killer* loucamente ativo? Ou outra coisa que a polícia ainda não concebeu?

Só uma conclusão é inquestionável: algo de medonho está atacando Seattle.

Precisei de três tentativas para ler a última frase e percebei que o problema eram minhas mãos trêmulas.

— Bella?

Embora eu estivesse concentrada, a voz de Edward, apesar de baixa e não totalmente inesperada, me fez ofegar e girar.

Ele estava encostado na soleira da porta, as sobrancelhas unidas. Depois, de repente, estava a meu lado, pegando minha mão.

— Eu a assustei? Desculpe. Eu não bati...

— Não, não — eu disse depressa. — Você viu isso? — Apontei para o jornal.

Um olhar de reprovação vincou sua testa.

— Ainda não vi o noticiário de hoje. Mas eu sabia que ficaria pior. Vamos ter que agir... e rápido.

Eu não gostava daquilo. Odiava que qualquer um deles se arriscasse, e o que ou quem quer que estivesse em Seattle estava verdadeiramente começando a me assustar. Mas a ideia dos Volturi chegando era tão apavorante quanto.

— O que Alice disse?

— Esse é o problema. — Sua testa se enrugou mais. — Ela não consegue ver nada... Embora nós tenhamos decidido verificar meia dúzia de vezes. Ela está começando a perder a confiança. Sente que há muitos fatos lhe escapando ultimamente, que há algo errado. Que a visão esteja lhe fugindo, talvez.

Meus olhos se arregalaram.

— Isso pode acontecer?

— Quem sabe? Ninguém jamais estudou isso... Mas eu duvido muito. As habilidades tendem a se aprimorar com o tempo. Veja Aro e Jane.

— Então, qual é o problema?

— Uma profecia que se cumpre sozinha, acredito. Ficamos esperando que Alice tenha alguma visão para podermos ir... e ela não vê nada porque só iremos realmente quando ela vir. Assim, ela não pode nos ver lá. Talvez tenhamos de fazer isso às cegas.

Eu tremi.

— Não.

— Quer muito ir à aula hoje? Só estamos a alguns dias das provas finais; eles não vão nos passar nada de novo.

— Acho que posso viver sem um dia de aula. O que vamos fazer?

— Quero falar com Jasper.

Jasper de novo. Era estranho. Na família Cullen, Jasper sempre ficava meio à margem, participava das coisas, mas nunca era o centro delas. Era meu pressuposto tácito que ele só estava ali por causa de Alice. Eu tinha a sensação de que ele seguiria Alice a qualquer lugar, mas que aquele estilo de vida não era sua primeira opção. O fato de que ele estava menos comprometido do que os outros provavelmente era o motivo de ele ter mais dificuldade de acompanhá-los.

De qualquer modo, eu nunca tinha visto Edward sentir-se dependente de Jasper. Perguntei-me outra vez o que ele quis dizer sobre a especialidade do "irmão". Eu não sabia muito sobre a história de Jasper, só que ele viera de algum lugar do sul antes de Alice encontrá-lo. Por algum motivo, Edward sempre se evadia de quaisquer perguntas sobre o irmão mais novo. E eu sempre fiquei intimidada demais com o vampiro alto e louro que parecia um astro de cinema para perguntar diretamente a ele.

Quando chegamos à casa, encontrarmos Carlisle, Esme e Jasper assistindo ao noticiário com atenção, embora o som estivesse tão baixo que me era ininteligível. Alice estava empoleirada no primeiro degrau da escadaria, o rosto apoiado nas mãos e a expressão desanimada. Enquanto entrávamos, Emmett passou pela porta da cozinha, parecendo perfeitamente à vontade. Nada jamais abalava Emmett.

— Oi, Edward. Matando aula, Bella? — Ele sorriu para mim.

— Nós dois estamos — lembrou-lhe Edward.

Emmett riu.

— Sim, mas é a primeira vez *dela* em todo o ensino médio. Ela pode perder alguma informação.

Edward revirou os olhos, mas ignorou o irmão preferido. Atirou o jornal para Carlisle.

— Viu que agora estão cogitando um *serial killer*? — perguntou ele.

Carlisle suspirou.

— Há dois especialistas discutindo essa possibilidade na CNN a manhã toda.

— Não podemos deixar que isso continue.

— Vamos agora — disse Emmett com um entusiasmo súbito. — Estou morrendo de tédio.

Um chiado ecoou do segundo andar pela escada.

— Ela é muito pessimista — murmurou Emmett consigo mesmo.

Edward concordou com Emmett.

— Vamos ter que ir uma hora dessas.

Rosalie apareceu no alto da escada e desceu lentamente. Seu rosto era tranquilo e inexpressivo.

Carlisle sacudia a cabeça.

— Estou preocupado. Nunca nos envolvemos nesse tipo de situação. Não é da nossa conta. Não somos os Volturi.

— Eu não quero que os Volturi tenham de vir para cá — disse Edward. — Isso nos dará um tempo de reação muito menor.

— E todas aquelas pessoas inocentes em Seattle — murmurou Esme. — Não está certo deixar que morram desse jeito.

— Eu sei — Carlisle suspirou.

— Ah! — disse Edward num tom áspero, virando a cabeça ligeiramente para Jasper. — Eu não tinha pensado nisso. Entendi. Tem razão, deve ser isso mesmo. Bem, isso muda tudo.

Eu não fui a única a olhá-lo confusa, mas podia ser a única que não pareceu um tanto irritada.

— Acho melhor você explicar aos outros — disse Edward a Jasper. — Qual pode ser o propósito disso? — Edward começou a andar, fitando o chão, perdido em pensamentos.

Eu não a havia visto se levantar, mas Alice estava a meu lado.

— Do que ele está falando? — perguntou a Jasper. — Em que você está pensando?

Jasper não pareceu gostar de ser o centro das atenções. Ele hesitou, lendo cada rosto no círculo — porque todos tinham se aproximado para ouvir o que ele diria —, e depois seus olhos pararam no meu rosto.

— Você está confusa — disse-me, a voz grave muito baixa.

Não havia dúvidas em seu pressuposto. Jasper sabia o que eu estava sentindo, o que todos estavam sentindo.

— Todos estamos confusos — grunhiu Emmett.

— Temos tempo para sermos pacientes — disse-lhe Jasper. — Bella deve entender isso também. Ela agora é uma de nós.

Suas palavras me pegaram de surpresa. Embora eu tivesse pouco a ver com Jasper, em especial desde meu último aniversário, quando ele tentou me matar, não tinha percebido que ele pensava em mim dessa maneira.

— Há quanto tempo você me conhece, Bella? — perguntou Jasper.

Emmett suspirou teatralmente e se jogou no sofá para esperar com uma impaciência exagerada.

— Não muito — admiti.

Jasper encarou Edward, que encontrou seu olhar.

— Não — respondeu Edward ao pensamento dele. — Tenho certeza de que pode entender por que eu não contei essa história a ela. Mas acho que ela precisa ouvir agora.

Jasper assentiu, pensativo, depois começou a enrolar a manga do suéter marfim.

Eu fiquei olhando, confusa e curiosa, tentando entender o que ele fazia. Ele estendeu o pulso sob a cúpula do abajur ao lado, perto da luz da lâmpada, e traçou com o dedo uma marca em crescente na pele clara.

Precisei de um minuto para entender por que o formato era estranhamente familiar para mim.

— Ah! — murmurei quando entendi. — Jasper, você tem uma cicatriz idêntica à minha.

Estendi minha mão, o crescente prateado mais proeminente na pele creme do que na de alabastro dele.

Jasper abriu um sorriso fraco.

— Eu tenho um monte de cicatrizes como a sua, Bella.

A expressão de Jasper era indecifrável enquanto ele empurrava a manga do suéter fino mais para cima do braço. De início meus olhos não puderam distinguir nada na textura que formava uma grossa camada em sua pele. Meias-luas curvas compunham um desenho que lembrava plumas, e que só era visível, branco no branco, porque a luz forte da lâmpada ao lado criava um leve relevo, com sombras rasas delineando as formas. E depois entendi que o padrão era feito de vários crescentes como o do meu pulso... Aquele em minha mão.

Olhei minha cicatriz solitária e pequena — e me lembrei de como a recebi. Eu olhava o formato dos dentes de James, em relevo para sempre em minha pele.

E depois eu arfei, encarando-o.

— Jasper, o que *aconteceu* com você?

13. RECÉM-CRIADO

— O MESMO QUE ACONTECEU COM SUA MÃO — RESPONDEU JASPER numa voz baixa. — Repetido mil vezes. — Ele riu com certo pesar e afagou o braço. — Nosso veneno é a única coisa que deixa cicatriz.

— *Por quê?* — Eu arfei de pavor, sentindo-me rude, mas incapaz de deixar de olhar a pele sutilmente devastada.

— Eu não tive a mesma... criação de meus irmãos adotivos. Meu início foi inteiramente diferente. — Sua voz ficou dura enquanto ele terminava.

Olhei-o pasma e consternada.

— Antes de lhe contar minha história — disse Jasper —, você deve entender que existem lugares em *nosso* mundo, Bella, onde a expectativa de vida dos que nunca envelhecem é medida em semanas, não em séculos.

Os outros já haviam ouvido aquilo. Carlisle e Emmett voltaram sua atenção para a tevê. Alice moveu-se em silêncio e se sentou aos pés de Esme. Mas Edward estava tão absorto quanto eu; eu podia sentir seus olhos em meu rosto, lendo cada chama de emoção.

— Para entender de fato por quê, você precisa olhar o mundo de uma perspectiva diferente. Precisa imaginar o que ele é para os poderosos, para os ávidos... para os perpetuamente sedentos.

"Entenda, existem lugares neste mundo que nos são mais desejáveis do que outros. Lugares onde podemos nos reprimir menos e ainda evitar sermos descobertos.

"Imagine, por exemplo, um mapa do hemisfério ocidental. Imagine nele cada vida humana como um pontinho vermelho. Quanto mais vermelho, mais facilmente nós... bem, aqueles que existem desta forma... podem se alimentar sem chamar atenção."

Eu tremi com a imagem em minha mente, com a palavra *alimentar*. Mas Jasper não estava preocupado em me assustar, não era superprotetor como Edward. Ele não se interrompeu.

— Não que os bandos do sul se importem muito com o que os humanos percebem ou não. São os Volturi que os mantêm controlados. Eles são os únicos temidos pelos bandos do sul. Se não fosse pelos Volturi, o restante de nós logo seria exposto.

Franzi o cenho para o modo como ele pronunciava o nome — com respeito, quase com gratidão. Era difícil aceitar a ideia dos Volturi como bons sujeitos em qualquer sentido.

— O norte é comparativamente muito civilizado. Aqui somos principalmente nômades, desfrutamos tanto o dia quanto a noite, permitimos que os homens interajam conosco sem suspeitar de nada... O anonimato é importante para todos nós.

"É um mundo diferente no sul. Os imortais de lá só saem à noite. Passam o dia tramando o movimento seguinte ou prevendo o do inimigo. Porque houve guerra no sul, uma guerra interminável que durou séculos, sem um só momento de trégua. Os bandos de lá mal percebem a existência de humanos, a não ser como soldados percebem um rebanho de vacas à beira da estrada... Comida a ser capturada. Eles só não permitem que o rebanho dê pela sua presença por causa dos Volturi."

— Mas por que eles estão lutando? — perguntei.

Jasper sorriu.

— Lembra do mapa com os pontos vermelhos?

Ele esperou, então eu assenti.

— Eles lutam pelo controle da área com mais pontos.

"Entenda, ocorreu a alguém que se fosse o único vampiro, digamos, da Cidade do México, então podia se alimentar toda noite, duas, três vezes, e ninguém jamais perceberia. Ele tramou maneiras de se livrar da concorrência.

"Outros tiveram a mesma ideia. Alguns elaboraram táticas mais eficazes.

"Mas a tática *mais* eficaz foi inventada por um vampiro bastante jovem chamado Benito. Na primeira vez em que alguém ouviu falar dele, ele vinha de algum lugar ao norte de Dallas e massacrou os dois pequenos bandos que compartilhavam a área perto de Houston. Duas noites depois, atacou o clã muito mais forte de aliados que reclamava Monterrey, ao norte do México. Novamente, ele venceu."

— Como ele venceu? — perguntei com uma curiosidade cautelosa.

— Benito formou um exército de vampiros recém-criados. Foi o primeiro a pensar nisso e, no começo, ninguém conseguia detê-lo. Os vampiros muito jovens são voláteis, desvairados, e é quase impossível controlá-los. Podemos debater com um recém-criado, ele pode ser ensinado a se reprimir, mas dez, quinze deles juntos são um pesadelo. Vão se voltar uns contra os outros com a mesma facilidade com que se voltam contra um inimigo que você aponte para eles. Benito teve de continuar fazendo mais enquanto eles se digladiavam, e os bandos que ele dizimou tomaram mais de metade de sua força antes de perderem.

"Entenda, embora os recém-criados sejam perigosos, ainda é possível derrotá-los se você souber o que está fazendo. Eles têm uma força física incrível, mais ou menos no primeiro ano, e conseguem esmagar um vampiro mais velho com facilidade se puderem empregar sua força. Mas eles são escravos de seus instintos e, portanto, são previsíveis. Em geral, não têm habilidades de luta, só músculos e ferocidade. E, nesse caso, em nível esmagador.

"Os vampiros do sul do México perceberam o que estava lhes chegando e adotaram a única ideia em que puderam pensar para contra-atacar Benito. Fizeram exércitos deles próprios...

"E foi o inferno na Terra — e quero dizer isso mais literalmente do que você pode imaginar. Nós, imortais, também temos nossas histórias, e essa guerra jamais será esquecida. É claro que também não era uma boa época para ser humano no México."

Eu estremeci.

— Quando a contagem de corpos chegou a proporções epidêmicas... Na realidade, a história de vocês culpa uma doença pela redução da população... Os Volturi finalmente interferiram. Toda a guarda se reuniu e caçou cada recém-criado na metade inferior da América do Norte. Benito ficou entrincheirado em Puebla, formando seu exército com a maior rapidez que podia para conseguir seu prêmio... a Cidade do México. Os Volturi começaram por ele, depois passaram ao restante.

"Qualquer um que fosse encontrado com recém-criados era executado de imediato, e como todos tentavam se proteger de Benito, o México ficou livre de vampiros por algum tempo.

"Os Volturi fizeram a faxina por quase um ano. Esse foi outro capítulo de nossa história que sempre será lembrado, embora restassem bem poucas testemunhas para contar como foi. Certa vez conversei com alguém que tinha visto de longe o que aconteceu em uma visita a Culiacán."

Jasper tremeu. Percebi que eu nunca o vira nem com medo nem apavorado. Era a primeira vez.

— Bastou que a febre de conquista não se espalhasse do sul. O restante do mundo manteve-se são. Devemos aos Volturi nosso estilo de vida atual.

"Mas quando os Volturi retornaram à Itália, os sobreviventes foram rápidos em fazer valer seus direitos no sul.

"Logo bandos recomeçaram a contenda. Houve um banho de sangue, se perdoar a expressão. As vinganças eram muitas. A ideia de recém-criados já existia, e alguns não conseguiram resistir. Os Volturi, porém, não foram esquecidos, e dessa vez os bandos do sul agiram de modo mais cuidadoso. Os recém-criados eram selecionados do reservatório humano com mais cautela e recebiam mais treinamento. Eram usados circunspectamente, e a maioria dos humanos continuou sem nada perceber. Seus criadores não deram aos Volturi um motivo para voltar.

"As guerras recomeçaram, mas em escala menor. De vez em quando alguém ia longe demais, surgiam especulações nos jornais humanos, e os Volturi voltavam e limpavam a cidade. Mas eles deixaram que os outros, os cautelosos, continuassem..."

Jasper fitava o vazio.

— E foi assim que você mudou. — Minha percepção saiu aos sussurros.

— Sim — concordou ele. — Quando eu era humano, morava em Houston, no Texas. Tinha quase 17 anos quando me juntei ao Exército Confederado, em 1861. Eu menti aos recrutadores e lhes disse que tinha 20 anos. Eu era bem alto para me safar.

"Minha carreira militar teve vida curta, mas foi muito promissora. As pessoas sempre... gostavam de mim, ouviam o que eu tinha a dizer. Meu pai dizia que era carisma. É claro que agora sei que devia ser algo mais. Mas, qualquer que fosse o motivo, eu fui promovido rapidamente, superando homens mais velhos e mais experientes. O Exército Confederado era novo e lutava para se organizar, então isso também proporcionava oportunidades. Na primeira batalha de Galveston — bem, na verdade, foi mais um confronto menor — eu era o major mais novo do Texas, embora não admitisse minha verdadeira idade.

"Fui encarregado de evacuar as mulheres e as crianças da cidade quando chegaram ao porto navios de guerra da União. Levei um dia para prepará-los, depois saí com a primeira coluna de civis e os levei para Houston.

"Lembro-me daquela noite com muita clareza.

"Chegamos à cidade depois do escurecer. Fiquei apenas por tempo suficiente para me certificar de que todo o grupo estava em segurança. Assim que terminei, peguei um cavalo descansado para mim e voltei a Galveston. Não havia tempo para repousar.

"A apenas um quilômetro e meio da cidade, encontrei três mulheres a pé. Imaginei que estivessem perdidas e desmontei imediatamente para lhes oferecer ajuda. Mas, quando pude ver seus rostos na luz fraca da lua, fiquei mudo de pasmo. Elas eram, sem sombra de dúvida, as três mulheres mais bonitas que eu vira na vida.

"Tinham a pele tão clara que me lembro de me maravilhar com isso. Até a menina baixa de cabelos pretos, cujas feições eram claramente mexicanas, era de porcelana ao luar. Elas pareciam novas, as três, novas o bastante para que fossem chamadas de meninas. Eu sabia que não eram membros perdidos de nosso grupo. Eu teria me lembrado se tivesse visto aquelas três.

"'Ele está sem fala', disse a mais alta numa linda voz delicada — pareciam sinos de vento. Tinha cabelos louros e pele branca como a neve.

"A outra era ainda mais loura, a pele igualmente de giz. Seu rosto era o de um anjo. Ela se inclinou para mim com os olhos semicerrados e respirou fundo.

"'Hmmm', suspirou. 'Adorável.'

"A mais baixa, a morena, pôs a mão no braço da garota e falou bem rápido. Sua voz era suave e musical demais para ser áspera, mas parecia ser esta a intenção dela.

"'Concentre-se, Nettie', disse ela.

"Sempre percebi com facilidade a relação entre as pessoas, e de pronto ficou claro que a morena tinha alguma autoridade sobre as outras. Se fossem militares, eu diria que ela era de patente superior.

"'Ele parece perfeito — jovem, forte, um oficial...' A morena parou, e tentei falar, sem sucesso. 'E há algo mais... está sentindo?', perguntou ela às outras duas. 'Ele é... convincente.'

"'Ah, sim', concordou rapidamente Nettie, inclinando-se para mim de novo.

"'Paciência', alertou-lhe a morena. 'Não quero perder este.'

"Nettie franziu o cenho; parecia irritada.

"'É melhor fazer isso, Maria', falou a loura mais alta de novo. 'Se ele é importante para você. Eu mato mais vezes do que os mantenho vivos.'

"'Sim, vou fazer isso', concordou Maria. 'Eu gosto mesmo deste. Tire Nettie daqui, sim? Não quero ter de proteger minhas costas enquanto tento me concentrar.'

"Meus cabelos estavam eriçados na nuca, embora eu não entendesse o significado de nada do que diziam as lindas criaturas. Meus instintos me alertavam de que havia perigo, que o anjo foi sincero quando falou em matar, mas meu julgamento dominou meus instintos. Eu não aprendera a temer as mulheres, mas a protegê-las.

"'Vamos caçar', concordou Nettie com entusiasmo, pegando a mão da alta. Elas rodaram — eram tão graciosas! E dispararam para a cidade. Pareciam quase alçar voo de tão rápidas — seus vestidos brancos voavam para trás como asas. Eu pisquei, sem acreditar, e elas se foram.

"Virei-me para ver Maria, que me olhava com curiosidade.

"Nunca na vida fora supersticioso. Até aquele segundo, jamais acreditei em fantasmas nem em outros absurdos. De repente, eu não tinha certeza disso.

"'Qual é seu nome, soldado?', perguntou-me Maria.

"'Major Jasper Whitlock, senhora', gaguejei, incapaz de ser grosseiro com uma mulher, mesmo sendo um fantasma.

"'Eu sinceramente espero que você sobreviva, Jasper', disse ela em sua voz gentil. 'Tenho um bom pressentimento com relação a você.'

"Ela se aproximou um passo e inclinou a cabeça como se fosse me beijar. Fiquei paralisado, mas meus instintos gritavam para que eu corresse."

Jasper se interrompeu, o rosto pensativo.

— Alguns dias depois — disse ele por fim, e eu não sabia se ele tinha editado a história por mim ou porque estava reagindo à tensão que até eu podia sentir emanar de Edward —, fui apresentado a minha nova vida.

"As três se chamavam Maria, Nettie e Lucy. Não estavam juntas havia muito tempo — Maria tinha arrebanhado as outras duas —, eram sobreviventes de batalhas perdidas pouco antes. A parceria era de conveniência. Maria queria vingança e seus territórios de volta. As outras estavam ansiosas para aumentar seus... pastos, acho que podemos chamar assim. Estavam reunindo um exército e agiam com mais cuidado que de costume. Foi ideia de Maria. Ela queria um exército superior, então procurava por determinados humanos que tivessem potencial. Depois ela nos dava muito mais atenção, mais treinamento do que qualquer outro teria feito. Ela nos ensinou a lutar e a ser invisíveis aos humanos. Quando nos saíamos bem, éramos recompensados..."

Ele parou, editando de novo.

— Mas ela estava com pressa. A imensa força dos recém-criados começava a desvanecer por volta de um ano. Maria sabia, e queria agir enquanto ainda éramos fortes.

"Éramos seis quando nos unimos ao bando de Maria. Ela acrescentou mais quatro em quinze dias. Éramos todos homens — Maria queria soldados —, e isso dificultou um pouco evitar a luta entre nós mesmos. Eu travava minhas batalhas contra meus camaradas de armas. Era mais rápido do que os outros, melhor em combate. Maria estava satisfeita comigo, embora assinalasse que tinha de conseguir substitutos para os que eu destruía. Eu era recompensado com frequência e isso me deixava mais forte.

"Maria era uma boa juíza de caráter. Decidiu me encarregar dos outros — como se eu fosse promovido. Isso se adaptou perfeitamente à minha natureza. As baixas caíram drasticamente e nosso grupo passou a ter em torno de vinte integrantes.

"Isso era considerável para a época de cautela em que vivíamos. Minha capacidade de controlar o clima emocional à minha volta, embora indefinida na época, era de eficácia vital. Logo começamos a trabalhar juntos de uma forma que vampiros recém-criados jamais haviam aceitado. Até Maria, Nettie e Lucy foram capazes de trabalhar juntas com mais facilidade.

"Maria tornou-se muito apegada a mim — começou a depender de mim. Ah, e de certo modo, eu adorava o chão em que ela pisava. Não fazia ideia de que era possível ter outra vida. Maria nos disse que as coisas eram daquele jeito e nós acreditamos.

"Ela me pediu que avisasse quando meus irmãos e eu estivéssemos prontos para lutar, e eu estava ansioso para provar meu valor. No final, reuni um exército de vinte e três — vinte e três novos vampiros inacreditavelmente fortes, organizados e preparados como nenhum outro grupo antes. Maria ficou em êxtase.

"Seguimos com discrição para Monterrey, seu antigo lar, e ela nos lançou sobre seus inimigos. Na época, eles só tinham nove recém-criados, e dois vampiros mais velhos os controlavam. Nós os abatemos com mais facilidade do que Maria podia acreditar, perdendo apenas quatro. Era uma margem de vitória inédita.

"E éramos todos bem treinados. Agíamos sem chamar atenção. A cidade mudou de mãos sem que nenhum humano percebesse.

"O sucesso deixou Maria gananciosa. Logo em seguida ela começou a olhar para outras cidades. Naquele primeiro ano, ela ampliou seu controle, cobrindo a maior parte do Texas e o norte do México. Depois, outros vieram do sul para destroná-la."

Ele passou dois dedos no desenho apagado de cicatrizes do braço.

— O combate foi intenso. Muitos começaram a se preocupar com a possível volta dos Volturi. Dos vinte e três originais, eu fui o único a sobreviver aos primeiros dezoito meses. Vencemos e perdemos. Nettie e Lucy por fim se voltaram contra Maria — mas essa nós vencemos.

"Maria e eu conseguimos manter Monterrey. Tudo se aquietou um pouco, embora as guerras continuassem. A ideia de conquista esmorecia; agora era mais por vingança e inimizade. Tantos tinham perdido seus parceiros, e isso é algo que nossa espécie não perdoa...

"Maria e eu sempre mantivemos mais ou menos uma dúzia de recém-criados. Eles significavam pouco para nós — eram peões, descartáveis. Quando não eram mais úteis, *nós mesmos* dispúnhamos deles. Minha vida continuou com o mesmo padrão violento e os anos passaram. Eu estava enjoado de tudo aquilo muito tempo antes de qualquer mudança...

"Décadas depois, fiz amizade com um recém-criado que continuou sendo útil e sobreviveu aos primeiros três anos, contrariando todas as expectativas. Seu nome era Peter. Eu gostava de Peter; ele era... civilizado — acho que esta é a palavra certa. Ele não gostava de lutar, embora fosse bom nisso.

"Ele foi designado para lidar com os recém-criados — ser babá deles, pode-se dizer. Era um trabalho em tempo integral.

"E então chegou de novo a época dos expurgos. Os recém-criados estavam perdendo a força; deviam ser substituídos. Peter devia me ajudar a dispor deles. Nós os levamos para ter uma conversa em particular, um por um... Sempre era uma noite muito longa. Desta vez, ele tentou me convencer de que alguns tinham potencial, mas Maria havia instruído que nos livrássemos de todos. Eu lhe disse não.

"Estávamos na metade da tarefa e eu podia sentir que aquilo cobrava um preço muito alto a Peter. Eu tentava decidir se devia ou não mandá-lo embora e terminar eu mesmo enquanto chamava a vítima seguinte. Para minha surpresa, ele de repente ficou com raiva, furioso. Preparei-me para o que seu estado de espírito podia pressagiar — ele era um bom lutador, mas não era páreo para mim.

"O recém-criado que eu convocara era uma mulher que havia acabado de passar a marca de um ano. Seu nome era Charlotte. Os sentimentos dele mudaram quando ela entrou em seu campo de visão; ele os deixou vir à tona. Gritou para que ela corresse e disparou atrás dela. Eu podia tê-los perseguido, mas não o fiz. Senti... que não queria destruí-lo.

"Maria ficou irritada comigo por isso...

"Cinco anos depois, Peter voltou a mim, ocultamente. Escolheu um dia bom para chegar.

"Maria estava desnorteada com a constante deterioração de minha disposição de espírito. Ela jamais sentiu uma depressão momentânea, e eu me perguntava por que eu era diferente. Comecei a perceber uma mudança nas emoções de Maria quando ela estava perto de mim — às vezes havia medo... e malícia. Os mesmos sentimentos que me avisaram com antecedência quando Nettie e Lucy atacaram. Eu estava me preparando para destruir minha única aliada, a essência de minha existência, quando Peter voltou.

"Peter me contou sobre sua nova vida com Charlotte, contou-me alternativas com as quais eu nunca sonhara. Em cinco anos, eles nunca tiveram uma briga, embora tenham conhecido muitos outros no norte. Outros que podiam coexistir sem a violência constante.

"Com uma conversa, ele me convenceu. Eu estava pronto para partir e de certo modo aliviado por não ter de matar Maria. Fui companheiro dela pelo tempo que Carlisle e Esme estão juntos, e no entanto o vínculo entre nós não era nem de longe tão forte. Quando você vive para a luta, para o sangue, as relações que forma são tênues e se rompem facilmente. Afastei-me sem olhar para trás.

"Viajei com Peter e Charlotte por alguns anos, conhecendo esse novo mundo, mais pacífico. Mas a depressão não desapareceu. Eu não entendia o que havia de errado comigo, até que Peter percebeu que eu sempre ficava pior depois que caçava.

"Pensei nesse assunto. Em tantos anos de matança e carnificina, perdi quase toda minha humanidade. Eu era inegavelmente um pesadelo, um monstro dos mais terríveis. E no entanto, a cada vez que encontrava outra vítima humana, eu sentia uma fraca lembrança daquela outra vida. Vendo seus olhos se arregalarem de pasmo com minha beleza, eu podia ver Maria e as outras em minha mente, como me apareceram na última noite em que fui Jasper Whitlock. Era mais forte para mim — essa lembrança emprestada —, pior do que para qualquer outro, porque eu podia *sentir* tudo que minha presa sentia. E eu vivia as emoções delas enquanto as matava.

"Você teve experiência de como posso manipular as emoções em volta de mim, Bella, mas não sei se você percebe como os sentimentos em um ambiente *me* afetam. Eu vivo cada dia num clima de emoção. No primeiro século de minha vida, vivi num mundo de vingança sanguinária. O ódio era meu companheiro constante. Atenuou um pouco quando deixei Maria, mas eu ainda tinha de sentir o horror e o medo de minhas presas.

"Isso começou a ser demais para mim.

"A depressão piorava e eu me afastava de Peter e Charlotte. Embora eles fossem civilizados, não sentiam a mesma aversão que eu começava a sentir. Eles só queriam paz, sem lutas. Eu estava cansado demais de matar — matar quem quer que fosse, até mesmo humanos.

"E no entanto eu tinha de continuar matando. Que alternativa existia? Tentei matar com menos frequência, mas ficava com sede demais e acabava cedendo. Depois de um século de recompensas constantes, eu achava a disciplina... um desafio. Ainda não tinha aperfeiçoado isso."

Jasper ficou perdido na história, como eu. Surpreendeu-me quando sua expressão desolada se suavizou num sorriso tranquilo.

— Eu estava na Filadélfia. Havia uma tempestade e saí durante o dia... Algo que ainda não me deixava inteiramente à vontade. Eu sabia que ficar na chuva chamaria atenção, então me enfiei em um pequeno restaurante meio vazio. Meus olhos estavam bem escuros para que ninguém os percebesse, embora isso significasse que eu estava com sede e me preocupasse um pouco. Ela estava lá... esperando por mim, naturalmente.

Ele riu uma vez.

— Ela pulou do banco alto no canto assim que entrei e veio diretamente na minha direção.

"Isso me chocou. Eu não tinha certeza se ela queria atacar. Essa era a única interpretação de seu comportamento que meu passado tinha a oferecer. Mas ela sorria. E as emoções que emanavam dela não eram nada parecidas com o que eu havia sentido antes.

"'Você me deixou esperando tempo demais', disse ela."

Não percebi que Alice estava de novo atrás de mim.

— E você inclinou a cabeça, como um bom cavalheiro do sul, e disse: "Desculpe, senhora." — Alice riu da lembrança.

Jasper sorriu para ela.

— Você estendeu a mão e eu a peguei sem parar para pensar no que estava fazendo. Pela primeira vez em quase um século eu senti esperança.

Jasper pegou a mão de Alice enquanto falava.

Alice sorriu.

— Fiquei tão aliviada. Pensei que você nunca fosse aparecer.

Eles sorriram um para o outro por um longo tempo, depois Jasper voltou a olhar para mim, ainda com a expressão suave.

— Alice me disse o que tinha visto sobre Carlisle e a família dele. Eu mal conseguia acreditar que era possível uma existência assim. Mas Alice me deixou otimista. Então partimos para encontrá-los.

— Para matá-los de susto também — disse Edward, revirando os olhos para Jasper antes de se virar para me explicar. — Emmett e eu estávamos caçando. Jasper apareceu, coberto de cicatrizes de batalha, rebocando essa baixinha exótica — ele assentiu para Alice de brincadeira —, que os conhecia pelo nome, sabia tudo sobre eles e queria saber para que quarto ela podia se mudar.

Alice e Jasper riram em harmonia, soprano e baixo.

— Quando cheguei em casa, todos os meus pertences estavam na garagem — continuou Edward.

Alice deu de ombros.

— Seu quarto tinha a melhor vista.

Agora todos riram.

— É uma bela história — eu disse.

Três pares de olhos questionaram minha sanidade.

— Quer dizer, a última parte — eu me defendi. — O final feliz com Alice.

— Alice fez toda a diferença — concordou Jasper. — Este é um clima de que gosto.

Mas a pausa momentânea no estresse não podia durar.

— Um exército — sussurrou Alice. — Por que você não me contou?

Os outros voltaram a ficar absortos, os olhos no rosto de Jasper.

— Pensei que devia estar interpretando os sinais incorretamente. Ora, onde estava o motivo? Por que alguém criaria um exército em Seattle? Não há história ali, nenhuma necessidade de vingança. Também não tem sentido do ponto de vista da conquista; ninguém reclama a cidade. Nômades passam por ela, mas ninguém *luta* por ela. Ninguém está ali para defendê-la.

"Mas eu já vi isso antes, e não há outra explicação. Há um exército de vampiros recém-criados em Seattle. Menos de vinte, imagino. A parte difícil é que eles são totalmente destreinados. Quem quer que os tenha criado, só os soltou. Ficará pior e não demorará muito para os Volturi interferirem.

Na verdade, estou surpreso que eles tenham deixado isso correr por tanto tempo."

— O que podemos fazer? — perguntou Carlisle.

— Se quisermos evitar o envolvimento dos Volturi, teremos de destruir os recém-criados, e logo. — A expressão de Jasper era severa. Agora, sabendo de sua história, eu podia imaginar que essa avaliação devia perturbá-lo. — Posso lhes ensinar o que fazer. Não será fácil na cidade. Os jovens não estão preocupados em se esconder, mas nós teremos de nos preocupar com isso. Teremos limitações que eles não têm. Talvez possamos atraí-los para fora.

— Talvez não precisemos fazer isso. — A voz de Edward era áspera. — Não ocorreu a mais ninguém que a única ameaça possível na região que apelaria para a criação de um exército... somos nós?

Os olhos de Jasper se estreitaram; os de Carlisle se arregalaram, de choque.

— A família de Tanya também está perto — disse Esme devagar, sem querer aceitar as palavras de Edward.

— Os recém-criados não estão devastando Anchorage, Esme. Acho que precisamos considerar a ideia de que *nós* somos os alvos.

— Eles não estão vindo atrás de nós — insistiu Alice, depois parou. — Ou... eles não *sabem* que estão. Ainda não.

— O que foi? — perguntou Edward, curioso e tenso. — O que você tem em mente?

— Lampejos — disse Alice. — Não consigo um quadro claro quando tento ver o que vai acontecer, nada de concreto. Mas tive uns *flashes* estranhos. Não o bastante para ter sentido. É como se alguém estivesse mudando de ideia, mudando o curso de ação com tal rapidez que não consigo ter uma boa visão...

— Indecisão? — perguntou Jasper, incrédulo.

— Não sei...

— Não é indecisão... — grunhiu Edward. — *Conhecimento*. Alguém que sabe que você não pode ver nada antes que a decisão esteja tomada. Alguém que está se escondendo de nós. Brincando com os hiatos em sua visão.

— Quem saberia disso? — sussurrou Alice.

Os olhos de Edward eram duros como gelo.

— Aro conhece você tão bem quanto você mesma.

— Mas eu veria se eles decidissem vir...

— A não ser que eles não queiram sujar as próprias mãos.

— Um favor — sugeriu Rosalie, falando pela primeira vez. — Alguém do sul... Alguém que já teve problemas com as regras. Alguém que devia ter sido destruído e recebe uma segunda chance... se cuidar desse probleminha... Isso explicaria a reação lenta dos Volturi.

— Por quê? — perguntou Carlisle, ainda chocado. — Não há motivos para os Volturi...

— Houve — discordou Edward em voz baixa. — Estou surpreso que esteja acontecendo tão cedo, porque os outros pensamentos eram mais fortes. Na mente de Aro, ele me viu ao lado dele, e viu Alice também. O presente e o futuro, a onisciência virtual. O poder da ideia o inebriou. Eu devia ter imaginado que ele precisaria de muito mais tempo para abrir mão desse plano... Ele o queria demais. Mas também havia o pensamento em você, Carlisle, em nossa família, tornando-se maior e mais forte. A inveja e o medo: você tendo... não *mais* do que ele tem, mas, ainda assim, coisas que ele queria. Ele tentou não pensar nisso, mas não conseguiu esquecer. A ideia de exterminar a concorrência estava lá; além do bando dele, o nosso é o maior que ele já encontrou...

Fitei seu rosto, apavorada. Ele nunca me contara aquilo, mas acho que eu sabia o motivo. Podia ver em minha mente agora. O sonho de Aro. Edward e Alice de mantos pretos e flutuantes, vagando a seu lado com os olhos frios e vermelho-sangue...

Carlisle interrompeu meu pesadelo.

— Eles estão comprometidos demais com a missão deles. Jamais quebrariam as regras. Contraria tudo pelo qual trabalharam.

— Eles vão limpar tudo depois. Uma traição dupla — disse Edward numa voz sombria. — Sem prejuízos.

Jasper se inclinou para a frente, sacudindo a cabeça.

— Não, Carlisle tem razão. Os Volturi não quebrariam as regras. Além disso, é muito sem cuidado. Essa... pessoa, essa ameaça... eles não têm ideia do que estão fazendo. É um novato, eu seria capaz de jurar. Não acredito que os Volturi estejam envolvidos. Mas se envolverão.

Todos se olharam, paralisados de estresse.

— Então *vamos* — Emmett quase rugiu. — O que estamos esperando?

Carlisle e Edward trocaram um longo olhar. Edward assentiu uma vez.

— Vamos precisar que nos ensine, Jasper — disse por fim Carlisle. — A destruí-los. — O queixo de Carlisle era duro, mas eu podia ver a dor em seus olhos quando ele falou. Ninguém odiava mais a violência do que ele.

Havia algo me incomodando e eu não conseguia saber o que era. Eu estava entorpecida, apavorada, morta de medo. E, no entanto, por baixo disso, podia sentir que faltava alguma coisa importante. Algo que daria sentido àquele caos. Que explicaria tudo.

— Vamos precisar de ajuda — disse Jasper. — Acha que a família de Tanya estaria disposta...? Mais cinco vampiros maduros fariam uma diferença enorme. E depois Kate e Eleazar seriam especialmente vantajosos ao nosso lado. Seria quase fácil, com a ajuda deles.

— Vamos perguntar — respondeu Carlisle.

Jasper pegou o celular.

— Precisamos nos apressar.

Nunca vi a calma inata de Carlisle tão abalada. Ele pegou o telefone e foi até as janelas. Discou um número, segurou o aparelho na orelha e apoiou a outra mão no vidro. Fitava a manhã enevoada com uma expressão dolorida e ambivalente.

Edward pegou minha mão e me puxou para o sofá branco de dois lugares. Sentei-me ao lado dele, fitando seu rosto enquanto ele olhava o de Carlisle.

A voz de Carlisle era baixa e rápida, difícil de entender. Eu o ouvi cumprimentar Tanya, depois ele contou a situação rápido demais para que eu entendesse muito, embora eu soubesse que os vampiros do Alasca não ignoravam o que estava havendo em Seattle.

Então a voz de Carlisle mudou.

— Ah! — disse ele, sua voz mais aguda de surpresa. — Não percebemos... que Irina se sentia assim.

Edward gemeu do meu lado e fechou os olhos.

— Droga. Laurent que arda no mais profundo inferno, que é o lugar dele.

— Laurent? — sussurrei, o sangue deixando meu rosto, mas Edward não respondeu, concentrado nos pensamentos de Carlisle.

Meu curto encontro com Laurent no início daquela primavera não era algo que tinha desaparecido nem desbotado em minha mente. Eu ainda me lembrava de cada palavra que ele disse antes de Jacob e sua alcateia interromperem.

Na verdade vim aqui como um favor a ela...

Victoria. Laurent tinha sido sua primeira manobra — ela o mandou para observar, para saber o quanto seria difícil chegar a mim. Ele não sobreviveu aos lobos para fazer seu relatório.

Embora ele tivesse mantido seus laços com Victoria depois da morte de James, também formou novos laços e novos relacionamentos. Foi morar com a família de Tanya no Alasca — Tanya, a louro-arruivada —, os amigos mais íntimos dos Cullen no mundo vampiro, praticamente da família. Laurent esteve com eles por quase um ano antes de sua morte.

Carlisle ainda estava falando, a voz não exatamente suplicante. Convincente, mas com alguma tensão. Depois a tensão abruptamente dominou a persuasão.

— Não há dúvidas disso — disse Carlisle num tom severo. — Temos uma trégua. Eles não a quebraram, nem nós a quebraremos. Lamento saber disso... É claro. Vamos ter de fazer o que pudermos sozinhos.

Carlisle desligou o telefone sem esperar por uma resposta. Continuou a fitar a neblina.

— Qual é o problema? — murmurou Emmett para Edward.

— Irina se envolveu com Laurent mais do que sabíamos. Ela alimenta um rancor contra os lobos por destruí-lo para salvar Bella. Ela quer... — ele parou, olhando para mim.

— Continue — eu disse com a maior tranquilidade que pude.

Seus olhos se estreitaram.

— Ela quer vingança. Destruir a alcateia. Eles trocariam a ajuda por nossa permissão.

— Não! — eu arquejei.

— Não se preocupe — disse-me Edward numa voz monótona. — Carlisle jamais concordaria com isso. — Ele hesitou, depois suspirou. — Nem eu. Laurent tinha de aparecer. — Isso era quase um rosnado. — E ainda devo aos lobos por isso.

— Isso não é bom — disse Jasper. — Está nivelado demais para uma luta. Temos vantagem na habilidade, mas não no número. Vamos vencer, mas a que preço? — Seus olhos tensos faiscaram para o rosto de Alice e se afastaram.

Eu queria gritar enquanto assimilava o que Jasper queria dizer.

Nós venceríamos, mas perderíamos. Alguém não sobreviveria.

Olhei a sala, para os rostos — Jasper, Alice, Emmett, Rose, Esme, Carlisle... Edward —, os rostos de minha família.

14. DECLARAÇÃO

— NÃO PODE ESTAR FALANDO A SÉRIO — EU DISSE NA QUARTA-feira à tarde. — Você perdeu completamente o juízo!

— Diga o que quiser de mim — respondeu Alice. — A festa ainda está de pé.

Eu a encarei, meus olhos tão arregalados de descrença que pareciam que iam cair na bandeja do meu almoço.

— Ah, acalme-se, Bella! Não há motivo para isso. Além de tudo, os convites já foram enviados.

— Mas... o... você... eu... maluca! — gaguejei.

— Você já comprou meu presente — ela me lembrou. — Não precisa fazer nada, é só aparecer.

Fiz um esforço para me acalmar.

— Com tudo o que está acontecendo agora, uma festa não é nada adequada.

— A formatura vai acontecer agora e uma festa é tão adequada que chega a ser fora de moda.

— Alice!

Ela suspirou e tentou falar sério.

— Existem certas coisas que precisamos organizar agora e isso vai levar algum tempo. Como vamos ficar sentados aqui esperando, podemos muito bem comemorar o que há de bom. Você só vai se formar no ensino médio... pela primeira vez... uma vez na vida. Não será humana de novo, Bella. É uma vez só numa vida inteira.

Edward, em silêncio durante toda a discussão, lançou-lhe um olhar de alerta. Ela mostrou a língua para ele. Alice tinha razão — sua voz suave nunca seria mais alta que o tagarelar do refeitório. E ninguém entenderia o significado por trás das palavras, de qualquer forma.

— Que poucas coisas precisamos organizar? — perguntei, recusando-me a desviar do assunto.

Edward respondeu em voz baixa.

— Jasper acha que podemos ter alguma ajuda. A família de Tanya não é a única opção que temos. Carlisle está tentando localizar uns velhos amigos e Jasper procura por Peter e Charlotte. Ele está pensando em falar com Maria... Mas ninguém quer realmente envolver o pessoal do sul.

Alice tremeu de leve.

— Não seria difícil demais convencê-los a ajudar — continuou ele. — Ninguém quer uma visita da Itália.

— Mas esses amigos... Eles não vão ser... *vegetarianos*, não é? — protestei, usando o apelido jocoso com que os Cullen referiam-se a si mesmos.

— Não — respondeu Edward, de repente inexpressivo.

— Aqui? Em Forks?

— Eles são amigos — Alice garantiu-me. — Tudo vai ficar bem. Não precisa se preocupar. E, depois, Jasper nos deu um curso sobre eliminação de recém-criados...

Os olhos de Edward brilharam com isso, e um breve sorriso lampejou em seu rosto. Meu estômago de repente parecia estar cheio de farpas de gelo, pequenas e afiadas.

— Quando vocês vão? — perguntei numa voz vazia. Não conseguia suportar aquilo... a possibilidade de alguém não voltar. E se fosse Emmett, tão corajoso e irrefletido que jamais tinha a menor cautela? Ou Esme, tão doce e maternal que eu nem conseguia imaginá-la em uma briga? Ou Alice, tão pequena, de aparência tão frágil? Ou... Mas eu nem podia pensar no nome dele, cogitar a possibilidade.

— Uma semana — disse Edward num tom despreocupado. — Isso deve nos dar tempo suficiente.

As farpas de gelo se torceram desagradavelmente em meu estômago. De repente eu estava com náuseas.

— Você está meio verde, Bella — comentou Alice.

Edward me abraçou e me puxou para o lado dele.

— Vai ficar tudo bem, Bella. Confie em mim.

Claro, pensei comigo mesma. Confiar nele. Não era ele que teria de ficar sentado se perguntando se a essência de sua existência voltaria para casa ou não.

E depois me ocorreu uma ideia. Talvez eu não precisasse ficar ali. Uma semana era tempo mais do que suficiente.

— Vocês estão procurando por ajuda — eu disse devagar.

— Sim. — A cabeça de Alice tombou para o lado enquanto ela processava a mudança em meu tom de voz.

Eu olhei somente para ela quando respondi. Minha voz era um pouco mais alta do que um sussurro.

— *Eu* posso ajudar.

O corpo de Edward de repente ficou rígido, o braço apertado demais em mim. Ele expirou e o som era um silvo.

Mas foi Alice, ainda calma, que respondeu.

— Isso não seria de muita *ajuda*.

— E por que não? — contestei; eu podia ouvir o desespero em minha voz. — É melhor ter oito do que sete. Há tempo suficiente.

— Não há tempo suficiente para torná-la útil, Bella — discordou ela friamente. — Lembra-se de como Jasper descreveu os novatos? Você não seria boa numa briga. Não seria capaz de controlar seus instintos e isso a tornaria um alvo fácil. E Edward se machucaria tentando protegê-la. — Ela cruzou os braços, satisfeita com sua lógica incontestável.

E eu sabia que Alice tinha razão ao colocar as coisas naqueles termos. Afundei em minha cadeira, minha esperança súbita derrotada. A meu lado, Edward relaxou.

Ele sussurrou o lembrete em meu ouvido.

— Não, porque você tem medo.

— Ah! — disse Alice, e um vazio atravessou seu rosto. Depois sua expressão ficou carrancuda. — Odeio cancelamentos de última hora. Isso reduz a lista de convidados a sessenta e cinco.

— *Sessenta e cinco!* — Meus olhos se esbugalharam. Eu não tinha tantos amigos assim. Será que eu conhecia tanta gente?

— Quem cancelou? — perguntou Edward, ignorando-me.

— Renée.

— Como é? — arquejei.

— Ela ia lhe fazer uma surpresa de formatura, mas alguma coisa deu errado. Você vai receber um recado quando chegar em casa.

Por um momento, eu me permiti desfrutar do alívio. O que quer que estivesse errado com minha mãe, eu era eternamente grata. Se ela viesse a Forks *agora*... Eu não queria pensar no assunto. Minha cabeça ia explodir.

A luz dos recados piscava na secretária eletrônica quando cheguei em casa. Minha sensação de alívio inflamou-se de novo enquanto eu ouvia minha mãe descrever o acidente de Phil no campo — enquanto demonstrava um *slide*, ele tropeçou no apanhador e quebrou o fêmur; estava inteiramente dependente dela e não havia como Renée deixá-lo. Minha mãe ainda se desculpava quando o tempo do recado acabou.

— Bom, essa é uma delas — eu suspirei.

— Uma o quê? — perguntou Edward.

— Uma pessoa com quem não preciso me preocupar que vá ser morta esta semana.

Ele revirou os olhos.

— Por que você e Alice não levam isso a sério? — eu perguntei. — Isso é *sério*.

Ele sorriu.

— Convicção.

— Que maravilha — resmunguei. Peguei o fone e disquei o número de Renée. Eu sabia que seria uma longa conversa, mas também sabia que não precisaria contribuir muito.

Eu apenas ouvia e a tranquilizava sempre que conseguia dizer alguma palavra; eu não estava decepcionada, não estava chateada, não estava magoada. Ela devia se concentrar em ajudar Phil a se recuperar. Transmiti meu "Fique bom logo" a Phil e prometi ligar para ela com todos os detalhes da formatura na Forks High School. Por fim, tive de apelar para a minha necessidade desesperada de estudar para as provas a fim de desligar o telefone.

A paciência de Edward era interminável. Ele esperou educadamente durante toda a conversa, brincando com meu cabelo e sorrindo sempre que eu olhava para ele. Talvez fosse futilidade notar esses detalhes quando eu tinha coisas muito mais importantes em que pensar, mas o sorriso dele ainda me tirava o fôlego. Ele era tão lindo que às vezes era difícil pensar em qualquer outra coisa, difícil me concentrar nos problemas de Phil, nas desculpas de Renée ou em exércitos de vampiros hostis. Eu era apenas humana.

Assim que desliguei, fiquei na ponta dos pés para dar um beijo nele. Ele pôs as mãos em minha cintura e me ergueu até a bancada da cozinha, assim eu não precisaria me esticar muito. Foi ótimo para mim. Prendi os braços em volta de seu pescoço e me derreti em seu peito frio.

Como sempre, ele se afastou cedo demais.

Senti meu rosto formando um biquinho. Ele riu da minha expressão enquanto se desembaraçava de meus braços e pernas. Encostou-se na bancada a meu lado e colocou um braço de leve em meu ombro.

— Sei que você acha que eu tenho um autocontrole perfeito e inflexível, mas isso não é bem verdade.

— Bem que eu queria — suspirei.

E ele suspirou também.

— Amanhã, depois da aula — disse ele, mudando de assunto —, vou caçar com Carlisle, Esme e Rosalie. Só por algumas horas... Vamos ficar perto. Alice, Jasper e Emmett podem cuidar de sua segurança.

— Ai — eu gemi. O dia seguinte era o primeiro das provas finais, que só durariam metade do dia. Tinha prova de cálculo e de história, os dois únicos desafios em minha agenda, então teria quase o dia todo sem ele e nada a fazer a não ser lamentar. — Eu odeio ter babás.

— É temporário — prometeu ele.

— Jasper vai ficar com tédio. Emmett vai se divertir à minha custa.

— Eles se comportarão muito bem.

— Está certo — grunhi.

E depois me ocorreu que eu tinha uma alternativa a ter babás.

— Sabe... Não vou a La Push desde a festa da fogueira.

Observei seu rosto com cuidado em busca de uma mudança de expressão. Seus olhos se estreitaram um pouquinho.

— Eu ia ficar bem segura lá — lembrei a ele.

Ele pensou nisso por uns segundos.

— Você deve ter razão.

Seu rosto era calmo, mas um pouco suave demais. Eu quase perguntei se ele preferia que eu ficasse, mas pensei que Emmett certamente implicaria comigo e mudei de assunto.

— Você já está com sede? — perguntei, afagando a leve sombra sob seus olhos. Suas íris ainda eram de um dourado profundo.

— Na verdade, não. — Ele pareceu relutante em responder e isso me surpreendeu. Esperei por uma explicação.

— Queremos ter a maior força possível — explicou ele, ainda relutante. — Provavelmente, vamos caçar de novo no caminho, algum animal grande.

— Isso deixa vocês mais fortes?

Ele procurou alguma informação em meu rosto, mas não havia nada, apenas curiosidade.

— Sim — disse ele por fim. — O sangue humano nos fortalece, embora só ligeiramente. Jasper anda pensando em trapacear... Embora seja avesso à ideia, ele só está sendo prático... Mas ele não sugeriu isso. Sabe o que Carlisle dirá.

— Isso ajudaria? — perguntei em voz baixa.

— Não importa. Não vamos mudar quem somos.

Eu franzi o cenho. Se algo aumentasse a vantagem deles... E depois estremeci, percebendo que eu concordaria com a morte de um estranho para protegê-lo. Fiquei apavorada comigo mesma, mas não inteiramente capaz de negar isso.

Ele mudou de assunto de novo.

— É claro que é por isso que eles são tão fortes. Os recém-criados são cheios de sangue humano... O sangue deles mesmos, reagindo à mudança. Permanece nos tecidos e os fortalece. Seus corpos o usam devagar, como disse Jasper, e a força começa a esmaecer depois de um ano.

— Até que ponto *eu* serei forte?

Ele sorriu.

— Mais forte do que eu.

— Mais forte do que Emmett?

O sorriso ficou maior.

— Sim. Faça-me o favor de desafiá-lo para uma queda de braço. Seria uma experiência boa para ele.

Eu ri. Aquilo parecia tão ridículo!

Depois suspirei e pulei da bancada, porque eu realmente não podia mais adiar. Eu precisava estudar, e estudar muito. Por sorte eu tinha a ajuda de Edward, e ele era um excelente professor particular — já que sabia absolutamente tudo. Imaginei que meu maior problema seria me concentrar nas provas. Se eu não tivesse cuidado, podia terminar escrevendo o trabalho de história sobre as guerras de vampiros do sul.

Fiz um intervalo para ligar para Jacob, e Edward pareceu tão à vontade quanto esteve enquanto eu falava ao telefone com Renée. Ele brincou com meu cabelo de novo.

Embora fosse o meio da tarde, meu telefonema acordou Jacob, e no início ele estava aborrecido. Animou-se quando perguntei se podia visitá-lo no dia seguinte. A escola quileute já estava em férias de verão, então ele me disse para ir o mais cedo que eu pudesse. Fiquei satisfeita por ter uma alternativa além de ficar com babás. Havia um pouquinho mais de dignidade em passar o dia com Jacob.

Parte dessa dignidade se perdeu quando Edward insistiu outra vez em me levar até a fronteira como uma criança que pais separados trocam de mãos.

— E, então, como acha que se saiu nas provas? — perguntou Edward no caminho, querendo bater papo.

— A de história foi fácil, mas não sei sobre a de cálculo. Parecia fazer sentido, então provavelmente significa que errei.

Ele riu.

— Sei que vai se sair bem. Ou, se estiver mesmo preocupada, posso subornar o Sr. Varner para lhe dar um A.

— Eh, obrigada, mas não quero.

Ele riu de novo, mas de repente parou quando fizemos a última curva e vimos o carro vermelho esperando. Ele franziu a testa, concentrado, e depois, enquanto estacionava o carro, suspirou.

— Qual é o problema? — perguntei, minha mão na porta.

Ele sacudiu a cabeça.

— Nada. — Seus olhos estava semicerrados enquanto ele fitava o outro carro pelo para-brisa. Eu já vira aquele olhar.

— Você não está *ouvindo* o Jacob, não é? — acusei.

— Não é fácil ignorar uma pessoa quando ela está gritando.

— Ah! — Pensei naquilo por um segundo. — O que ele está gritando? — sussurrei.

— Tenho certeza absoluta de que ele próprio vai falar nisso — disse Edward num tom esquisito.

Eu teria pressionado, mas Jacob buzinou — duas buzinadas impacientes.

— Isso não foi educado — grunhiu Edward.

— Este é o Jacob — eu suspirei e corri para fora antes que Jacob tomasse alguma atitude que realmente fizesse Edward cerrar os dentes.

Acenei para Edward antes de ir para o Rabbit, e de longe parecia que ele estava verdadeiramente aborrecido com a história da buzina... Ou com o que Jacob estava pensando. Mas meus olhos eram fracos e cometiam erros o tempo todo.

Eu queria que Edward fosse até lá. Queria fazer com que os dois saíssem dos carros e trocassem um aperto de mãos e fossem amigos — que fossem

Edward e Jacob, e não *vampiro* e *lobisomem*. Era como se eu tivesse aqueles dois ímãs obstinados em minhas mãos de novo, tentando forçar a natureza a se inverter...

Eu suspirei e subi no carro de Jacob.

— Oi, Bells. — O tom de voz de Jacob era animado, mas sua voz estava arrastada. Examinei seu rosto enquanto ele fitava a estrada, dirigindo um pouco mais rápido do que eu, porém mais lento do que Edward, a caminho de La Push.

Jacob parecia diferente, talvez até doente. As pálpebras estavam caídas e o rosto, fatigado. O cabelo desgrenhado apontava para todo lado; em alguns lugares, quase chegava ao queixo.

— Você está bem, Jake?

— Só cansado — ele conseguiu dizer antes de ser dominado por um imenso bocejo. Quando terminou, perguntou: — O que quer fazer hoje?

Olhei para ele por um momento.

— Vamos ficar na sua casa por enquanto — sugeri. Ele não parecia estar disposto para mais do que isso. — Podemos andar de moto mais tarde.

— Claro, claro — disse ele, bocejando de novo.

A casa de Jacob estava vazia, isso era estranho. Percebi que eu pensava em Billy quase como uma presença permanente ali.

— Onde está seu pai?

— Na casa dos Clearwater. Ele anda muito por lá desde a morte de Harry. Sue se sente sozinha.

Jacob se sentou no velho sofá, que não era maior do que um sofazinho de dois lugares, e espremeu-se de lado para me dar espaço.

— Ah! Isso é gentil. Coitada de Sue.

— É... Ela está com uns problemas... — ele hesitou. — Com os filhos.

— Claro, deve ser difícil para Seth e Leah, perdendo o pai...

— Arrã — concordou ele, perdido em pensamentos. Pegou o controle remoto e ligou a tevê sem parecer pensar. E bocejou.

— Qual é o problema, Jacob? Você parece um zumbi.

— Eu só dormi umas duas horas na noite passada e quatro na anterior — disse-me. Ele esticou os braços compridos lentamente e pude ouvir as articulações estalarem enquanto ele as alongava. Ele acomodou o braço esquerdo nas costas do sofá atrás de mim e tombou a cabeça na parede. — Estou exausto.

— Por que não tem dormido? — perguntei.

Ele fez uma careta.

— Sam está complicando a situação. Ele não confia em seus sanguessugas. Andei fazendo turnos dobrados por duas semanas e ninguém me tocou ainda, mas ele ainda não se convenceu. Então agora estou por conta própria.

— Turnos dobrados: isso porque você está tentando *me* vigiar? Jake, não está certo! Você precisa dormir. Eu vou ficar bem.

— Não é nada demais. — Seus olhos de repente ficaram mais atentos. — E aí, já descobriu quem esteve em seu quarto? Há alguma novidade?

Eu ignorei a segunda pergunta.

— Não, não descobrimos nada sobre meu, hmmm, visitante.

— Então ficarei por perto — disse ele enquanto os olhos se fechavam.

— Jake... — comecei a gemer.

— Olha, é o mínimo que posso fazer... Eu ofereci a escravidão eterna, lembra-se? Sou seu escravo pela vida toda.

— Eu não quero um escravo!

Seus olhos não se abriram.

— O que você *quer*, Bella?

— Quero meu amigo Jacob... E não o quero pela metade, ferindo-se numa tentativa desorientada...

Ele me interrompeu.

— Veja por este ângulo... Eu tenho esperança de localizar um vampiro que eu tenha permissão para matar, está bem?

Não respondi. Ele me olhou então, observando minha reação.

— Brincadeirinha, Bella.

Eu olhei para a tevê.

— E aí, algum plano especial para a semana que vem? Você está se formando. Caramba. Isso é demais. — Sua voz ficou monótona e seu rosto, já cansado, parecia completamente angustiado enquanto os olhos se fechavam de novo... desta vez não de exaustão, mas de recusa. Percebi que a formatura ainda tinha um significado terrível para ele, embora minhas intenções agora estivessem divididas.

— Não são planos *especiais* — eu disse com cuidado, na esperança de que ele ouvisse o conforto em minhas palavras sem uma explicação mais detalhada. Eu não queria começar aquele assunto ali. Em primeiro lugar, ele não parecia disposto para conversas difíceis. Segundo, eu sabia que ele perceberia minha apreensão. — Bom, vou ter que ir a uma festa de formatura. A minha.

— Fiz um som de nojo. — Alice *adora* festas e convidou a cidade toda para ir à casa dela à noite. Vai ser um horror.

Seus olhos se abriram enquanto eu falava e um sorriso aliviado deixou seu rosto menos esgotado.

— Não recebi convite. Estou magoado — brincou ele.

— Considere-se convidado. Supostamente, é *minha* festa, então devo poder convidar quem eu quiser.

— Obrigado — disse ele com sarcasmo, os olhos se fechando mais uma vez.

— Eu queria que você fosse — falei, sem esperança alguma. — Seria mais divertido. Para mim, quer dizer.

— Claro, claro — murmurou ele. — Seria muito... sensato... — sua voz falhou.

Alguns segundos depois, ele estava roncando.

Pobre Jacob. Examinei seu rosto sonhador e gostei do que vi. Enquanto dormia, cada traço de resistência e amargura desaparecia e de repente ele era o menino que foi meu melhor amigo antes dos embaraços de todo esse absurdo de lobisomens. Ele parecia muito mais novo. Parecia o meu Jacob.

Aninhei-me no sofá para esperar por seu cochilo, na esperança de que ele dormiria por um tempo e se refaria. Zapeei pela tevê, mas não havia muita coisa. Acomodei-me num programa de culinária, percebendo, enquanto assistia, que eu nunca me esforçava muito com o jantar de Charlie. Jacob continuava a roncar, cada vez mais alto. Desliguei a tevê.

Eu estava estranhamente relaxada, quase sonolenta também. Aquela casa parecia mais segura que a minha, provavelmente porque ninguém fora me procurar ali. Enrosquei-me no sofá e pensei em eu mesma tirar uma soneca. Talvez eu devesse, mas era impossível me desligar dos roncos de Jacob. Assim, em vez de dormir, deixei minha mente vagar.

As provas finais acabaram e a maioria foi moleza. A de cálculo, a única exceção, me perseguia, era passar ou ser reprovada. Minha educação no ensino médio acabara. E eu não sabia de fato como me sentia com relação a isso. Não podia olhar a questão com objetividade, atrelada como estava ao término de minha vida humana.

Perguntei-me quanto tempo Edward pretendia usar a desculpa "não, porque você tem medo". Um dia desses eu ia ter de fincar pé.

Pensando pragmaticamente, eu sabia que fazia mais sentido pedir a Carlisle para me transformar no segundo em que eu passasse pela fila da formatura. Forks se tornaria quase tão perigosa quanto uma zona de guerra. Não,

Forks *era* uma zona de guerra. Para não falar... Seria uma boa desculpa para não ir à festa de formatura. Eu sorri comigo mesma ao pensar na mais banal das razões para me transformar. Tolice... Ainda assim, atraente.

Mas Edward tinha razão — eu ainda não estava preparada.

E eu não queria ser prática. Queria que Edward fosse o prático. Não era um desejo racional. Eu tinha certeza — uns dois segundos depois de alguém na verdade me morder e o veneno começar a arder em minhas veias —, eu realmente não me importaria mais com quem tinha feito. Então, não devia fazer diferença alguma.

Era difícil definir, até para mim mesma, por que isso importava. Havia algo no fato de ser ele a tomar a decisão — como queria me manter assim e não permitir que eu me transformasse, ele agiria para me manter. Era infantil, mas eu gostava da ideia de que os lábios *dele* fossem a última coisa boa que eu sentiria. O que era ainda mais constrangedor, algo que eu nunca diria em voz alta, eu queria que o veneno *dele* intoxicasse meu sistema. Isso me faria pertencer a ele de uma forma tangível e quantificável.

Mas eu sabia que ele se prenderia a seu esquema de casamento como uma cola — porque ele claramente queria adiar e até agora estava funcionando. Tentei imaginar dizer a meus pais que eu me casaria naquele verão. Contar a Angela, Ben e Mike. Eu não podia. Não conseguia pensar no que dizer. Seria mais fácil dizer a eles que estava me tornando uma vampira. E tinha certeza de que pelo menos minha mãe — eu ia contar a ela cada detalhe da verdade — se oporia mais fortemente a meu casamento do que a me tornar vampira. Fiz uma careta enquanto imaginava sua expressão apavorada.

Depois, por um segundo, tive a mesma visão estranha de Edward e eu no balanço da varanda, usando roupas de outro tipo de mundo. Um mundo onde não surpreenderia se ele colocasse a aliança no meu dedo. Um lugar mais simples, onde o amor era definido de formas mais simples. Um mais um é igual a dois...

Jacob roncou e rolou de lado. Seu braço girou das costas do sofá e me prendeu contra seu corpo.

Meu Deus, como ele era pesado! E *quente*. Ficou sufocante depois de apenas alguns segundos.

Tentei deslizar de sob seu braço sem acordá-lo, mas tive de empurrar um pouco e, quando o braço me deixou, os olhos dele se abriram. Ele se colocou de pé num salto, olhando em volta com ansiedade.

— Que foi? Que foi? — perguntou, desorientado.

— Sou eu, Jake. Desculpe se o acordei.

Ele se virou para me olhar, piscando e confuso.

— Bella?

— Oi, dorminhoco.

— Ah, cara! Eu dormi? Desculpe! Quanto tempo fiquei apagado?

— Algumas receitas culinárias. Perdi a conta.

Ele voltou a se sentar a meu lado no sofá.

— Puxa vida. Desculpe por isso, de verdade.

Eu afaguei seu cabelo, tentando ajeitar aquela desordem louca.

— Não precisa se desculpar. Ainda bem que você dormiu um pouco.

Ele bocejou e se espreguiçou.

— Eu ando imprestável ultimamente. Não surpreende que Billy sempre saia. Estou um chato.

— Você está ótimo — garanti a ele.

— Ei, vamos lá para fora. Preciso andar um pouco ou vou desmaiar de novo.

— Jake, volte a dormir. Eu estou bem. Vou ligar para Edward vir me buscar. — Procurei nos bolsos enquanto falava e percebi que estavam vazios. — Droga, vou ter que usar seu telefone. Acho que deixei o dele no carro. — Comecei a me desenredar.

— Não! — insistiu Jacob, pegando minha mão. — Não, fique. Você mal chegou. Nem acredito que desperdicei todo esse tempo.

Ele me puxou para o sofá enquanto falava, depois me levou para fora, abaixando a cabeça ao passar sob o batente da porta. Tinha esfriado muito mais enquanto Jacob dormia; o ar era gelado, pouco típico da estação — devia haver uma tempestade a caminho. Parecia fevereiro, não maio.

O ar de inverno pareceu deixar Jacob mais alerta. Ele andou de um lado para outro diante da casa por um minuto, arrastando-me com ele.

— Sou um idiota — murmurou consigo mesmo.

— Qual é o problema, Jake? Você só dormiu. — Eu dei de ombros.

— Eu queria conversar com você. Nem acredito nisso.

— Converse comigo agora — eu disse.

Jacob me olhou nos olhos por um segundo, depois desviou o rosto rapidamente para as árvores. Quase parecia que ele estava corando, mas era difícil de dizer, com aquela pele morena.

De repente me lembrei do que Edward dissera quando me deixou — que Jacob me contaria o que estava gritando em sua cabeça. Comecei a morder o lábio.

— Olha — disse Jacob. — Eu pretendia fazer isso de um jeito meio diferente. — Ele riu e pareceu rir consigo mesmo. — Mais suave — acrescentou ele. — Eu pretendia ir aos poucos, mas — ele olhou as nuvens, mais escuras com o avançar da tarde — estou sem tempo para isso.

Ele riu de novo, nervoso. Ainda estávamos andando devagar.

— Do que você está falando? — perguntei.

Ele respirou fundo.

— Eu queria dizer uma coisa. E você já sabe... Mas acho que devo dizer assim mesmo. Assim nunca vai haver confusão a esse respeito.

Plantei os pés no chão e ele parou. Soltei minha mão e cruzei os braços. De repente eu tinha certeza de que não queria saber o que ele estava aprontando.

As sobrancelhas de Jacob se uniram, lançando sombra em seus olhos fundos. Eram negros como breu enquanto perfuravam os meus.

— Estou apaixonado por você, Bella — disse Jacob numa voz segura e firme. — Bella, eu te amo. Quero que me escolha, e não ele. Sei que não sente o mesmo, mas preciso dizer a verdade, assim você saberá quais são suas opções. Eu não quero que um mal-entendido nos atrapalhe.

15. APOSTA

EU O FITEI POR UM LONGO MINUTO, SEM FALA. NÃO CONSEGUIA PENSAR em nada para dizer a ele.

Enquanto Jacob olhava minha expressão desnorteada, a seriedade deixou seu rosto.

— Muito bem — disse ele, sorrindo. — É só isso.

— Jake... — Parecia que havia algo grande preso em minha garganta. Tentei me livrar da obstrução. — Não posso... quer dizer, não... Tenho que ir.

Eu me virei, mas ele me pegou pelos ombros e me girou.

— Não, espere. Eu *sei* disso, Bella. Mas, olhe, me responda a uma pergunta, está bem? Quer que eu suma e nunca mais veja você? Fale com franqueza.

Era difícil me concentrar na pergunta dele, então levei um minuto para responder.

— Não, não quero isso — admiti por fim.

Jacob sorriu de novo.

— Está vendo?

— Mas não quero você por perto pelo mesmo motivo que você me quer por perto — eu objetei.

— Diga exatamente por que você me quer por perto, então.

Eu pensei com cuidado.

— Eu sinto sua falta quando você não está. Quando está feliz — esclareci cautelosamente —, eu fico feliz. Mas eu podia dizer o mesmo de Charlie, Jacob. Você é da família. Eu te amo, mas não estou apaixonada por você.

Ele assentiu, sem se abalar.

— Mas você me quer por perto.

— Sim — eu suspirei. Era impossível desencorajá-lo.

— Então vou ficar por perto.

— Você gosta de sofrer — eu grunhi.

— É. — Ele passou a ponta dos dedos em minha bochecha direita. Eu afastei a mão dele.

— Acha que pode se comportar um pouco melhor, pelo menos? — perguntei, irritada.

— Não, não posso. Você decide, Bella. Pode me ter como eu sou... incluindo o mau comportamento... ou não ter nada.

Eu o encarei, frustrada.

— Isso é maldade.

— É maldade sua também.

Isso me pegou de surpresa e dei um passo involuntário para trás. Ele tinha razão. Se eu não fosse má — e gananciosa também —, teria dito que não queria ser amiga e iria embora. Era um erro tentar manter meu amigo quando isso o magoava. Eu não sabia o que estava fazendo ali, mas de repente tinha certeza de que não era bom.

— Tem razão — sussurrei.

Ele riu.

— Eu a perdoo. Só procure não ficar chateada *demais* comigo. Porque recentemente eu decidi que não vou desistir. Há de fato algo de irresistível numa causa perdida.

— Jacob. — Eu o olhei nos olhos, tentando fazer com que ele me levasse a sério. — É *ele* que eu amo, Jacob. Ele é toda a minha vida.

— Você me ama também — lembrou-me ele. Jacob ergueu a mão quando comecei a protestar. — Não da mesma maneira, eu sei. Mas ele também não é toda a sua vida. Não é mais. Talvez tenha sido um dia, mas ele foi embora. E agora ele está tendo que lidar com as consequências daquela decisão... *Eu*.

Eu sacudi a cabeça.

— Você é impossível.

De repente, ele ficou sério. Pegou meu queixo, segurando-o com firmeza para que eu não me desviasse de seu olhar penetrante.

— Até que seu coração pare de bater, Bella — disse ele. — Eu estarei aqui... lutando. Não se esqueça de que tem opções.

— Eu não quero opções — discordei, tentando libertar meu queixo, sem sucesso. — E meus batimentos cardíacos estão contados, Jacob. O tempo está quase se esgotando.

Seus olhos se estreitaram.

— Mais um motivo para lutar... Lutar ainda mais agora, enquanto posso — sussurrou ele.

Ele ainda segurava meu queixo — seus dedos apertavam tanto que doía —, e eu vi a decisão se formar abruptamente em seus olhos.

— N... — comecei a objetar, mas era tarde demais.

Seus lábios esmagaram os meus, impedindo meu protesto. Ele me beijou com raiva, de modo rude, a outra mão apertando minha nuca, impossibilitando a fuga. Empurrei seu peito com toda força, mas ele nem pareceu perceber. Sua boca era macia, apesar da raiva, seus lábios moldaram-se aos meus de uma forma quente e desconhecida.

Segurei o rosto dele, tentando empurrá-lo, fracassando de novo. Ele pareceu perceber dessa vez, porém, e isso o estimulou mais. Seus lábios forçaram os meus a se abrirem e pude sentir seu hálito quente em minha boca.

Agindo por instinto, soltei as mãos e desisti. Abri os olhos e não lutei, não senti... Só esperei que ele parasse.

Funcionou. A raiva pareceu evaporar e ele recuou para me olhar. Encostou os lábios suavemente nos meus de novo, uma, duas vezes... uma terceira vez. Eu fingi que era uma estátua e esperei.

Por fim, ele soltou meu rosto e se afastou.

— Acabou agora? — perguntei, numa voz sem expressão.

— Sim — ele suspirou. Ele começou a sorrir, fechando os olhos.

Puxei o braço para trás e o levei para a frente, dando-lhe um soco na boca com a maior potência que eu podia arrancar de meu corpo.

Houve um estalo.

— Ai! AI! — gritei, pulando freneticamente em agonia enquanto apertava minha mão contra o peito. Estava quebrada, eu podia sentir.

Jacob me olhou, chocado.

— Você está bem?

— Não, droga! *Você quebrou minha mão!*

— Bella, *você* quebrou sua mão. Agora pare de dançar e me deixe dar uma olhada.

— Não toque em mim! Eu vou para casa agora!

— Vou pegar meu carro — disse ele com calma. Ele nem estava esfregando o queixo, como faziam nos filmes. Que ridículo!

— Não, obrigada — sibilei. — Prefiro ir a pé. — Eu me virei para a estrada. Eram só alguns quilômetros até a fronteira. Assim que eu me afastasse dele, Alice me veria. Ela mandaria alguém me buscar.

— Deixe que eu leve você para casa — insistiu Jacob. Inacreditavelmente, ele teve a coragem de passar o braço em minha cintura.

Eu me afastei dele.

— Ótimo! — grunhi. — *Faça isso!* Mal posso esperar para ver o que Edward fará com você! Espero que ele quebre seu pescoço, seu CACHORRO impertinente, arrogante e debiloide!

Jacob revirou os olhos. Acompanhou-me até o banco do carona de seu carro e me ajudou a entrar. Quando assumiu o banco do motorista, ele estava assoviando.

— Eu não o machuquei nem um pouco? — perguntei, furiosa e irritada.

— Está brincando? Se você não tivesse começado a gritar, eu nem teria sabido que estava tentando me bater. Posso não ser feito de pedra, mas não sou assim *tão* mole.

— Odeio você, Jacob Black.

— Isso é bom. O ódio é uma emoção apaixonada.

— Vou lhe dar sua paixão — murmurei. — Assassinato, o crime definitivo de paixão.

— Ah, fala sério! — Disse ele, todo animado e parecendo estar prestes a assoviar de novo. — Deve ter sido melhor do que beijar uma pedra.

— Não chega nem remotamente perto — eu lhe disse com frieza.

Ele franziu os lábios.

— Você poderia estar só falando por falar.

— Mas não estou.

Isso pareceu incomodá-lo por um segundo, mas depois ele se empertigou.

— Você só está irritada. Eu não tenho nenhuma experiência com esse tipo de situação, mas foi incrível, para mim.

— Eca — gemi.

— Vai pensar nisso esta noite. Quando ele achar que você está dormindo, você vai pensar nas suas opções.

— Se eu pensar em você esta noite, será porque estou tendo um *pesadelo*.

Ele reduziu o carro a um arrastar, virando-se para me olhar com os olhos escuros arregalados e francos.

— Pense em como pode ser, Bella — insistiu ele numa voz suave e ansiosa. — Você não teria de mudar nada para mim. Sabe que Charlie ficaria feliz se você me escolhesse. Eu posso protegê-la tão bem quanto seu vampiro... Talvez melhor. E eu a faria feliz, Bella. Há tanto que posso dar a você e ele não pode. Aposto que ele nem pode beijá-la desse jeito... porque ele a machucaria. Eu nunca, jamais machucaria você, Bella.

Eu estendi a mão ferida.

Ele suspirou.

— Isso não foi minha culpa. Você devia saber muito bem.

— Jacob, não posso *ser* feliz sem ele.

— Você nunca tentou — discordou ele. — Quando ele foi embora, você gastou toda sua energia prendendo-se a ele. Poderia ser feliz, se deixasse. Podia ser feliz comigo.

— Eu não quero ser feliz com ninguém, só com ele — insisti.

— Nunca será capaz de ter tanta certeza dele como tem de mim. Ele foi embora uma vez, pode fazer isso de novo.

— Não, ele não fará — eu disse entredentes. A dor da lembrança me mordeu como um golpe de chicote. Fez com que eu quisesse magoá-lo também. — Você me deixou uma vez — lembrei a ele numa voz fria, pensando nas semanas que ele havia se escondido de mim, as palavras que me dissera no bosque ao lado da casa dele...

— Nunca fiz isso — argumentou ele acaloradamente. — Eles me disseram que não podia contar a você... Que não era seguro *para você* se ficássemos juntos. Mas eu nunca fui embora, nunca! Costumava correr em volta da sua casa à noite... Como faço agora. Só para ter certeza de que você estava bem.

Eu não deixaria que ele me fizesse sentir mal por ele agora.

— Me leve para casa. Minha mão está doendo.

Ele suspirou e começou a dirigir numa velocidade normal, olhando a estrada.

— Só pense nisso, Bella.

— Não — eu disse, obstinada.

— Vai pensar. Esta noite. E eu estarei pensando em você enquanto você pensa em mim.

— Como eu disse, um pesadelo.

Ele sorriu para mim.

— Você retribuiu o beijo.

Eu arfei, fechando as mãos em punhos sem pensar de novo, sibilando quando a mão quebrada reagiu.

— Você está bem? — perguntou ele.

— Não retribuí, *não*.

— Acho que sei a diferença.

— É óbvio que não sabe... Aquilo não foi retribuir um beijo, estava tentando me livrar de você, *idiota*.

Ele soltou um riso baixo e gutural.

— Sensível. Quase *demais* na defensiva, eu diria.

Respirei fundo. Não tinha sentido discutir com ele; ele distorceria tudo o que eu dissesse. Concentrei-me em minha mão, tentando esticar os dedos, para saber onde estava quebrado. Dores agudas apunhalavam as articulações. Eu gemi.

— Eu sinto muito por sua mão — disse Jacob, parecendo quase sincero. — Da próxima vez que quiser bater em mim, use um bastão de beisebol ou um pé de cabra, está bem?

— Não pense que vou me esquecer disso — murmurei.

Não percebi aonde estávamos indo até que chegamos à minha rua.

— Por que me trouxe para cá? — perguntei.

Ele olhou para mim inexpressivamente.

— Você não disse que queria ir para casa?

— Ai. Acho que não pode me levar para a casa de Edward, pode? — Cerrei os dentes de frustração.

A dor girou por seu rosto, e pude ver que aquilo o afetava mais do que qualquer outra coisa que eu tivesse dito.

— Esta é a sua casa, Bella — disse ele baixinho.

— Sim, mas mora algum médico aqui? — perguntei, erguendo minha mão de novo.

— Ah! — Ele pensou por um minuto. — Vou levá-la ao hospital. Ou Charlie pode fazer isso.

— Não quero ir para o hospital. É constrangedor e desnecessário.

Ele deixou o Rabbit em ponto morto diante de minha casa, pensando com uma expressão insegura. A viatura de Charlie estava na entrada.

Eu suspirei.

— Vá para casa, Jacob.

Saí do carro desajeitada, indo para casa. O motor foi desligado atrás de mim. E eu fiquei menos surpresa do que irritada ao encontrar Jacob ao meu lado de novo.

— O que você vai fazer? — perguntou ele.

— Vou colocar um pouco de gelo na mão, depois vou ligar para Edward e pedir que venha me buscar e me leve até Carlisle, para ele dar um jeito na minha mão. Depois, se você ainda estiver aqui, vou procurar um pé de cabra.

Ele não respondeu. Abriu a porta da frente e a segurou para mim.

Passamos em silêncio pela sala da frente, onde Charlie estava deitado no sofá.

— Oi, meninos — disse ele, sentando-se. — É bom ver *você* aqui, Jake.

— Oi, Charlie — respondeu Jacob casualmente, parando.

Eu fui para a cozinha.

— O que há com ela? — perguntou Charlie.

— Ela acha que quebrou a mão — ouvi Jacob dizer a ele.

Fui até o freezer e peguei uma bandeja de gelo.

— Como foi que ela fez isso? — Sendo meu pai, eu achava que Charlie devia parecer um pouco menos entretido e um pouco mais preocupado.

Jacob riu.

— Ela me bateu.

Charlie riu também, e eu fiz cara feia ao bater a bandeja na beira da pia. O gelo se espalhou dentro da cuba e peguei um punhado com a mão boa, enrolando os cubos num pano de prato na bancada.

— Por que ela bateu em você?

— Porque eu a beijei — disse Jacob, sem a menor vergonha.

— Que bom para você, garoto. — Charlie lhe deu os parabéns.

Trinquei os dentes e fui ao telefone. Disquei o celular de Edward.

— Bella? — Ele atendeu no primeiro toque. Parecia mais do que aliviado; ele estava deliciado. Eu podia ouvir o motor do Volvo ao fundo; ele já estava no carro, isso era bom. — Você deixou o telefone... Desculpe, Jacob a levou para casa?

— Sim — grunhi. — Pode vir me buscar, por favor?

— Estou a caminho — ele disse prontamente. — Algum problema?

— Quero que Carlisle veja minha mão. Acho que está quebrada.

Houve um silêncio na sala da frente e eu me perguntei quando Jacob fugiria. Dei um sorriso cruel, imaginando seu desconforto.

— O que houve? — perguntou Edward, a voz ficando monótona.

— Eu dei um soco em Jacob — admiti.

— Que bom — disse Edward friamente. — Mas lamento que tenha se machucado.

Dei uma risada, porque ele parecia tão satisfeito quanto Charlie.

— Eu queria que *ele* se machucasse. — Suspirei de frustração. — Não provoquei dano algum.

— Nisso eu posso dar um jeito — propôs ele.

— Eu esperava que você dissesse isso.

Houve uma leve pausa.

— Isso não é típico de você — disse ele, agora preocupado. — O que ele *fez*?

— Ele me beijou — murmurei.

Só o que ouvi do outro lado da linha foi o som do motor acelerando.

Na outra sala, Charlie voltou a falar.

— Talvez você deva dar o fora, Jake — sugeriu ele.

— Acho que vou ficar por aqui, se não se importa.

— O funeral é seu — murmurou Charlie.

— O cachorro ainda está aí? — Edward enfim falou de novo.

— Está.

— Estou virando a esquina — disse ele sombriamente, e a linha caiu.

Enquanto eu desligava o telefone, sorrindo, ouvi o som do carro dele disparando pela rua. Os freios protestaram alto quando ele parou na frente da casa. Fui até a porta.

— Como está sua mão? — Charlie perguntou enquanto eu passava. Charlie parecia pouco à vontade. Jacob se refestelava ao lado dele no sofá, perfeitamente tranquilo.

Levantei o saco de gelo para mostrar.

— Está inchando.

— Talvez seja melhor escolher alguém do seu tamanho — sugeriu Charlie.

— Talvez — concordei. Fui abrir a porta. Edward esperava.

— Deixe-me ver — murmurou ele.

Ele examinou minha mão gentilmente, com tanto cuidado que não me causou dor alguma. As mãos dele eram quase tão frias quanto o gelo, e a sensação era boa em minha pele.

— Acho que tem razão sobre a fratura — disse ele. — Estou orgulhoso de você. Deve ter esmurrado com força.

— Toda a minha força — eu suspirei. — Mas, ao que parece, não foi o bastante.

Ele beijou minha mão delicadamente.

— Vou cuidar dela — prometeu ele. E depois chamou: — Jacob — sua voz ainda baixa e tranquila.

— Ora, ora — alertou Charlie.

Ouvi Charlie se levantar do sofá. Jacob chegou ao corredor primeiro e com bem menos barulho, mas Charlie não estava longe dele. A expressão de Jacob era atenta e ansiosa.

— Não quero nenhuma briga, entenderam? — Charlie só olhou para Edward ao falar. — Posso meter meu distintivo nisso se quiser que meu pedido seja mais oficial.

— Isso não será necessário — disse Edward num tom reprimido.

— Por que não me prende, pai? — sugeri. — Fui eu que dei socos.

Charlie ergueu uma sobrancelha.

— Quer dar queixa, Jake?

— Não — Jake sorriu, incorrigível. — Vou pedir algo em troca um dia desses.

Edward fez uma careta.

— Pai, você não tem um bastão de beisebol em algum lugar do seu quarto? Quero emprestado por um minuto.

Charlie olhou para mim de maneira imparcial.

— Já chega, Bella.

— Vamos até Carlisle, para que ele veja sua mão antes que você pare numa cela de prisão — disse Edward. Ele pôs o braço à minha volta e me puxou para a porta.

— Tudo bem — eu disse, encostando-me nele. Eu não estava mais com tanta raiva, agora que Edward estava comigo. Sentia-me reconfortada e minha mão não me incomodava tanto.

Estávamos andando pela calçada quando ouvi Charlie sussurrar ansiosamente atrás de mim.

— O que está fazendo? Ficou louco?

— Me dê um minuto, Charlie — respondeu Jacob. — Não se preocupe, eu volto logo.

Olhei para trás e Jacob estava nos seguindo, parando para fechar a porta na cara surpresa e inquieta de Charlie.

Edward o ignorou no início, levando-me até o carro. Ajudou-me a entrar, fechou a porta e se virou para encarar Jacob na calçada.

Inclinei-me ansiosa pela janela aberta. Dava para ver Charlie na casa, espiando pelas cortinas da sala.

A atitude de Jacob era despreocupada, os braços cruzados, mas os músculos do rosto estavam rígidos.

Edward falou num tom tão tranquilo e gentil, que tornou as palavras estranhamente mais ameaçadoras.

— Não vou matar você agora porque isso aborreceria a Bella.

— Humpf — grunhiu Jacob.

Edward virou-se devagar para me dar um sorriso rápido. Seu rosto ainda era calmo.

— Isso iria aborrecê-la pela manhã — disse ele, afagando os dedos em meu rosto.

Depois ele se virou para Jacob.

— Mas se você devolvê-la machucada novamente... e não me importa de quem seja a culpa, não me importo se ela apenas tropeçar ou se um meteoro cair do céu e a atingir na cabeça... se você devolvê-la a mim num estado menos perfeito do que eu a deixei, passará a correr com três pernas. Entendeu isso, vira-lata?

Jacob revirou os olhos.

— Quem vai voltar? — murmurei.

Edward continuou como se não tivesse me escutado.

— E se a beijar de novo, eu *vou* quebrar seu queixo por ela — prometeu ele, a voz ainda gentil, aveludada e letal.

— E se ela me quiser? — jactou-se Jacob, arrogante.

— Rá! — eu bufei.

— Se for o que ela quiser, eu não farei objeção. — Edward deu de ombros, sem se deixar perturbar. — Mas você deveria esperar que ela *diga* isso, em vez de confiar em sua interpretação de linguagem corporal... mas é a sua cara.

Jacob sorriu.

— Vai sonhando — grunhi.

— Sim, ele sonha — murmurou Edward.

— Bom, se acabou de vasculhar minha cabeça — disse Jacob com uma pontada de irritação —, por que não vai cuidar da mão dela?

— Mais uma coisa — disse Edward devagar. — Eu também vou lutar por ela. Deve saber disso. Não acho que tenho tudo garantido, e vou lutar duas vezes mais que você.

— Que bom — grunhiu Jacob. — Não é divertido derrotar alguém que foge da raia.

— Ela *é* minha. — A voz baixa de Edward de repente era sombria, não tão composta quanto antes. — Eu não disse que faria uma luta justa.

— Nem eu.

— É melhor ter sorte.

Jacob assentiu.

— Sim, que vença o melhor *homem*.

— Isso parece certo... cachorrinho.

Jacob fez uma careta, depois recompôs o rosto e se inclinou por trás de Edward para sorrir para mim. Eu o fuzilei com os olhos.

— Espero que sua mão melhore logo. Eu lamento muito que tenha se machucado.

Agindo de modo infantil, desviei a cara.

Não olhei de novo enquanto Edward ia até o carro e sentava ao volante, então não sei se Jacob voltou para casa ou se continuou parado ali, me olhando.

— Como está se sentindo? — perguntou Edward ao nos afastarmos.

— Irritada.

Ele riu.

— Eu quis dizer sua mão.

Dei de ombros.

— Já esteve pior.

— É verdade — concordou ele, e franziu o cenho.

Edward contornou a casa e entrou na garagem. Emmett e Rosalie estavam ali, as pernas perfeitas de Rosalie, reconhecíveis até em jeans, esticadas debaixo do jipe imenso de Emmett. Emmett estava sentado ao lado, a mão estendida embaixo do jipe na direção dela. Precisei de um momento para perceber que ele estava agindo como macaco hidráulico.

Emmett olhou curioso enquanto Edward me ajudava com cuidado a sair do carro. Seus olhos se fixaram na mão que eu aninhava no peito.

Emmett sorriu.

— Caiu de novo, Bella?

Eu o fuzilei com os olhos.

— Não, Emmett. Dei um soco na cara de um lobisomem.

Emmett piscou, depois soltou uma gargalhada trovejante.

Enquanto Edward me levava, passando por eles, Rosalie falou de baixo do carro.

— Jasper vai ganhar a aposta — disse ela, petulante.

O riso de Emmett parou imediatamente e ele me examinou com olhos atentos.

— Que aposta? — perguntei, parando.

— Vamos até Carlisle — instou Edward. Ele encarava Emmett. A cabeça se sacudiu infinitesimalmente.

— *Que aposta?* — insisti enquanto me virava para ele.

— Obrigado, Rosalie — murmurou ele enquanto estreitava o braço em minha cintura e me puxava para a casa.

— Edward... — murmurei.

— É infantil. — Ele deu de ombros. — Emmett e Jasper gostam de apostar.

— Emmett vai me contar. — Tentei me virar, mas seu braço era como ferro à minha volta.

Ele suspirou.

— Eles estão apostando em quantas vezes você... vai cometer um deslize no primeiro ano.

— Ah! — Eu fiz uma careta, tentando esconder o pavor repentino ao perceber o que ele queria dizer. — Eles apostaram quantas pessoas eu vou matar?

— Sim — admitiu ele de má vontade. — Rosalie acha que seu gênio vai colocar as chances a favor de Jasper.

Eu me senti meio tonta.

— Jasper está apostando alto.

— Ele se sentirá melhor se você tiver dificuldades para se adaptar. Está cansado de ser o elo mais fraco.

— Claro. É claro que sim. Acho que posso ser responsável por uns homicídios a mais, se isso deixar Jasper feliz. Por que não? — Eu estava tagarelando, minha voz monótona e fria. Em minha mente, eu via as manchetes de jornal, listas de nomes...

Ele me apertou.

— Não precisa se preocupar com isso agora. Na verdade, não tem que se preocupar com isso nunca, se não quiser.

Eu gemi, e Edward, achando que era a dor na mão que me incomodava, me puxou mais rápido para a casa.

Minha mão *estava mesmo* quebrada, mas não havia danos graves, só uma pequena fissura em uma articulação. Eu não queria engessar e Carlisle disse que eu poderia ficar com uma tala se prometesse manter a mão ali. Eu prometi.

Edward sabia que eu estava desligada enquanto Carlisle trabalhava para ajustar uma tala com cuidado em minha mão. Ele reclamou algumas vezes que eu estava com dor, mas garanti que não era por isso.

Como se eu precisasse de — ou mesmo tivesse espaço para — mais uma preocupação.

Todas as histórias de Jasper sobre vampiros recém-criados infiltraram-se em minha mente desde que ele explicou seu passado. Agora essas histórias entravam num foco nítido com a notícia da aposta dele e de Emmett. Desejei saber o que eles estavam apostando. Que prêmio seria motivador quando se tinha tudo?

Sempre soube que eu seria diferente. Eu esperava que fosse tão forte como disse Edward. Forte, rápida e, acima de tudo, bonita. Alguém que pudesse ficar ao lado de Edward e sentir que aquele era o seu lugar.

Estive tentando não pensar demais nas outras coisas que eu seria. Descontrolada. Sedenta de sangue. Talvez eu não fosse capaz de me reprimir para não matar pessoas. Estranhos, pessoas que nunca me fizeram mal. Pessoas como o número cada vez maior de vítimas em Seattle, que tinham famílias, amigos e futuro. Pessoas que tinham uma *vida*. E eu podia ser o monstro que tiraria isso delas.

Mas, na verdade, eu podia lidar com essa parte — porque confiava em Edward, confiava absolutamente nele, que me manteria longe de tomar alguma atitude de que eu me arrependesse. Eu sabia que ele me levaria para a Antártida e caçaria pinguins se eu lhe pedisse. E eu faria o que fosse para ser uma boa pessoa. Uma boa vampira. Essa ideia teria me feito rir, se não fosse pela nova preocupação.

Porque, se eu realmente fosse algo assim — como as imagens de pesadelo de recém-criados que Jasper pintara em minha mente —, poderia mesmo ser *eu*? E se tudo o que eu quisesse fosse matar pessoas, o que aconteceria com meus desejos de *agora*?

Edward estava muito obcecado em fazer com que eu não perdesse nada enquanto fosse humana. Em geral, isso parecia meio tolo. Não havia muitas experiências humanas que eu estivesse preocupada em não perder. Desde que estivesse com Edward, o que mais poderia querer?

Fitei seu rosto enquanto olhava Carlisle tratar minha mão. Não havia nada no mundo que eu quisesse mais do que ele. Será que isso *poderia* mudar?

Haveria uma experiência humana que eu *não* estivesse disposta a perder?

16. MARCO

— NÃO TENHO NADA PARA VESTIR! — GEMI COMIGO MESMA.

Cada peça de roupa que eu tinha estava espalhada em minha cama; as gavetas e os armários, vazios. Olhei os nichos sem nada, desejando que aparecesse alguma peça adequada.

Minha saia cáqui estava nas costas da cadeira de balanço, esperando que eu descobrisse algo que combinasse perfeitamente com ela. Algo que me deixasse bonita e adulta. Algo que dissesse *ocasião especial*. Não estava rolando.

Era quase hora de sair e eu ainda vestia meus moletons velhos preferidos. Se não encontrasse algo melhor ali — e, àquela altura, as chances eram poucas —, iria à formatura com eles.

Fiz cara feia para a pilha de roupas na cama.

O que mais me irritava era que eu sabia exatamente o que teria usado se ainda estivesse disponível — minha blusa vermelha, sequestrada. Dei um soco na parede com a mão boa.

— Vampiro idiota, ladrão, irritante! — grunhi.

— O que foi que eu fiz? — perguntou Alice.

Ela estava despreocupadamente encostada ao lado da janela aberta, como se tivesse ficado ali o tempo todo.

— Toc, toc — acrescentou com um sorriso malicioso.

— É tão difícil assim esperar que eu chegue até a porta?

Ela atirou uma caixa branca e achatada em minha cama.

— Só estava de passagem. Pensei que pudesse precisar de uma roupa.

Olhei o pacote grande, colocado sobre todas as peças de meu frustrante guarda-roupa, e fiz uma careta.

— Admita — disse Alice. — Estou salvando sua vida.

— Você está salvando minha vida — murmurei. — Obrigada.

— Bem, é ótimo acertar, para variar. Você não sabe como isso é irritante... deixar passar isso ou aquilo, como tenho feito. Fico me sentindo tão inútil. Tão... normal. — Ela se encolheu, com horror da palavra.

— Nem imagino como deve ser horrível. Ser normal? Eca.

Ela riu.

— Bem, pelo menos isso compensa por ter perdido seu ladrão irritante... Agora só preciso descobrir o que não estou vendo em Seattle.

Quando ela colocou as palavras daquela maneira — unindo os dois fatos na mesma frase —, tive o estalo. Aquilo que vinha fugindo de mim e me incomodava havia dias, a ligação importante que eu não conseguia estabelecer de repente ficou clara. Eu a fitei, meu rosto paralisado com a expressão, qualquer que fosse, que já estivesse ali.

— Não vai abrir? — perguntou ela.

Como não me mexi de imediato, Alice suspirou e tirou ela mesma a tampa da caixa. Apanhou algo e o ergueu, mas eu não conseguia me concentrar no que era aquilo.

— Lindo, não acha? Escolhi azul porque sei que é a cor que Edward mais gosta em você.

Eu não estava ouvindo.

— É o mesmo — sussurrei.

— Como é? — perguntou ela. — Você não tem nada igual a isso. Pelo amor de Deus, você só tem uma saia!

— Não, Alice! Esqueça as roupas e escute!

— Não gostou? — O rosto de Alice se fechou em decepção.

— Escute, Alice, não está vendo? É o *mesmo*! Aquele que entrou e roubou meus pertences e os vampiros novatos em Seattle. Eles estão juntos!

As roupas deslizaram por seus dedos e caíram na caixa.

Alice agora estava concentrada, a voz de repente cortante.

— Por que acha isso?

— Lembra o que Edward disse? Sobre alguém que estivesse usando os hiatos em sua visão para impedi-la de ver os recém-criados? E depois o que você disse antes, sobre o *timing* ser tão perfeito... O cuidado que o ladrão teve de não fazer contato, como se soubesse que você veria isso. Acho que você tinha razão, Alice, acho que ele sabia. Acho que ele também estava usando esses hiatos. E quais são as chances de *duas* pessoas diferentes não só saberem o bastante sobre você para fazer isso, mas também decidirem agir exatamente ao mesmo tempo? Nenhuma. É uma pessoa só. A mesma. Quem está formando o exército é quem roubou meu cheiro.

Alice não estava acostumada a ser pega de surpresa. Ficou paralisada, e continuou assim por tanto tempo que comecei a contar mentalmente enquanto esperava. Ela não se mexeu por dois minutos inteiros. Depois seus olhos voltaram a se concentrar em mim.

— Tem razão — disse num tom vazio. — É claro que você tem razão. E quando você coloca dessa maneira...

— Edward entendeu tudo errado — sussurrei. — Era um teste... Para ver se funcionaria. Se ele conseguiria entrar e sair com segurança desde que não fizesse nada que você pudesse estar observando. Como tentar me matar... E ele não pegou meus objetos para mostrar que tinha me encontrado. Ele roubou meu cheiro... pois assim os *outros* podem me encontrar.

Os olhos de Alice estavam arregalados de choque. Eu tinha razão, e dava para ver que ela sabia disso.

— Ah, não — murmurou ela.

Eu contava que minhas emoções não fizessem mais sentido. Enquanto processava o fato de que alguém havia criado um exército de vampiros — o exército que assassinara terrivelmente dezenas de pessoas em Seattle — com o propósito expresso de *me* destruir, senti um espasmo de alívio.

Em parte, por enfim acabar com a sensação irritante de que estava deixando passar algo essencial.

Mas o motivo maior era inteiramente diferente.

— Bem — sussurrei —, todos podem relaxar. Ninguém está tentando exterminar os Cullen, afinal.

— Se acha que algo mudou, está redondamente enganada — disse Alice entredentes. — Se alguém quer um de nós, terá de passar por todos os outros para conseguir.

— Obrigada, Alice. Mas pelo menos sabemos o que eles de fato querem. Isso deve ajudar.

— Talvez — murmurou ela. E começou a andar de um lado a outro do quarto.

Bam, bam — um punho bateu em minha porta.

Dei um salto. Alice nem pareceu perceber.

— Ainda não está pronta? Vamos chegar atrasados! — reclamou Charlie, parecendo tenso. Charlie odiava ocasiões festivas tanto quanto eu. No caso dele, grande parte do problema era precisar se vestir bem.

— Quase. Preciso de um minuto — disse eu, com a voz rouca.

Ele ficou em silêncio por meio segundo.

— Está chorando?

— Não. Estou nervosa. Pode ir.

Eu o ouvi descer a escada.

— Tenho que ir — sussurrou Alice.

— Por quê?

— Edward está vindo. Se ele escutar isso...

— Vai, vai! — insisti na mesma hora.

Edward ficaria furioso quando soubesse. Eu não poderia esconder aquilo por muito tempo, mas talvez a cerimônia de formatura não fosse o melhor momento para a reação dele.

— Vista isso — ordenou Alice enquanto saía pela janela.

Fiz o que ela disse, vestindo-me, tonta.

Tinha planejado fazer algo mais sofisticado com o cabelo, mas o tempo se esgotara, então ficou esticado e sem graça como em qualquer outro dia. Não importava. Não me incomodei em me olhar no espelho, então não fazia ideia de como o suéter e a saia de Alice tinham ficado em mim. Isso também não importava. Atirei no braço a horrorosa beca de formatura de poliéster amarelo e corri escada abaixo.

— Você está bonita — disse Charlie, já rouco, segurando a emoção. — É novo?

— É — murmurei, tentando me concentrar. — Alice me deu. Obrigada.

Edward chegou alguns minutos depois de a irmã sair. Não houve tempo suficiente para eu montar uma expressão tranquila. Mas, como estávamos na viatura com Charlie, ele não teve oportunidade de me perguntar o que havia de errado.

Charlie ficou irredutível na última semana, quando soube que eu pretendia ir à cerimônia de formatura de carona com Edward. E eu entendia o lado dele — os pais devem ter alguns direitos no dia da formatura. Concordei de bom grado e Edward sugeriu alegremente que todos fôssemos juntos. Uma vez que Carlisle e Esme não viram problemas nisso, Charlie não pôde fazer qualquer objeção convincente; ele concordou, de mau grado. Agora Edward estava no banco traseiro da viatura policial de meu pai, atrás da divisória de fibra de vidro, com cara de quem se divertia — talvez por causa da expressão alegre de meu pai e do sorriso que se alargava a cada vez que Charlie olhava Edward pelo retrovisor. O que quase certamente significava que Charlie estava imaginando coisas que o meteriam em problemas comigo se ele pensasse em voz alta.

— Está tudo bem com você? — sussurrou Edward ao me ajudar a sair do banco da frente, no estacionamento da escola.

— Nervosa — respondi, e não era mesmo mentira.

— Você está muito bonita — disse ele.

Ele parecia querer falar mais, mas Charlie, numa manobra evidente que ele pretendia que fosse sutil, meteu-se entre nós e colocou o braço em meus ombros.

— Está animada? — perguntou.

— Na verdade, não — admiti.

— Bella, é uma grande ocasião. Você está se formando no ensino médio. Agora vem o mundo real. A faculdade. Morar sozinha... Você não é mais a minha garotinha. — A voz de Charlie saiu sufocada no final.

— Pai — eu gemi. — Por favor, não fique todo sentimental comigo.

— Quem está sentimental? — grunhiu ele. — Agora, por que não está animada?

— Não sei, pai. Acho que a ficha ainda não caiu, sei lá.

— Ainda bem que Alice está dando essa festa. Você precisa de algo para se animar.

— Claro. É exatamente de uma festa que eu preciso.

Charlie riu de meu tom de voz e abraçou meus ombros com força. Edward olhou as nuvens, a expressão pensativa.

Meu pai teve de nos deixar na porta dos fundos do ginásio de esportes e dar a volta até a entrada principal, com os outros pais.

Estava um pandemônio enquanto a Srta. Cope, da administração, e o Sr. Varner, o professor de matemática, tentavam colocar todos na fila em ordem alfabética.

— Na frente, Sr. Cullen — ladrou o Sr. Varner para Edward.

— Oi, Bella!

Vi Jessica Stanley acenando para mim do final da fila, com um sorriso no rosto.

Edward me deu um beijo rápido, suspirou e foi para perto do pessoal de letra C. Alice não estava ali. O que ela ia fazer? Matar a formatura? Que *timing* infeliz, o meu. Devia ter esperado para fazer as deduções depois que aquilo tivesse terminado.

— Aqui, Bella! — gritou Jessica de novo.

Andei pela fila para tomar meu lugar atrás dela, um pouco curiosa por ela de repente ter ficado tão simpática. Enquanto me aproximava, vi Angela a cinco pessoas de distância, olhando Jessica com a mesma curiosidade. Jess tagarelava antes que eu conseguisse escutar.

— ... isso é tão incrível. Quer dizer, parece que acabamos de nos conhecer e agora estamos nos formando juntas — tagarelava ela. — Dá para acreditar que acabou? Tenho vontade de gritar!

— Eu também — murmurei.

— É tudo tão inacreditável. Você se lembra de seu primeiro dia aqui? Éramos amigas, como agora. Desde a primeira vez em que nos vimos. Incrível. E agora vou para a Califórnia e você vai para o Alasca, e eu vou sentir tanto sua falta! Você tem que prometer que vamos nos ver algumas vezes! Estou tão feliz por você dar a festa. É perfeito. Porque na verdade nós não passamos muito tempo juntas por algum tempo e todos vão embora...

Ela continuou sem parar, e eu tinha certeza de que o retorno repentino de nossa amizade se devia à nostalgia da formatura e à gratidão pelo convite para a festa, não que eu tivesse algo a ver com isso. Prestei o máximo de atenção que pude enquanto vestia minha beca. E descobri que estava feliz que tudo terminasse bem com Jessica.

Porque era um fim, não importava o que Eric, o orador da turma, tivesse a dizer sobre a colação de grau significar o "início" e todo o restante do absurdo trivial. Talvez mais para mim do que para os demais, mas estávamos todos abandonando alguma coisa ali.

Foi tudo muito rápido. Parecia que eu tinha apertado o botão de *avançar*. Era para andarmos tão depressa assim? E depois Eric estava falando acelerado de tão nervoso, as palavras e as frases atropelando-se de tal modo que não faziam mais sentido. O diretor Greene começou a chamar os nomes, um após o outro, sem uma boa pausa; a fila em frente ao ginásio acelerava para acompanhar. A pobre da Srta. Cope estava toda desajeitada ao tentar passar ao diretor o diploma certo a entregar ao estudante certo.

Observei enquanto Alice, que apareceu de repente, dançou pelo palco para pegar o dela com um olhar de profunda concentração. Edward a seguiu, a expressão confusa, mas não aborrecida. Só aqueles dois conseguiam usar aquela beca amarela horrorosa e ainda assim continuar bonitos. Eles se destacavam do resto da multidão, com sua beleza e graça de outro mundo. Perguntei-me como pude ter caído naquela sua farsa sobre serem humanos. Um casal de anjos, parado ali com as asas intactas, seria mais discreto.

Ouvi o Sr. Greene chamar meu nome e me levantei da cadeira, esperando que a fila diante de mim se mexesse. Percebi os gritos no fundo do ginásio e olhei em volta. Vi Jacob colocando Charlie de pé, os dois gritando e me encorajando. Pude distinguir apenas o alto da cabeça de Billy, ao lado do cotovelo de Jake. Consegui lançar a eles algo parecido com um sorriso.

O Sr. Greene terminou a lista de nomes, depois continuou a entregar diplomas com um sorriso tímido enquanto a fila andava.

— Meus parabéns, Srta. Stanley — murmurou ele enquanto Jessica pegava o dela.

— Meus parabéns, Srta. Swan — murmurou ele para mim, colocando o diploma em minha mão boa.

— Obrigada — murmurei.

E foi isso.

Fui me sentar ao lado de Jessica, com os formados. Jess estava completamente vermelha em volta dos olhos e secava o rosto com a manga da beca. Precisei de um segundo para entender que ela estava chorando.

O Sr. Greene falou algo que não ouvi e todos à minha volta gritaram. Choveram chapéus amarelos. Eu tirei o meu, tarde demais. E deixei que caísse no chão.

— Ah, Bella! — tagarelou Jess mais alto que o repentino rugido de conversas. — Nem acredito que terminamos.

— Eu não acredito que tudo terminou — murmurei.

Ela atirou os braços em meu pescoço.

— Tem que me prometer que não vamos perder contato.

Retribuí o abraço, com uma sensação estranha enquanto me esquivava de seu pedido.

— Gostei muito de conhecer você, Jessica. Foram dois anos muito bons.

— Foram — suspirou ela, e fungou. Depois soltou os braços. — Lauren! — gritou, acenando com a mão no alto e abrindo caminho por entre as becas amarelas e amontoadas. As famílias começavam a convergir, cada vez mais nos espremendo.

Pude ver Angela e Ben, mas eles estavam cercados pelos familiares. Iria cumprimentá-los mais tarde.

Estiquei o pescoço, procurando por Alice.

— Parabéns — sussurrou Edward em meu ouvido, os braços envolvendo minha cintura. Sua voz era contida; ele não tinha a menor pressa de que aquele marco em particular chegasse.

— Hmmm, obrigada.

— Você ainda não parece mais calma — observou ele.

— Ainda não.

— O que resta para se preocupar? A festa? Não vai ser assim tão terrível.

— Você deve ter razão.

— Quem está procurando?

Minha busca não era tão sutil como eu pensava.

— Alice... Onde ela está?

— Ela correu assim que pegou o diploma.

A voz dele assumiu um novo tom. Olhei para ele e vi sua expressão confusa enquanto fitava a porta dos fundos do ginásio, e tomei uma decisão impulsiva — do tipo que eu realmente devia repensar, mas raras vezes o fazia.

— Preocupado com Alice? — perguntei.

— Er... — Ele não queria responder.

— Em que ela estava pensando, aliás? Sabe, para esconder de você o que quer que seja.

Seus olhos faiscaram para meu rosto e se estreitaram, desconfiados.

— Ela estava traduzindo o Hino da República para o árabe. Quando terminou, passou para o coreano.

Eu ri de nervoso.

— Acho que isso manteria mesmo a cabeça dela ocupada.

— Você sabe o que ela está escondendo de mim — acusou ele.

— Claro. — Dei um sorriso amarelo. — Fui eu que comecei tudo.

Ele esperou, confuso.

Olhei em volta. Charlie agora estaria atravessando a multidão.

— Conhecendo Alice — sussurrei com pressa —, ela deve tentar esconder isso de você até o fim da festa. Mas, já que eu faria qualquer coisa para a festa ser cancelada... Bem, não fique nervoso, independentemente de qualquer coisa, está bem? É sempre melhor saber o máximo possível. Pode ajudar, de alguma forma.

— Do que você está falando?

Vi que a cabeça de Charlie subia e descia acima das outras enquanto procurava por mim. Ele me localizou e acenou.

— Fique calmo, está bem?

Ele assentiu, a boca numa linha severa.

Aos sussurros, apressada, expliquei meu raciocínio.

— Acho que você estava enganado sobre sermos atingidos de todos os lados. Acho que tudo isso vem principalmente de um só lado... A intenção, na verdade, é me atingir. Tudo está ligado, faz sentido. Há uma única pessoa confundindo as visões de Alice. O estranho em meu quarto era um teste, para ver se alguém poderia se esquivar dela. Só pode ser a mesma pessoa, mudando de ideia, e os recém-criados, e roubando minhas roupas... tudo isso é uma coisa só. Meu cheiro é para eles.

O rosto dele ficou tão branco que tive dificuldade de terminar.

— Mas ninguém está atrás de vocês, não entende? Isso é bom... Esme, Alice e Carlisle, ninguém quer feri-los!

Seus olhos ficaram enormes, arregalados de pânico, confusos e apavorados. Ele, assim como Alice, percebeu que eu tinha razão.

Pus a mão em seu rosto.

— Calma — pedi.

— Bella! — Charlie gritou com alegria, abrindo caminho por entre as famílias espremidas à nossa volta.

— Meus parabéns, menina! — Ainda gritava, embora estivesse bem ao meu lado. Ele me abraçou, mesmo tendo de empurrar Edward um pouco para fazer isso.

— Obrigada — murmurei, preocupada com a expressão de Edward.

Ele ainda não havia recuperado o controle. As mãos estavam quase estendidas em minha direção, como se fosse me pegar e fugir dali. Embora eu estivesse um pouco mais controlada, correr não parecia uma ideia tão terrível.

— Jacob e Billy tiveram de ir embora... Viu que eles estavam aqui? — perguntou Charlie, recuando um passo, mas deixando as mãos em meus ombros. Ele estava de costas para Edward — provavelmente, uma tentativa de excluí-lo, mas no momento isso era bom. A boca de Edward estava escancarada, os olhos ainda arregalados de medo.

— Sim — garanti a meu pai, tentando prestar atenção. — Eu os ouvi também.

— Foi legal da parte deles terem vindo — disse Charlie.

— Arrã.

Tudo bem, contar a Edward fora uma ideia muito ruim. Alice tinha razão em manter seus pensamentos encobertos. Eu devia ter esperado até que estivéssemos a sós em algum lugar, talvez com a família dele. E sem nada frágil por perto — como janelas... carros... prédios da escola. O rosto dele trouxe de volta todo meu medo e mais um pouco. Mas sua expressão naquele momento extrapolara o medo — era pura fúria o que de repente ficou nítido em suas feições.

— E, então, onde quer jantar? — perguntou Charlie. — O céu é o limite.

— Eu posso fazer a comida.

— Não seja boba. Quer ir ao Lodge? — perguntou ele, com um sorriso ansioso.

Eu não gostava particularmente do restaurante preferido do meu pai, mas, àquela altura, faria alguma diferença? Eu não conseguiria mesmo comer.

— Claro, o Lodge, ótimo — disse.

O sorriso de Charlie se alargou ainda mais, depois ele suspirou. Virou um pouco a cabeça para Edward, sem realmente olhar para ele.

— Você também vem, Edward?

Eu o fitei com olhos suplicantes. Edward recompôs a expressão pouco antes de Charlie se virar para ver por que não recebera uma resposta.

— Não, obrigado — disse Edward, áspero, a expressão dura e fria.

— Tem planos com seus pais? — perguntou Charlie, com uma voz rabugenta. Edward era sempre mais educado do que Charlie merecia; a hostilidade repentina o surpreendeu.

— Sim. Se me derem licença... — Edward se virou abruptamente e se afastou na multidão que diminuía. Movimentou-se um pouco rápido demais, bastante aborrecido para manter seu disfarce, em geral perfeito.

— O que foi que eu disse? — perguntou Charlie, com uma expressão de culpa.

— Não se preocupe, pai — eu o tranquilizei. — Não acho que seja por sua causa.

— Vocês brigaram de novo?

— Ninguém está brigando. Cuide do que é da sua conta.

— Você *é* da minha conta.

Eu revirei os olhos.

— Vamos comer.

O Lodge estava abarrotado. Na minha opinião, o lugar era caro e brega, mas era o que a cidade tinha de mais parecido com um restaurante elegante, então a procura era sempre grande em ocasiões festivas. Fiquei observando com melancolia a cabeça empalhada de um alce deprimido, enquanto Charlie comia costeletas e falava com os pais de Tyler Crowley por cima das costas da cadeira. Estava barulhento — todos ali vinham da formatura e a maioria conversava pelos corredores e por cima dos reservados, como Charlie.

Eu estava de costas para a janela da frente e resisti ao impulso de me virar e procurar pelos olhos que podia sentir sobre mim. Sabia que não conseguiria ver nada. Assim como sabia que não havia possibilidade de ele me deixar desprotegida, nem por um segundo. Não depois daquilo.

O jantar se arrastava. Charlie, ocupado socializando, comeu muito devagar. Eu remexia meu hambúrguer, enfiando pedaços no guardanapo quando tinha certeza de que a atenção dele estava em outro lugar. Tudo parecia consumir um tempo longo demais, mas quando eu olhava o relógio — o que fiz com uma frequência maior do que a necessária —, os ponteiros não tinham se movido muito.

Por fim Charlie pegou o troco e colocou a gorjeta na mesa. Eu me levantei.

— Está com pressa? — perguntou-me.

— Quero ajudar Alice nos preparativos — argumentei.

— Tudo bem. — Ele se afastou para se despedir de todos. Eu saí para esperar ao lado da viatura.

Fiquei encostada na porta do carona, esperando que Charlie se arrastasse para fora da festa improvisada. Estava quase escuro no estacionamento, as nuvens tão carregadas que não havia como saber se o sol tinha ou não se posto. O ar parecia pesado, como se estivesse a ponto de chover.

Algo se moveu nas sombras.

Meu arfar se transformou num suspiro de alívio quando Edward surgiu das sombras.

Sem nada dizer, ele me puxou para seu peito. A mão fria encontrou meu queixo e ergueu meu rosto, para que seus lábios duros se juntassem aos meus. Eu podia sentir a tensão em seu maxilar.

— Como você está? — perguntei assim que ele me deixou respirar.

— Não muito bem — murmurou ele. — Mas estou mais controlado. Desculpe por ter sumido de lá.

— A culpa foi minha. Devia ter esperado para lhe contar.

— Não — discordou ele. — Eu precisava saber. Nem acredito que não percebi!

— Você tinha muitas preocupações.

— E você não?

Ele de repente me beijou de novo, sem deixar que eu respondesse. Afastou-se depois de um segundo.

— Charlie está vindo.

— Ele vai me deixar na sua casa.

— Sigo vocês até lá.

— Na verdade, não precisa — tentei dizer, mas ele já havia ido.

— Bella? — Charlie chamou da porta do restaurante, semicerrando os olhos no escuro.

— Estou aqui fora.

Ele andou devagar até o carro, resmungando sobre a impaciência.

— E, então, como está se sentindo? — perguntou-me enquanto me levava para o norte pela via expressa. — Foi um grande dia.

— Estou bem — menti.

Ele riu, percebendo isso com facilidade.

— Preocupada com a festa? — perguntou.

— É — menti de novo.

Dessa vez ele não percebeu.

— Você nunca foi muito de festas.

— De onde será que vem isso? — murmurei.

Charlie riu.

— Bem, você está muito bonita. Queria ter pensado em lhe comprar algum presente. Desculpe.

— Não seja bobo, pai.

— Não é bobeira. Sinto que nem sempre fiz tudo o que devia por você.

— Isso é ridículo. Você fez um trabalho incrível. O melhor pai do mundo. E... — Não era fácil falar de sentimentos com Charlie, mas insisti, depois de um pigarro. — E estou muito feliz por ter vindo morar com você, pai. Foi a melhor ideia que já tive. Então, não se preocupe... Você só está passando pelo "pessimismo pós-formatura".

Ele soltou um suspiro.

— Talvez. Mas tenho certeza de que errei em alguns pontos. Quero dizer, olhe para sua mão!

Fitei inexpressivamente minhas mãos. A esquerda estava pousada de leve na tala escura na qual eu raras vezes pensava. Minha articulação quebrada agora não doía tanto.

— Nunca pensei que fosse precisar ensinar a você como dar um soco. Acho que errei nisso.

— Pensei que estivesse do lado de Jacob.

— Não importa de que lado estou, se alguém a beija sem sua permissão, é bom ser capaz de expressar seus sentimentos sem se machucar. Você não deixou o polegar dentro do punho, deixou?

— Não, pai. Isso é até fofo, mesmo que de um jeito esquisito, mas não acho que as aulas teriam ajudado. A cabeça do Jacob é dura *mesmo*.

Charlie riu.

— Da próxima vez, acerte o estômago dele.

— Da próxima vez? — perguntei, incrédula.

— Ai, não seja tão dura com o garoto. Ele é jovem.

— Ele é arrogante.

— Ele ainda é seu amigo.

— Eu sei — suspirei. — Não sei mesmo qual é a atitude certa a tomar nesse caso, pai.

Charlie assentiu devagar.

— É. O certo nem sempre é muito óbvio. Às vezes o certo para uma pessoa é o errado para outra. Então... boa sorte quando decidir.

— Obrigada — murmurei, seca.

Charlie riu de novo, depois franziu o cenho.

— Se essa festa ficar louca demais... — começou ele.

— Não se preocupe, pai. Carlisle e Esme estarão lá. Tenho certeza de que você pode vir também, se quiser.

Charlie fez uma careta enquanto semicerrava os olhos, fitando a noite pelo para-brisa. Charlie gostava de uma boa festa tanto quanto eu.

— Mas onde está a entrada, de novo? — perguntou. — Eles deviam ter limpado esse caminho... É impossível encontrá-la no escuro.

— Pegando a próxima esquina, eu acho — franzi os lábios. — Quer saber, você tem razão... Não dá para encontrar. Alice disse que fez um mapa no convite, mas, mesmo assim, é possível que todos se percam. — Eu me animei um pouco com a ideia.

— Talvez — disse Charlie, enquanto a estrada fazia uma curva para o leste. — Ou talvez não.

A escuridão de veludo escuro foi interrompida mais à frente, onde devia estar a entrada dos Cullen. Alguém tinha enrolado milhares de luzes de pisca-pisca nas duas árvores em cada lado da entrada, era impossível errar.

— Alice — falei, com tristeza.

— Puxa vida — disse Charlie ao pegar o caminho. As árvores ali não eram as únicas acesas. Mais ou menos a cada seis metros outro farol iluminado nos guiava até a grande casa branca. Em todo o caminho, por todos os cinco quilômetros.

— Ela não faz nada pela metade, não é? — murmurou Charlie, pasmo.

— Tem certeza de que não quer entrar?

— Certeza absoluta. Divirta-se, garota.

— Muito obrigada, pai.

Ele ria sozinho enquanto eu saía do carro e fechava a porta. Eu o vi se afastar, ainda sorrindo. Com um suspiro, subi a escada para enfrentar minha festa.

17. ALIANÇA

— BELLA?

A voz suave de Edward surgiu atrás de mim. Eu me virei e o vi disparando com leveza pela escada da varanda, o cabelo esvoaçando. Ele me tomou nos braços num só movimento, como tinha feito no estacionamento, e me beijou de novo.

Esse beijo me assustou. Havia tensão demais, foi muito brusca a pressão de seus lábios nos meus — como se ele estivesse com medo de termos pouco tempo para nós dois.

Eu não podia me permitir pensar naquilo. Não se precisava agir como um ser humano nas próximas horas. Afastei-me dele.

— Vamos passar logo por essa festa idiota — murmurei, sem encontrar seus olhos.

Ele pôs as mãos em meu rosto e esperou até que eu o olhasse.

— Não vou deixar que nada lhe aconteça.

Toquei seus lábios com os dedos da mão boa.

— Não estou tão preocupada comigo.

— Por que isso não me surpreende? — murmurou ele consigo mesmo. Edward respirou fundo, depois sorriu um pouco. — Pronta para comemorar? — perguntou.

Eu gemi.

Ele abriu a porta para mim, com o braço firme em minha cintura. Fiquei paralisada por um minuto, depois sacudi a cabeça devagar.

— Inacreditável.

Edward deu de ombros.

— Alice vai ser sempre Alice.

O interior da casa dos Cullen fora transformado numa boate — do tipo que não se vê muito na vida real, só na tevê.

— Edward! — chamou ela, ao lado de uma caixa de som gigante. — Preciso de seu conselho. — E gesticulou para uma pilha imensa de CDs. — Devemos dar a eles o familiar e confortável? Ou — gesticulou para outra pilha — educar seu gosto musical?

— Fique no confortável — recomendou Edward. — Só é possível levar o cavalo à água.

Alice assentiu, séria, e começou a atirar os CDs educativos numa caixa. Percebi que ela trocara de roupa; usava um top de lantejoulas e calça de couro vermelha. Sua pele nua reagia estranhamente às luzes pulsantes vermelhas e roxas.

— Acho que estou malvestida.

— Você está perfeita — discordou Edward.

— Vai ficar — corrigiu Alice.

— Obrigada — suspirei. — Acha mesmo que as pessoas virão? — Qualquer um podia ouvir a esperança em minha voz. Alice fez uma careta para mim.

— Todos virão — respondeu Edward. — Todos estão morrendo de vontade de ver como é por dentro a casa misteriosa dos reclusos Cullen.

— Fabuloso — gemi.

Não havia nada que eu pudesse fazer para ajudar. Duvidava que fosse capaz de fazer as coisas como Alice mesmo depois que não precisasse dormir e me movesse com mais rapidez.

Edward recusou-se a me deixar por um segundo que fosse, arrastando-me com ele enquanto procurava Jasper e depois Carlisle para falar de minha revelação. Com um pavor mudo, eu os ouvi discutir o ataque ao exército de Seattle. Eu sabia que Jasper não estava satisfeito com o contingente, mas eles não haviam conseguido fazer contato com ninguém além da relutante família de Tanya. Jasper não tentou esconder seu desespero, como Edward teria feito. Era fácil ver que ele não gostava de apostar tão alto.

Eu não podia ficar para trás, esperando e torcendo para que eles voltassem para casa. Não ia fazer isso. Eu enlouqueceria.

A campainha tocou.

De repente, tudo ficou surrealmente normal. Um sorriso perfeito, genuíno e caloroso substituiu o estresse no rosto de Carlisle. Alice aumentou o volume da música, depois bailou até a porta.

Era um Suburban lotado com meus amigos, nervosos ou intimidados demais para chegar sozinhos. Jessica foi a primeira a aparecer na porta, com Mike ao lado. Tyler, Conner, Austin, Lee, Samantha... até Lauren, que apareceu por último, os olhos críticos brilhando de curiosidade. Todos estavam curiosos, e depois abismados ao verem a sala imensa decorada como uma *rave* chique. A sala não estava vazia; todos os Cullen tinham assumido seus lugares, prontos para usar sua sempre perfeita fachada humana. Naquela noite eu me sentia atuando tanto quanto eles.

Fui cumprimentar Jess e Mike, na esperança de que a tensão em minha voz transparecesse o tipo certo de empolgação. Antes que eu pudesse me aproximar de mais alguém, a campainha voltou a tocar. Recebi Angela e Ben e deixei a porta aberta, porque Eric e Katie se aproximavam da escada.

Não houve outra oportunidade de entrar em pânico. Tive de conversar com todos e me concentrar em ser a anfitriã animada. Embora a festa tivesse sido divulgada como um evento meu, de Alice e de Edward, não havia como negar que eu era o alvo mais popular dos parabéns e dos agradecimentos. Talvez porque os Cullen parecessem um pouco deslocados sob as luzes de festa de Alice. Talvez porque as luzes deixassem a sala escura e misteriosa. Não havia clima para um ser humano comum se sentir relaxado, parado ao lado de alguém como Emmett. Vi Emmett sorrir para Mike perto da mesa com a comida, as luzes vermelhas reluzindo em seus dentes, e observei Mike automaticamente dar um passo para trás.

Provavelmente Alice tinha feito de propósito, para me obrigar a ser o centro das atenções — uma posição que, na opinião dela, eu devia aproveitar mais. Ela sempre tentava me fazer ser humana do modo como pensava que os humanos eram.

A festa foi um sucesso evidente, apesar da tensão instintiva causada pela presença dos Cullen — ou talvez isso só acrescentasse uma atmosfera de excitação. A música era contagiante, as luzes, quase hipnóticas. Pelo modo como a comida desapareceu, devia estar boa também. A sala logo ficou abarrotada, mas em momento nenhum claustrofóbica. Parecia que toda a turma do último ano estava presente, junto com a maioria dos calouros. Os corpos se agitavam na batida que ressoava sob seus pés, a festa o tempo todo no limite de virar uma boate.

Não foi tão difícil quanto eu pensava. Segui o exemplo de Alice, misturando-me e conversando por um minuto com todos. Eles pareciam bastante à vontade. Eu tinha certeza de que aquela era a festa mais descolada já feita em Forks. Alice estava quase sem fôlego — ninguém ali se esqueceria daquela noite.

Dei uma volta na sala e estava de novo com Jessica. Ela tagarelava animada e não era preciso prestar total atenção, porque era provável que tão cedo não precisasse de qualquer resposta minha. Edward estava a meu lado — ainda se recusando a me largar. Mantinha a mão firme em minha cintura, e de vez em quando me puxava para mais perto, em reação aos pensamentos que eu provavelmente não ia querer ouvir.

Então, quando ele soltou o braço e se afastou de mim, desconfiei na mesma hora.

— Fique aqui — murmurou ele em minha orelha. — Volto logo.

Atravessou a multidão com elegância, aparentemente sem tocar nenhum daqueles corpos próximos, afastando-se tão rápido que não pude perguntar por que estava saindo. Eu o fitei com os olhos semicerrados enquanto Jessica gritava ansiosa mais alto que a música, pendurada em meu cotovelo, sem perceber minha distração.

Eu o vi quando chegou à sombra escura ao lado da porta da cozinha, onde as luzes só brilhavam em intervalos. Estava inclinado na direção de alguém, mas não pude ver quem era com todas aquelas cabeças entre nós.

Fiquei na ponta dos pés, esticando o pescoço. Naquele momento, uma luz vermelha piscou nas costas dele e cintilou nas lantejoulas vermelhas da blusa de Alice. A luz só tocou o rosto dela por meio segundo, mas foi o bastante.

— Um minuto, Jess — murmurei, puxando meu braço. Não parei para ver a reação dela, nem checar se tinha ferido seus sentimentos com minha rispidez.

Abri caminho por entre as pessoas, ganhei alguns empurrões. Havia gente dançando agora. Corri para a porta da cozinha.

Edward se fora, mas Alice ainda estava ali no escuro, o rosto inexpressivo — o tipo de olhar vazio que se via em alguém que acabara de testemunhar um acidente horrível. Uma das mãos agarrava o batente da porta, como se precisasse de apoio.

— O que foi, Alice, o que foi? O que você viu? — Minhas mãos estavam fechadas diante de mim, implorando.

Ela não me olhou, seu olhar estava distante. Eu o segui e vi que seu olhar cruzou com o de Edward do outro lado da sala. O rosto dele estava vazio como pedra. Ele se virou e desapareceu nas sombras sob a escada.

A campainha tocou naquele exato momento, horas depois da última vez, e Alice olhou com uma expressão de perplexidade que rapidamente se transformou em repulsa.

— Quem convidou o lobisomem? — ela me segurou.

Fiz cara feia.

— Culpada.

Pensei que tivesse desperdiçado o convite — jamais imaginara que Jacob fosse *ali*, apesar de tudo.

— Bem, então você cuide disso. Tenho que conversar com Carlisle.

— Não, Alice, espere! — Tentei pegar seu braço, mas ela se foi e minha mão agarrou o ar.

— Droga!

Eu sabia o que era. Alice tinha visto o que esperava, e eu sinceramente não achava que pudesse suportar o suspense por tempo suficiente para atender à porta. A campainha tocou de novo, demorada demais, alguém não parava de apertar o botão. Decidida, dei as costas para a entrada e procurei por Alice na sala escura.

Eu nada conseguia ver. Comecei a abrir caminho até a escada.

— Ei, Bella!

A voz grave de Jacob soou numa pausa da música, e, sem querer, olhei de volta ao ouvir meu nome.

Fiz cara feia.

Não havia apenas um lobisomem, eram três. Jacob tinha entrado, flanqueado por Quil e Embry. Os dois pareciam terrivelmente tensos, os olhos disparando pela sala como se tivessem acabado de entrar numa cripta assombrada. A mão trêmula de Embry ainda segurava a porta, o corpo meio de lado, pronto para sair correndo.

Jacob acenava para mim, mais calmo do que os outros, embora seu nariz estivesse franzido de nojo. Eu acenei — um adeus — e me virei para procurar por Alice. Passei espremida por um espaço entre as costas de Conner e de Lauren.

Ele surgiu do nada, a mão em meu ombro me puxando para a sombra da cozinha. Eu me abaixei ao sentir o toque, mas ele pegou meu pulso bom e me puxou da multidão.

— Recepção simpática — observou.

Livrei minha mão e fechei a cara para ele.

— O que você está *fazendo* aqui?

— Você me convidou, lembra?

— Se meu gancho de direita foi sutil demais para você, posso traduzir: aquilo foi um *des*convite.

— Não seja estraga-prazeres. Trouxe um presente de formatura e tudo.

Cruzei os braços. Não queria brigar com Jacob naquela hora. Queria saber o que Alice tinha visto, o que Edward e Carlisle estavam falando. Estiquei o pescoço para olhar em volta de Jacob, procurando por eles.

— Devolva para a loja, Jake. Tenho que fazer uma coisa...

Ele se colocou em minha linha de visão, exigindo atenção.

— Não posso devolver. Não foi comprado... Eu mesmo fiz. E levou muito tempo também.

Afastei-me dele de novo, mas não conseguia ver nenhum dos Cullen. Aonde eles tinha ido? Meus olhos percorreram a sala escura.

— Ah, vai, Bells. Não finja que eu não estou aqui!

— Não estou fingindo. — Eu não conseguia vê-los em lugar algum. — Olha, Jake, tenho muitas preocupações.

Ele pôs a mão sob meu queixo e ergueu meu rosto.

— Posso, por favor, ter alguns segundos de sua atenção só para mim, Srta. Swan?

Afastei-me de seu toque com um safanão.

— Tire as mãos de mim, Jacob — sibilei.

— Desculpe! — disse ele na mesma hora, erguendo as mãos como quem se rende. — Me desculpe, de verdade. Sobre o outro dia também. Eu não devia ter beijado você daquele jeito. Foi um erro. Eu acho... Bom, acho que me iludi pensando que você quisesse aquilo.

— Iludido... Que descrição perfeita!

— Seja boazinha. Pode aceitar minhas desculpas, sabe disso.

— Tudo bem. Desculpas aceitas. Agora, se me der licença por um momento...

— Tudo bem — murmurou ele, e sua voz era tão diferente de antes que parei de procurar por Alice para examinar seu rosto. Ele olhava o chão, desviando o olhar. Seu lábio inferior se projetava um pouquinho.

— Acho que prefere ficar com seus amigos *de verdade* — disse ele no mesmo tom defensivo. — Eu entendi.

Eu gemi.

— Ai, Jake, você sabe que isso não é justo.

— Sei?

— *Devia* saber. — Curvei-me para a frente e espiei, tentando olhar em seus olhos. Ele então levantou a cabeça, mais alto que a minha, evitando meu olhar.

— Jake?

Ele se recusava a me olhar.

— Ei, você disse que fez algo para mim, não foi? — perguntei. — Era só papo? Onde está meu presente? — Minha tentativa de falso entusiasmo era bem triste, mas funcionou. Ele revirou os olhos e fez uma careta.

Continuei com a farsa imperfeita, estendendo a mão aberta.

— Estou esperando.

— Tudo bem — resmungou ele com sarcasmo. Mas colocou a mão no bolso de trás do jeans e pegou um saquinho de tecido macio e colorido. Estava amarrado com tiras de couro. Colocou-o em minha mão.

— Ei, é lindo, Jake. Obrigada!

Ele suspirou.

— O presente está *dentro*, Bella.

— Ah!

Tive alguma dificuldade com os cordões. Ele suspirou de novo e apanhou o saquinho, abrindo os laços com um simples puxão na ponta certa. Estendi o braço para pegá-lo, mas ele virou o saco de cabeça para baixo e sacudiu algum objeto prateado em minha mão. Elos de metal tiniram baixinho.

— Eu não fiz a pulseira — admitiu. — Só o pingente.

Preso a um dos elos da pulseira de prata havia um entalhe mínimo em madeira. Segurei-o entre os dedos para olhar mais de perto. Era incrível a quantidade de detalhes da pequena figura — o lobo em miniatura era totalmente realista. Fora entalhado numa madeira marrom-avermelhada que combinava com a cor da pele de Jake.

— É lindo — sussurrei. — Você *fez* isso? Como?

Ele deu de ombros.

— É uma coisa que Billy me ensinou. Ele é melhor que eu nisso.

— É difícil de acreditar — murmurei, girando o lobo pequenino nos dedos.

— Gostou mesmo dele?

— Sim! É inacreditável, Jake.

Ele sorriu, primeiro feliz, mas depois com a expressão azeda.

— Bem, imaginei que talvez isso a fizesse se lembrar de mim de vez em quando. Sabe como é, longe dos olhos, longe do coração.

Ignorei a atitude.

— Vai, me ajude a colocar.

Estendi o pulso esquerdo, já que o direito estava preso na tala. Ele prendeu o fecho depressa, embora parecesse delicado demais para seus dedos grandes.

— Vai usar? — perguntou.

— É claro que vou.

Ele sorriu para mim — era o sorriso feliz que eu amava ver.

Devolvi o sorriso por um momento, mas depois, por reflexo, meus olhos percorreram a sala de novo, esquadrinhando com ansiedade a multidão em busca de algum sinal de Edward ou Alice.

— Por que está tão distraída? — perguntou Jacob.

— Não é nada — menti, tentando me concentrar. — Obrigada pelo presente, de verdade. Eu adorei.

— Bella? — As sobrancelhas dele se uniram, lançando os olhos nas sombras. — Está acontecendo alguma coisa, não é?

— Jake, eu... Não, não há nada.

— Não minta para mim, você é péssima mentindo. Devia me contar o que está havendo. Queremos saber o que é — disse, usando o plural.

Ele devia ter razão; é claro que os lobos estariam interessados no que estava acontecendo. Só que eu *ainda* não tinha certeza do que era. Só saberia ao certo quando encontrasse Alice.

— Jacob, eu vou contar. Mas *me* deixe entender o que está havendo, está bem? Preciso falar com Alice.

Ele entendeu, e sua expressão se iluminou.

— A paranormal teve alguma visão.

— Sim, justo quando você chegou.

— É sobre o sanguessuga em seu quarto? — murmurou, a voz num tom mais baixo que o da música.

— Tem a ver — admiti.

Ele processou a informação por um minuto, inclinando a cabeça enquanto examinava meu rosto.

— Você sabe de alguma coisa que não está me contando... Alguma coisa *grande*.

Qual era o sentido de mentir novamente? Ele me conhecia muito bem.

— Sei.

Jacob me fitou por um breve momento, depois se virou para chamar a atenção dos irmãos parados na entrada, desajeitados e pouco à vontade. Quando eles perceberam sua expressão, começaram a se mover, abrindo caminho com agilidade por entre os convidados, quase como se estivessem dançando também. Em meio minuto estavam ao lado de Jacob, muito maiores que eu.

— Agora. Explique — exigiu Jacob.

Embry e Quil corriam os olhos entre o rosto de Jake e o meu, confusos e preocupados.

— Jacob, não sei de tudo. — Continuei esquadrinhando a sala, agora buscando socorro. Tinham me colocado contra a parede, em todos os sentidos.

— O que você *sabe*, então.

Todos cruzaram os braços no mesmo instante. Foi um pouco engraçado, mas principalmente ameaçador.

Então avistei Alice descendo a escada, a pele branca cintilando na luz roxa.

— Alice! — grunhi, aliviada.

Ela me olhou assim que chamei seu nome, apesar das batidas do som grave que devem ter abafado minha voz. Acenei, ansiosa, e observei seu rosto enquanto ela percebia os três lobisomens curvados sobre mim. Seus olhos se estreitaram.

Antes dessa reação, porém, suas feições eram de estresse e medo. Mordi o lábio quando ela saltou para meu lado.

Jacob, Quil e Embry se afastaram com uma expressão inquieta. Ela pôs o braço em minha cintura.

— Preciso conversar com você — murmurou em meu ouvido.

— Er, Jake, vejo você depois... — balbuciei enquanto passávamos por eles.

Jacob esticou o braço comprido para bloquear nosso caminho, apoiando a mão na parede.

— Ei, não tão rápido.

Alice o encarou, os olhos arregalados e incrédulos.

— Com licença?

— Diga o que está acontecendo — exigiu ele num rosnado.

Jasper apareceu quase literalmente do nada. Num segundo éramos apenas Alice e eu contra a parede, Jacob bloqueando nossa saída, em seguida Jasper estava parado do outro lado do braço de Jake, a expressão apavorante.

Jacob recolheu o braço devagar. Parecia a melhor atitude, partindo do pressuposto de que queria continuar tendo braço.

— Temos o direito de saber — murmurou Jacob, ainda encarando Alice.

Jasper se colocou entre eles e os três lobisomens se puseram a postos.

— Ei, ei — eu disse, acrescentando um riso meio histérico. — Estamos numa festa, lembram?

Ninguém prestou atenção em mim. Jacob encarava Alice enquanto Jasper o fuzilava com os olhos. A expressão de Alice de repente ficou pensativa.

— Está tudo bem, Jasper. Ele tem razão.

Jasper não relaxou.

Eu tinha certeza de que o suspense faria minha cabeça explodir em um segundo.

— O que você viu, Alice?

Ela encarou Jacob por um segundo, depois virou-se para mim, evidentemente escolhera deixar que eles ouvissem.

— A decisão foi tomada.

— Vocês vão a Seattle?

— Não.

Senti a cor sumir de meu rosto. Meu estômago oscilou.

— Eles estão vindo para cá — falei, sufocada.

Os rapazes quileutes observavam em silêncio, lendo cada emoção inconsciente em nossos rostos. Estavam parados em seu lugar e, no entanto, não estavam imóveis. Os três pares de mãos tremiam.

— Sim.

— Para Forks — sussurrei.

— Sim.

— Para?

Ela assentiu, entendendo minha pergunta.

— Um deles estava com sua blusa vermelha.

Engoli em seco.

A expressão de Jasper era de censura. Dava para ver que não lhe agradava discutir aquilo na frente dos lobisomens, mas tinha algo que ele precisava dizer.

— Não podemos deixar que cheguem tão longe. Não estamos em número suficiente para proteger a cidade.

— Eu sei — disse Alice, o rosto subitamente desolado. — Mas não importa onde vamos detê-los. Ainda assim não estaremos em número suficiente, e alguns virão aqui para procurar.

— Não! — sussurrei.

O barulho da festa era mais alto do que minha negação. A nosso redor, meus amigos, vizinhos e inimigos sem importância comiam, riam e dançavam com a música, sem saber que estavam prestes a enfrentar o horror, o perigo e talvez a morte. Por minha causa.

— Alice — murmurei o nome dela. — Tenho de ir embora, tenho de sair daqui.

— Isso não vai ajudar. Não estamos lidando com um rastreador. Eles ainda vão procurar primeiro aqui.

— Então temos que interceptá-los! — Se minha voz não estivesse tão grossa e tensa, poderia ter sido um grito. — Se encontrarem o que estão procurando, talvez vão embora e não machuquem mais ninguém!

— Bella! — protestou Alice.

— Espere aí — ordenou Jacob numa voz grave e vigorosa. — O *que* está vindo?

Alice lançou seu olhar gelado sobre ele.

— Nossa espécie. Muitos.

— Por quê?

— Atrás de Bella. É só o que sabemos.

— São muitos para vocês? — perguntou ele.

Jasper se empertigou.

— Temos algumas vantagens, cachorro. Será uma luta equilibrada.

— Não — disse Jacob, e um meio sorriso estranho e feroz se espalhou por seu rosto. — Não será *equilibrada*.

— Ótimo! — sibilou Alice.

Eu fitei, ainda paralisada de terror, a nova expressão de Alice. Seu rosto exultava, todo o desespero abandonara suas feições perfeitas.

Ela sorriu para Jacob, e ele retribuiu.

— Deixamos tudo para lá, é claro — disse ela, numa voz presunçosa. — É inconveniente, mas, dadas as circunstâncias, vou aceitar.

— Vamos ter de nos organizar — disse Jacob. — Não será fácil para nós. Ainda assim, é um trabalho mais nosso do que de vocês.

— Eu não chegaria a tanto, mas precisamos de ajuda. Não vamos ser seletivos.

— Peraí, peraí, peraí, peraí — eu os interrompi.

Alice estava na ponta dos pés, Jacob inclinado para ela, os dois rostos iluminados de empolgação, os narizes franzidos por causa do cheiro. Eles me olharam com impaciência.

— Organizar? — repeti entredentes.

— Achava mesmo que ia nos deixar de fora dessa? — perguntou Jacob.

— Vocês *estão* fora!

— Sua paranormal não pensa assim.

— Alice... Diga a eles que não! — insisti. — Eles vão morrer!

Jacob, Quil e Embry deram uma gargalhada.

— Bella — disse Alice, a voz tranquilizadora, tentando me acalmar —, separados, todos podemos ser mortos. Juntos...

— ... não será problema — Jacob terminou a frase.

Quil riu de novo.

— Quantos? — perguntou Quil com ansiedade.

— Não! — gritei.

Alice nem me olhou.

— Está variando... Hoje, vinte e um, mas o número está diminuindo.

— Por quê? — perguntou Jacob, curioso.

— É uma longa história — disse Alice, de repente olhando a sala. — E este não é o melhor lugar para ela.

— Esta noite, mais tarde? — pressionou Jacob.

— Sim — respondeu Jasper. — Já estamos planejando uma... reunião estratégica. Se vão lutar conosco, precisarão de algumas instruções.

Os lobos fizeram cara de tédio para essa última parte.

— Não! — gemi.

— Vai ser estranho — disse Jasper, pensativo. — Nunca nos imaginei trabalhando juntos. Será uma primeira vez.

— Não há dúvida — concordou Jacob. Ele agora tinha pressa. — Vamos voltar para pegar Sam. A que horas?

— O que é tarde demais para vocês?

Os três reviraram os olhos.

— A que horas? — repetiu Jacob.

— Às três?

— Onde?

— Quinze quilômetros ao norte do posto Hoh da polícia florestal. Venham pelo oeste e poderão seguir nosso cheiro.

— Estaremos lá.

Eles se viraram para partir.

— Espere, Jake! — gritei. — *Por favor!* Não faça isso!

Ele parou, virando-se para me lançar um sorriso, enquanto Quil e Embry seguiam impacientes para a porta.

— Não seja ridícula, Bells. Você está me dando um presente muito melhor do que o que dei a você.

— Não! — gritei novamente. O som de uma guitarra elétrica abafou meu lamento.

Ele não respondeu; correu para acompanhar os amigos, que já haviam partido. Observei, desconsolada, enquanto Jacob desaparecia.

18. INSTRUÇÕES

— Essa tinha de ser a festa mais longa da história do mundo — eu me queixei a caminho de casa.

Edward não pareceu discordar.

— Agora acabou — disse ele, afagando meu braço de forma tranquilizadora.

Porque eu era a única que precisava ser tranquilizada. Edward agora estava bem — todos os Cullen estavam bem.

Todos me acalmaram; Alice estendeu a mão para afagar minha cabeça quando saí, olhando sugestivamente Jasper até que uma onda de paz me cercou, Esme beijando minha testa e me dizendo que tudo ia ficar bem, Emmett rindo ruidosamente e perguntando por que eu era a única que podia brigar com lobisomens... A solução de Jacob deixara a todos relaxados, quase eufóricos depois das longas semanas de estresse. A dúvida fora substituída pela confiança. A festa terminara com um tom de verdadeira comemoração.

Não para mim.

Já era bem ruim — horrível — que os Cullen lutassem por mim. Já era demais que eu tivesse de permitir isso. Já parecia mais do que eu podia suportar.

Jacob também, não. Não seus irmãos tolos e ansiosos — a maioria era até mais nova do que eu. Eles só eram muito grandes, crianças com músculos demais, e aguardavam por isso como se fosse um piquenique na praia. Eu não podia vê-los em perigo também. Meus nervos pareciam em frangalhos, expostos. Não sabia por quanto tempo ainda poderia reprimir o impulso de berrar.

Agora eu sussurrava, para manter a voz sob controle.

— Você vai me levar esta noite.

— Bella, você está cansada.

— Acha que vou conseguir dormir?

Ele franziu o cenho.

— Isto é uma experiência. Não tenho certeza se será possível que todos... cooperem. Não quero você no meio disso.

Como se isso não me deixasse ainda mais ansiosa para ir.

— Se não me levar, vou ligar para Jacob.

Seus olhos se estreitaram. Foi um golpe baixo, e eu sabia disso. Mas não havia como ficar de fora.

Ele não respondeu; agora estávamos na casa de Charlie. A luz da frente estava acesa.

— Vejo você lá em cima — murmurou ele.

Passei pela porta da frente na ponta dos pés. Charlie dormia na sala, transbordando no sofá pequeno demais e roncando tão alto que eu podia ligar uma serra elétrica e isso não o teria acordado.

Sacudi seu ombro com vigor.

— Pai! Charlie!

Ele grunhiu de olhos ainda fechados.

— Cheguei em casa... Vai acabar com suas costas dormindo desse jeito. Venha, hora de ir para o quarto.

Precisei sacudi-lo mais algumas vezes e seus olhos não ficaram abertos o tempo todo, mas consegui tirá-lo do sofá. Eu o ajudei a ir para a cama, onde ele desmaiou por cima das cobertas, totalmente vestido, e começou a roncar de novo.

Ele não procuraria por mim tão cedo.

Edward esperava em meu quarto enquanto eu lavava o rosto e vestia jeans e uma blusa de flanela. Ele me olhava infeliz da cadeira de balanço, vendo-me pendurar no armário a roupa que Alice me dera.

— Venha cá — eu disse, pegando a mão dele, puxando-o para minha cama.

Empurrei-o para a cama e me enrosquei em seu peito. Talvez ele tivesse razão e eu *estivesse mesmo* cansada o suficiente para dormir. Mas eu não ia deixar que ele escapulisse sem mim.

Ele enfiou o cobertor à minha volta, depois me puxou para perto.

— Relaxe, por favor.

— Claro.

— Isso vai dar certo, Bella. Eu sinto que vai.

Meus dentes se trincaram.

Ele ainda irradiava alívio. Ninguém, a não ser eu, se importava com a possibilidade de Jacob e os amigos se ferirem. Nem Jacob e os amigos. Em especial eles.

Ele sabia que eu estava a ponto de enlouquecer.

— Escute-me, Bella. Isso será *fácil*. Os recém-criados serão pegos completamente de surpresa. Não saberão que os lobisomens ainda existem, não mais do que você no passado. Eu vi como eles agem em grupo, vi como Jasper se lembra. Acredito de verdade que as técnicas de caça dos lobos funcionarão de modo impecável contra eles. E com eles divididos e confusos, não haverá muito que tenhamos de fazer. Talvez alguém tenha de ficar de fora, olhando — brincou ele.

— Que moleza — murmurei monotonamente contra o peito dele.

— Shhhh. — Ele afagou meu rosto. — Você verá. Não se preocupe agora.

Ele começou a cantarolar minha cantiga de ninar, mas, pela primeira vez, não me acalmou.

As pessoas — bem, na verdade os vampiros e os lobisomens, mas ainda assim... —, as pessoas que eu amava iam se ferir. Iam se ferir por minha causa. De novo. Eu queria que minha falta de sorte fosse um pouco mais concentrada. Tinha vontade de gritar para o céu vazio: *É a mim que ele quer... Aqui! Só eu!*

Tentei pensar numa maneira de fazer exatamente isso — obrigar minha falta de sorte a se concentrar em mim. Não seria fácil. Eu teria de esperar, aguardar o momento certo...

Não conseguia dormir. Os minutos se passaram rápido, para minha surpresa, e eu ainda estava alerta e tensa quando Edward nos colocou sentados.

— Tem certeza de que não quer ficar e dormir?

Olhei amarga para ele.

Ele suspirou e me ergueu nos braços antes de pular pela minha janela.

Edward correu pela floresta escura e silenciosa levando-me nas costas e até naquela corrida eu pude sentir a exultação. Ele corria como fez quando éramos só nós dois, só por diversão, só pela sensação do vento no cabelo. Era o tipo de situação que teria me deixado feliz em épocas menos angustiantes.

Quando chegamos ao grande campo aberto, a família de Edward estava lá, relaxada, conversando despreocupadamente. De vez em quando o riso trovejante de Emmett ecoava no espaço amplo. Edward me baixou e andamos de mãos dadas na direção deles.

Precisei de um minuto, porque estava muito escuro, com a lua escondida atrás das nuvens, mas percebi que estávamos na clareira de beisebol. Era o mesmo lugar onde a primeira tarde despreocupada com os Cullen fora interrompida por James e seu bando mais de um ano atrás. Era estranho estar ali novamente — como se aquela reunião não fosse completa sem James, Laurent e Victoria. Mas James e Laurent nunca voltariam. Esse padrão não se repetiria. Talvez todos os padrões estivessem rompidos.

Sim, alguém havia quebrado o padrão deles. Seria possível que os Volturi fossem a parte flexível da equação?

Eu duvidava disso.

Victoria sempre me pareceu uma força da natureza — como um furacão deslocando-se para a costa em linha reta —, inevitável, implacável, mas previsível. Talvez fosse um erro limitá-la dessa maneira. Ela devia ser capaz de adaptação.

— Sabe o que eu acho? — perguntei a Edward.

Ele riu.

— Não.

Eu quase sorri.

— O que você acha?

— Acho que *tudo* está relacionado. Não só os dois, mas os três.

— Você me deixa perdido.

— Três coisas ruins aconteceram desde que você voltou. — Eu contei nos dedos. — Os recém-criados em Seattle. O estranho em meu quarto. E... sobretudo... Victoria veio procurar por mim.

Seus olhos se estreitaram ao pensar no assunto.

— Por que pensa assim?

— Porque eu concordo com Jasper... Os Volturi amam suas regras. Provavelmente fariam um trabalho melhor. — E eu estaria morta se eles me quisessem morta, acrescentei mentalmente. — Lembra quando você estava rastreando Victoria no ano passado?

— Sim. — Ele franziu o cenho. — Não fui muito competente nisso.

— Alice disse que você estava no Texas. Você a seguiu até lá?

Suas sobrancelhas se uniram.

— Sim. Hmmm...

— Veja só... Ela pode ter tido a ideia lá. Mas não sabe o que está fazendo, então todos os recém-criados estão fora de controle.

Ele começou a sacudir a cabeça.

— Só Aro sabe exatamente como funcionam as visões de Alice.

— Aro a conhece *melhor*, mas Tanya, Irina e seus outros amigos em Denali não sabem o *bastante*? Laurent viveu com eles por muito tempo. E se ele ainda tinha amizade com Victoria para lhe fazer favores, por que também não lhe contaria tudo o que sabia?

Edward franziu o cenho.

— Não foi Victoria em seu quarto.

— Ela não pode fazer novos amigos? Pense nisso, Edward. Se for mesmo Victoria que está fazendo isso em Seattle, ela *fez* muitos novos amigos. Ela os criou.

Ele pensou, a testa vincada de concentração.

— Hmmm — disse ele por fim. — É possível. Ainda acho mais provável que sejam os Volturi... Mas sua teoria... Há algum sentido nela. A personalidade de Victoria. Sua teoria combina perfeitamente com a personalidade dela. Desde o início ela demonstrou um dom extraordinário para a autopreservação... Talvez seja um talento. De qualquer forma, esse plano não a colocaria em perigo conosco se ela ficasse quieta em segurança e deixasse que os recém-criados fizessem seu estrago aqui. E talvez fosse pouco o perigo com os Volturi também. Talvez ela esteja contando com nossa vitória, no final, embora certamente não sem baixas pesadas do nosso lado. Mas sem nenhum sobrevivente de seu pequeno exército para testemunhar contra ela. Na verdade — continuou ele, pensando melhor —, se houvesse sobreviventes, eu seria capaz de apostar que ela própria os destruiria... Hmmm. Ainda assim, ela deve ter pelo menos um amigo um pouco mais maduro. Nenhum recém-criado novato deixaria seu pai vivo...

Ele franziu o cenho para o vazio por um longo instante, depois de repente sorriu para mim, voltando de seus devaneios.

— É bem possível mesmo. Apesar disso, precisamos estar preparados para qualquer coisa até que tenhamos certeza. Você está muito perceptiva hoje — acrescentou ele. — É impressionante.

Eu suspirei.

— Talvez só esteja reagindo a este lugar. Faz com que eu sinta que ela está perto... Que agora ela me vê.

Os músculos de seu rosto ficaram tensos com a ideia.

— Ela jamais tocará em você, Bella — disse ele.

Apesar das palavras, seus olhos percorreram cuidadosamente as árvores escuras. Enquanto ele vasculhava as sombras, a expressão mais estranha atravessou seu rosto. Seus lábios se repuxaram sobre os dentes e os olhos brilharam com uma estranha luz — uma espécie de esperança feroz e desvairada.

— E, no entanto, o que eu não daria para que ela estivesse tão perto — murmurou ele. — Victoria e qualquer outro que tenha pensado em ferir você. Ter a oportunidade de terminar isso eu mesmo. Terminar com minhas próprias mãos, desta vez.

Eu estremeci com a ferocidade do desejo em sua voz e fechei seus dedos nos meus, desejando ser bastante forte para que nossas mãos ficassem unidas para sempre.

Estávamos quase junto de sua família e pela primeira vez percebi que Alice não parecia tão otimista quanto os outros. Ela estava meio de lado, vendo Jasper esticar os braços como se estivesse se aquecendo para um exercício, os lábios repuxados num beicinho.

— Há algo errado com Alice? — sussurrei.

Edward riu, novamente consigo mesmo.

— Os lobisomens estão a caminho, então ela não pode ver nada do que acontecerá agora. A cegueira a deixa pouco à vontade.

Alice, embora fosse a mais distante de nós, ouviu sua voz baixa. Olhou e mostrou a língua para ele. Ele riu de novo.

— Ei, Edward — Emmett o cumprimentou. — Oi, Bella. Ele vai deixar você treinar também?

Edward rosnou para o irmão.

— Por favor, Emmett, não lhe dê nenhuma ideia.

— Quando nossos convidados chegarão? — perguntou Carlisle a Edward.

Edward se concentrou por um momento, depois suspirou.

— Um minuto e meio. Mas vou ter de traduzir. Eles não confiam em nós o bastante para usar a forma humana.

Carlisle assentiu.

— Isto é difícil para eles. Estou grato que afinal estejam vindo.

Eu fitei Edward de olhos arregalados.

— Eles virão como lobos?

Ele assentiu, cauteloso com minha reação. Engoli em seco uma vez, lembrando-me das duas vezes em que vi Jacob em sua forma de lobo — a primeira vez na campina com Laurent; a segunda, na trilha da floresta onde Paul tinha se irritado comigo... As duas lembranças eram aterrorizantes.

Um brilho estranho surgiu dos olhos de Edward, como se algo tivesse acabado de lhe ocorrer, algo que não era de todo desagradável. Ele se virou rapidamente, antes que eu pudesse ver mais, de volta a Carlisle e aos outros.

— Preparem-se... Eles estavam escondidos de nós.

— O que quer dizer? — perguntou Alice.

— Shhh... — alertou ele e passou por ela, entrando na escuridão.

O círculo informal dos Cullen de repente se ampliou numa fila desarrumada, com Jasper e Emmett como pontas de lança. Pelo modo como Edward se curvou a meu lado, eu sabia que queria que eu ficasse atrás dele. Fechei a mão em torno da dele.

Semicerrei os olhos para o bosque, sem nada ver.

— *Droga* — murmurou Emmett. — Já viram alguma coisa assim?

Esme e Rosalie trocaram um olhar arregalado.

— O que é? — sussurrei o mais baixo que pude. — Não consigo enxergar.

— A alcateia aumentou — murmurou Edward em meu ouvido.

Eu não tinha contado a ele que Quil se unira ao grupo? Esforcei-me para ver os seis lobos no escuro. Por fim, algo cintilou no negror — os olhos, mais altos do que deveriam. Eu tinha me esquecido de que os lobos eram muito altos. Como cavalos, só que cobertos de músculos e pelos — e dentes como facas, era impossível deixar de ver.

Eu só conseguia ver seus olhos. E, enquanto eu procurava, esforçando-me para ver mais, ocorreu-me que havia mais de seis pares nos fitando. *Um, dois, três*... Contei os pares rapidamente em minha mente. Duas vezes.

Eram dez.

— Fascinante! — murmurou Edward quase em silêncio.

Carlisle avançou um passo estudado. Foi um movimento cauteloso, planejado para tranquilizar.

— Bem-vindos — ele falou aos lobos invisíveis.

— Obrigado — respondeu Edward numa voz estranha e monótona, e percebi que as palavras vinham de Sam. Olhei nos olhos brilhantes no meio da fila, o mais alto, o maior de todos. Era impossível distinguir a forma do grande lobo preto no escuro.

Edward falou novamente na mesma voz desligada, usando as palavras de Sam.

— Vamos observar e escutar, mas nada mais do que isso. É o máximo que podemos exigir de nosso autocontrole.

— É mais do que suficiente — respondeu Carlisle. — Meu filho Jasper — ele gesticulou para Jasper, que estava tenso e preparado — tem experiência nessa área. Ele nos ensinará como eles lutam, como podem ser derrotados. Tenho certeza de que podem aplicar isso a seu estilo de caça.

— Eles são diferentes de vocês? — perguntou Edward em nome de Sam.

Carlisle assentiu.

— Todos são muito novos... Só têm meses de idade nessa vida. Crianças, de certa maneira. Não terão habilidade nem estratégia, só força bruta. Esta noite seu número está em vinte. Dez para nós, dez para vocês... Não deve ser difícil. O número pode cair. Os novos brigam entre si.

Um estrondo percorreu a fila escura de lobos, um murmúrio rosnado que de certo modo parecia entusiasmado.

— Estamos dispostos a aceitar mais do que nossa parte, se necessário — traduziu Edward, o tom agora menos indiferente.

Carlisle sorriu.

— Veremos como isso se desenrola.

— Sabe quando e como chegarão?

— Eles atravessarão as montanhas em quatro dias, no final da manhã. Enquanto se aproximam, Alice nos ajudará a interceptar seu caminho.

— Obrigado pela informação. Vamos vigiar.

Com um suspiro, os olhos imergiram para mais perto do chão, um par de cada vez.

Fez-se silêncio por duas batidas de coração, depois Jasper deu um passo para o espaço vazio entre os vampiros e os lobos. Não era difícil vê-lo; sua pele era uma luz na escuridão, como os olhos dos lobos. Jasper lançou um olhar a Edward, que assentiu, e depois Jasper deu as costas aos lobisomens. Ele suspirou, claramente pouco à vontade.

— Carlisle tem razão — falou Jasper só para nós; parecia estar tentando ignorar a plateia atrás dele. — Eles lutam como crianças. As duas questões mais importantes de que precisarão se lembrar são: primeiro, não deixem que eles passem os braços em vocês, e, segundo, não partam para o ataque óbvio. Todos estarão preparados para isso. Se os abordarem pelos flancos e continuarem em movimento, eles ficarão confusos demais para reagir com eficácia. Emmett?

Emmett saiu da fila com um sorriso enorme.

Jasper recuou no espaço entre eles e os inimigos aliados. Acenou para Emmett avançar.

— Tudo bem, Emmett primeiro. Ele é o melhor exemplo de um ataque de recém-criado.

Os olhos de Emmett se estreitaram.

— Vou *tentar* não quebrar nada — murmurou ele.

Jasper sorriu.

— O que quero dizer é que Emmett depende de sua força. Ele é muito franco no ataque. Os recém-criados também não tentarão nada sutil. Parta para o ataque óbvio, Emmett.

Jasper recuou alguns passos, o corpo se retesando.

— Tudo bem, Emmett... Tente me pegar.

E eu não consegui mais ver Jasper — era um borrão enquanto Emmett investia para ele como um urso, sorrindo e rosnando. Emmett também era incrivelmente rápido, mas não como Jasper. Parecia que Jasper não tinha mais substância do que um fantasma — sempre que as mãos enormes de Emmett pareciam pegá-lo, seus dedos se fechavam no ar. A meu lado, Edward se inclinou atentamente, os olhos fixos na luta. Depois Emmett ficou paralisado.

Jasper o pegou por trás, os dentes a um centímetro de seu pescoço.

Emmett xingou.

Houve um murmúrio de apreciação dos lobos que assistiam.

— De novo — insistiu Emmett, desta vez sem o sorriso.

— É a minha vez — protestou Edward.

Meus dedos se estreitaram em volta dos dele.

— Num minuto — Jasper sorriu, recuando. — Primeiro quero mostrar algo a Bella.

Vi ansiosa ele acenar para Alice avançar.

— Sei que você se preocupa com ela — explicou ele para mim enquanto ela dançava alegremente na roda. — Quero lhe mostrar por que não é necessário.

Embora eu soubesse que Jasper jamais permitiria que Alice sofresse qualquer dano, ainda era difícil vê-lo se lançar para trás, agachando-se de frente para ela. Alice ficou imóvel, minúscula como uma boneca junto de Emmett, sorrindo consigo mesma. Jasper avançou, depois esquivou-se à esquerda dela.

Alice fechou os olhos.

Meu coração martelava irregular ao ver Jasper partir para Alice.

Jasper disparou, desaparecendo. De repente ele estava do outro lado de Alice. Ela não parecia ter se mexido.

Jasper girou e se lançou para ela de novo, só para pousar agachado atrás dela, como da primeira vez; em todo esse tempo, Alice ficou parada, sorrindo, de olhos fechados.

Eu agora olhava Alice com mais atenção.

Ela *estava* se mexendo — eu é que perdi, distraída com as investidas de Jasper. Ela deu um pequeno passo para a frente no exato segundo em que o corpo de Jasper voou para o lugar onde ela estivera. Ela deu outro passo, enquanto as mãos ávidas de Jasper passavam sibilando onde estivera sua cintura.

Jasper se aproximou e Alice começou a se mover mais rápido. Ela estava dançando — em espiral e girando, ondulando sobre si mesma. Jasper era seu parceiro, lançando-se, tentando alcançar seus padrões graciosos, sem jamais tocá-la, como se cada movimento fosse coreografado. Finalmente, Alice riu.

De repente, ela estava empoleirada nas costas de Jasper, os lábios em seu pescoço.

— Peguei — disse ela, e beijou o pescoço de Jasper.

Jasper riu, sacudindo a cabeça.

— Você é mesmo um monstrinho apavorante.

Os lobos murmuraram de novo. Desta vez o som era precavido.

— É bom que eles aprendam a ter algum respeito — murmurou Edward, divertindo-se. Depois ele falou mais alto. — Minha vez.

Ele apertou minha mão antes de soltá-la.

Alice veio assumir o lugar dele a meu lado.

— Legal, hein? — perguntou-me ela, presunçosa.

— Muito — concordei, sem desviar os olhos de Edward enquanto ele deslizava em silêncio até Jasper, os movimentos leves e cautelosos como os de um felino selvagem.

— Eu andei de olho em você, Bella — sussurrou ela de repente, a voz tão baixa que eu mal podia ouvir, embora seus lábios estivessem em minha orelha.

Meu olhar passou rapidamente a seu rosto e voltou a Edward. Ele estava absorto em Jasper, os dois se esquivando enquanto a distância diminuía.

A expressão de Alice era cheia de reprovação.

— Se seus planos ficarem mais definidos, eu vou contar a ele — ameaçou ela no mesmo murmúrio baixo. — Não vai ajudar em nada você se colocar em perigo. Acha que um deles desistiria se você morresse? Eles ainda vão lutar, todos nós vamos. Não pode mudar nada, então seja boazinha, está bem?

Eu fiz uma careta, tentando ignorá-la.

— Estou vigiando — repetiu ela.

Agora Edward tinha se aproximado de Jasper, e essa luta foi mais equilibrada do que qualquer uma das outras. Jasper tinha o século de experiência para norteá-lo e tentou ao máximo agir por instinto, mas seus pensamentos sempre o entregavam uma fração de segundo antes de ele agir. Edward era um pouco mais rápido, mas os movimentos que Jasper usava eram desconhecidos dele. Eles partiram para o outro repetidas vezes, mas nenhum dos dois era capaz de obter vantagem, os rosnados instintivos surgiam constantemente. Era difícil enxergar, porém era mais difícil desviar os olhos. Eles se movimentavam rápido demais para que eu entendesse mesmo o que estavam fazendo. De vez em quando os olhos aguçados dos lobos chamavam minha atenção. Tive a sensação de que os lobos estavam apreendendo mais do que eu — talvez mais do que deveriam.

Por fim, Carlisle deu um pigarro.

Jasper riu e recuou um passo. Edward se endireitou e sorriu para ele.

— Voltemos ao trabalho — cedeu Jasper. — Vamos declarar empate.

Todos tiveram sua vez: Carlisle, depois Rosalie, Esme e Emmett de novo. Eu semicerrei os olhos, encolhendo-me enquanto Jasper atacava Esme. Essa foi a luta mais difícil de ver. Depois ele reduziu o ritmo, ainda não o suficiente para que eu entendesse seus movimentos, e deu mais instruções.

— Estão vendo o que faço aqui? — perguntou ele. — Sim, exatamente isso — estimulou ele. — Concentrem-se nos flancos. Não se esqueçam de onde estarão seus alvos. Continuem em movimento.

Edward estava sempre concentrado, observando e ouvindo o que os outros não conseguiam.

Ficou mais difícil de acompanhar à medida que meus olhos ficavam mais pesados. Eu não dormia bem ultimamente e faziam quase vinte e quatro horas desde a última vez em que dormira. Encostei-me ao lado de Edward e deixei que as pálpebras caíssem.

— Estamos quase terminando — sussurrou ele.

Jasper confirmou isso, virando-se para os lobos pela primeira vez, a expressão de novo desconfortável.

— Faremos isso amanhã. Por favor, fiquem à vontade para observar novamente.

— Sim — respondeu Edward na voz fria de Sam. — Estaremos aqui.

Depois Edward suspirou, afagou meu braço e se afastou de mim. Ele se virou para a família.

— O grupo pensa que será útil se familiarizar com cada um de nossos cheiros... Assim eles não confundirão depois. Se pudermos ficar imóveis, será mais fácil para eles.

— Certamente — disse Carlisle a Sam. — O que precisarem.

Houve um rosnado gutural e sombrio da alcateia enquanto todos se levantavam.

Meus olhos estavam arregalados de novo, a exaustão esquecida.

A escuridão profunda da noite começava a desaparecer — o sol iluminava as nuvens, embora ainda não tivesse clareado no horizonte, do outro lado das montanhas. À aproximação da alcateia, de repente era possível distinguir suas formas... e cores.

Sam foi o primeiro, é claro. Incrivelmente grande, e escuro como a meia-noite, um monstro saído de meus pesadelos — literalmente; depois da primeira vez em que vi Sam e os outros na campina, eles estrelaram meus pesadelos várias vezes.

Agora que eu podia ver a todos, combinar o imenso tamanho com cada par de olhos, pareciam mais de dez. O grupo era dominador.

Pelo canto do olho vi que Edward me observava, avaliando com cautela minha reação.

Sam se aproximou de Carlisle, que estava na frente, a imensa alcateia logo atrás dele. Jasper enrijeceu, mas Emmett, do outro lado de Carlisle, estava sorrindo e relaxado.

Sam farejou Carlisle, parecendo estremecer um pouco ao fazer isso. Depois passou a Jasper.

Meus olhos percorreram o grupo precavido de lobos. Eu tinha certeza de que podia destacar os novos acréscimos. Havia um lobo cinza-claro muito menor do que os outros, o pelo no dorso do pescoço eriçado de repulsa. Havia outro, da cor da areia do deserto, que parecia magro e descoordenado ao lado dos demais. Um gemido baixo escapou do lobo areia quando o avanço de Sam o deixou isolado entre Carlisle e Jasper.

Eu parei no lobo bem atrás de Sam. Seu pelo era marrom-avermelhado e mais longo do que o dos outros, e desgrenhado. Era quase da altura de Sam, o segundo maior no grupo. Sua atitude era despreocupada, de certo modo demonstrando indiferença com o que os demais obviamente consideravam uma provação.

O enorme lobo marrom-avermelhado pareceu sentir meu olhar e me fitou com os familiares olhos negros.

Sustentei seu olhar, tentando acreditar no que eu já sabia. Senti a admiração e o fascínio em meu rosto.

O focinho do lobo se abriu, recuando sobre os dentes. Teria sido uma expressão assustadora, só que sua língua pendia de lado num sorriso de lobo.

Eu ri.

O sorriso de Jacob se ampliou nos dentes afiados. Ele deixou seu lugar na fila, ignorando os olhares da alcateia que o seguia. Passou trotando por Edward e Alice e se colocou a menos de meio metro de mim. Parou ali, o olhar disparando brevemente para Edward.

Edward ficou imóvel, uma estátua, os olhos ainda avaliando minha reação.

Jacob dobrou as pernas dianteiras e baixou a cabeça para que seu rosto não ficasse mais alto do que o meu, fitando-me, medindo minha reação, assim como fazia Edward.

— Jacob? — sussurrei.

O ronco de resposta no fundo de seu peito parecia um riso.

Estendi a mão, os dedos tremendo um pouco, e toquei o pelo de sua face, marrom-avermelhado.

Os olhos negros se fecharam e Jacob baixou a imensa cabeça em minha mão. Um zumbido áspero ressoava em sua garganta.

O pelo era, ao mesmo tempo, macio e grosso, e quente em minha pele. Passei os dedos por ele com cuidado, sentindo a textura, afagando seu pescoço onde a cor escurecia. Não percebi que eu tinha chegado tão perto; de repente, Jacob lambeu meu rosto, do queixo ao couro cabeludo.

— Ai! Que nojo, Jake! — reclamei, pulando para trás e dando um tapa nele, como eu teria feito se ele estivesse na forma humana. Ele se esquivou e o latido em tosse que saiu entre seus dentes era obviamente uma risada.

Limpei meu rosto com a manga da blusa, incapaz de deixar de rir com ele.

Foi nesse ponto que percebi que todos nos olhavam, os Cullen e os lobisomens — os Cullen com uma expressão perplexa e um tanto enojada. Era difícil interpretar a expressão dos lobos. Achei que Sam parecia infeliz.

E depois havia Edward, à margem e sem dúvida decepcionado. Percebi que ele esperava de mim uma reação diferente. Como gritar e fugir apavorada.

Jacob soltou a risada novamente.

Agora os outros lobos recuavam sem tirar os olhos dos Cullen. Jacob ficou a meu lado, observando-os ir. Logo, eles desapareceram na floresta escura. Só dois hesitaram perto das árvores, observando Jacob, a postura irradiando ansiedade.

Edward suspirou, e — ignorando Jacob — veio se colocar do meu lado, pegando minha mão.

— Pronta para ir? — perguntou.

Antes que eu pudesse responder, ele estava fitando Jacob por cima de mim.

— Ainda não pensei em todos os detalhes — disse ele, respondendo a uma pergunta nos pensamentos de Jacob.

O Jacob-lobo rosnou, rabugento.

— É mais complicado do que isso — disse Edward. — Não se preocupe; vou cuidar para que seja seguro.

— Do que vocês estão falando? — perguntei.

— Só estamos discutindo estratégia — disse Edward.

A cabeça de Jacob oscilava de um lado a outro, olhando nossos rostos. Depois, de repente, ele partiu para a floresta. Enquanto disparava, percebi pela primeira vez um quadrado de tecido preto preso em sua perna traseira.

— Espere — gritei, a mão estendida automaticamente para alcançá-lo. Mas ele desapareceu nas árvores em segundos, seguido pelos outros dois lobos.

— Por que ele foi embora? — perguntei, magoada.

— Ele vai voltar — disse Edward. Ele suspirou. — Quer poder falar ele mesmo.

Olhei a beira da floresta onde Jacob havia desaparecido, inclinando-me para o lado de Edward de novo. Eu estava a ponto de desmaiar, mas reprimia isso.

Jacob saltou à vista de novo, desta vez sobre duas pernas. Seu peito largo estava nu, o cabelo cheio e emaranhado. Usava apenas calça preta de moletom, os pés descalços no chão frio. Agora estava só, mas eu desconfiava de que os amigos estivessem na floresta, invisíveis.

Não levou muito tempo para que ele atravessasse o campo, embora tenha conservado certa distância dos Cullen, que conversavam em silêncio num círculo.

— Tudo bem, sanguessuga — disse Jacob quando estava a alguns metros de nós, evidentemente continuando a conversa que eu perdera. — O que é tão complicado?

— Tenho que considerar todas as possibilidades — disse Edward, sem se deixar abalar. — E se alguém conseguir passar por vocês?

Jacob bufou com a ideia.

— Tudo bem, então, deixe-a na reserva. Vamos deixar Collin e Brady atrás de qualquer maneira. Ela ficará segura lá.

Eu fechei a cara.

— Vocês estão falando de mim?

— Eu só quero saber quais são os planos dele para você durante a luta — explicou Jacob.

— Planos *para mim*?

— Não pode ficar em Forks, Bella. — A voz de Edward era tranquilizadora. — Eles sabem onde procurar por você lá. E se alguém passar por nós sem que percebamos?

Meu estômago desabou e o sangue fugiu de meu rosto.

— Charlie? — eu disse, arfando.

— Ele vai ficar com Billy — Jacob garantiu-me logo. — Se tiver de cometer um assassinato para levá-lo para lá, meu pai fará isso. Provavelmente não precisará tanto. É neste sábado, não é? Sábado tem jogo.

— Neste sábado? — perguntei, a cabeça girando. Eu estava tonta demais para controlar meus pensamentos disparatados. Franzi o cenho para Edward. — Mas que droga! Lá vai seu presente de formatura.

Edward riu.

— O que vale é a intenção — lembrou-me ele. — Pode dar os ingressos a outra pessoa.

A inspiração me veio rapidamente.

— Angela e Ben — decidi logo. — Pelo menos isso os tirará da cidade.

Ele tocou meu rosto.

— Não pode evacuar a cidade toda — disse numa voz gentil. — Escondê-la é só uma precaução. Eu lhe disse... não teremos problemas agora. Eles não têm contingente nem para nos divertir.

— Mas e quanto a mantê-la em La Push? — interferiu Jacob, impaciente.

— Ela está circulando demais — disse Edward. — Deixa rastros em toda parte. Alice só vê vampiros muito jovens vindo à caça, mas obviamente alguém os criou. Há alguém mais experiente por trás disso. Quem quer que seja ele — Edward parou e olhou para mim —, ou ela, *pode* ser uma distração. Alice verá se ele próprio decidir procurar, mas podemos estar muito ocupados na hora em que a decisão for tomada. Talvez alguém esteja contando com isso. Não posso deixá-la num lugar onde costuma ir. *Tem* de ser difícil encontrá-la, só por garantia. É um tiro no escuro, mas não vou correr nenhum risco.

Fitei Edward enquanto ele explicava, minha testa vincada. Ele afagou meu braço.

— Só estou exagerando na precaução — afirmou ele.

Jacob gesticulou para a floresta densa a leste, para a vasta extensão das montanhas Olympic.

— Então a esconda aqui — sugeriu ele. — Há um milhão de possibilidades... Lugares a que qualquer um de nós pode chegar em alguns minutos, se houver necessidade.

Edward sacudiu a cabeça.

— O cheiro dela é forte demais e, combinado com o meu, é especialmente distinto. Mesmo que eu a carregue, deixaria um rastro. *Nosso* rastro está em toda parte mas, em conjunção com o cheiro de Bella, chamaria atenção. Não sabemos que caminho eles tomarão, porque *eles* ainda não sabem. Se eles cruzarem com o cheiro antes de nos encontrarem...

Os dois fizeram uma careta ao mesmo tempo, as sobrancelhas unidas.

— Deve haver um jeito de resolver isso — murmurou Jacob. Ele fitou a floresta, franzindo os lábios.

Eu oscilei. Edward pôs o braço em minha cintura, puxando-me para mais perto e sustentando meu peso.

— Preciso levá-la para casa... Você está exausta. E Charlie vai acordar logo...

— Espere um minutinho — disse Jacob, girando para nós, os olhos brilhando. — Meu cheiro lhe dá repulsa, não é?

— Hmmm, nada mau. — Edward estava dois passos à frente. — É possível. — Ele se virou para a família. — Jasper? — chamou ele.

Jasper olhou com curiosidade. Aproximou-se, com Alice meio passo atrás. O rosto dela estava frustrado de novo.

— Tudo bem, Jacob. — Edward assentiu para ele.

Jacob virou-se para mim com uma estranha mistura de emoção no rosto. Estava claramente animado com o plano que imaginara, mas também ainda inquieto por estar tão perto de seus aliados inimigos. E depois foi minha vez de ficar preocupada enquanto ele estendia os braços para mim.

Edward respirou fundo.

— Vamos ver se posso confundir bastante o cheiro para esconder seu rastro — explicou Jacob.

Eu olhei seus braços abertos com desconfiança.

— Terá de deixar que ele a carregue, Bella — disse-me Edward. Sua voz era calma, mas eu pude ouvir o desagrado por trás dela.

Franzi o cenho.

Jacob revirou os olhos, impaciente, e me puxou para seus braços.

— Não seja infantil — murmurou ele.

Mas seus olhos dispararam para Edward, como os meus. O rosto de Edward era agradável e sereno. Ele falou com Jasper.

— O cheiro de Bella é muito mais ativo para mim... Pensei que seria um teste mais exato se outra pessoa tentasse.

Jacob afastou-se deles e foi rapidamente até a floresta. Eu nada disse enquanto a escuridão se fechava sobre nós. Eu estava embirrada, pouco à vontade nos braços de Jacob. Era íntimo demais para mim — com certeza, ele não precisava me segurar *tão* apertado —, e eu não pude deixar de me perguntar como era para ele. Lembrou-me de minha última tarde em La Push e eu não queria pensar naquilo. Cruzei os braços, irritada quando a tala em minha mão intensificou a lembrança.

Não fomos longe; ele descreveu um arco amplo e voltou para a clareira tomando um outro caminho, talvez a meio campo de futebol de nosso ponto de partida. Edward estava lá, só, e Jacob seguiu na direção dele.

— Agora pode me colocar no chão.

— Não quero me arriscar a estragar o experimento. — Seu ritmo se reduziu e os braços se estreitaram.

— Você é *tão* irritante — murmurei.

— Obrigado.

De repente, Jasper e Alice se colocaram ao lado de Edward. Jacob deu mais um passo, depois me pôs no chão a dois metros de Edward. Sem olhar para Jacob, fui para o lado de Edward e peguei sua mão.

E então? perguntei.

— Desde que você não toque em nada, Bella, não consigo *imaginar* alguém colocando o nariz perto desse rastro para pegar seu cheiro — disse Jasper com uma careta. — Foi quase totalmente apagado.

— Sucesso absoluto — concordou Alice, franzindo o nariz.

— E isso me deu uma ideia.

— Que vai funcionar — acrescentou Alice com confiança.

— Muito inteligente — concordou Edward.

— Como você *aguenta* isso? — murmurou Jacob para mim.

Edward ignorou Jacob e me olhou enquanto explicava.

— Nós vamos... bem, *você* vai... deixar um falso rastro para a clareira, Bella. Os recém-criados estão caçando, seu cheiro os animará e eles virão exatamente para onde queremos sem a menor preocupação. Alice já pode ver que isso vai dar certo. Quando eles sentirem *nosso* cheiro, vão se dividir e tentar chegar a nós de dois lados. Metade atravessará a floresta, onde sua visão de repente desaparece...

— Isso! — sibilou Jacob.

Edward sorriu para ele, um sorriso de verdadeira camaradagem.

Senti náuseas. Como podiam estar ansiosos para isso? Como eu podia suportar colocar *os dois* em perigo? Eu não podia.

E não colocaria.

— Nada disso — disse Edward subitamente, a voz enojada. Isso me fez pular, preocupando-me que ele de algum modo tivesse ouvido minha decisão, mas seus olhos estavam em Jasper.

— Eu sei, eu sei — disse Jasper logo. — Nem cogitei isso, é sério.

Alice bateu o pé.

— Se Bella de fato estivesse na clareira — explicou Jasper a ela —, eles ficariam loucos. Não conseguiriam se concentrar em nada, só nela. Ficaria muito mais fácil pegá-los...

O olhar de Edward fez Jasper recuar.

— É claro que é perigoso demais para ela. Foi só uma ideia — disse ele rapidamente. Mas olhou para mim pelo canto do olho, e o olhar era tristonho.

— Não — disse Edward. O tom de sua voz era decisivo.

— Tem razão — disse Jasper. Ele pegou a mão de Alice e voltou para os outros. — Uma melhor de três? — Eu o ouvi perguntar a ela quando foram treinar de novo.

Jacob olhou para ele com revolta.

— Jasper olha os fatos da perspectiva militar. — Edward defendeu o irmão em voz baixa. — Ele procura por todas as opções... É eficácia, não insensibilidade dele.

Jacob bufou.

Ele se aproximou inconscientemente, atraído pela concentração no planejamento. Ficou a apenas um metro de Edward, e, parada ali entre eles, pude sentir a tensão física no ar. Era como estática, uma carga desagradável.

Edward voltou ao que interessava.

— Vou trazê-la aqui na sexta-feira à tarde para deixar o rastro falso. Pode nos encontrar depois e levá-la a um lugar que eu conheço. Totalmente fora do caminho e facilmente defensável, embora não venha a ser necessário. Vou tomar outra rota para lá.

— E depois? Deixá-la com um celular? — perguntou Jacob num tom crítico.

— Tem uma ideia melhor?

Jacob de repente ficou presunçoso.

— Na verdade, tenho.

— Ah... De novo, cachorro, nada mau.

Jacob virou-se para mim rapidamente, como se decidido a bancar o bom moço ao me incluir na conversa.

— Tentamos convencer Seth a ficar com os dois mais novos. Ele ainda é muito novo, mas é teimoso e está resistindo. Então, pensei numa nova tarefa para ele... Celular.

Tentei dar a impressão de que entendi. Ninguém se deixou enganar.

— Com Seth Clearwater na forma de lobo, ele estará conectado ao grupo — disse Edward. — A distância não cria problemas? — acrescentou ele, virando-se para Jacob.

— Não.

— Uns quinhentos quilômetros? — perguntou Edward. — Impressionante!

Jacob era de novo o bom moço.

— Foi o máximo que experimentamos — disse-me ele. — Ainda fica muito claro.

Eu assenti, distraída; titubeava com a ideia de que o pequeno Seth Clearwater já fosse um lobisomem, e isso dificultava minha concentração. Em minha mente, podia ver seu sorriso luminoso, tão parecido com um Jacob mais novo; ele não devia ter mais de 15 anos, se tanto. Seu entusiasmo na reunião do conselho na fogueira de repente assumiu um novo significado...

— É uma boa ideia. — Edward parecia relutante em admitir isso. — Vou me sentir melhor com Seth lá, mesmo sem a comunicação instantânea. Não sei se poderia deixar Bella sozinha. E pensar que chegamos a isso! Confiar em lobisomens!

— Lutar *com* vampiros em vez de contra eles! — Jacob espelhou o tom de repulsa de Edward.

— Bem, você ainda terá de lutar contra alguns — disse Edward.

Jacob sorriu.

— É por isso que estamos aqui.

19. EGOÍSMO

EDWARD ME CARREGOU PARA CASA NOS BRAÇOS, JÁ ESPERANDO que eu não me aguentasse. Devo ter dormido no caminho.

Quando acordei, estava em minha cama, e a luz fraca que atravessava a janela entrava em um ângulo estranho. Quase como se fosse à tarde.

Eu bocejei e me espreguicei, meus dedos procurando por ele e encontrando o vazio.

— Edward? — murmurei.

Meus dedos ansiosos encontraram uma coisa fria e suave. A mão de Edward.

— Está realmente acordada desta vez? — murmurou ele.

— Hmmm — eu suspirei, assentindo. — Houve muitos alarmes falsos?

— Você estava muito inquieta... Falou o dia todo.

— O *dia* todo? — Eu pisquei e olhei outra vez pela janela.

— Teve uma noite muito longa — disse ele num tom tranquilizador. — Ganhou um dia na cama.

Eu me sentei e minha cabeça girou. A luz que entrava pela janela *vinha mesmo* do leste.

— Caramba.

— Com fome? — suspeitou ele. — Quer o café na cama?

— Eu vou pegar — gemi, espreguiçando-me de novo. — Preciso me levantar e andar um pouco.

Ele segurou minha mão até a cozinha, olhando-me com cuidado, como se eu pudesse cair. Ou talvez pensasse que eu era sonâmbula.

Não compliquei o cardápio, colocando algumas Pop-Tarts na torradeira. De relance, vi a mim mesma refletida no cromado.

— Ui, eu estou um horror.

— Foi uma noite longa — disse ele de novo. — Você devia ter ficado aqui e dormido.

— Ah, é! E ter perdido *tudo*? Sabe, você precisa começar a aceitar o fato de que agora eu faço parte da família.

Ele sorriu.

— Eu bem que podia me acostumar com essa ideia.

Eu me sentei com meu café da manhã e ele se sentou a meu lado. Quando ergui a Pop-Tart para dar a primeira mordida, percebi que ele olhava minha mão. Baixei a cabeça e vi que eu ainda estava usando o presente que Jacob me dera na festa.

— Posso? — perguntou ele, estendendo a mão para o lobo minúsculo de madeira.

Eu engoli com ruído.

— Hmmm, claro.

Ele moveu a mão por baixo da pulseira e equilibrou a pequena figura na palma de neve. Por um momento fugaz, eu tive medo. Só o mais leve torcer dos dedos dele podia desfazer a figura em lascas.

Mas é claro que Edward não faria isso. Fiquei constrangida só por ter pensado na hipótese. Ele observou o lobo na mão por um momento, depois o soltou. O pingente oscilou com leveza em meu pulso.

Tentei entender a expressão de seus olhos. Só o que pude ver foi reflexão; ele mantinha todo o resto oculto, se é que havia algo mais.

— Jacob Black pode lhe dar presentes.

Não era uma pergunta, nem uma acusação. Só uma declaração da realidade. Mas eu sabia que ele estava se referindo a meu último aniversário e ao ataque que dei com os presentes; eu não queria nenhum deles. Em especial, não de Edward. Não era de todo lógico e, evidentemente, de qualquer jeito todos eles me ignoraram...

— Você me deu presentes — lembrei a ele. — Sabe como eu gosto do estilo "faça você mesmo".

Ele franziu os lábios por um segundo.

— E que tal alguma coisa de segunda mão? É aceitável?

— Como assim?

— Esta pulseira. — O dedo acompanhou um círculo em volta de meu pulso. — Vai usar muito?

Eu dei de ombros.

— Porque você não quer ferir os sentimentos dele — sugeriu ele com perspicácia.

— Claro, acho que sim.

— Então não acha que seria justo — perguntou ele, olhando minha mão ao falar; virou a palma para cima e passou o dedo pelas veias de meu pulso — que eu tivesse uma pequena representação?

— Representação?

— Um pingente... Algo que a faça se lembrar de *mim*.

— Você está em cada pensamento que tenho. Não preciso de lembretes.

— Se eu lhe desse uma coisa, você usaria? — pressionou ele.

— De segunda mão? — eu ri.

— Sim, algo que tenho há algum tempo. — Ele deu seu sorriso de anjo.

Se aquela era a única reação ao presente de Jacob, eu aceitaria de bom grado.

— Qualquer coisa que o faça feliz.

— Você percebeu a desigualdade? — perguntou ele, e sua voz tornou-se acusatória. — Porque eu sem dúvida percebi.

— Que desigualdade?

Seus olhos se estreitaram.

— Todos os outros podem dar presentes a você impunemente. Todo mundo, menos eu. Eu teria adorado lhe dar um presente de formatura, mas não. Sabia que isso a aborreceria mais do que se outra pessoa fizesse. Isso é totalmente injusto. Como explica a si mesma?

— Fácil. — Eu dei de ombros. — Você é mais importante do que todos os outros. E você me deu *você*. Já é mais do que eu mereço, e qualquer outra coisa que me der só vai aumentar ainda mais o desequilíbrio entre nós.

Ele processou isso por um momento, depois revirou os olhos.

— O modo como me considera é absurdo.

Mastiguei minha torrada calmamente. Eu sabia que ele não ouviria se eu lhe dissesse que ele tinha entendido muito bem.

O celular de Edward tocou.

Ele olhou o número antes de atender.

— Que foi, Alice?

Ele escutou e eu esperei por sua reação, de repente nervosa. Mas o que quer que ela tenha dito, não o surpreendeu. Edward suspirou algumas vezes.

— Acho que adivinhei grande parte disso — disse ele, olhando-me nos olhos, um arco de censura nas sobrancelhas. — Ela falou enquanto dormia.

Eu corei. O que eu tinha dito agora?

— Vou cuidar disso — prometeu ele.

Ele me encarou ao desligar o telefone.

— Há algo que você queira me contar?

Pensei por um momento. Considerando o alerta de Alice na noite anterior, eu podia adivinhar por que ela telefonara. E depois, lembrando os sonhos agitados que tive enquanto dormia durante o dia — sonhos em que eu ia atrás de Jasper, tentando segui-lo, e achava a clareira no bosque labiríntico, sabendo que encontraria Edward lá... Edward e os monstros que queriam me matar, mas sem me importar com eles porque eu já tomara minha decisão —, também podia adivinhar o que Edward ouvira enquanto eu dormia.

Franzi os lábios por um momento, sem conseguir sustentar seu olhar. Ele esperou.

— Eu gosto da ideia de Jasper — eu disse por fim.

Ele gemeu.

— Quero ajudar. Tenho que fazer *alguma coisa* — insisti.

— Não ajudaria em nada colocá-la em perigo.

— Jasper acha que sim. Essa área é especialidade *dele*.

Edward me fuzilou com os olhos.

— Não pode me manter afastada — eu ameacei. — Eu não vou me esconder na floresta enquanto você assume todos os riscos por mim.

De repente, ele reprimia um sorriso.

— Alice não vê você *na* clareira, Bella. Ela a vê perdida na floresta. Você não conseguiria nos encontrar; só vai consumir mais meu tempo para encontrá-la depois de tudo.

Tentei manter a mesma frieza dele.

— Isso porque Alice não considerou Seth Clearwater — eu disse educadamente. — Se tivesse considerado, é claro que ela não poderia ver nada. Mas parece que Seth quer estar lá tanto quanto eu. Não deve ser tão difícil convencê-lo a me mostrar o caminho.

A raiva apareceu em seu rosto, depois ele respirou fundo e se recompôs.

— Isso poderia ter dado certo... se você não tivesse me contado. Agora terei de pedir a Sam para dar certas ordens a Seth. Por mais que ele queira, Seth não será capaz de ignorar esse tipo de injunção.

Mantive o sorriso satisfeito.

— Mas por que Sam daria essas ordens? Se eu disser a ele como me ajudaria estar lá? Aposto que Sam faria um favor a mim, e não a você.

Ele teve de se recompor novamente.

— Talvez tenha razão. Mas tenho certeza de que Jacob ficará ávido para dar essas mesmas ordens.

Franzi a testa.

— Jacob?

— Jacob é o segundo em comando. Ele não lhe contou isso? As ordens dele também têm de ser seguidas.

Edward me pegou e, por seu sorriso, ele sabia disso. Minha testa enrugou. Jacob ficaria do lado dele — neste caso —, eu tinha certeza. E Jacob não me *contara* aquilo.

Edward tirou vantagem do fato de que eu fiquei abalada por um momento, continuando num tom suspeitosamente suave e tranquilizador.

— Tive um panorama fascinante da mente da alcateia ontem à noite. Foi melhor do que novela de tevê. Eu não fazia ideia de como a dinâmica era complexa num grupo desse tamanho. O impulso do indivíduo contra a psique coletiva... Absolutamente fascinante.

Era óbvio que ele tentava me distrair. Eu o fuzilei com os olhos.

— Jacob guarda muitos segredos — disse ele com um sorriso malicioso.

Não respondi, só continuei encarando-o, prendendo-me a meu argumento e esperando por uma oportunidade.

— Por exemplo, percebeu o lobo cinza menor ontem à noite?

Eu assenti rigidamente.

Ele riu.

— Todos levam suas lendas muito a sério. Por acaso as histórias deles não os prepararam para determinadas situações.

Eu suspirei.

— Tudo bem, vou morder a isca. Do que está falando?

— Eles sempre aceitaram sem questionar que só os netos diretos do lobo original tinham o poder de se transformar.

— Então alguém que mudou não era descendente direto?

— Não. Ela não é descendente direta, não mesmo.

Eu pestanejei e meus olhos se arregalaram.

— *Ela?*

Ele assentiu.

— Ela conhece você. O nome dela é Leah Clearwater.

— Leah é um lobisomem! — eu gritei. — Como? Há quanto tempo? Por que Jacob não me contou?

— Há informações que ele não tem permissão de partilhar... Quantos eles são, por exemplo. Como eu já disse, quando Sam dá uma ordem, a alcateia não pode simplesmente ignorá-la. Jacob teve o cuidado de pensar em outras coisas quando estava perto de mim. É claro que depois da noite passada isso tudo vazou.

— Não acredito. Leah Clearwater! — De repente, lembrei-me de Jacob falando de Leah e Sam e de como ele agiu como se tivesse falado demais — depois disse algo sobre Sam ter de olhar nos olhos de Leah *todos os dias* e saber que tinha quebrado todas as promessas dele... Leah no penhasco, uma lágrima cintilando no rosto quando o Velho Quil falou do fardo e do sacrifício que os *filhos* quileutes compartilhavam... E Billy, ficando com Sue porque ela vivia certos problemas com os filhos... E na verdade o problema era que os dois agora eram lobisomens!

Eu não pensava muito em Leah Clearwater, só lamentei por sua perda quando Harry faleceu, depois tive pena de novo quando Jacob contou a história dela, sobre como o estranho *imprinting* entre Sam e a prima Emily a magoara.

E agora ela fazia parte do grupo de Sam, ouvindo seus pensamentos... e incapaz de esconder os dela.

Eu odeio essa parte, dissera Jacob. *Tudo de que você se envergonha, ali, exposto para todo o mundo ver.*

— Coitada de Leah — sussurrei.

Edward bufou.

— Ela está tornando a vida extraordinariamente desagradável para os outros. Não tenho certeza se merece sua solidariedade.

— O que quer dizer?

— É bem difícil para eles ter de partilhar todos os pensamentos. A maioria tenta cooperar, facilitar a vida. Quando um membro que seja é deliberadamente cruel, é doloroso para todos.

— Ela tem seus motivos — murmurei, ainda do lado dela.

— Ah, eu sei — disse ele. — A compulsão do *imprinting* é uma das experiências mais fortes que já testemunhei na vida, e vi algumas coisas estranhas. — Ele sacudiu a cabeça, maravilhado. — É impossível descrever como Sam é ligado a Emily... ou eu devia dizer o *Sam dela*. Sam na verdade não tem escolha. Isso me lembra de *Sonho de uma Noite de Verão*, com todo o caos causado pelos feitiços de amor das fadas... É como magia. — Ele sorriu. — É quase tão forte quanto o que sinto por você.

— Coitada de Leah — repeti. — Mas o que quer dizer com cruel?

— Ela está constantemente trazendo à baila assuntos em que eles não querem pensar — explicou ele. — Por exemplo, Embry.

— O que tem Embry? — perguntei, surpresa.

— A mãe dele se mudou da reserva makah há 17 anos, quando estava grávida dele. Ela não é quileute. Todos imaginavam que ela havia deixado o pai entre os makahs. Mas depois ele se uniu à alcateia.

— E daí?

— Daí que os principais candidatos a pai são o Velho Quil Ateara, Joshua Uley e Billy Black, todos casados àquela altura, é claro.

— Não! — eu disse, arfando. Edward tinha razão: aquilo era mesmo uma novela de tevê.

— Agora Sam, Jacob e Quil se perguntam qual deles tem um meio-irmão. Todos preferem pensar que é Sam, uma vez que o pai dele nunca foi exatamente um pai. Mas a dúvida está sempre presente. Jacob jamais conseguiu perguntar isso a Billy.

— Caramba. Como você soube de tanto numa noite?

— A mente da alcateia é hipnotizante. Todos os pensamentos juntos e depois separadamente, tudo ao mesmo tempo. Há tanto a ler!

Ele parecia um tanto arrependido, como alguém que tinha de largar um bom livro pouco antes do clímax. Eu ri.

— A alcateia é fascinante — concordei. — Quase tão fascinante quanto você quando está tentando me distrair.

A expressão dele voltou a ficar educada — de uma frieza perfeita.

— Eu preciso estar na clareira, Edward.

— Não — disse ele num tom de voz definitivo.

Um certo caminho me ocorreu naquele momento.

Eu não precisava tanto estar na clareira; só tinha de estar onde Edward estivesse.

Cruel, eu me acusei. *Egoísta, egoísta, egoísta! Não faça isso!*

Ignorei meus melhores instintos. Mas não consegui olhar para ele ao falar, a culpa colou meus olhos na mesa.

— Tudo bem, escute, Edward — sussurrei. — Você até tem razão... Eu já enlouqueci uma vez. Sei quais são meus limites. *E não vou suportar se você me deixar de novo.*

Não procurei ver sua reação, com medo de saber quanta dor eu lhe estava infligindo. Ouvi-o respirar subitamente e o silêncio que se seguiu. Fitei o tampo escuro de madeira da mesa, desejando poder retirar o que tinha dito. Mas sabia que provavelmente não faria isso. Não se funcionasse.

De repente, seus braços estavam à minha volta, as mãos afagando meu rosto, meus braços. *Ele* estava *me* reconfortando. A culpa parecia uma espiral. Mas o instinto de sobrevivência era mais forte. Não havia dúvida de que ele era fundamental para minha sobrevivência.

— Sabe que não é assim, Bella — ele murmurou. — Eu não estarei longe e vai acabar rápido.

— Não vou suportar — insisti, ainda de cabeça baixa. — Sem saber se você vai voltar ou não. Como vou viver com isso, por mais rápido que acabe?

Ele suspirou.

— Será fácil, Bella. Não há motivo para temer.

— Nenhum?

— Nenhum.

— E todos ficarão bem?

— Todos — prometeu ele.

— Então de forma alguma eu preciso estar na clareira?

— É claro que não. Alice acaba de me dizer que eles caíram para dezenove. Vamos conseguir lidar com isso facilmente.

— É verdade... Você disse que era tão fácil que alguém podia ficar de fora assistindo — repeti as palavras da noite anterior. — Você falou sério?

— Sim.

Era simples demais — ele tinha de ver aonde eu queria chegar.

— Tão fácil que *você* pode ficar de fora assistindo?

Depois de um longo silêncio, enfim olhei sua expressão.

A cara impassível tinha voltado.

Respirei fundo.

— Então, das duas, uma. Ou há mais risco do que você quer que eu saiba, e neste caso o certo seria eu ficar aqui e fazer o que puder para ajudar, ou... será tão fácil que eles conseguirão sem você. Qual das duas?

Ele nada disse.

Eu sabia em que ele estava pensando — no mesmo que eu. Carlisle. Esme. Emmett. Rosalie. Jasper. E... obriguei-me a pensar no último nome: Alice.

Perguntei-me se eu era um monstro. Não do tipo que ele julgava ser, mas um monstro real. Do tipo que magoa as pessoas. Do tipo que desconhecia limites quando se tratava de fazer o que queria.

O que eu queria era mantê-lo em segurança, em segurança comigo. Teria um limite para o que eu faria, o que sacrificaria por isso? Eu não tinha certeza.

— Está me pedindo para deixar que eles lutem sem minha ajuda? — disse ele em voz baixa.

— Sim. — Fiquei surpresa por conseguir manter a voz estável. Eu me sentia tão miserável por dentro! — Ou que eu possa estar lá. Qualquer opção, contanto que fiquemos juntos.

Ele respirou fundo, depois expirou lentamente. Colocou as mãos em meu rosto, obrigando-me a encontrar seu olhar. Olhou em meus olhos por um longo tempo. Perguntei-me o que ele procurava e o que tinha encontrado. A culpa estaria tão evidente em meu rosto quanto em meu estômago — deixando-me enjoada?

Seus olhos se estreitaram com uma emoção que eu não consegui ler, e ele baixou uma das mãos para pegar o telefone de novo.

— Alice — suspirou ele. — Pode ficar de babá com a Bella um pouco? — Ele ergueu uma sobrancelha, desafiando-me a fazer objeção à palavra. — Preciso conversar com Jasper.

Ela evidentemente concordou. Ele desligou o celular e voltou a me fitar no rosto.

— O que vai dizer a Jasper? — sussurrei.

— Vou discutir... minha ausência da luta.

Era fácil ler em seu rosto como as palavras eram difíceis para ele.

— Eu sinto muito.

E eu sentia *mesmo*. Odiei fazer aquilo com ele. Não bastava que eu fingisse um sorriso e lhe dissesse para ir em frente sem mim. Definitivamente, não tanto assim.

— Não se desculpe — disse ele, sorrindo um pouco. — Jamais tenha medo de me dizer o que sente, Bella. Se é disso que precisa... — Ele deu de ombros. — Você é minha prioridade máxima.

— Eu não quis colocar dessa forma... Como se você tivesse de escolher entre mim e sua família.

— Sei disso. Além de tudo, não foi o que você pediu. Você me deu duas alternativas com que pode conviver, e eu escolhi aquela com a qual *eu* posso conviver. É assim que a conciliação deve funcionar.

Inclinei-me para a frente e pousei a testa em seu peito.

— Obrigada — sussurrei.

— Disponha — respondeu ele, beijando meu cabelo. — Quando quiser.

Não nos mexemos por um bom tempo. Mantive o rosto escondido, apertado contra sua camisa. Duas vozes lutavam dentro de mim. Uma que queria ser boa e corajosa, outra que dizia à boa para calar a boca.

— Quem é a terceira esposa? — perguntou-me ele de repente.

— Hein? — eu disse, enrijecendo. Não me lembrava de ter tido esse sonho de novo.

— Você ficou murmurando sobre "a terceira esposa" ontem à noite. O restante fez algum sentido, mas fiquei perdido aí.

— Ah! Hmmm, é. Foi uma das histórias que ouvi na fogueira na outra noite. — Dei de ombros. — Acho que me fixei nessa.

Edward se afastou e inclinou a cabeça para o lado, provavelmente confuso com o tom desconfortável em minha voz.

Antes que ele pudesse perguntar, Alice apareceu na porta da cozinha com uma expressão amargurada.

— Vai perder toda a diversão — grunhiu ela.

— Oi, Alice — ele a cumprimentou. Ele pôs um dedo sob meu queixo e ergueu meu rosto para me dar um beijo de despedida.

— Voltarei esta noite — prometeu-me. — Vou discutir isso com os outros, reorganizar tudo.

— Tudo bem.

— Não há muito a ser reorganizado — disse Alice. — Já falei com eles. Emmett está satisfeito.

Edward suspirou.

— Claro que está.

Ele saiu pela porta, deixando-me com Alice.

Ela me fuzilou com os olhos.

— Desculpe — eu disse de novo. — Acha que assim fica mais perigoso para vocês?

Ela bufou.

— Você se preocupa demais, Bella. Vai ficar grisalha antes do tempo.

— Então, por que está aborrecida?

— Edward é um resmungão e tanto quando não faz o que quer. Só estou prevendo a convivência com ele nos próximos meses. — Ela fez uma careta. — Imagino, se isso a manterá sã, que valha a pena. Mas gostaria que você pudesse controlar o pessimismo, Bella. Não é necessário.

— Você deixaria Jasper ir sem você? — perguntei.

Alice fez uma careta.

— Isso é diferente.

— Claro que é.

— Vá se lavar — ordenou-me ela. — Charlie chegará em casa daqui a quinze minutos, e com essa cara amarrotada ele não vai permitir que você saia novamente.

Caramba, eu perdi mesmo o dia todo. Parecia um desperdício. Fiquei feliz por em algum momento não precisar mais gastar meu tempo dormindo.

Eu estava inteiramente apresentável quando Charlie chegou em casa — totalmente vestida, o cabelo decente e na cozinha colocando o jantar dele na mesa. Alice sentou-se no lugar de costume de Edward e Charlie pareceu ganhar o dia com isso.

— Puxa vida, Alice! Como você está, querida?

— Estou bem, Charlie, obrigada.

— Afinal vejo você fora da cama, dorminhoca — disse ele enquanto eu me sentava ao lado, antes de se virar para Alice. — Todo mundo está falando da festa que seus pais deram ontem à noite. Aposto que você tem um trabalho danado de faxina pela frente.

Alice deu de ombros. Conhecendo-a, já estava feito.

— Valeu a pena — disse ela. — Foi uma festa ótima.

— Onde está Edward? — perguntou Charlie, meio de má vontade. — Está ajudando na limpeza?

Alice suspirou e seu rosto ficou trágico. Provavelmente era fingimento, mas era perfeito demais para ser positivo para mim.

— Não. Está planejando o fim de semana com Emmett e Carlisle.

— Vão fazer trilha de novo?

Alice assentiu, a cara de repente infeliz.

— Sim. *Todos* eles vão, menos eu. Sempre vamos acampar no final do ano letivo, é uma espécie de comemoração, mas esse ano decidi que preferia fazer compras, e nenhum deles vai ficar comigo. Estou abandonada.

Seu rosto franziu, a expressão tão arrasada que Charlie se inclinou para ela automaticamente, a mão estendida, procurando por uma maneira de ajudar. Eu a encarei desconfiada. O que ela estava fazendo?

— Alice, querida, por que não fica aqui conosco? — propôs Charlie. — Não gosto de pensar em você completamente só naquela casa imensa.

Ela suspirou. Alguma coisa esmagou meu pé debaixo da mesa.

— Ai! — eu protestei.

Charlie se virou para mim.

— Que foi?

Alice me lançou um olhar frustrado. Eu sabia que ela estava me achando muito lenta aquela noite.

— Eu bati o dedão do pé — murmurei.

— Ah! — Ele voltou a olhar para Alice. — E então, o que acha?

Ela pisou no meu pé de novo, dessa vez não tão forte.

— Er, pai, sabe, a gente não tem as melhores acomodações aqui. Acho que Alice não vai querer dormir no chão do meu quarto...

Charlie franziu os lábios. Alice fez a expressão arrasada de novo.

— Talvez Bella deva ficar lá com você — sugeriu ele. — Até que seu pessoal volte.

— Ah, você faria isso, Bella? — Alice sorriu radiante para mim. — Não se importa de fazer compras comigo, não é?

— Claro — concordei. — Fazer compras. Tudo bem.

— Quando eles vão? — perguntou Charlie.

Alice fez outra careta.

— Amanhã.

— Quando quer que eu vá? — perguntei.

— Depois do jantar, eu acho — disse ela, depois pôs um dedo no queixo, pensativa. — Não tem nada marcado no sábado, tem? Quero fazer compras fora da cidade e vai levar o dia todo.

— Seattle, não — intrometeu-se Charlie, as sobrancelhas se unindo.

— É claro que não — concordou Alice na mesma hora, embora nós duas soubéssemos que Seattle estaria totalmente segura no sábado. — Eu estava pensando em Olympia, talvez...

— Vai gostar disso, Bella. — Charlie ficou animado de alívio. — Vai poder curtir muito a cidade.

— É, pai. Será ótimo.

Com uma conversa agradável, Alice tinha preparado minha agenda para a batalha.

Edward voltou não muito tempo depois, aceitando os votos de boa viagem de Charlie sem surpresa nenhuma. Afirmou que partiriam de manhã cedo e deu boa-noite antes da hora habitual. Alice saiu com ele.

Eu pedi licença logo depois que eles saíram.

— Não pode estar cansada — protestou Charlie.

— Um pouco — menti.

— Não admira que você não vá a festas — murmurou ele. — Leva tempo demais para se recuperar.

No segundo andar, Edward estava deitado em minha cama.

— A que horas será a reunião com os lobos? — murmurei enquanto me juntava a ele.

— Daqui a uma hora.

— Que bom. Jake e os amigos precisam dormir um pouco.

— Eles não precisam tanto quanto você — observou ele.

Passei a outro assunto, supondo que ele estava prestes a tentar me convencer a ficar em casa.

— Alice lhe contou que está me raptando de novo?

Ele sorriu.

— Na verdade, ela não está.

Eu o fitei, confusa, e ele riu baixo da minha expressão.

— Eu sou o único que tem permissão para mantê-la refém, lembra? — disse ele. — Alice vai caçar com os outros. — Ele suspirou. — Acho que eu não preciso fazer isso agora.

— *Você* está me raptando?

Ele assentiu.

Pensei naquilo por pouco tempo. Sem Charlie ouvindo do primeiro andar, me olhando de vez em quando. E sem a casa cheia de vampiros acordados com sua audição invasivamente sensível... Só ele e eu — realmente a sós.

— Está tudo bem? — perguntou ele, preocupado com meu silêncio.

— Bem... claro, exceto por um detalhe.

— Que detalhe? — Seus olhos eram ansiosos. Era desnorteante mas, de certo modo, ele ainda parecia inseguro sobre mim. Talvez eu precisasse deixar tudo mais claro.

— Por que Alice não disse a Charlie que você está partindo *esta noite*? — perguntei.

Ele riu, aliviado.

Desfrutei a viagem à clareira mais que na noite anterior. Eu me sentia culpada, ainda com medo, mas não estava mais apavorada. Eu estava atenta. Podia ver o que aconteceria e quase acreditar que talvez tudo ficasse bem. Edward aparentemente estava bem com a ideia de ficar de fora da luta... E, assim, não era muito difícil acreditar quando ele dizia que seria fácil. Se ele não acreditasse, não se afastaria da família. Talvez Alice estivesse certa e eu me preocupasse demais.

Fomos os últimos a chegar à clareira.

Jasper e Emmett já estavam lutando — um aquecimento, pelo som dos risos. Alice e Rosalie estavam recostadas no chão duro, olhando. Esme e Carlisle conversavam a poucos metros de distância, de mãos dadas, os dedos entrelaçados, sem prestar atenção.

A noite estava muito mais iluminada, a lua brilhando através das nuvens finas, e eu podia ver facilmente os três lobos sentados na beira do ringue de treino, separados para observar de diferentes ângulos.

Também foi fácil reconhecer Jacob; eu o teria reconhecido de imediato, mesmo que ele não levantasse a cabeça e olhasse ao ouvir nossa aproximação.

— Onde estão os outros lobos? — perguntei.

— Não precisam estar aqui. Um seria suficiente para a tarefa, mas Sam não confia em nós o bastante para mandar só Jacob, embora Jacob estivesse disposto a isso. Quil e Embry estão aqui como seus... acho que pode chamá-los de braços direitos.

— Jacob confia em você.

Edward assentiu.

— Ele confia que não vamos tentar matá-lo. Mas é só isso.

— Vai participar esta noite? — perguntei, hesitante. Eu sabia que aquilo seria quase tão difícil para ele como ficar para trás teria sido para mim. Talvez mais difícil.

— Vou ajudar Jasper quando ele precisar. Ele quer experimentar algumas formações diferentes, ensinar-lhes a lidar com vários atacantes.

Ele deu de ombros.

E uma onda renovada de pânico abalou meu breve sentimento de confiança.

Eles ainda eram em maior número. Eu estava piorando tudo.

Fitei o campo, tentando esconder minha reação.

Era o lugar errado para olhar, lutando como eu estava para mentir a mim mesma, convencer a mim mesma de que tudo daria certo como eu precisava que fosse. Porque, quando forcei os olhos para longe dos Cullen — para longe da imagem de seu treino de luta que seria real e mortal só dali a alguns dias — Jacob captou meu olhar e sorriu.

Era o mesmo sorriso de lobo, os olhos se estreitando como faziam quando ele era humano.

Era difícil acreditar que, não muito tempo antes, eu achava os lobisomens assustadores — perdia o sono com os pesadelos que tinha com eles.

Eu sabia, sem perguntar, quem era Embry e quem era Quil. Porque estava claro que Embry era o lobo cinza mais claro, com as manchas escuras no dorso, sentado pacientemente observando, enquanto Quil — de um marrom-chocolate intenso, mais claro no focinho — se retorcia com frequência, parecendo estar morrendo de vontade de se juntar ao treino. Eles não eram monstros, nem naquela forma. Eram amigos.

Amigos que não pareciam tão indestrutíveis como Emmett e Jasper, movendo-se cada vez mais rápido ao luar que cintilava em sua pele dura como granito. Amigos que não pareciam entender o perigo envolvido ali. Amigos que ainda eram, de certo modo, mortais, amigos que podiam sangrar, amigos que podiam morrer...

A confiança de Edward era tranquilizadora porque, sem dúvida, ele não estava verdadeiramente preocupado com sua família. Mas ele ficaria magoado se algo ruim acontecesse com os lobos? Haveria um motivo para ele ficar ansioso, se essa possibilidade não o incomodava? A confiança de Edward só se aplicava a parte de meus medos.

Tentei sorrir para Jacob, engolindo em seco o nó na garganta. Não pareceu sair direito.

Jacob se colocou de pé com leveza, sua agilidade estranha naquele corpo imenso, e trotou para onde Edward e eu estávamos, à margem do treino.

— Jacob — Edward o cumprimentou educadamente.

Jacob o ignorou, os olhos escuros em mim. Pôs a cabeça no meu nível, como fez ontem, tombando-a de lado. Um ganido baixo escapou de seu focinho.

— Eu estou bem — respondi, sem precisar da tradução que Edward estava prestes a fazer. — Só preocupada, sabe como é.

Jacob continuava a me fitar.

— Ele quer saber por quê — murmurou Edward.

Jacob rosnou — não um som ameaçador, um som irritado —, e os lábios de Edward se retorceram.

— Que foi? — perguntei.

— Ele acha que minhas traduções deixam a desejar. O que ele realmente pensou foi: "Isso é uma idiotice. Que motivo há para se preocupar?" Eu editei, porque pensei que seria rude.

Abri um meio sorriso ansioso demais para realmente parecer entretida.

— Há muito com o que se preocupar — eu disse a Jacob. — Como um bando de lobos muito idiotas se machucando.

Jacob riu seu ladrar em tosse.

Edward suspirou.

— Jasper quer ajuda. Vai ficar bem sem intérprete?

— Vou me virar.

Edward olhou-me tristonho por um minuto, a expressão difícil de entender, depois deu as costas e foi para onde Jasper esperava.

Fiquei sentada onde estava. O chão era frio e desconfortável.

Jacob avançou um passo, depois voltou a olhar para mim, e um gemido baixo surgiu de sua garganta. Ele deu outro meio passo.

— Vá sem mim — eu disse a ele. — Não quero ver.

Jacob inclinou a cabeça para o lado de novo, por um momento, depois se dobrou no chão a meu lado com um suspiro alto.

— É sério, pode ir — eu garanti. Ele não respondeu, só colocou a cabeça entre as patas.

Olhei as nuvens prateadas e claras, sem querer ver a luta. Minha imaginação tinha combustível mais do que suficiente. Uma brisa soprou pela clareira e eu tremi.

Jacob chegou mais perto de mim, apertando o pelo quente em meu lado esquerdo.

— Er, obrigada — murmurei.

Depois de algum tempo, encostei-me em seu ombro largo. Era muito mais confortável assim.

As nuvens moviam-se lentamente pelo céu, escurecendo e clareando à medida que trechos espessos cobriam a lua e passavam por ela.

Distraída, comecei a passar os dedos no pelo de seu pescoço. Aquele mesmo zumbido estranho que ele fizera no dia anterior ribombou de sua garganta. Era um som aconchegante. Mais áspero, mais selvagem do que um ronronar de gato, mas que transmitia o mesmo contentamento.

— Sabe, eu nunca tive um cachorro — refleti. — Sempre quis um, mas Renée é alérgica.

Jacob riu; seu corpo se sacudiu sob o meu.

— Não está nada preocupado com o sábado? — perguntei.

Ele virou a cabeça enorme para mim, de modo que eu pude ver seus olhos revirarem.

— Queria ter esse otimismo todo.

Ele pousou a cabeça em minha perna e começou a murmurar de novo. E isso fez com que eu me sentisse um pouco melhor.

— Então vamos fazer uma trilha amanhã, imagino.

Ele rosnou; o som era entusiasmado.

— Pode ser uma *longa* caminhada — eu o alertei. — Edward não julga as distâncias como uma pessoa normal.

Jacob ladrou outro riso.

Eu me acomodei mais em seu pelo quente, pousando a cabeça em seu pescoço.

Era estranho. Embora ele estivesse naquela forma bizarra, parecia mais como Jake e eu costumávamos ser — a amizade tranquila e sem esforço que era natural como a respiração — do que das últimas vezes em que estive com Jacob enquanto ele era humano. Estranho que eu encontrasse aquilo novamente ali, quando pensava que toda a história de lobo fosse a causa dessa perda.

Os jogos letais continuaram na clareira e eu olhava a lua meio encoberta.

20. CONCILIAÇÃO

ESTAVA TUDO PRONTO.

Fiz a mala para minha visita de dois dias a "Alice" e minha bolsa esperava por mim no banco do carona de minha picape. Eu dera os ingressos do show a Angela, Ben e Mike. Mike levaria Jessica, e era exatamente isso que eu esperava. Billy pegara emprestado o barco do Velho Quil Ateara e convidara Charlie para uma pescaria em mar aberto antes que o jogo da tarde começasse. Collin e Brady, os dois lobisomens mais novos, ficaram para proteger La Push — embora fossem apenas crianças, ambos só com 13 anos. Ainda assim, Charlie ficaria mais seguro que qualquer um que estivesse em Forks.

Eu fiz tudo o que pude. Tentei aceitar isso e tirei da cabeça o que estava fora de meu controle, pelo menos naquela noite. De uma maneira ou de outra, acabaria em quarenta e oito horas. A ideia era quase reconfortante.

Edward pedira que eu relaxasse, e eu ia me esforçar ao máximo.

— Será que nesta noite podemos tentar esquecer tudo e sermos apenas eu e você? — pediu ele, descarregando toda a potência de seus olhos em mim. — Parece que jamais consigo tempo suficiente para isso. Preciso ficar com você. Só você.

Não era difícil concordar com um pedido desses, embora eu soubesse que seria muito mais fácil falar de esquecer meus temores do que esquecê-los. Outras questões estavam em minha mente ali, sabendo que tínhamos aquela noite para ficar a sós, e isso ajudaria.

Algumas coisas haviam mudado.

Por exemplo, eu estava pronta.

Estava pronta para me unir à família e ao mundo dele. O medo, a culpa e a angústia que sentia me ensinaram muito. Tive uma oportunidade de me concentrar nisso — enquanto olhava a lua através das nuvens, encostada num lobisomem —, e eu sabia que não entraria em pânico novamente. Da próxima vez em que alguma coisa nos ameaçasse, eu estaria preparada. Uma ativa, não uma passiva. Ele nunca mais teria de decidir entre mim e a família dele. Nós seríamos parceiros, como Alice e Jasper. Da próxima vez, eu faria minha parte.

Eu esperaria que a espada fosse retirada de cima de minha cabeça, para que Edward ficasse satisfeito. Mas não era necessário. Eu estava pronta.

Só estava faltando uma peça.

Uma peça, porque algumas coisas *não* mudaram, e isso incluía o amor desesperado que eu sentia por ele. Tive muito tempo para pensar em todas as ramificações da aposta de Jasper e Emmett — pude deduzir aquilo que eu estava disposta a perder com minha humanidade e a parte da qual não estava disposta a abrir mão. Eu sabia qual experiência humana insistiria em ter antes que me tornasse inumana.

Então tínhamos algumas questões para resolver naquela noite. Depois de tudo o que tinha visto nos últimos dois anos, eu não acreditava mais na palavra *impossível*. Agora seria preciso mais para me deter.

Bom, sinceramente, talvez fosse muito mais complicado do que isso. Mas eu ia tentar.

Embora estivesse decidida, não fiquei surpresa de ainda ficar nervosa enquanto seguia de carro pelo longo caminho até a casa dele — não sabia como fazer o que estava tentando e isso me assegurou um sério nervosismo. Ele estava sentado no banco do carona, reprimindo um sorriso por meu ritmo lento. Fiquei surpresa de não ter insistido em assumir o volante, mas naquela noite ele parecia satisfeito em seguir à minha velocidade.

Estava escuro quando chegamos à casa. Apesar disso, o gramado era iluminado pela luz de cada janela.

Assim que desliguei o motor, ele estava à minha porta, abrindo-a para mim. Ele me ergueu da cabine com um só braço, puxando minha bolsa da picape e colocando-a no ombro com a outra mão. Seus lábios encontraram os meus enquanto eu o ouvia chutar a porta do carro depois de me retirar.

Sem interromper o beijo, ele me balançou para que eu me aninhasse em seus braços e me levou para dentro da casa.

Será que a porta da frente já estava aberta? Não sei. Nós entramos, porém, e eu estava tonta. Tive de lembrar a mim mesma para respirar.

O beijo não me assustou. Não era um beijo de quando eu podia sentir o medo e o pânico escapando do controle dele. Seus lábios não eram ansiosos, mas entusiasmados — ele parecia tão emocionado quanto eu por termos aquela noite para nos concentrar um no outro. Ele continuou a me beijar por vários minutos, parado ali na entrada; parecia menos na defensiva do que o habitual, a boca fria e urgente na minha.

Comecei a me sentir cautelosamente otimista. Talvez não fosse tão difícil conseguir o que eu queria.

Não, é claro que seria muitíssimo difícil.

Com um riso baixo, ele me afastou, segurando-me à distância de um braço.

— Bem-vinda ao lar — disse ele, os olhos claros e quentes.

— Isso parece bom — eu disse, sem fôlego.

Ele me colocou gentilmente no chão. Passei os braços à sua volta, recusando-me a permitir qualquer espaço entre nós.

— Tenho uma coisa para você — disse ele, o tom informal.

— Ah, sim?

— Seu presente de segunda mão, lembra? Você disse que era permitido.

— Ah, é verdade. Acho que disse isso.

Ele riu de minha relutância.

— Está em meu quarto. Podemos pegar?

No quarto dele?

— Claro — concordei, sentindo-me bem pervertida enquanto entrelaçava os dedos nos dele. — Vamos.

Ele devia estar ansioso para me dar meu não presente, porque a velocidade humana não foi suficiente. Ele me ergueu de novo e quase voou escada acima até o quarto. Baixou-me na porta e disparou para o closet.

Estava de volta antes que eu desse um passo, mas eu o ignorei e fui para a imensa cama dourada, jogando-me na beira e escorregando para o meio. Enrosquei-me, os braços em volta dos joelhos.

— Tudo bem — grunhi. Agora que estava onde queria, eu podia relutar um pouco. — Vamos ver o que é.

Edward riu.

Ele subiu na cama a meu lado e meu coração bateu irregular. Eu só esperava que ele considerasse isso uma reação ao fato de ele me dar presentes.

— Um presente de segunda mão — lembrou-me severamente. Ele tirou meu pulso esquerdo de minha perna e tocou a pulseira de prata por um momento. Depois devolveu meu braço.

Eu o examinei com cautela. Na corrente, no lado oposto ao do lobo, pendia agora um cristal brilhante em forma de coração. Era lapidado em mil facetas e por isso, mesmo na luz fraca do abajur, cintilava. Eu respirei num arfar baixo.

— Era de minha mãe. — Ele deu de ombros como quem deprecia. — Herdei algumas bugigangas como essa. Dei algumas a Esme e a Alice. Assim, claramente, não é grande coisa mesmo.

Eu sorri pesarosa da declaração dele.

— Mas pensei que era uma boa representação — continuou. — É duro e frio. — Ele riu. — E lança arco-íris no sol.

— Você se esqueceu da semelhança mais importante — murmurei. — É lindo.

— Meu coração é igualmente silencioso — refletiu ele. — E também é seu.

Girei o pulso para que o coração cintilasse.

— Obrigada. Pelos dois.

— Não, *eu* é que agradeço. É um alívio que você aceite um presente com tanta facilidade. E é bom se acostumar com isso. — Ele sorriu, com os dentes faiscando.

Eu me encostei nele, afundando a cabeça sob seu braço e aninhando-me ao lado de seu corpo. Provavelmente, era parecido a me aconchegar ao *Davi* de Michelangelo, só que essa criatura perfeita de mármore passava os braços à minha volta para me puxar para perto.

Parecia um bom lugar para começar.

— Podemos discutir um assunto? Gostaria que você *começasse* a ser mais receptivo.

Ele hesitou por um momento.

— Vou dar o máximo de mim — concordou ele, agora cauteloso.

— Não vou quebrar regra alguma — prometi. — Trata-se estritamente de nós dois. — Dei um pigarro. — Então... Eu fiquei impressionada com nossa capacidade de conciliação outra noite. Estava pensando que gostaria de aplicar o mesmo princípio a uma situação diferente. — Perguntei-me por que eu estava sendo tão formal. Deviam ser os nervos.

— O que gostaria de negociar? — perguntou ele com um sorriso na voz.

Eu lutei, tentando encontrar as palavras exatas com que iniciar o assunto.

— Ouço seu coração voar — murmurou ele. — Está palpitando como as asas de um colibri. Você está bem?

— Estou ótima.

— Continue, por favor, então — estimulou ele.

— Bom, eu acho, primeiro, que queria falar com você sobre aquela história ridícula da condição do casamento.

— É ridícula para você. O que tem ela?

— Eu estava pensando... *Isto* está aberto a negociação?

Edward franziu o cenho, agora sério.

— Eu já fiz a maior concessão até agora... Concordei em tirar sua vida, contrariando o que penso ser melhor. E isso deve me dar direito a algumas concessões de sua parte.

— Não. — Sacudi a cabeça, concentrando-me em manter a expressão composta. — Isso faz parte de um acordo já feito. Não estamos discutindo minhas... renovações agora. Quero insistir em outros detalhes.

Ele olhou para mim, desconfiado.

— De que detalhes está falando exatamente?

Eu hesitei.

— Vamos primeiro esclarecer seus pré-requisitos.

— Você sabe o que eu quero.

— *Matrimônio*. — Falei como se fosse um palavrão.

— Sim. — Ele abriu um largo sorriso. — Para começar.

O choque estragou a expressão que compus com tanto cuidado.

— Tem mais?

— Bem — disse ele, e seu rosto era calculista. — Se vai ser minha esposa, então o que é meu é seu... Como o dinheiro das taxas da universidade. Assim, não haveria problema com Dartmouth.

— Mais alguma coisa? Enquanto já está sendo absurdo?

— Eu não me importaria de ter algum *tempo*.

— Não. Nada de tempo. Isso é quebra de acordo.

Ele suspirou com ardor.

— Só um ou dois anos?

Sacudi a cabeça, meus lábios num franzido teimoso.

— Vamos passar ao próximo.

— É só isso. A não ser que queira falar de carros...

Ele deu um sorriso largo quando fiz uma careta, depois pegou minha mão e começou a brincar com meus dedos.

— Não percebi que você tinha outro desejo além do de ser transformada num monstro. Estou extremamente curioso. — A voz dele era baixa e suave. Teria sido difícil detectar a leve tensão se eu não o conhecesse tão bem.

Eu parei, fitando sua mão na minha. Ainda não sabia como começar. Senti seus olhos me observando e tive medo de olhar para ele. O sangue começou a arder em meu rosto.

Seus dedos frios afagaram minha bochecha.

— Está corando? — perguntou ele, surpreso. Mantive a cabeça baixa. — Por favor, Bella, o suspense é doloroso.

Mordi o lábio.

— Bella. — Seu tom de voz agora era de censura, lembrando-me da dificuldade que ele tinha quando eu guardava os pensamentos para mim mesma.

— Bom, estou meio preocupada... com o depois — admiti, finalmente olhando para ele.

Senti seu corpo tenso, mas sua voz era gentil e aveludada.

— O que a preocupa?

— Todos vocês parecem *tão* convencidos de que meu único interesse, depois, é matar todo mundo na cidade — confessei, enquanto ele estremecia com as palavras que escolhi. — E tenho medo de ficar tão preocupada com a chacina que não seja mais *eu*... e que eu não... eu não *queira* você da mesma forma que agora.

— Bella, essa parte não dura para sempre — garantiu-me ele.

Ele não estava entendendo.

— Edward — eu disse, nervosa, olhando um sinal em meu pulso. — Há uma coisa que quero fazer antes de não ser mais humana.

Ele esperou que eu continuasse. Não continuei. Meu rosto estava todo quente.

— O que você quiser — encorajou ele, ansioso e sem ter a menor noção.

— Promete? — murmurei, sabendo que minha tentativa de fazê-lo cair na armadilha de minhas palavras não daria certo, mas incapaz de resistir.

— Sim — disse ele. Olhei-o e vi seus olhos francos e confusos. — Diga-me o que você quer e terá.

Eu nem acreditava em como me sentia desajeitada e idiota. Eu era tão inocente — o que claramente era central à discussão. Não fazia a menor ideia de como ser sedutora. Eu teria de me contentar com ficar corada e constrangida.

— Você — murmurei quase incoerentemente.

— Sou seu. — Ele sorriu, ainda desligado, tentando sustentar meu olhar enquanto eu desviava o rosto de novo.

Respirei fundo e avancei de modo a ficar ajoelhada na cama. Depois passei os braços em seu pescoço e o beijei.

Ele retribuiu o beijo, confuso, mas de boa vontade. Seus lábios eram gentis nos meus, e eu sabia que sua mente estava em outro lugar — tentando entender o que estava na *minha* mente. Concluí que ele precisava de uma dica.

Minhas mãos estavam meio trêmulas enquanto eu soltava os braços de seu pescoço. Meus dedos desceram por sua nuca até a gola da camisa. O tremor não ajudou em nada quando tentei abrir os botões às pressas, antes de ele me impedir.

Seus lábios ficaram paralisados e eu quase pude ouvir o estalo na cabeça quando ele compreendeu minhas palavras e minha atitude.

Ele me empurrou imediatamente, o rosto me censurando.

— Seja razoável, Bella.

— Você prometeu... O que eu quisesse — lembrei-lhe sem esperança alguma.

— Não estamos tendo essa discussão. — Ele me encarou enquanto fechava os dois botões que eu conseguira abrir.

Meus dentes trincaram.

— Eu digo que estamos — grunhi. Passei as mãos para minha blusa e abri o primeiro botão.

Ele pegou meus pulsos e prendeu-os ao lado de meu corpo.

— Eu digo que não — disse ele sem rodeios.

Ficamos nos encarando.

— Você queria saber — assinalei.

— Pensei que seria algo ligeiramente realista.

— Então pode pedir a coisa idiota e ridícula que *você* quiser... como se *casar*... Mas *eu* não posso nem *discutir* o que eu...

Enquanto eu resmungava, ele uniu minhas mãos para prendê-las com a dele e pôs a outra em minha boca.

— Não. — Sua expressão era severa.

Respirei fundo, para me controlar. E, à medida que a raiva começava a ceder, tive outra sensação.

Precisei de um minuto para reconhecer por que eu estava de cabeça baixa de novo, o rubor voltando. Por que meu estômago parecia inquieto, por que havia água demais em meus olhos, por que eu de repente queria sair correndo do quarto.

A rejeição me inundou, instintiva e forte.

Eu sabia que era irracional. Em outras ocasiões, ele deixara muito claro que só o que importava era minha segurança. E, no entanto, eu nunca havia me sentido tão vulnerável na vida. Fechei a cara para o edredom dourado que combinava com os olhos dele e tentei banir a reação reflexa que me dizia que eu não era desejada, nem desejável.

Edward suspirou. A mão em minha boca passou para meu queixo e ele puxou meu rosto até que eu o olhasse.

— Que foi agora?

— Nada — murmurei.

Ele examinou meu rosto por um longo tempo enquanto eu tentava sem sucesso me desviar de seu olhar. Sua testa franziu e sua expressão ficou apavorada.

— Eu a magoei? — perguntou ele, chocado.

— Não — menti.

Tão rápido que nem tive certeza de como aconteceu, eu estava nos braços dele, meu rosto aninhado entre seu ombro e a mão, enquanto seu polegar afagava tranquilizadoramente meu rosto.

— Sabe por que tenho de dizer não — murmurou ele. — Sabe que eu também quero você.

— Você quer? — sussurrei com a voz tomada de dúvida.

— É claro que quero, sua boba, linda e supersensível. — Ele deu uma risada, depois sua voz ficou severa. — E não querem todos? Sinto que há uma fila atrás de mim, tomando posição, esperando que eu cometa o grande erro... Você é desejável demais para seu próprio bem.

— E, agora, quem está sendo bobo? — Eu duvidava que desajeitada, constrangida e sem graça significasse *desejável* no dicionário de alguém.

— Tenho de redigir uma petição para que você acredite? Terei de dizer a você os nomes de quem está no topo da lista? Você conhece alguns, mas outros podem surpreendê-la.

Sacudi a cabeça contra seu peito, fazendo uma careta.

— Só está tentando me distrair. Vamos voltar a nosso assunto.

Ele suspirou.

— Corrija-me se eu entendi mal alguma coisa. — Tentei parecer imparcial. — Suas exigências são o casamento — eu não conseguia dizer a palavra sem fazer uma careta —, pagar minha universidade, mais tempo e você não se importaria se meu carro fosse um pouco mais rápido. — Ergui as sobrancelhas. — Eu entendi tudo? É uma lista grande.

— Só a primeira é uma exigência. — Ele parecia ter dificuldade para manter a expressão séria. — As outras são apenas solicitações.

— E minha única e solitária exigência é...

— Exigência? — interrompeu ele, de repente sério de novo.

— Sim, exigência.

Seus olhos se estreitaram.

— Casar está além de meus limites. Não vou ceder se não conseguir algo em troca.

Ele se abaixou para sussurrar em meu ouvido.

— Não — murmurou, numa voz de seda. — Agora não é possível. Depois, quando estiver menos frágil. Seja paciente, Bella.

Tentei manter a voz firme e razoável.

— Mas o problema é esse. Eu não serei a *mesma* quando estiver menos frágil. Não serei a mesma! Eu não sei *quem* serei na época.

— Ainda será a Bella — prometeu ele.

Eu franzi a testa.

— Se eu estiver tão louca que vá querer matar Charlie... Beber o sangue de Jacob ou de Angela, se tiver oportunidade... Como isso poderá ser verdade?

— Vai passar. E duvido que vá querer beber o sangue do cachorro. — Ele fingiu estremecer com a ideia. — Mesmo recém-criada, terá um paladar melhor do que esse.

Eu ignorei sua tentativa de me distrair.

— Mas sempre será o que mais quero, não é? — desafiei. — Sangue, sangue e mais sangue!

— O fato de que ainda está viva é prova de que não é verdade — observou ele.

— Mais de oitenta anos depois — lembrei-lhe. — O que eu quis dizer foi *fisicamente*. Intelectualmente, sei que serei capaz de ser eu mesma... Por algum tempo. Mas fisicamente... sempre terei sede, mais do que qualquer outra necessidade.

Ele não respondeu.

— Então eu *serei* diferente — concluí, sem a oposição dele. — Porque agora, fisicamente, não há nada que eu queira mais do que você. Mais do que comida, água ou oxigênio. Intelectualmente, tenho minhas prioridades numa ordem um pouco mais sensata. Mas fisicamente...

Girei a cabeça para beijar a palma de sua mão.

Ele respirou fundo. Fiquei surpresa por isso parecer menos controlado.

— Bella, eu poderia matá-la — sussurrou ele.

— Não acredito que possa.

Os olhos de Edward se estreitaram. Ele ergueu a mão de meu rosto e a estendeu rapidamente às costas, procurando alguma coisa que eu não podia ver. Ouvi um estalo abafado e a cama tremeu embaixo de nós.

Um objeto escuro estava em sua mão; ele o ergueu para meu exame curioso. Era uma flor de metal, uma das rosas que adornavam os postes de ferro batido e o dossel da cama. A mão se fechou por um breve segundo, os dedos se contraindo com delicadeza, depois se abriu.

Sem dizer nada, ele me ofereceu a bolota esmagada e irregular de metal preto. Tinha a forma do interior de sua mão, como um pedaço de massinha de modelar espremida na mão de uma criança. Passou-se meio segundo e a forma se esfarelou em pó preto em sua palma.

Eu o encarei.

— Não foi isso que eu quis dizer. Eu já *sei* como você é forte. Não precisa quebrar a mobília.

— O que quis dizer, então? — perguntou-me numa voz sombria, atirando o punhado de pó de ferro no canto do quarto; bateu na parede com um som que parecia de chuva.

Seus olhos estavam concentrados em meu rosto enquanto eu lutava para me explicar.

— Obviamente, não é que você não seja fisicamente capaz de me machucar, se quiser... Mais do que isso, você não quer me machucar... Tanto que acho que jamais poderia.

Ele começou a sacudir a cabeça antes que eu terminasse.

— Pode não ser assim, Bella.

— *Pode* — zombei. — Você não faz a menor ideia do que está falando, não mais do que eu.

— Exatamente. Você imagina que eu correria esse risco com você?

Eu o olhei nos olhos por um longo minuto. Não havia sinal de que ia ceder, nenhuma sugestão de indecisão neles.

— Por favor — sussurrei por fim, sem esperanças. — É só o que eu quero. Por favor. — Fechei os olhos, derrotada, esperando pelo "não" rápido e definitivo.

Mas ele não respondeu de imediato. Eu hesitei, incrédula, pasma ao ouvir sua respiração irregular de novo.

Abri os olhos e seu rosto estava dilacerado.

— Por favor? — sussurrei de novo, meu coração acelerando. Minhas palavras tropeçaram para fora enquanto eu corria para tirar proveito da incerteza súbita em seus olhos. — Não tem de me dar garantia nenhuma. Se não der certo, bom, acabou. Só vamos *tentar*... Só tentar. E vou lhe dar o que você quer — prometi precipitadamente. — Vou me casar com você. Vou deixar que pague Dartmouth e não vou reclamar se quiser usar suborno para me colocar lá dentro. Pode até me comprar um carro mais veloz, se isso o faz feliz! Só... *por favor*.

Seus braços de gelo se fecharam à minha volta e seus lábios estavam em minha orelha; o hálito frio me fez tremer.

— Isso é intolerável. Há tantas coisas que queria lhe dar... E *isso* é o que você decide exigir. Tem alguma ideia de como é doloroso tentar lhe recusar um pedido quando você me fala desse jeito?

— Então não recuse — sugeri sem fôlego.

Ele não respondeu.

— Por favor — tentei de novo.

— Bella... — Ele sacudiu a cabeça devagar, mas não parecia haver negação enquanto seu rosto, seus lábios moviam-se de um lado a outro de meu pescoço. Parecia mais uma rendição. Meu coração, já acelerado, crepitava freneticamente.

De novo, tirei o proveito que pude. Quando seu rosto se voltou para o meu com o movimento lento de sua indecisão, girei rapidamente em seus braços até que minha boca o alcançou. Suas mãos seguraram meu rosto e pensei que ele ia me empurrar de novo.

Eu estava errada.

Sua boca não era gentil; havia um novo conflito e desespero no modo como os lábios dele se moviam. Fechei os braços em seu pescoço e, em minha pele subitamente aquecida, seu corpo parecia mais frio do que nunca. Eu tremi, mas não foi de frio.

Ele não parou de me beijar. Eu é que tive de interromper, respirando aos arquejos. Mesmo então seus lábios não deixaram minha pele, só passaram a meu pescoço. A emoção da vitória tinha um toque estranho; fez com que me sentisse poderosa, corajosa. Minhas mãos não estavam mais instáveis; desta vez lidei com os botões de sua camisa com mais facilidade e meus dedos acompanharam a superfície perfeita de seu peito gelado. Ele era tão lindo! Que palavra ele usou agora mesmo? Intolerável — era isso. Sua beleza era demasiada para que eu suportasse...

Puxei sua boca para a minha de novo, e ele parecia tão ávido quanto eu. Uma de suas mãos ainda envolvia meu rosto, o outro braço firme em minha cintura, puxando-me para mais perto dele. Ficou um pouco mais difícil enquanto eu tentava alcançar a frente da minha camisa, mas não impossível.

Garras de ferro frio se fecharam em meus pulsos e puxaram minhas mãos para o alto da cabeça, que de repente estava num travesseiro.

Seus lábios estavam em minha orelha de novo.

— Bella — murmurou ele, a voz quente e aveludada. — Poderia *por favor* parar de tentar tirar a roupa?

— Quer fazer essa parte? — perguntei confusa.

— Esta noite, não — respondeu ele delicadamente. Seus lábios eram mais lentos agora em minha face e no queixo, toda a urgência se fora.

— Edward, não... — comecei a discutir.

— Não estou dizendo que não — garantiu-me ele. — Só estou dizendo *esta noite, não*.

Pensei naquilo por um tempo, enquanto minha respiração desacelerava.

— Me dê um bom motivo para que esta noite não seja tão boa quanto qualquer outra. — Eu ainda estava sem fôlego; isso fez com que a frustração em minha voz ficasse menos impressionante.

— Eu não nasci ontem. — Ele riu em meu ouvido. — De nós dois, quem você acha que está mais relutante em dar o que o outro quer? Você prometeu apenas se casar comigo antes de qualquer mudança, mas se eu ceder esta noite, que garantias tenho de que não vai correr para Carlisle de manhã? Eu sou... claramente... muito menos relutante em lhe dar o que você quer. Portanto... você primeiro.

Soltei um suspiro alto.

— Vou ter que casar com você primeiro? — perguntei, incrédula.

— O acordo é esse... É pegar ou largar. Conciliação, lembra?

Seus braços me envolveram e ele começou a me beijar de uma forma que devia ser crime. Tão convincente — era coação, era coerção. Tentei manter a mente clara... E fracassei rápida e completamente.

— Acho uma péssima ideia — arfei quando ele me deixou respirar.

— Não estou surpreso que se sinta assim. — Ele deu um sorriso malicioso. — Você tem uma mente limitada.

— Como foi que isso aconteceu? — grunhi. — Pensei que eu estivesse no controle esta noite... Pela primeira vez... E agora, de repente...

— Você está noiva — terminou ele.

— Ai! *Por favor*, não diga isso em voz alta.

— Vai voltar atrás? — perguntou ele. Ele se afastou para ler meu rosto. Sua expressão era de diversão. Ele estava achando engraçado.

Eu o encarei, tentando ignorar a reação que seu sorriso provocava em meu coração.

— Vai? — pressionou Edward.

— Argh! — gemi. — Não. Não vou. Está feliz agora?

Seu sorriso era ofuscante.

— Excepcionalmente.

Eu gemi de novo.

— Não está feliz?

Ele me beijou antes que eu pudesse responder. Outro beijo convincente demais.

— Um pouquinho — admiti quando pude falar. — Mas com relação a me casar.

Ele me beijou mais uma vez.

— Você tem a sensação de que está tudo errado? — Ele riu em minha orelha. — Por tradição, você não devia estar defendendo meu lado e eu o seu?

— Não há nada de muito tradicional em nós dois.

— É verdade.

Ele me beijou de novo e assim ficou até que meu coração disparou e minha pele estava corada.

— Escute, Edward — murmurei com a voz cheia de bajulação quando ele parou para beijar a palma de minha mão. — Eu disse que me casaria com você, e vou me casar. Prometo. Juro. Se quiser, assinarei um contrato com meu próprio sangue.

— Não tem graça — murmurou ele na face interna de meu pulso.

— O que estou dizendo é isso... Não vou enganá-lo, nem nada. Você me conhece muito bem. Então não há motivo algum para esperar. Estamos totalmente a sós... Com que frequência isso acontece?... E você ainda providenciou esta cama bem grande e confortável...

— Esta noite, não — disse ele outra vez.

— Não confia em mim?

— É claro que confio.

Usando a mão que ele ainda beijava, eu puxei seu rosto para ver sua expressão.

— Então, qual é o problema? Até parece que você não sabe que vai vencer no final. — Eu franzi a testa e murmurei: — Você sempre vence.

— Só estou cercando minhas apostas — disse ele em tom calmo.

— Há mais alguma coisa — adivinhei, meus olhos se estreitando. Havia algo de defensivo em seu rosto, uma leve sugestão de um motivo secreto que ele tentava esconder por trás das maneiras despreocupadas. — *Você* está pretendendo não manter sua palavra?

— Não — prometeu ele solenemente. — Eu juro, nós *vamos* tentar. Depois que se casar comigo.

Sacudi a cabeça e ri de mau humor.

— Você faz com que eu me sinta o vilão de um melodrama... Torcendo o bigode enquanto tenta roubar a virtude de uma pobre moça.

Seus olhos eram preocupados quando passaram por meu rosto, depois ele rapidamente os baixou para colocar os lábios em minha clavícula.

— É isso, não é? — O riso curto que me escapou era mais de choque do que de diversão. — Está tentando proteger sua virtude! — Cobri a boca com a mão para abafar a risada que se seguiu. As palavras eram tão... antiquadas.

— Não, sua boba — murmurou ele em meu ombro. — Estou tentando proteger *a sua*. E você está tornando tudo tremendamente difícil.

— De todas as razões ridículas...

— Deixe-me fazer uma pergunta — interrompeu ele depressa. — Já tivemos essa discussão, mas me dê esse prazer. Quantas pessoas neste quarto têm uma alma? Uma chance no paraíso, ou aonde quer que se vá depois desta vida?

— Duas — respondi de pronto, minha voz severa.

— Muito bem. Talvez seja verdade. Agora, há um mundo de dissensão sobre isso, mas a grande maioria parece pensar que existem algumas regras que devem ser seguidas.

— Regras de vampiros não bastam para você? Quer se preocupar com as regras humanas também?

— Não deve fazer mal. — Ele deu de ombros. — Só por segurança.

Eu o encarei com os olhos semicerrados.

— Agora, é claro que pode ser tarde demais para mim, mesmo que tenha razão a respeito de minha alma.

— Não é, não — contestei com raiva.

— "Não matarás" *é* comumente aceito pela maioria das crenças. E eu matei muita gente, Bella.

— Só os maus.

Ele deu de ombros.

— Talvez isso conte, talvez não. Mas você não matou ninguém...

— Que *você* saiba — murmurei.

Ele sorriu, mas ignorou minha interrupção.

— E vou fazer o máximo para tirá-la do caminho da tentação.

— Tudo bem. Mas não estamos brigando para cometer assassinato — lembrei a ele.

— Aqui se aplica o mesmo princípio... A única diferença é que essa é uma área em que sou tão imaculado quanto você. Não posso deixar uma regra intacta?

— Uma?

— Você sabe que roubei, menti, cobicei... Minha virtude é tudo o que resta. — Ele deu um sorriso torto.

— Eu minto o tempo todo.

— Sim, mas você é uma mentirosa tão ruim, que não conta. Ninguém acredita em você.

— Espero sinceramente que esteja enganado sobre isso... Porque, caso contrário, Charlie está prestes a irromper por essa porta com uma arma carregada.

— Charlie é mais feliz quando finge que engole suas histórias. Ele prefere mentir para si mesmo a olhar mais de perto. — Ele sorriu para mim.

— Mas o que você cobiçou? — perguntei, em dúvida. — Você tem tudo.

— Eu cobicei você. — Seu sorriso ensombreceu. — Não tenho o direito de querer você... Mas estendi a mão e peguei assim mesmo. E agora olha no que você se transformou! Tentando seduzir um vampiro. — Ele sacudiu a cabeça, fingindo pavor.

— Pode cobiçar o que já é seu — informei a ele. — Além disso, pensei que fosse com *minha* virtude que você estivesse preocupado.

— E é. Se é tarde demais para mim... seria loucura... se eu permitisse que você ficasse de fora também.

— Não pode me fazer ir a um lugar em que você não está — eu jurei. — Esta é minha definição de inferno. De qualquer modo, tenho uma solução fácil para tudo isso; jamais vamos morrer, não é?

— Parece bem simples. Por que não tinha pensado nisso?

Ele sorriu para mim até que desisti com um *humpf* de raiva.

— Então é assim. Você só vai dormir comigo quando estivermos *casados*.

— Tecnicamente, não posso nem *dormir* com você.

Revirei os olhos.

— Quanta maturidade, Edward.

— Mas, além desse detalhe, sim, você tem razão.

— Acho que você está escondendo o motivo.

Seus olhos se arregalaram de inocência.

— Outro?

— Você sabe que isso vai apressar as coisas — acusei.

Ele tentou não sorrir.

— Só há uma coisa que quero apressar, o restante pode esperar para sempre... Mas para isso, é verdade, seus hormônios humanos impacientes a essa altura são meus mais poderosos aliados.

— Nem acredito que estou concordando com isso. Quando penso em Charlie... e Renée! Dá para imaginar o que Angela vai pensar? Ou Jessica? Ai. Posso ouvir as fofocas agora mesmo.

Ele ergueu uma sobrancelha para mim e eu sabia por quê. O que importava o que dissessem sobre mim quando eu partiria logo e não voltaria? Sou realmente tão sensível que não suportaria algumas semanas de olhares de lado e perguntas capciosas?

Talvez não me incomodasse se eu não soubesse que provavelmente estaria fofocando com a mesma condescendência dos outros se fosse outra pessoa se casando naquele verão.

Ui. Casada naquele verão! Eu tremi.

E, depois, talvez não me incomodasse tanto se eu não tivesse sido criada para tremer com a ideia de casamento.

Edward interrompeu meu chilique.

— Não precisa ser uma grande produção. Eu não preciso de fanfarra nenhuma. Você não tem de contar a ninguém, nem fazer mudança nenhuma. Vamos a Las Vegas... Você pode usar jeans velhos e vamos à capela com a janela de *drive-through*. Só quero que seja oficial... Que você me pertença e *a mais ninguém*.

— Não pode ser mais oficial do que já é — grunhi. Mas a descrição dele não parecia tão ruim. Só Alice ficaria decepcionada.

— Vamos ver isso. — Ele sorriu com complacência. — Acho que não quer sua aliança agora, não é?

Tive de engolir em seco antes de poder falar.

— Supôs corretamente.

Ele riu de minha expressão.

— Está tudo bem. Vou colocar em seu dedo em breve mesmo.

Eu o encarei.

— Você fala como se já tivesse uma.

— E tenho — disse ele, sem se envergonhar. — Pronta para colocar em seu dedo ao primeiro sinal de fraqueza.

— Você é inacreditável.

— Não quer ver? — perguntou ele. Seus olhos topázio de repente brilharam de empolgação.

— Não! — eu quase gritei, uma reação reflexa. Arrependi-me logo. Seu rosto desmoronou um pouco. — A não ser que realmente queira me mostrar — emendei. Trinquei os dentes para evitar demonstrar meu terror ilógico.

— Tudo bem — ele deu de ombros. — Isso pode esperar.

Eu suspirei.

— Me mostre a porcaria da aliança, Edward.

Ele sacudiu a cabeça.

— Não.

Examinei sua expressão por um longo minuto.

— Por favor? — pedi em voz baixa, experimentando com minha arma recém-descoberta. Toquei seu rosto de leve com a ponta dos dedos. — Posso ver, por favor?

Seus olhos se estreitaram.

— Você é a criatura mais perigosa que já conheci — ele murmurou. Mas se levantou e foi com uma elegância inconsciente se ajoelhar ao lado da mesinha de cabeceira. Estava de volta à cama comigo em um instante, sentando-se a meu lado com um braço em meu ombro. Na outra mão havia uma caixinha preta. Ele a equilibrou no meu joelho esquerdo.

— Vá em frente e olhe, então — disse bruscamente.

Pegar a caixinha inofensiva foi mais difícil do que devia, mas eu não queria magoá-lo de novo, então tentei evitar que minha mão tremesse. A superfície era de cetim preto e macio. Passei os dedos nela, hesitando.

— Você não gastou *muito* dinheiro, não foi? Minta para mim, se gastou.

— Não gastei nada — garantiu-me ele. — É só outro presente de segunda mão. Esta foi a aliança que meu pai deu a minha mãe.

— Ah! — A surpresa tingiu minha voz. Belisquei a tampa entre o polegar e o indicador, mas ela não abriu.

— Acho que é meio antiga. — O tom de voz dele se desculpava dolorosamente. — Obsoleta, como eu. Posso lhe comprar algo mais atual. Algo da Tiffany's?

— Gosto de coisas antigas — murmurei enquanto erguia, hesitante, a tampa.

Aninhada no cetim preto, a aliança de Elizabeth Masen cintilou na luz fraca. A face era um oval longo, com filas oblíquas de pedras redondas e cintilantes. O aro era de ouro — delicado e estreito. O ouro tecia uma trama frágil em torno dos diamantes. Eu nunca tinha visto nada assim.

Sem pensar, afaguei as gemas reluzentes.

— É tão *linda*! — murmurei para mim mesma, surpresa.

— Você gosta?

— É linda. — Eu dei de ombros, fingindo desinteresse. — Quem não gostaria?

Ele riu.

— Veja se cabe.

Minha mão esquerda se fechou num punho.

— Bella — suspirou ele. — Não vou soldar em seu dedo. Só experimente para eu ver se precisa ser ajustada. Depois pode tirar.

— Tudo bem — grunhi.

Estendi a mão para a aliança, mas os dedos longos dele foram mais rápidos. Ele pegou minha mão esquerda e colocou a aliança em meu dedo anular. Estendeu minha mão e nós dois examinamos o oval cintilante em minha pele. Tê-la ali não foi tão medonho como eu temia.

— Cabe perfeitamente — disse ele com indiferença. — Isso é bom... Me poupa uma viagem ao joalheiro.

Pude ouvir uma forte emoção ardendo por baixo do tom despreocupado de sua voz e fitei seu rosto. Estava também visível em seus olhos, apesar da indiferença cuidadosa de sua expressão.

— Você gosta disso, não é? — perguntei, desconfiada, os dedos tremendo e pensando que era péssimo que eu não tivesse quebrado a mão *esquerda*.

Ele deu de ombros.

— Claro — disse, ainda despreocupado. — Fica muito bem em você.

Eu o fitei nos olhos, tentando decifrar a emoção que ardia por baixo da superfície. Ele me olhou, e a falsa despreocupação de repente escapou. Ele estava radiante — a cara de anjo brilhando de alegria e vitória. Ele estava tão glorioso que me tirou o fôlego.

Antes que eu pudesse recuperar o ar, ele estava me beijando, os lábios exultantes. Fiquei tonta quando ele moveu a boca para sussurrar em meu ouvido — mas sua respiração era tão desigual quanto a minha.

— Sim, eu gosto. Você *nem* faz ideia.

Eu ri, arfando um pouco.

— Acredito em você.

— Importa-se se eu fizer uma coisa? — murmurou ele, os braços me estreitando.

— O que quiser.

Mas ele me soltou e deslizou dali.

— Tudo menos isso — reclamei.

Ele me ignorou, pegando minha mão e me puxando da cama. Ficou de pé na minha frente, as mãos nos meus ombros, o rosto grave.

— Agora, quero fazer isso direito. Por favor, *por favor*, tenha em mente que você já concordou e não estrague tudo para mim.

— Ah, não — eu arfei enquanto ele se ajoelhava.

— Seja boazinha — murmurou ele.

Respirei fundo.

— Isabella Swan? — Ele me olhou através dos cílios incrivelmente longos, os olhos dourados suaves mas, de certo modo, ainda em brasa. — Prometo amá-la para sempre... a cada dia da eternidade. Quer se casar comigo?

Havia muitas coisas que eu queria dizer, algumas não muito boas e outras mais revoltantes de pieguice e romantismo do que ele sonhava que eu seria capaz. Em vez de me constranger com qualquer das opções, eu sussurrei um "Sim".

— Obrigado — disse Edward simplesmente. Ele pegou minha mão esquerda e beijou a ponta de cada um dos dedos antes de beijar a aliança que então era minha.

21. RASTROS

EU ODIAVA PERDER QUALQUER PARTE DA NOITE DORMINDO, MAS era inevitável. O sol brilhava do lado de fora da parede-janela quando acordei, com pequenas nuvens fugindo rápido demais no céu. O vento balançou a copa das árvores até que toda a floresta pareceu se sacudir.

Ele me deixou sozinha para que eu me vestisse, e me agradou a oportunidade de pensar. De certo modo, meu plano para a noite anterior tinha dado horrivelmente errado e eu precisava suportar as consequências. Embora eu tivesse retirado a aliança de segunda mão assim que pude sem ferir os sentimentos dele, a mão esquerda parecia mais pesada, como se a aliança ainda estivesse no lugar, só que invisível.

Aquilo não deveria me incomodar, raciocinei. Não era grande coisa — uma viagem de carro a Las Vegas. Eu usaria algo melhor do que os jeans velhos — poderia usar moletons velhos. A cerimônia, certamente, não duraria muito; no máximo quinze minutos, não é? Então, eu podia lidar com aquilo.

E depois, quando acabasse, ele precisaria cumprir sua parte no acordo. Eu me concentraria nisso e me esqueceria do resto.

Ele disse que não precisava contar a ninguém, e eu pretendia fazê-lo manter sua palavra. É claro que era muita idiotice minha não pensar em Alice.

Os Cullen voltaram para casa por volta do meio-dia. Havia um novo clima prático à volta deles e isso me trouxe de volta à enormidade do que estava por vir.

Alice parecia estar em seu mau humor de sempre. Achei que se devia à frustração por se sentir normal, porque as primeiras palavras dela a Edward foram uma queixa sobre o trabalho com os lobos.

— Eu *acho* — ela fez uma careta enquanto usava a palavra incerta — que você vai querer se preparar para o clima frio, Edward. Não vejo onde você está exatamente, porque vai sair com aquele *cachorro* esta tarde. Mas a tempestade que está vindo parece em particular ruim em toda essa área.

Edward assentiu.

— Vai nevar nas montanhas — ela o alertou.

— Ai, neve — murmurei comigo mesma. Era junho, pelo amor de Deus!

— Vista um casaco — disse-me Alice. Sua voz era hostil, e isso me surpreendeu. Tentei ler sua expressão, mas ela desviou o rosto.

Olhei para Edward e ele estava sorrindo; o que quer que estivesse aborrecendo Alice, divertia Edward.

Edward tinha mais do que o suficiente em trajes de *camping* para escolher — adereços do disfarce humano; os Cullen eram bons clientes da loja dos Newton. Ele pegou um saco de dormir, uma barraca pequena e vários pacotes de comida desidratada — sorrindo quando fiz uma careta — e enfiou tudo numa mochila.

Alice andava pela garagem enquanto estávamos lá, olhando os preparativos de Edward sem dizer nada. Ele a ignorou.

Quando tudo estava guardado, Edward me passou o celular.

— Por que não liga para Jacob e diz a ele que estaremos prontos em mais ou menos uma hora? Ele sabe onde nos encontrar.

Jacob não estava em casa, mas Billy prometeu ligar até poder encontrar um lobisomem disponível para passar o recado.

— Não se preocupe com Charlie, Bella — disse Billy. — Tenho minha parte sob controle.

— É, eu sei que Charlie vai ficar bem. — Eu não me sentia tão confiante quanto à segurança do filho dele, mas não acrescentei isso.

— Gostaria de poder estar com os outros amanhã. — Billy riu pesarosamente. — Ser um velho é uma dureza, Bella.

O impulso de brigar devia ser uma característica que definia o cromossomo Y. Todos eles eram iguais.

— Divirta-se com Charlie.

— Boa sorte, Bella — respondeu ele. — E... transmita o mesmo aos, eh, Cullen por mim.

— Farei isso — prometi, surpresa com o gesto.

Enquanto devolvia o telefone a Edward, vi que ele e Alice tinham uma espécie de discussão silenciosa. Ela o encarava, com os olhos suplicantes. Ele franzia a testa, insatisfeito com o que ela queria.

— Billy pediu para desejar boa sorte a vocês.

— É generosidade dele — disse Edward, afastando-se dela.

— Bella, posso falar com você a sós, por favor? — pediu Alice rapidamente.

— Está prestes a tornar minha vida mais difícil do que precisa, Alice — Edward alertou-a entredentes. — Eu preferia que não fizesse isso.

— Não se trata de você, Edward — rebateu ela.

Ele riu. Algo na resposta dela era divertido para ele.

— Não é — insistiu Alice. — É coisa de mulher.

Ele franziu a testa.

— Deixe que ela fale comigo — disse a Edward. Eu estava curiosa.

— Você pediu — murmurou ele. Ele riu de novo, meio com raiva, meio com divertimento, e saiu da garagem.

Virei-me para Alice, agora preocupada, mas ela não olhava para mim. Seu mau humor ainda não tinha passado.

Ela foi se sentar no capô do Porsche, a cara abatida. Eu a segui e me encostei no para-choque ao lado dela.

— Bella? — perguntou Alice numa voz triste, remexendo-se a meu lado. Sua voz era tão infeliz que passei os braços em seus ombros para reconfortá-la.

— Qual é o problema, Alice?

— Você me ama? — perguntou ela no mesmo tom triste.

— É claro que sim. Você sabe disso.

— Então por que eu vejo você escapulindo para Las Vegas para se casar sem me convidar?

— Ah! — murmurei, meu rosto ficando rosado. Eu sabia que tinha magoado muito seus sentimentos e me apressei em me defender. — Você sabe que eu odeio alarde. De qualquer modo, foi ideia de Edward.

— Não me importa de quem foi a ideia. Como *você* pode fazer isso comigo? Espero esse tipo de conduta de *Edward*, mas não de você. Eu a amo como se fosse minha irmã.

— Para mim, Alice, você *é* minha irmã.

— Palavras! — grunhiu ela.

— Tudo bem, você pode ir. Não haverá muito para ver.

Ela ainda fazia uma careta.

— Que foi? — perguntei.

— *Quanto* você me ama, Bella?

— Por quê?

Ela me fitou com os olhos suplicantes, as sobrancelhas escuras e longas erguendo-se no meio e se unindo, os lábios tremendo nos cantos. Era uma expressão de cortar o coração.

— Por favor, por favor, por favor — sussurrou ela. — Por favor, Bella, por favor... Se realmente me ama... por favor, me deixe fazer seu casamento.

— Ai, Alice! — eu gemi, afastando-me e colocando-me de pé. — Não! Não faça isso comigo.

— Se você realmente, verdadeiramente me ama, Bella.

Cruzei os braços.

— Isso é *tão* injusto. E Edward meio que já usou essa comigo.

— Aposto que Edward preferia que isso acontecesse tradicionalmente, embora ele nunca tenha lhe falado. E Esme... Pense no que significaria para ela!

Eu gemi.

— Prefiro enfrentar os recém-criados sozinha.

— Vou ficar devendo a você por uma década.

— Vai ficar me devendo por um século!

Seus olhos brilharam.

— Isso é um sim?

— Não! Não quero *fazer* isso!

— Não tem de fazer nada, a não ser andar alguns metros e depois repetir o que o padre disser.

— Ai! Argh, argh!

— Por favor? — Ela começou a quicar no mesmo lugar. — Por favor, por favor, por favor, por favor, por favor?

— Eu nunca, jamais vou perdoar você por isso, Alice.

— Oba! — gritou ela, batendo palmas.

— Isso *não* é um sim!

— Mas será — cantarolou ela.

— Edward! — gritei, saindo da garagem. — Sei que está ouvindo. Venha para cá. — Alice estava bem atrás de mim, ainda batendo palmas.

— Muito obrigado, Alice — disse Edward num tom ácido, vindo se postar atrás de mim.

Eu me virei para reclamar com ele, mas sua expressão era tão preocupada e aborrecida que não pude pronunciar minhas queixas. Atirei os braços para ele, escondendo o rosto, para o caso de a raiva lacrimosa em meus olhos dar a impressão de que eu estava chorando.

— Las Vegas — prometeu Edward em meu ouvido.

— De jeito nenhum — regozijou-se Alice. — Bella jamais faria isso comigo. Sabe, Edward, como irmão, você às vezes é uma decepção.

— Não seja cruel — murmurei para ela. — Ele está tentando me fazer feliz, ao contrário de você.

— Eu também estou tentando fazê-la feliz, Bella. É só que eu sei melhor o que vai deixá-la feliz... a longo prazo. Você vai me agradecer por isso. Talvez não em cinquenta anos, mas um dia, sem dúvida, vai.

— Nunca pensei que veria o dia em que estaria disposta a aceitar uma aposta com você, Alice, mas esse dia chegou.

Ela soltou seu riso prateado.

— Então, vai me mostrar a aliança?

Eu fiz uma careta de pavor enquanto ela pegava minha mão esquerda e depois a largava com a mesma rapidez.

— Hmmm. Eu o vi colocá-la em você... Será que perdi alguma coisa? — perguntou ela. Ela se concentrou por meio segundo, franzindo a testa, antes de responder às próprias perguntas. — Não. O casamento ainda está de pé.

— Bella tem problemas com joias — explicou Edward.

— O que é um diamante a mais? Bem, acho que a aliança tem muitos diamantes, mas o que quero dizer é que ele já comprou um...

— Chega, Alice! — Edward a interrompeu de repente. Pelo modo como a olhava... ele parecia um vampiro de novo. — Estamos com pressa.

— Não entendo. O que têm os diamantes? — perguntei.

— Vamos conversar sobre isso mais tarde — disse Alice. — Edward tem razão... É melhor vocês irem. Terão de montar uma armadilha e armar acampamento antes que a tempestade chegue. — Ela franziu a testa e sua expressão era ansiosa, quase nervosa. — Não se esqueça do casaco, Bella. Parece... incomumente frio.

— Já peguei — Edward lhe garantiu.

— Tenham uma boa noite — disse ela como despedida.

Levou o dobro do tempo para chegarmos à clareira; Edward pegou um desvio, certificando-se de que meu cheiro não estaria perto do rastro que Jacob esconderia depois. Ele me carregou em seus braços, a mochila volumosa em meu local de sempre.

Ele parou na beira da clareira e me colocou de pé.

— Tudo bem. Agora ande um pouco para o norte, tocando no máximo de coisas que puder. Alice me deu um quadro claro do caminho deles, e não vamos demorar muito para nos cruzar.

— Norte?

Ele sorriu e apontou a direção certa.

Eu segui para o bosque, deixando para trás a luz amarelo-clara do estranho dia ensolarado na clareira. Talvez a visão embaçada de Alice estivesse errada sobre a neve. Assim eu esperava. A maior parte do céu era clara, embora o vento chicoteasse furiosamente pelos espaços abertos. Nas árvores era mais calmo, mas estava frio demais para junho — mesmo com uma blusa de mangas compridas e um suéter grosso por cima, meus braços ficaram arrepiados. Eu andava devagar, passando os dedos em tudo o que estivesse perto: os troncos ásperos, as samambaias úmidas; as pedras cobertas de musgo.

Edward ficou comigo, andando numa linha paralela por uns vinte metros.

— Estou fazendo isso certo? — perguntei.

— Perfeitamente.

Tive uma ideia.

— Isso vai ajudar? — perguntei enquanto passava os dedos por meu cabelo e pegava alguns fios soltos. Eu os enrolei nas samambaias.

— Sim, deixa o rastro mais forte. Mas você não precisa arrancar os cabelos, Bella. Vai ficar tudo bem.

— Tenho alguns a mais que posso dispensar.

Estava escuro sob as árvores, e eu queria poder andar mais perto de Edward e segurar sua mão.

Enrolei outro fio de cabelo num galho quebrado que atravessava meu caminho.

— Não precisa fazer a vontade de Alice, sabe disso — disse Edward.

— Não se preocupe, Edward. Eu não vou deixar você no altar, apesar de tudo. — No fundo, eu tinha a sensação de que Alice conseguiria, em especial porque ela era totalmente inescrupulosa quando se tratava de algo que queria, e também porque eu tendia a pirar de culpa.

— Não é com isso que estou preocupado. Quero que seja do jeito que você quer.

Reprimi um suspiro. Ia ferir seus sentimentos se eu dissesse a verdade: que não importava, porque não passavam de graus variados de horror, de qualquer modo.

— Mesmo que ela faça do jeito dela, podemos ser discretos. Só nós. Emmett pode tirar uma licença de clérigo pela Internet.

Eu ri.

— Isso soa melhor. — Não pareceria muito oficial se *Emmett* lesse os votos, o que era uma vantagem. Mas eu tive dificuldade para manter a expressão séria.

— Está vendo? — disse ele com um sorriso. — Sempre há jeito de conciliar.

Precisei de algum tempo para chegar ao local em que o exército de recém-criados cruzaria meu rastro, mas Edward em nenhum momento ficou impaciente com meu ritmo.

Ele teve de me guiar um pouco no caminho de volta, para me manter na mesma trilha. Tudo parecia igual para mim.

Estávamos quase na clareira quando eu caí. Pude ver a abertura ampla à frente e foi provavelmente por isso que fiquei ansiosa demais e me esqueci de observar meus pés. Segurei-me antes que minha cabeça batesse na árvore mais próxima, mas um galho pequeno se quebrou sob minha mão esquerda e cortou a palma da mão.

— Ai! Ah, que incrível! — murmurei.

— Você está bem?

— Estou ótima. Fique onde está. Estou sangrando. Vai estancar daqui a pouco.

Ele me ignorou. Estava bem ali antes que eu pudesse terminar.

— Tenho um kit de primeiros socorros — disse ele, pegando a mochila. — Eu tinha a sensação de que precisaria dele.

— Não está tão ruim. Posso cuidar disso... Não precisa suportar esse desconforto.

— Não é desconforto para mim — disse ele calmamente. — Venha... Deixe-me limpar isso.

— Espere um segundo, tive outra ideia.

Sem olhar o sangue e respirando pela boca, para o caso de meu estômago reagir, apertei a mão numa pedra que estava a meu alcance.

— O que está fazendo?

— Jasper vai *adorar* isso — murmurei comigo mesma. Parti para a clareira de novo, colocando a palma da mão em tudo em meu caminho. — Aposto que isso realmente os atrairá para cá.

Edward suspirou.

— Prenda a respiração — eu disse a ele.

— Eu estou bem. Só acho que você está exagerando.

— É só o que posso fazer. Quero fazer um bom trabalho.

Passávamos pela última árvore enquanto eu falava. Deixei minha mão ferida roçar nas samambaias.

— Bem, você conseguiu — garantiu-me Edward. — Os recém-criados vão ficar frenéticos e Jasper ficará impressionado com sua dedicação. Agora deixe-me tratar de sua mão... Está com um corte sujo.

— Me deixe fazer isso, por favor.

Ele pegou minha mão e sorriu ao examiná-la.

— Isso não me incomoda mais.

Eu o observei cuidadosamente, procurando por algum sinal de angústia, enquanto ele limpava o corte. Ele continuava a respirar com tranquilidade, com o mesmo sorriso nos lábios.

— E por que não? — perguntei por fim enquanto ele passava uma gaze em minha mão.

Ele deu de ombros.

— Eu superei isso.

— Você... *superou*? Quando? Como? — Tentei me lembrar da última vez em que ele teve de prender a respiração perto de mim. Só no que conseguia pensar era em minha festa de aniversário infeliz em setembro passado.

Edward franziu os lábios, parecendo procurar as palavras certas.

— Passei vinte e quatro horas inteiras pensando que você estivesse morta, Bella. Isso mudou o modo como vejo muita coisa.

— Mudou meu cheiro para você?

— Nem tanto. Mas... tendo vivido a sensação de achar que perdi você... minhas reações mudaram. Todo meu ser se afasta de qualquer rumo que possa inspirar esse tipo de dor de novo.

Eu não sabia o que dizer.

Ele riu de minha expressão.

— Acho que você pode chamar de uma experiência muito educativa.

O vento então rasgou a clareira, atirando meu cabelo no rosto e me fazendo tremer.

— Tudo bem — disse ele, pegando a mochila de novo. — Já fez sua parte. — Ele pegou meu pesado casaco de inverno e o estendeu para que eu enfiasse os braços. — Agora não está mais em suas mãos. Vamos acampar!

Eu ri do falso entusiasmo em sua voz.

Ele pegou minha mão com o curativo — a outra estava em pior estado, ainda na tala — e partiu para o outro lado da clareira.

— Onde vamos encontrar Jacob? — perguntei.

— Bem aqui. — Ele gesticulou para as árvores diante de nós justo quando Jacob surgia cauteloso das sombras.

Não devia me surpreender vê-lo humano. Eu não tinha certeza do motivo para eu procurar pelo lobo marrom-avermelhado.

Jacob parecia maior outra vez — sem dúvida, fruto de minhas expectativas; eu devia ter esperado inconscientemente ver o pequeno Jacob de minhas lembranças, o amigo tranquilo que não dificultava tudo. Ele estava de braços cruzados no peito despido, o punho agarrando um casaco. Seu rosto era inexpressivo ao nos observar.

Os lábios de Edward se repuxaram nos cantos.

— Deveria haver uma maneira melhor de fazer isso.

— Agora é tarde demais — murmurei, melancólica.

Ele suspirou.

— Oi, Jake — eu o cumprimentei quando nos aproximamos.

— Olá, Jacob — disse Edward.

Jacob ignorou as amabilidades e foi direto aos negócios.

— Onde eu devo levá-la?

Edward pegou um mapa no bolso lateral da mochila e o entregou a Jacob. Jacob o desdobrou.

— Agora estamos aqui — disse Edward, estendendo a mão para tocar no ponto certo. Jacob recolheu a mão automaticamente, depois relaxou. Edward fingiu não perceber.

— E você vai levá-la para cá — continuou Edward, traçando um padrão em serpentina pelas linhas de elevação no papel. — Aproximadamente quinze quilômetros.

Jacob assentiu uma vez.

— Quando estiver a um quilômetro e meio de distância, deve cruzar meu rastro. Isso o guiará. Precisa do mapa?

— Não, obrigado. Conheço muito bem a região. Acho que sei aonde estou indo.

Jacob parecia ter de se esforçar mais do que Edward para manter o tom educado.

— Vou pegar uma rota mais longa — disse Edward. — E verei você daqui a algumas horas.

Edward olhou para mim, infeliz. Ele não gostava dessa parte do plano.

— Até logo — murmurei.

Edward desapareceu nas árvores, indo na direção contrária.

Assim que ele se foi, Jacob ficou animado.

— E aí, Bella? — perguntou com um sorriso largo.

Revirei os olhos.

— Nada de novo, tudo velho.

— É — concordou ele. — Um bando de vampiros tentando matar você. O de sempre.

— O de sempre.

— Bom — disse ele enquanto vestia o casaco para libertar os braços. — Vamos andando.

Fazendo uma careta, eu me aproximei um pouco dele.

Ele se inclinou e passou o braço por trás de meus joelhos, dobrando-os e me erguendo. O outro braço me pegou antes que minha cabeça atingisse o chão.

— Idiota — murmurei.

Jacob riu, já correndo pelas árvores. Mantinha um ritmo constante, um andar acelerado que um homem em boa forma podia acompanhar... numa área plana... se não estivesse carregando mais de cinquenta quilos, como ele estava.

— Não precisa correr. Vai ficar cansado.

— Correr não me deixa cansado — disse ele. Sua respiração era estável, como o ritmo constante de um maratonista. — Além disso, vai esfriar logo. Espero que ele já tenha montado acampamento quando chegarmos lá.

Bati o dedo no acolchoado grosso de sua parca.

— Pensei que você não sentisse frio.

— Não sinto. Eu trouxe isso para você, para o caso de não estar preparada. — Ele olhou meu casaco, quase como se estivesse decepcionado. — Não gosto do clima. Está me deixando tenso. Reparou que não vimos nenhum animal?

— Hmmm, na verdade, não.

— Achei que não ia reparar. Seus sentidos são obtusos demais.

Deixei passar essa.

— Alice também me alertou da tempestade.

— É preciso muito para silenciar a floresta desse jeito. Vocês escolheram uma noite horrível para acampar.

— Não foi inteiramente ideia minha.

O caminho que ele tomou começou a subir cada vez mais, mas ele não reduziu o passo. Saltava facilmente de uma pedra a outra, sem parecer precisar das mãos. Seu equilíbrio perfeito me lembrou um cabrito montês.

— Que acréscimo é esse em sua pulseira? — perguntou ele.

Olhei para baixo e percebi que o coração de cristal estava de frente em meu pulso.

Dei de ombros, sentindo-me culpada.

— Outro presente de formatura.

Ele bufou.

— Uma pedra. Faz sentido.

Uma pedra? De repente me lembrei da frase inacabada de Alice na garagem. Olhei o cristal brilhante e branco e tentei me lembrar do que Alice estava dizendo antes... sobre diamantes. Ela teria tentado dizer *Ele já comprou um... para você*? Se era assim, eu já estava usando um diamante de Edward? Não, era impossível. O coração teria de ter cinco quilates ou uma loucura dessas! Edward não faria...

— Então, já faz algum tempo que você não vai a La Push — disse Jacob, interrompendo minhas conjecturas perturbadoras.

— Eu andei ocupada — disse a ele. — E... provavelmente não teria feito uma visita.

Ele fez uma careta.

— Pensei que você fosse a magnânima, e eu, o rancoroso.

Dei de ombros.

— Andou pensando muito naquela última vez, não foi?

— Não.

Ele riu.

— Ou você está mentindo ou é a pessoa mais teimosa do mundo.

— Não sei da segunda parte, mas não estou mentindo.

Eu não gostava de falar no assunto naquelas circunstâncias — com seus braços quentes demais em volta de mim e nada que eu pudesse fazer a esse respeito. Seu rosto estava mais perto do que eu desejava. Queria poder dar um passo atrás.

— Uma pessoa inteligente olha todos os aspectos de uma decisão.

— Já olhei — retorqui.

— Se não pensou bem em nossa... er, conversa da última vez em que você apareceu, então isso não é verdade.

— Aquela *conversa* não é relevante para minha decisão.

— Algumas pessoas fazem de tudo para se iludir.

— Percebi que os lobisomens em particular tendem a cometer esse erro... Acha que é genético?

— Isso significa que ele beija melhor do que eu? — perguntou Jacob, de repente sombrio.

— Eu não sei dizer, Jake. Edward foi a única pessoa que eu beijei.

— Além de mim.

— Mas não conto aquilo como um beijo, Jacob. Foi mais uma agressão.

— Ai! Essa doeu.

Eu dei de ombros. Não ia retirar o que disse.

— Eu me desculpei — lembrou-me.

— E eu o perdoei... quase. Não muda a lembrança que tenho.

Ele murmurou alguma palavra ininteligível.

Fez-se silêncio por algum tempo; havia apenas o som de sua respiração cadenciada e o vento rugindo no alto das árvores. Uma face de penhasco se ergueu a nosso lado, a pedra cinza, rude e nua. Seguimos a base enquanto ela fazia uma curva para cima, saindo da floresta.

— Ainda acho que é muito irresponsável — disse Jacob de repente.

— Seja lá do que estiver falando, está enganado.

— Pense nisso, Bella. De acordo com você, só beijou uma pessoa... que nem é bem uma pessoa... em toda a sua vida, e está encerrando as buscas? Como sabe que é isso o que você quer? Não devia experimentar um pouco?

Mantive a voz fria.

— Sei exatamente o que quero.

— Então não vai fazer mal verificar mais. Talvez você deva tentar beijar mais alguém... Só para poder comparar... Uma vez que o que aconteceu no outro dia não conta. Você poderia *me* beijar, por exemplo. Não vou me importar se quiser me usar como cobaia.

Ele me apertou mais contra seu peito, para que meu rosto se aproximasse do dele. Estava sorrindo da própria piada, mas eu não ia correr nenhum risco.

— Não brinque comigo, Jake. Juro que não vou impedir se ele quiser quebrar seu queixo.

A pontada de pânico em minha voz alargou ainda mais seu sorriso.

— Se você me *pedir* um beijo, ele não terá motivo para ficar aborrecido. Ele disse que está tudo bem.

— Não perca seu fôlego, Jake... Não, espere, mudei de ideia. Continue. Prenda a respiração até eu pedir que você me beije.

— Está de mau humor hoje.

— Por que será?

— Às vezes acho que você me prefere como lobo.

— E às vezes prefiro. Provavelmente tem alguma relação com o fato de você *não poder falar*.

Ele franziu os lábios grossos, pensativo.

— Não, não acho que seja isso. Acho que é mais fácil para você ficar perto de mim quando não sou humano porque você não precisa fingir que não sente atração por mim.

Minha boca se escancarou com um estalo. Eu a fechei imediatamente, trincando os dentes.

Ele ouviu. Seus lábios se repuxaram num sorriso de triunfo.

Respirei devagar antes de falar.

— Não. Tenho certeza absoluta de que é porque você não pode falar.

Ele suspirou.

— Não se cansa de mentir para si mesma? Você precisa saber como tem consciência de mim. Fisicamente, quero dizer.

— Como alguém pode *não* ter consciência de você fisicamente, Jacob? Você é um monstro enorme que se recusa a respeitar o espaço dos outros.

— Eu a deixo nervosa. Mas só quando sou humano. Quando sou lobo, você fica mais à vontade perto de mim.

— Nervosismo e irritação não são a mesma coisa.

Ele me fitou por um minuto, reduzindo o passo, a diversão desaparecendo do rosto. Seus olhos se estreitaram, escurecendo sob as sobrancelhas. Sua respiração, tão regular enquanto ele corria, começou a se acelerar. Lentamente, ele inclinou o rosto para mim.

Eu o fitei, sabendo exatamente o que ele estava tentando fazer.

— A cara é sua — lembrei a ele.

Ele riu alto e recomeçou a correr.

— Não quero brigar com seu vampiro esta noite... Quer dizer, em outra noite, claro. Nós dois temos um trabalho a fazer amanhã e eu não quero reduzir o efetivo dos Cullen.

A onda repentina e inesperada de vergonha distorceu minha expressão.

— Eu sei, eu sei — respondeu ele, sem entender. — Você acha que ele pode me pegar.

Não consegui falar. Eu estava reduzindo o efetivo deles. E se alguém se machucasse porque eu era tão fraca? Mas e se eu fosse corajosa e Edward... Eu nem podia pensar nisso.

— Qual é o seu problema, Bella? — A bravata brincalhona desapareceu de seu rosto, revelando o meu Jacob, como se uma máscara fosse arrancada. — Se algo que eu disse a aborreceu, você sabe que só estou brincando. Eu não falei a sério... Ei, você está bem? Não chore, Bella — pediu ele.

Tentei me recompor.

— Eu não vou chorar.

— O que foi que eu disse?

— Não foi nada que você disse. É só que, bom, sou eu. Eu fiz uma coisa... ruim.

Ele me fitou, os olhos arregalados de confusão.

— Edward não vai lutar amanhã — sussurrei a explicação. — Eu o fiz ficar comigo. Eu sou uma imensa covarde.

Ele franziu o cenho.

— Acha que isso não vai dar certo? Que eles vão encontrá-la aqui? Você sabe de algo que eu não sei?

— Não, não. Não estou com medo disso. É só que... Eu *não posso* deixar que ele vá. Se ele não voltar... — Estremeci, fechando os olhos para fugir do pensamento.

Jacob ficou em silêncio.

Continuei aos sussurros, de olhos fechados.

— Se alguém se ferir, sempre será por minha culpa. E mesmo que ninguém se machuque... Eu fui horrível. Tive de fazer isso, convencê-lo a ficar comigo. *Ele* não usaria isso contra mim, mas eu sei do que sou capaz. — Senti-me um pouquinho melhor, tirando esse peso de meu peito. Mesmo que só pudesse confessar a Jacob.

Ele bufou. Meus olhos se abriram devagar e eu fiquei triste ao ver que a máscara estava de volta.

— Nem acredito que ele deixou que você o tirasse dessa. Eu não perderia isso por nada.

Eu suspirei.

— Eu sei.

— Mas isso não quer dizer nada. — De repente ele estava retrocedendo. — Não quer dizer que ele a ame mais do que eu.

— Mas *você* não ficaria comigo, mesmo que eu implorasse.

Ele franziu os lábios por um momento e me perguntei se ele tentaria negar. Nós dois sabíamos da verdade.

— Só porque eu conheço você melhor — disse ele por fim. — Tudo vai acabar tranquilamente. Mesmo que você pedisse e eu negasse, você não ficaria chateada comigo depois.

— Se tudo vai acabar tranquilamente, você deve ter razão. Eu não ia ficar chateada. Mas o tempo todo em que você estiver fora, eu vou morrer de preocupação, Jake. Vou ficar louca.

— Por quê? — perguntou ele num rosnado. — Por que vai se importar se algo ruim acontecer comigo?

— Não diga isso. Você sabe o quanto significa para mim. Eu lamento não ser do jeito que você quer, mas as coisas são assim. Você é meu melhor amigo. Pelo menos, antigamente era. E ainda é, às vezes... Quando abaixa a guarda.

Ele deu o velho sorriso que eu adorava.

— Eu sou sempre assim — prometeu ele. — Mesmo quando eu não... me comporto tão bem como deveria. Por baixo, eu sempre estou aqui.

— Eu sei. Por que mais eu aguentaria toda a sua besteirada?

Ele riu comigo e seus olhos ficaram tristes.

— *Quando* afinal você vai entender que também me ama?

— É só deixar que você estraga tudo.

— Não estou dizendo que você não o ama. Não sou idiota. Mas é possível amar mais de uma pessoa ao mesmo tempo, Bella. Já vi isso acontecer.

— Eu não sou uma aberração de lobisomem, Jacob.

Jacob torceu o nariz, e eu estava prestes a me desculpar pelo último golpe, mas ele mudou de assunto.

— Agora não estamos longe, posso sentir o cheiro dele.

Eu suspirei de alívio.

Ele interpretou mal minha reação.

— Eu gostaria de reduzir o ritmo, Bella, mas você vai querer estar abrigada antes que *isso* caia.

Nós dois olhamos para o céu.

Uma parede sólida de nuvens roxas disparava do oeste, escurecendo a floresta por onde passava.

— Caramba — murmurei. — É melhor correr, Jake. Vai querer chegar em casa antes que ela chegue lá.

— Não vou para casa.

Eu o encarei, exasperada.

— Não vai acampar conosco.

— Tecnicamente, não... Não vou dividir a barraca ou coisa assim. Prefiro a tempestade ao cheiro. Mas tenho certeza de que seu sanguessuga vai querer manter contato com o grupo para coordenar a situação, e eu me ofereci graciosamente para este serviço.

— Pensei que fosse tarefa de Seth.

— Ele vai assumir amanhã, durante a luta.

O lembrete me silenciou por um segundo. Eu o fitei, a preocupação surgindo de novo com uma ferocidade súbita.

— Há alguma possibilidade de você ficar, uma vez que já está aqui? — sugeri. — E se eu *pedisse*? Ou trocasse por uma vida de escravidão ou coisa assim?

— É tentador, mas não. De qualquer modo, pode ser interessante ver você pedir. Você pode tentar, se quiser.

— Não há mesmo nada, *nada* que eu possa dizer?

— Não. A não ser que me prometa uma luta melhor. De qualquer modo, é o Sam quem manda, não eu.

Isso me trouxe uma lembrança.

— Edward me contou uma coisa no outro dia... sobre você.

Ele se eriçou.

— Deve ser mentira.

— Ah, é mesmo? Você não é o segundo no comando da alcateia, então?

Ele pestanejou, a expressão ficando vazia de surpresa.

— Ah. Isso.

— Como é que nunca me contou?

— Por que contaria? Não é importante.

— Não sei. Por que não? É interessante. E aí, como isso funciona? Como Sam terminou como alfa e você como o... beta?

Jacob riu do termo que inventei.

— Sam foi o primeiro, é o mais velho. Tem sentido que esteja no comando.

Eu franzi a testa.

— Mas Jared ou Paul não deviam estar em segundo, então? Eles foram os seguintes a mudar.

— Bom... é difícil de explicar — disse Jacob evasivamente.

— Tente.

Ele suspirou.

— Tem mais a ver com a linhagem, entendeu? Algo meio antiquado. Por que devia importar quem foi seu avô, não é?

Lembrei-me de uma história que Jacob me contara havia muito tempo, antes de nós dois sabermos alguma coisa de lobisomens.

— Você não disse que Ephraim Black foi o último chefe dos quileutes?

— Sim, é verdade. Porque ele era o alfa. Você sabe que, tecnicamente, Sam é o chefe de toda a tribo agora? — ele riu. — Tradições malucas.

Pensei nisso por um segundo, tentando encaixar todas as peças.

— Mas você também disse que as pessoas ouviam a seu pai mais do que a qualquer outro no conselho, porque ele era neto de Ephraim, não é?

— O que tem isso?

— Bom, se tem a ver com a linhagem... então você não deveria ser o chefe?

Jacob não me respondeu. Olhou a floresta escura, como se de repente precisasse se concentrar em aonde estava indo.

— Jake?

— Não. Isso é trabalho de Sam. — Ele manteve os olhos no rumo que tomava.

— Por quê? O bisavô dele era Levi Uley, não é? Levi era um alfa também?

— Só havia um alfa — respondeu ele automaticamente.

— Então Levi era o quê?

— Uma espécie de beta, eu acho. — Ele bufou para meu termo. — Como eu.

— Isso não faz sentido.

— Não importa.

— Eu só queria entender.

Jacob finalmente viu meu olhar confuso, depois suspirou.

— É. Eu devia ser o alfa.

Minhas sobrancelhas se uniram.

— Sam não quer descer do trono?

— Acho que não. E eu não quero subir.

— E por que não?

Ele franziu o cenho, pouco à vontade com minhas perguntas. Bem, era a vez de Jacob ficar sem graça.

— Eu não quero nada disso, Bella. Não quero que nada mude. Não quero ser um chefe lendário. Não quero fazer parte de um bando de lobisomens, que dirá ser o líder. Eu não ia aceitar se Sam oferecesse.

Pensei naquilo por um longo momento. Jacob não interrompeu. Fitava a floresta novamente.

— Mas pensei que você estivesse mais feliz. Que você não tivesse problemas com isso — sussurrei por fim.

Jacob sorriu para mim, tranqüilizando-me.

— É. Não é assim tão ruim. Às vezes é excitante, como nessa história de amanhã. Mas no começo parecia um pouco que eu era arrastado para uma guerra que nem sabia que existia. Não havia alternativa, entendeu? E era definitivo. — Ele deu de ombros. — De qualquer modo, acho que agora estou feliz. Tem de ser feito, e será que eu podia confiar em outra pessoa para fazer direito? É melhor me assegurar eu mesmo.

Eu o olhei com uma sensação inesperada de admiração por meu amigo. Ele era mais maduro do que eu acreditava. Como em Billy na outra noite na fogueira, havia nele uma majestade de que nunca desconfiei.

— Chefe Jacob — sussurrei, sorrindo de como as palavras ficavam juntas.

Ele revirou os olhos.

Nesse momento, o vento sacudiu com mais ferocidade as árvores à nossa volta e parecia que estava soprando direto de uma geleira. O som áspero da madeira estalando ecoava da montanha. Embora a luz estivesse desaparecendo enquanto as nuvens terríveis encobriam o céu, eu ainda podia ver as poucas partículas brancas que disparavam por nós.

Jacob acelerou o passo, agora mantendo os olhos no chão. Enrosquei-me com mais vontade em seu peito, protegendo-me da neve indesejada.

Poucos minutos depois ele contornava o pico rochoso até o lado protegido do vento, e pudemos ver a pequena barraca aninhada no paredão. Mais flocos de neve caíam à nossa volta, mas o vento era violento demais para deixar que pousassem em algum lugar.

— Bella! — Edward gritou num alívio claro. Nós o alcançamos enquanto ele andava de um lado para outro no pequeno espaço aberto.

Ele disparou para meu lado, parecendo um borrão, movendo-se rapidamente. Jacob se encolheu, depois me colocou de pé. Edward ignorou a reação dele e me pegou num abraço apertado.

— Obrigado — disse Edward por sobre minha cabeça. O tom de voz era inconfundivelmente sincero. — Foi mais rápido do que eu esperava, e agradeço muito por isso.

Girei para ver a reação de Jacob.

Jacob apenas deu de ombros, toda a inimizade desaparecendo de seu rosto.

— Coloque-a lá dentro. Isso vai ficar feio... Meu cabelo está se eriçando. Essa barraca é segura?

— Eu praticamente a soldei na pedra.

— Que bom.

Jacob olhou o céu — agora negro da tempestade, salpicado dos flocos de neve em espiral. Suas narinas inflaram.

— Vou mudar de forma — disse ele. — Quero saber o que está acontecendo em casa.

Ele pendurou o casaco num galho baixo e grosso e andou para a floresta escura sem olhar para trás.

22. FOGO E GELO

O VENTO VOLTOU A SACUDIR A BARRACA E EU ME AGITEI DENTRO dela.

A temperatura caía. Podia sentir pelo saco de dormir, através de meu casaco. Eu estava totalmente vestida, as botas de caminhada ainda amarradas nos pés. Não fazia muita diferença. Como podia ficar tão frio? Como podia ficar *ainda* mais frio? Tinha de parar uma hora, não é?

— Q-q-q-q-que ho-ho-horas são? — forcei as palavras a passarem pelos dentes que batiam.

— Duas — respondeu Edward.

Edward estava sentado o mais distante possível de mim no espaço apertado, com medo até de respirar perto de mim, uma vez que eu já estava com tanto frio. Estava escuro demais para ver seu rosto, mas a voz dele transparecia preocupação, indecisão e frustração.

— Talvez...

— Não, eu est-t-t-t-tou bem, é v-v-v-verdade. Não q-q-q-q-quero s-s-s-s-sair.

Ele já tentara me convencer a voltar uma dezena de vezes, mas eu estava morta de medo de deixar meu abrigo. Se estava tão frio ali, protegida do vento furioso, eu podia imaginar como seria ruim se corrêssemos por ele.

E seria desperdiçar todos os esforços daquela tarde. Haveria tempo suficiente para nos recuperarmos quando a tempestade parasse? E se não acabasse? Não fazia sentido andar agora. Eu podia tremer daquele jeito a noite toda.

Eu estava preocupada que o rastro que tinha deixado se perdesse, mas ele me garantiu que ainda seria forte para os monstros que chegavam.

— O que eu posso fazer? — ele quase implorava.

Eu só sacudi a cabeça.

Na neve, Jacob gemia, infeliz.

— S-s-s-s-s-aia d-d-d-daí — ordenei novamente.

— Ele só está preocupado com você — traduziu Edward. — Ele está bem. O corpo *dele* é equipado para lidar com isso.

— R-r-r-r-r-r. — Eu queria dizer que ele ainda devia ir embora, mas não conseguiu passar pelos meus dentes. Quase mordi a língua ao tentar. Pelo menos Jacob parecia estar preparado para a neve, melhor ainda do que os outros da alcateia, com o pelo avermelhado mais longo, mais espesso e desgrenhado. Perguntei-me por que era assim.

Jacob ganiu, um som agudo e cheio de queixa.

— O que você quer que eu faça? — grunhiu Edward, ansioso demais para se incomodar em ser educado. — Levá-la por *isso*? Não estou vendo você se fazer de útil. Por que não arruma um espaço mais quente ou coisa assim?

— Eu es-s-s-s-s-stou *bem* — protestei. A julgar pelo gemido de Edward e pelo rosnado baixo fora da barraca, não convenci ninguém. O vento balançava a barraca ferozmente e eu tremia em harmonia com ela.

Um uivo súbito rasgou o rugido do vento e eu cobri as orelhas para me proteger do barulho. Edward fechou a cara.

— Isso não era necessário — murmurou ele. — E foi a pior ideia que já ouvi na vida — gritou ele mais alto.

— Melhor do que qualquer uma que você tenha bolado — respondeu Jacob, a voz humana me sobressaltando. — *Arrume um espaço mais quente* — grunhiu ele. — Eu não sou um são-bernardo.

Ouvi o som de um zíper na porta da barraca sendo puxado para baixo.

Jacob passou pela menor abertura que pôde, enquanto o ar ártico fluía em volta dele, alguns flocos de neve caindo no chão da barraca. Eu tremia tanto que parecia uma convulsão.

— Não gosto disso — sibilou Edward enquanto Jake fechava o zíper da porta da barraca. — Dê o casaco a ela e caia fora.

Meus olhos estavam bem-adaptados para distinguir formas — Jacob carregava a parca que estava pendurada numa árvore ao lado da barraca.

Tentei perguntar do que eles estavam falando, mas só o que saiu de minha boca foi "Q-q-q-q-q-q", na tremedeira que me fazia gaguejar incontrolavelmente.

— A parca é para amanhã... Ela está fria demais para se aquecer sozinha. Está congelando. — Ele a largou perto da porta. — Você disse que ela precisava de um espaço mais quente e aqui estou eu. — Jacob estendeu os braços ao máximo que a barraca permitia. Como sempre, quando estava correndo como um lobo, ele só vestia o essencial — calça de moletom, sem camisa, sem sapatos.

— J-j-j-j-jake, você v-v-v-vai conge-ge-gelar — tentei reclamar.

— Eu, não — disse ele com alegria. — Bati 42,7 graus outro dia. Você vai ficar suando daqui a pouco.

Edward grunhiu, mas Jacob sequer olhou para ele. Em vez disso, aninhou-se a meu lado e começou a abrir meu saco de dormir.

A mão de Edward de repente estava dura em seu ombro, restringindo-o, a neve branca contra a pele escura. O queixo de Jacob trincou, as narinas infladas, o corpo recuando ao toque frio. Os longos músculos de seus braços se contraíram automaticamente.

— Tire a mão de mim — grunhiu ele entredentes.

— Tire as mãos dela — respondeu Edward sombriamente.

— N-n-n-n-não b-b-b-b-riguem — pedi. Outro tremor me sacudiu. Parecia que meus dentes iam se espatifar, tal a força com que batiam.

— Tenho certeza de que ela vai agradecer a você quando os dedos dos pés dela ficarem pretos e caírem — rebateu Jacob.

Edward hesitou, depois sua mão tombou e ele voltou a sua posição no canto.

A voz dele era monótona e assustadora.

— Cuidado.

Jacob riu.

— Chega pra lá, Bella — disse ele, abrindo mais o saco de dormir.

Eu o fitei, ultrajada. Não admirava que Edward estivesse reagindo daquele jeito.

— N-n-n-n-n — tentei protestar.

— Não seja idiota — disse ele, exasperado. — Você não *gosta* de ter dez dedos nos pés?

Ele espremeu o corpo no espaço inexistente, forçando o zíper para cima.

E depois não pude me opor — eu não queria mais me opor. Ele era tão quente! Seus braços se fecharam à minha volta, apertando-me confortavelmente contra seu peito nu. O calor era irresistível, como ar depois de ficar embaixo d'água por tempo demais. Ele se encolheu quando coloquei os dedos gelados em sua pele.

— Meu Deus, você está congelando, Bella — ele reclamou.

— D-d-d-d-desculpe — gaguejei.

— Procure relaxar — sugeriu ele enquanto outro tremor percorria violentamente meu corpo. — Vai ficar aquecida num minuto. É claro que você se aqueceria mais rápido se tirasse as roupas.

Edward deu um rosnado severo.

— É uma realidade simples — Jacob defendeu-se. — Manual básico de sobrevivência.

— S-s-sem essa, Jake — eu disse com raiva, embora meu corpo se recusasse a ao menos tentar se afastar dele. — N-n-n-ninguém p-p-p-p-precisa de d-d-d-dez dedos nos pés.

— Não se preocupe com o sanguessuga — sugeriu Jacob, e o tom de voz era presunçoso. — Ele só está com ciúme.

— É claro que estou. — A voz de Edward era aveludada de novo, sob controle, um murmúrio musical na escuridão. — Você não tem a mais remota ideia do quanto eu queria poder fazer o que está fazendo por ela, vira-lata.

— É assim que as coisas acontecem — disse Jacob alegremente, mas depois seu tom de voz ficou amargo. — Pelo menos sabe que ela preferia que fosse você.

— É verdade — concordou Edward.

O tremor diminuía, tornando-se suportável enquanto eles discutiam.

— Pronto — disse Jacob, satisfeito. — Sente-se melhor?

Eu era capaz, afinal, de falar com clareza.

— Sim.

— Seus lábios ainda estão azuis — refletiu ele. — Quer que eu os aqueça também? É só pedir.

Edward soltou um suspiro pesado.

— Comporte-se — murmurei, colocando o rosto em seu ombro. Ele se encolheu novamente quando minha pele fria tocou a dele, e eu sorri com uma satisfação um tanto vingativa.

Já estava quente e aconchegante dentro do saco de dormir. O calor do corpo de Jacob parecia irradiar de todo lado — talvez porque houvesse *tanto* corpo. Tirei as botas e apertei os dedos dos pés em suas pernas. Ele se sobressaltou, depois baixou a cabeça para colocar a testa quente em minha orelha entorpecida.

Percebi que a pele de Jacob tinha um cheiro amadeirado e almiscarado — combinava com o ambiente, ali, no meio da floresta. Era bom. Perguntei-me se os Cullen e os quileutes não estavam exagerando com toda aquela história do cheiro por causa de seus preconceitos. Todo mundo tinha um cheiro bom para mim.

A tempestade uivava como uma fera atacando a barraca, mas agora isso não me preocupava. Jacob estava fora do frio e eu também. Além de tudo, eu estava simplesmente exaurida demais para ter alguma preocupação — cansada de ficar acordada até tão tarde e dolorida dos espasmos musculares. Meu corpo relaxou aos poucos enquanto eu descongelava, parte por parte, e depois ficou molenga.

— Jake? — murmurei sonolenta. — Posso fazer um pergunta? Não estou tentando ser idiota nem nada, só estou curiosa. — Eram as mesmas palavras que ele usara em minha cozinha... Havia quanto tempo mesmo?

— Claro — ele riu, lembrando-se.

— Por que você é muito mais peludo do que seus amigos? Não precisa responder, se eu estiver sendo grosseira. — Eu não conhecia as regras de etiqueta da cultura dos lobisomens.

— Porque meu cabelo é mais comprido — disse ele, divertindo-se; pelo menos minha pergunta não o havia ofendido. Ele sacudiu a cabeça para que seu cabelo despenteado, agora crescido até o queixo, fizesse cócegas em meu rosto.

— Ah! — Eu estava surpresa, mas fazia sentido. Então era por isso que todos eles tosavam o cabelo no início, quando se juntavam ao grupo. — Então por que não corta? Você gosta de ser descabelado?

Desta vez ele não respondeu de imediato, e Edward riu baixinho.

— Desculpe — eu disse, parando para bocejar. — Eu não queria ser intrometida. Não precisa me dizer nada.

Jacob fez um som irritado.

— Ah, ele vai contar de qualquer forma, então eu posso fazer isso... Eu estava deixando o cabelo crescer porque... parecia que você gostava dele mais comprido.

— Ah!— Fiquei sem graça. — Eu, eh, gosto dos dois jeitos, Jake. Não precisa... se incomodar com isso.

Ele deu de ombros.

— Por acaso foi muito conveniente hoje, então não se preocupe com isso.

Eu não tinha mais nada a dizer. Enquanto o silêncio se estendia, minhas pálpebras caíram e se fecharam, e minha respiração ficou mais lenta, mais estável.

— Isso mesmo, meu amor, durma — sussurrou Jacob.

Suspirei, satisfeita, já semiconsciente.

— Seth está aqui — murmurou Edward para Jacob, e de repente entendi o sentido do uivo.

— Perfeito. Agora você pode ficar de olho em todo o restante, enquanto eu cuido de sua namorada para você.

Edward não respondeu, mas eu gemi, grogue.

— Parem com isso — murmurei.

Fez-se silêncio então, pelo menos dentro da barraca. Do lado de fora, o vento guinchava loucamente pelas árvores. A trepidação da barraca dificultava o sono. As estacas, às vezes, eram puxadas e tremiam, arrancando-me da beira da inconsciência sempre que eu estava perto de dormir. Eu me senti muito mal pelo lobo, o menino que estava lá fora na neve.

Minha mente vagou enquanto eu esperava que o sono me encontrasse. Aquele pequeno espaço quente me fez pensar nos primeiros dias com Jacob, e eu me lembrei de como costumava ser quando ele era meu sol substituto, o calor que possibilitava minha vida vazia. Já fazia algum tempo que eu não pensava em Jake dessa maneira, mas ali estava ele, aquecendo-me novamente.

— *Por favor!* — sibilou Edward. — *Importa-se?*

— Que foi? — sussurrou Jacob, o tom de surpresa.

— Acha que pode *tentar* controlar seus pensamentos? — O sussurro de Edward era furioso.

— Ninguém mandou ouvir — murmurou Jacob, desafiador, e no entanto constrangido. — Saia de minha cabeça.

— Bem que eu *gostaria*. Não faz ideia de como suas fantasias são altas. Parece que você as está gritando para mim.

— Vou tentar pensar baixo — sussurrou Jacob com sarcasmo.

Houve um breve silêncio.

— Sim — respondeu Edward a um pensamento não dito num murmúrio tão baixo que eu mal distingui. — Também tenho ciúme disso.

— Imaginei que fosse assim — sussurrou Jacob, convencido. — Isso iguala um pouco o campo de jogo, não é?

Edward riu.

— Vai sonhando.

— Sabe, ela ainda pode mudar de ideia — Jacob o provocou. — Considerando *todas* as coisas que posso fazer com ela e você não. Isto é, pelo menos não sem matá-la.

— Vá dormir, Jacob — murmurou Edward. — Está começando a me dar nos nervos.

— Acho que vou. Estou muito confortável.

Edward não respondeu.

Eu estava distante demais para lhes pedir que parassem de falar de mim como se eu não estivesse presente. A conversa assumira um caráter onírico para mim, e eu não tinha certeza de estar realmente acordada.

— Talvez eu devesse — disse Edward depois de um momento, respondendo a uma pergunta que eu não ouvi.

— Mas você seria sincero?

— Sempre é possível perguntar e ver. — O tom de Edward me fez indagar se eu estava perdendo alguma piada.

— Bom, você vê dentro de minha cabeça... Me deixe ver dentro da sua esta noite, é justo assim — disse Jacob.

— Sua cabeça é cheia de perguntas. A qual delas quer que eu responda?

— O ciúme... *Tem* que estar devorando você. Você não pode ser tão seguro de si, como parece. A não ser que não tenha emoção nenhuma.

— É claro que sim — concordou Edward, não mais se divertindo. — Neste exato momento está tão ruim que mal consigo controlar minha voz. É claro que é ainda pior quando ela está longe de mim, com você, e eu não consigo vê-la.

— Você pensa nisso o tempo todo? — sussurrou Jacob. — Tem dificuldade para se concentrar quando ela não está com você?

— Sim e não — disse Edward; ele parecia decidido a responder com sinceridade. — Minha mente não funciona do mesmo modo que a sua. Posso pensar em muitos assuntos a um só tempo. É claro que isso significa que eu *sempre* sou capaz de pensar em você, sempre capaz de me perguntar se é isso que está na mente dela quando ela fica em silêncio e pensativa.

Os dois ficaram quietos por um minuto.

— Sim, eu acho que ela pensa em você com frequência — murmurou Edward em resposta aos pensamentos de Jacob. — Mais frequentemente do que eu gostaria. Ela se preocupa com sua infelicidade. Mas você sabe muito bem disso. E *usa* isso.

— Tenho de usar o que eu puder — murmurou Jacob. — Não estou trabalhando com suas vantagens... Como Bella saber que é apaixonada por você.

— Isso ajuda — concordou Edward num tom brando.

Jacob estava desafiador.

— Ela também é apaixonada por mim, sabe disso.

Edward não respondeu.

Jacob suspirou.

— Mas ela *não* sabe.

— Não posso lhe dizer se está certo.

— Isso não o incomoda? Gostaria de poder ver o que ela pensa também?

— Sim... e não, de novo. Ela prefere assim, e embora, às vezes, isso me deixe louco, eu prefiro que ela seja feliz.

O vento soprou impetuoso em volta da barraca, sacudindo-a como um terremoto. Os braços de Jacob apertaram meu corpo, protetores.

— Obrigado — sussurrou Edward. — Embora possa parecer estranho, acho que estou feliz por você estar aqui, Jacob.

— Quer dizer, "Embora fosse adorar matá-lo, fico feliz que ela esteja aquecida", não é?

— É uma trégua desagradável, não acha?

O sussurro de Jacob de repente ficou presunçoso.

— Eu sabia que você era tão louco de ciúme quanto eu.

— Não sou tão tolo para demonstrar, como você faz. Não ajuda em nada em seu caso, devia saber disso.

— Você tem mais paciência do que eu.

— Devo ter mesmo. Levei cem anos para conquistá-la. Cem anos de espera.

— Então... a que altura você decidiu bancar o cara bom e paciente?

— Quando vi o quanto a magoava fazê-la escolher. Em geral, não é difícil controlar. Na maior parte do tempo, posso atenuar com facilidade os... sentimentos menos civilizados que alimento por você. Às vezes acho que ela vê através de mim, mas não tenho certeza.

— Acho que você só estava preocupado que ela o preterisse, se a obrigasse a escolher.

Edward não respondeu imediatamente.

— Também foi por isso — admitiu ele por fim. — Mas só uma pequena parte. Todos temos nossos momentos de dúvida. Preocupava-me principalmente que ela se magoasse tentando fugir para ver você. Depois que aceitei que ela estava mais ou menos segura com você... segura como Bella sempre está... parecia melhor parar de levá-la a extremos.

Jacob suspirou.

— Eu disse isso a ela, mas ela jamais acreditou em mim.

— Eu sei. — Parecia que Edward estava sorrindo.

— Você acha que sabe de tudo — murmurou Jacob.

— Não sei o futuro — disse Edward, a voz de repente insegura.

Houve uma longa pausa.

— O que você faria se ela mudasse de ideia? — perguntou Jacob.

— Também não sei.

Jacob riu baixo.

— Você tentaria me matar? — De novo sarcástico, como se duvidasse da capacidade de Edward de fazer isso.

— Não.

— Por que não? — O tom de Jacob ainda era de zombaria.

— Acha realmente que eu a magoaria dessa maneira?

Jacob hesitou por um segundo, depois suspirou.

— Sim, tem razão. Sei que tem razão. Mas às vezes...

— Às vezes é uma ideia intrigante.

Jacob colocou o rosto no saco de dormir para abafar o riso.

— Exatamente — concordou por fim.

Que sonho estranho era aquele. Perguntei-me se era o vento incansável que me fazia imaginar todos os sussurros. Só que o vento gritava, e não sussurrava...

— Como é isso? Perdê-la? — perguntou Jacob depois de um momento de silêncio, e não havia sugestão de humor em sua voz de repente rouca. — Quando você pensou que a havia perdido para sempre? Como você... lidou com isso?

— É muito difícil falar nesse assunto.

Jacob esperou.

— Houve dois momentos diferentes em que pensei no assunto. — Edward pronunciava cada palavra um pouco mais devagar do que o normal. — Na primeira vez, quando pensei que podia deixá-la... foi... quase insuportável. Porque eu acreditei que ela me esqueceria, e seria como se eu não tivesse tocado em sua vida. Por mais de seis meses consegui ficar afastado, manter minha promessa de que não voltaria a interferir. Estava chegando perto... Eu lutava, mas sabia que não ia vencer; eu voltaria... só para ver como ela estava. Era o que eu dizia a mim mesmo, de qualquer forma. E se eu a encontrasse razoavelmente feliz... Prefiro pensar que podia ter ido embora de novo.

"Mas ela não estava feliz. E eu ficaria. Foi assim que ela me convenceu a ficar com ela amanhã, é claro. Você estava se perguntando sobre isso, o que podia ter me motivado... Qual era o motivo de ela se sentir tão desnecessariamente culpada. Ela me lembrou de como foi para ela quando eu parti — o que até hoje acontece com ela quando me afasto. Ela se sentiu péssima por trazer isso à tona, mas tinha razão. Jamais conseguirei compensar, mas jamais deixarei de tentar."

Jacob não respondeu por um momento, ouvindo a tempestade ou digerindo o que ele ouvia, eu não sabia qual das duas opções.

— E a outra vez... quando você pensou que ela estava morta? — sussurrou Jacob asperamente.

— Sim. — Edward respondeu a uma pergunta diferente. — Provavelmente será assim para você, não é? Pelo modo como nos percebe, você pode não ser capaz de vê-la mais como a *Bella*. Mas é o que ela será.

— Não foi isso que eu perguntei.

A voz de Edward passou a ficar acelerada e dura.

— Não posso lhe dizer como foi. Não há palavras para isso.

Os braços de Jacob se contraíram à minha volta.

— Mas você foi embora porque não queria torná-la uma sanguessuga. Você *queria* que ela fosse humana.

Edward falou devagar.

— Jacob, no segundo em que percebi que a amava, eu sabia que só havia quatro possibilidades. A primeira alternativa, a melhor para Bella, seria se ela não sentisse o mesmo por mim... Se ela superasse isso e continuasse a vida. Eu aceitaria, embora jamais mudasse meus sentimentos. Você me considera uma... pedra viva... duro e frio. É verdade. Somos compostos dessa maneira, e é muito raro que experimentemos uma mudança verdadeira. Quando acontece, como ocorreu quando Bella entrou em minha vida, é uma mudança permanente. Não há retorno...

"A segunda alternativa, aquela que escolhi originalmente, era ficar com ela por toda a sua vida humana. Não era uma boa opção para ela, desperdiçar a vida com alguém que não podia ser humano como ela, mas era a alternativa que eu podia enfrentar com facilidade. Sabendo o tempo todo que, quando ela morresse, eu encontraria um jeito de morrer também. Sessenta, setenta anos — seria um período muito breve para mim... Mas depois provou-se perigoso demais para ela viver em tal proximidade com meu mundo. Parecia que tudo o que podia dar errado acontecia. Ou pairava sobre nós... esperando para dar errado. Eu estava apavorado de não ter esses sessenta anos se ficasse por perto enquanto ela fosse humana.

"Então escolhi a terceira opção. Que se revelou o pior erro que cometi em minha longa vida, como você sabe. Escolhi me ausentar do mundo dela, na esperança de obrigá-la a ficar com a primeira alternativa. Não deu certo e por muito pouco isso quase nos matou.

"O que me restava além da quarta opção? É o que ela quer — pelo menos, ela pensa que quer. Estive tentando contê-la, dar a ela tempo para descobrir um motivo para mudar de ideia, mas ela é muito... teimosa. Você sabe *disso*. Terei sorte se adiar isso por mais alguns meses. Ela tem pavor de envelhecer, e o aniversário dela é em setembro..."

— Prefiro a primeira opção — murmurou Jacob.

Edward não respondeu.

— Você sabe *exatamente* o quanto eu odeio aceitar isso — sussurrou Jacob devagar —, mas posso entender que você a ame... à sua maneira. Não posso mais questionar isso.

"Dado esse fato, não penso que você deva desistir da primeira alternativa, ainda não. Acho que há uma possibilidade muito boa de ela ficar bem. Com o tempo. Sabe, se ela não tivesse pulado do penhasco em março... e se você esperasse mais seis meses para ver como ela estava... bom, podia tê-la encontrado razoavelmente feliz. Eu tinha um plano."

Edward riu.

— Talvez tivesse funcionado. Foi um plano bem-pensado.

— Foi. — Jake suspirou. — Mas... — De repente ele estava sussurrando tão rápido que as palavras se misturaram — me dê um ano, sang... Edward. Eu realmente acho que posso fazê-la feliz. Ela é teimosa, ninguém sabe disso melhor do que eu, mas ela é capaz de se curar. Ela teria se curado antes. E ela pode ser humana, com Charlie e Renée, pode crescer, ter filhos e... ser a Bella.

"Você a ama o bastante para ver as vantagens desse plano. Ela pensa que você é muito altruísta... E você é mesmo? Pode considerar a ideia de que eu posso ser melhor para ela do que você?"

— Eu *já* pensei nisso — respondeu Edward em voz baixa. — De certa maneira, você será mais adequado para ela do que qualquer outro humano. Bella precisa de certos cuidados, e você é bem forte para protegê-la dela mesma e de tudo o que conspira contra ela. Você *já tem feito* isso, e vou lhe dever pelo tempo que viver... para sempre... o que vier primeiro...

"Cheguei a perguntar a Alice se ela podia ver isso... Ver se Bella ficaria melhor com você. Ela não conseguiu, é claro. Não consegue ver você, e então Bella está certa do que vai fazer, por ora.

"Mas não sou idiota para repetir o erro que cometi, Jacob. Não vou tentar de novo obrigá-la a escolher a primeira opção. Se ela me quiser, estarei aqui."

— E se ela decidisse que me queria? — desafiou Jacob. — Tudo bem, é uma probabilidade muito fraca, vou concordar com isso.

— Eu a deixaria ir.

— Tão fácil assim?

— No sentido de que eu nunca mostrei a ela como foi difícil para mim, sim. Mas eu ficaria atento. Entenda, Jacob, um dia *você* deixaria *Bella*. Como Sam e Emily, você não teria alternativa. Eu sempre estaria esperando à margem, na esperança de que isso acontecesse.

Jacob bufou baixo.

— Bom, você foi muito mais sincero do que eu tinha o direito de esperar... Edward. Obrigado por me deixar entrar em sua cabeça.

— Como eu disse, sinto-me estranhamente grato por sua presença na vida dela esta noite. Era o mínimo que eu podia fazer... Sabe, Jacob, se não fosse pelo fato de sermos inimigos naturais e você também estar tentando roubar a razão de minha existência, eu podia gostar de você.

— Talvez... se você não fosse um vampiro repugnante planejando tirar a vida da garota que eu amo... bom, não, nem assim.

Edward riu.

— Posso lhe perguntar uma coisa? — disse Edward depois de um momento.

— Por que precisaria perguntar?

— Só posso ouvir se você pensar nisso. É só uma história que Bella parecia relutar em me contar sobre o outro dia. Algo sobre uma terceira esposa...

— O que tem?

Edward não respondeu, ouvindo a história na mente de Jacob. Eu ouvi seu silvo baixo no escuro.

— Que foi? — perguntou Jacob de novo.

— É claro — Edward ferveu. — É claro! Eu preferia que seus anciãos guardassem *essa* história para eles mesmos, Jacob.

— Você não gosta que os sanguessugas sejam retratados como os vilões? — zombou Jacob. — Pois fique sabendo que eles *são*. Eram na época e são agora.

— Eu realmente não dou a mínima para essa parte. Não consegue deduzir com que personagem Bella se identificou?

Jacob precisou de um minuto.

— Ah. Argh. A terceira esposa. Tudo bem, entendi o que quis dizer.

— Ela quer estar lá na clareira. Fazer o pouco que puder, como a própria Bella diz. — Ele suspirou. — Este foi o segundo motivo para eu ficar com ela amanhã. Ela é muito inventiva quando cisma com algo.

— Sabe, seu irmão militar deu a ela a ideia tanto quanto essa história.

— Nenhum dos lados pretendia prejudicar — sussurrou Edward, agora pacificador.

— E quando *esta* pequena trégua vai terminar? Quando amanhecer? Ou vamos esperar até depois da luta?

Houve uma pausa enquanto os dois refletiam.

— Ao amanhecer — sussurraram juntos, depois riram baixo.

— Durma bem, Jacob — murmurou Edward. — Desfrute o momento.

Fez-se silêncio de novo e a barraca ainda ficou parada por alguns minutos. O vento parecia ter decidido que afinal não ia nos achatar e desistia da briga.

Edward gemeu suavemente.

— Eu não quis dizer tão literalmente.

— Desculpe — sussurrou Jacob. — Você pode sair, sabe disso... Nos dar alguma privacidade.

— Gostaria que eu o *ajudasse* a dormir, Jacob? — propôs Edward.

— Pode tentar — disse Jacob, sem se preocupar. — Seria interessante ver quem fugiria, não é?

— Não me provoque muito, lobo. Minha paciência não é *tão* perfeita.

Jacob riu sussurrando.

— Preferia não me mexer agora, se não se importa.

Edward começou a cantarolar, mais alto do que o de costume — tentando abafar os pensamentos de Jacob, imaginei. Mas era minha cantiga de ninar que ele cantarolava, e apesar de meu desconforto crescente com aquele sonho sussurrado, afundei mais na inconsciência... Em outros sonhos que faziam mais sentido...

23. MONSTRO

QUANDO ACORDEI DE MANHÃ, ESTAVA MUITO CLARO — ATÉ DENTRO da barraca o sol feria meus olhos. E eu estava mesmo suando, como Jacob previra. Jacob roncava suavemente em minha orelha, os braços ainda me envolvendo.

Afastei a cabeça de seu peito febril e senti a manhã fria cortar meu rosto úmido. Jacob suspirou dormindo; seus braços me apertaram inconscientemente.

Eu me retorci, incapaz de me soltar, lutando para levantar a cabeça o bastante para ver...

Edward encontrou exatamente meu olhar. Sua expressão era calma, mas a dor se revelava em seus olhos.

— Está mais quente aí fora? — sussurrei.

— Sim. Não acho que o aquecedor será necessário hoje.

Tentei chegar ao zíper, mas não conseguia libertar meus braços. Eu puxei, lutando contra a força inerte de Jacob. Jacob murmurou, ainda dormindo, os braços me restringindo de novo.

— Uma ajuda? — perguntei baixinho.

Edward sorriu.

— Quer que eu arranque os braços dele?

— Não, obrigada. Só me liberte daqui. Vou ter intermação.

Edward abriu o zíper do saco de dormir com um movimento abrupto e rápido. Jacob caiu, as costas nuas batendo no chão gelado da barraca.

— Ei! — reclamou ele, os olhos se abrindo. Por instinto, ele se encolheu por causa do frio, rolando para mim. Eu arfei quando seu peso me tirou o fôlego.

E depois o peso se fora. Senti o impacto quando Jacob voou para uma das estacas da barraca, que tremeu.

O grunhido vinha de todo lado. Edward estava agachado na minha frente e eu não podia ver seu rosto, mas os rosnados irrompiam com raiva de seu peito. Jacob também estava meio agachado, todo o corpo tremendo, enquanto os rosnados trovejavam por seus dentes trincados. Do lado de fora da barraca, os rosnados malévolos de Seth Clearwater ecoavam nas pedras.

— Parem, parem! — gritei, me movendo desajeitada para me colocar entre eles. O espaço era tão pequeno que não precisei me esticar muito para colocar as mãos no peito dos dois. Edward envolveu minha cintura, pronto para me tirar do caminho.

— Pare agora — eu o alertei.

Ao meu toque, Jacob começou a se acalmar. O tremor diminuiu, mas seus dentes ainda estavam arreganhados, os olhos furiosamente concentrados em Edward. Seth manteve o grunhido, longo e ininterrupto, um fundo violento ao silêncio súbito da barraca.

— Jacob? — perguntei, esperando que ele afinal olhasse para mim. — Está ferido?

— É claro que não! — sibilou ele.

Virei-me para Edward. Ele olhava para mim, a expressão dura e colérica.

— Isso não foi gentil. Devia se desculpar.

Seus olhos se arregalaram de repulsa.

— Deve estar brincando... Ele estava esmagando você!

— Porque você o jogou no chão! Ele não fez de propósito e não me machucou.

Edward gemeu, revoltado. Lentamente, olhou nos olhos hostis de Jacob.

— Peço desculpas, cachorro.

— Não houve danos — disse Jacob com um tom de zombaria.

Ainda estava frio, mas não tanto como na véspera. Envolvi meu peito com os braços.

— Tome — disse Edward, calmo novamente. Pegou a parca no chão e a colocou por cima de meu casaco.

— É de Jacob — objetei.

— Jacob tem um casaco de pelos — Edward comentou.

— Vou usar o saco de dormir de novo, se não se importa. — Jacob o ignorou, movendo-se à nossa volta e escorregando para dentro do saco. — Ainda não estava pronto para acordar. Esta não foi a melhor noite de sono que tive na vida.

— Foi ideia sua — disse Edward, impassível.

Jacob estava enroscado, os olhos já fechados. Ele bocejou.

— Eu não disse que não foi a melhor noite que já passei. Só que não dormi muito. Pensei que Bella nunca fosse calar a boca.

Estremeci, perguntando-me o que podia ter saído de minha boca enquanto eu dormia. As possibilidades eram apavorantes.

— Que bom que pôde desfrutar — murmurou Edward.

Os olhos escuros de Jacob se abriram.

— Então, você teve uma boa noite? — perguntou, presunçoso.

— Não foi a pior noite de minha vida.

— Você a incluiria nas dez mais? — perguntou Jacob com um prazer perverso.

— Possivelmente.

Jacob sorriu e fechou os olhos.

— Mas — continuou Edward —, se eu pudesse assumir seu lugar ontem à noite, não teria entrado nas dez *melhores* noites da minha vida. Vai sonhando.

Os olhos de Jacob se abriram, encarando. Ele se sentou rígido, os ombros tensos.

— Querem saber? Acho que está apertado demais aqui.

— Não tenho como discordar disso.

Dei uma cotovelada nas costelas de Edward — provavelmente conseguindo um hematoma.

— Então, acho que vou tirar meu sono atrasado depois. — Jacob fez uma careta. — Preciso conversar com Seth mesmo.

Ele rolou de joelhos e pegou o zíper da porta.

A dor desceu estalando por minha espinha e se alojou em meu estômago quando percebi de repente que aquela podia ser a última vez em que o veria. Ele voltaria para Sam, para a luta com a horda de vampiros recém-criados e sedentos de sangue.

— Jake, espere... — estendi o braço para ele, minha mão escorregando em seu braço.

Ele puxou o braço antes que meus dedos conseguissem agarrá-lo.

— Por favor, Jake? Não vai ficar?

— Não.

A palavra era dura e fria. Eu sabia que meu rosto entregava minha dor, porque ele expirou e um meio sorriso atenuou sua expressão.

— Não se preocupe comigo, Bells. Eu vou ficar bem, como sempre fico. — Ele soltou um riso forçado. — Além disso, você acha que vou deixar Seth no meu lugar... com a diversão e roubando toda a glória? Até parece. — Ele bufou.

— Tenha cuidado...

Ele saiu da barraca antes que eu pudesse terminar.

— Descanse, Bella — eu o ouvi murmurar enquanto fechava o zíper da porta.

Procurei ouvir o som de seus passos se afastando, mas o silêncio era completo. Não havia mais vento. Eu podia ouvir o canto matinal dos pássaros na montanha e nada mais. Jacob agora andava em silêncio.

Aconcheguei-me em meus casacos e me encostei no ombro de Edward. Ficamos em silêncio por um longo tempo.

— Quanto tempo mais? — perguntei.

— Alice disse a Sam que devia ser em mais ou menos uma hora — Edward comentou, suave e frio.

— Vamos ficar juntos. Não importa o que aconteça.

— Não importa o que aconteça — ele concordou, os olhos tensos.

— Eu sei — eu disse. — Estou apavorada por eles também.

— Eles sabem se cuidar — garantiu-me Edward, deixando a voz leve intencionalmente. — É que eu odeio perder a diversão.

De novo a *diversão*. Minhas narinas inflaram.

Ele passou o braço em meu ombro.

— Não se preocupe — insistiu, depois beijou minha testa.

Como se houvesse um jeito de evitar isso.

— Claro, claro.

— Quer que eu a distraia? — ele sussurrou, passando os dedos frios pela maçã de meu rosto.

Tremi involuntariamente; a manhã ainda era gélida.

— Talvez agora não — respondeu ele mesmo, recolhendo a mão.

— Há outras maneiras de me distrair.

— Do que você gostaria?

— Pode me contar sobre suas dez melhores noites — sugeri. — Estou curiosa.

Ele riu.

— Tente adivinhar.

Sacudi a cabeça.

— Existem muitas noites de que não sei. Um século delas.

— Vou reduzir o espectro para você. Todas as minhas melhores noites aconteceram depois que a conheci.

— É mesmo?

— Sim, é mesmo... E por uma ampla margem também.

Pensei por um minuto.

— Só posso pensar nas minhas — admiti.

— É possível que sejam as mesmas — ele me estimulou a continuar.

— Bom, houve a primeira noite. A noite em que você ficou.

— Sim, essa é uma das minhas também. É claro que você não tinha consciência de minha parte preferida.

— Tem razão — lembrei. — Eu estava falando nessa noite também.

— Sim — concordou ele.

Meu rosto ficou quente quando voltei a me perguntar o que eu podia ter dito enquanto dormia nos braços de Jacob. Não conseguia me lembrar de meus sonhos, ou mesmo se havia sonhado, então era inútil.

— O que eu disse a noite passada? — sussurrei mais baixo do que antes.

Ele deu de ombros em vez de responder, e eu estremeci.

— Foi tão ruim assim?

— Nada horrível demais — ele suspirou.

— Por favor, me conte.

— Você falou principalmente meu nome, o mesmo de sempre.

— Não é tão ruim — concordei com cautela.

— Mas, perto do final, começou a murmurar umas coisas sem sentido sobre "Jacob, o meu Jacob". — Eu pude ouvir a dor, mesmo aos sussurros. — O seu Jacob gostou muito *disso*.

Estiquei o pescoço, tentando colocar os lábios na ponta de seu queixo. Eu não podia ver seus olhos. Ele fitava o teto da barraca.

— Desculpe — murmurei. — É só o modo como eu diferencio.

— Diferencia?

— Entre Dr. Jekyll e Mr. Hyde, o médico e o monstro. Entre o Jacob de que gosto e aquele que me mata de irritação — expliquei.

— Isso faz sentido. — Ele parecia um tanto mais calmo. — Conte-me de outra noite favorita.

— O voo de volta da Itália.

Ele franziu o cenho.

— Não é uma das suas? — perguntei.

— Não, na verdade *é* uma das minhas, mas estou surpreso que esteja em sua lista. Você não estava sob a impressão absurda de que eu agia por consciência culpada e fugiria assim que as portas do avião se abrissem?

— Sim. — Eu sorri. — Mas, ainda assim, você estava lá.

Ele beijou meu cabelo.

— Você me ama mais do que eu mereço.

Eu ri da impossibilidade da ideia.

— A noite seguinte seria a noite depois da Itália — continuei.

— Sim, está na lista. Você estava tão engraçada.

— Engraçada? — objetei.

— Eu não fazia ideia de que seus sonhos eram tão nítidos. Precisei de uma eternidade para convencê-la de que você estava acordada.

— Eu ainda não tenho certeza — murmurei. — Você sempre pareceu mais um sonho do que a realidade. Me conte uma das suas, agora. Tenho que adivinhar o primeiro lugar?

— Não... Foi há duas noites, quando você finalmente concordou em se casar comigo.

Fiz uma careta.

— Essa não está na sua lista?

Pensei no modo como ele me beijou, a concessão que ganhei, e mudei de ideia.

— Sim... Está. Mas com reservas. Não entendo por que é tão importante para você. Você já me tem para sempre.

— Daqui a cem anos, quando tiver perspectiva suficiente para realmente apreciar a resposta, eu explicarei.

— Vou lembrá-lo de me explicar... Daqui a cem anos.

— Está bem aquecida? — perguntou ele de repente.

— Eu estou bem — garanti. — Por quê?

Antes que eu pudesse responder, o silêncio fora da barraca foi rasgado por um uivo de dor ensurdecedor. O som ricocheteou na face rochosa da montanha e encheu o ar de tal modo que chegava de todos os lados.

O uivo entrou por minha mente como um tornado, ao mesmo tempo estranho e familiar. Estranho porque eu nunca ouvira um grito tão torturado. Familiar porque reconheci a voz de imediato — reconheci o som e entendi perfeitamente o significado, como se eu mesma tivesse pronunciado. Não fazia diferença que Jacob não fosse humano quando gritou. Eu não precisava de tradução.

Jacob estava perto. Tinha ouvido cada palavra do que dissemos. Jacob estava sofrendo.

O uivo foi sufocado num gorgolejo peculiar, depois o silêncio voltou a reinar.

Não ouvi a fuga silenciosa dele, mas pude senti-la — eu podia sentir a ausência que antes supus erroneamente, o espaço vazio que ele deixara.

— Seu aquecedor chegou ao limite — respondeu Edward em voz baixa. — A trégua acabou — acrescentou ele, tão baixo que não tive certeza do que realmente dissera.

— Jacob estava ouvindo — sussurrei. Não era uma pergunta.

— Sim.

— Você sabia.

— Sim.

Eu fitei o vazio, sem nada ver.

— Nunca prometi uma briga justa — lembrou-me ele em voz baixa. — E ele merece saber.

Minha cabeça caiu nas mãos.

— Está com raiva de mim? — perguntou ele.

— De você, não — sussurrei. — Estou apavorada *comigo*.

— Não se atormente — pediu ele.

— Sim — concordei com amargura. — Eu devia poupar minha energia para atormentar mais um pouco Jacob. Eu não ia querer deixar nenhuma parte dele intacta.

— Ele sabia o que estava fazendo.

— Acha que isso importa? — Eu piscava para reprimir as lágrimas e era fácil ouvir isso em minha voz. — Acha que me importo se é justo ou se ele foi avisado? Eu o estou *magoando*. Sempre que me viro, eu o magoo novamente. — Minha voz estava ficando mais alta, mais histérica. — Sou uma pessoa horrível.

Ele estreitou os braços à minha volta.

— Não, você não é.

— Eu sou! O que há de errado comigo? — Lutei contra seus braços e ele me soltou. — Tenho de encontrá-lo.

— Bella, ele já está a quilômetros daqui, e está frio.

— Não me importa. Não posso simplesmente ficar *sentada* aqui. — Eu me encolhi na parca de Jacob, calcei as botas e engatinhei depressa para a porta; minhas pernas estavam entorpecidas. — Eu tenho que... tenho que...

— Não sabia como terminar a frase, não sabia o que havia a fazer, mas assim mesmo abri o zíper e saí para a manhã gelada e luminosa.

Havia menos neve do que eu teria pensado depois da fúria da tempestade da noite anterior. Provavelmente, tinha sido soprada e não derretida pelo sol, que agora brilhava baixo no sudeste, ricocheteando na neve que se retardava e apunhalava meus olhos pouco adaptados. O ar ainda mordia, mas estava parado e, aos poucos, enquanto o sol se levantava, tornava-se mais próprio daquela estação.

Seth Clearwater estava enroscado num trecho de agulhas secas de pinheiro, à sombra de um abeto grosso, com a cabeça nas patas. Seu pelo cor de areia era quase invisível contra as folhas mortas, mas pude ver o reflexo da neve em seus olhos abertos. Ele me fitava com o que imaginei tratar-se de uma acusação.

Eu sabia que Edward me seguia enquanto eu cambaleava para as árvores. Não podia ouvi-lo, mas o sol se refletia em sua pele em arco-íris cintilantes que dançavam à minha frente. Ele só tentou me impedir quando eu entrei vários passos nas sombras da floresta.

Sua mão pegou meu pulso esquerdo. Ele ignorou quando tentei me libertar.

— Não pode ir atrás dele. Não hoje. Está quase na hora. E se perder não vai ajudar ninguém, além de tudo.

Girei o pulso, puxando-o inutilmente.

— Desculpe, Bella — sussurrou ele. — Desculpe por ter feito isso.

— Você não fez nada. Foi minha culpa. Eu é que fiz. Eu fiz tudo errado. Eu podia ter... quando ele... eu não devia... eu... eu... — Eu estava chorando.

— Bella, Bella.

Seus braços me envolveram e minhas lágrimas ensoparam sua camisa.

— Eu devia ter... dito a ele... Eu devia... ter dito... — O quê? O que podia ser o certo? — Ele não devia ter... descoberto desse jeito.

— Quer que eu veja se posso trazê-lo de volta, para você conversar com ele? Ainda há um tempinho — murmurou Edward, a agonia silenciando sua voz.

Assenti em seu peito, com medo de ver seu rosto.

— Fique perto da barraca. Voltarei logo.

Seus braços desapareceram. Partiu tão rapidamente que no segundo que precisei para erguer a cabeça ele já havia ido. Eu estava só.

Um novo soluço irrompeu de meu peito. Naquele dia, eu estava magoando a todos. Será que havia alguma coisa que não se estragasse a meu toque?

Eu não sabia por que agora isso me afetava tanto. Sabia que aconteceria. Mas Jacob nunca reagira com tanta veemência — perdendo sua excessiva confiança e mostrando a intensidade de sua dor. O som de sua agonia ainda penetrava em mim, em algum lugar no fundo de meu peito. Ao lado disso, havia outra dor. A dor por sentir dor por Jacob. Dor por também magoar Edward. Por não ser capaz de ver Jacob partir com compostura, sabendo que era a atitude certa a tomar, a única maneira de agir.

Eu era egoísta, eu era nociva. Eu torturava as pessoas que amava.

Eu era como Cathy, como *O morro dos ventos uivantes*, só que minhas opções eram muito melhores do que as dela, nem do mal, nem doentias. E ali estava eu sentada, chorando, sem fazer nada de produtivo para corrigir a situação. Exatamente como Cathy.

Eu não podia permitir que o que *me* magoava ainda influenciasse minhas decisões. Era pouco, era tarde demais, mas eu tinha de fazer o certo agora. Talvez já estivesse feito para mim. Talvez Edward não conseguisse trazê-lo de volta. E depois eu aceitaria e continuaria com minha vida. Edward nunca me veria derramar outra lágrima por Jacob Black. Não haveria mais lágrimas. Enxuguei a última delas com os dedos frios.

Mas se Edward voltasse com Jacob, aí sim, eu teria de dizer a Jacob para se afastar e nunca mais voltar.

Por que era tão difícil? Tão mais difícil do que dizer adeus a meus outros amigos, a Angela, a Mike? Por que isso *magoava*? Não era certo. Não devia me magoar. Eu tinha o que queria. Não podia ter os dois, porque Jacob não seria só meu amigo. Estava na hora de desistir disso. Como uma pessoa podia ser tão ridiculamente gananciosa?

Eu precisava superar esse sentimento irracional de que Jacob pertencia à minha vida. Ele não podia me pertencer, não podia ser o *meu* Jacob quando eu pertencia a outro. Voltei devagar à pequena clareira, arrastando os pés. Quando cheguei ao espaço aberto, piscando com a luz forte, lancei um olhar para Seth; ele não se mexera em seu leito de agulhas — e depois virei a cara, evitando os olhos dele.

Eu podia sentir que meu cabelo estava desgrenhado, retorcido em grumos, feito as serpentes da Medusa. Eu o penteei com os dedos, mas logo desisti. Quem ligava para minha aparência, afinal?

Peguei o cantil pendurado ao lado da porta da barraca e sacudi. Fez barulho de água, então abri a tampa e tomei um gole para lavar a boca com água gelada. Havia comida em algum lugar por ali, mas eu não tinha fome suficiente para procurar por ela. Comecei a andar de um lado a outro no pequeno espaço iluminado, sentindo o tempo todo os olhos de Seth em mim. Como eu não ia olhar para ele, em minha cabeça ele se tornou o menino novamente, em vez do lobo gigantesco. Tão parecido com o Jacob mais novo.

Queria pedir a Seth para latir ou dar outro sinal se Jacob estivesse voltando, mas me reprimi. Não importava se Jacob voltaria. Podia ser mais fácil se ele não voltasse. Eu queria ter uma forma de chamar Edward.

Nesse momento, Seth gemeu e se colocou de pé.

— O que foi? — perguntei a ele feito uma idiota.

Ele me ignorou, trotando para a beira das árvores, e apontou o focinho para o oeste. Começou a ganir.

— São os outros, Seth? — perguntei. — Na clareira?

Ele olhou para mim e ganiu delicadamente uma vez, depois virou o focinho atento para o oeste. Suas orelhas se voltaram para trás e ele ganiu outra vez.

Por que eu era tão idiota? O que eu estava pensando, mandando Edward sair? Como eu saberia o que estava acontecendo? Eu não falava com lobos.

Um arrepio gelado de medo começou a percorrer minha espinha. E se o tempo tivesse se esgotado? E se Jacob e Edward chegassem perto demais? E se Edward decidisse participar da luta?

O medo gelado se acumulou em meu estômago. E se o aborrecimento de Seth nada tivesse a ver com a clareira e seu ganido fosse uma negação? E se Jacob e Edward estivessem brigando, em algum lugar na floresta distante? Eles não fariam isso, fariam?

Com uma certeza súbita e enregelante eu percebi que eles fariam — se dissessem as palavras erradas. Pensei no impasse tenso na barraca naquela manhã e me perguntei se havia subestimado quanto estiveram perto de uma briga.

Se eu perdesse os dois, seria mais do que merecido.

O gelo se fechou em meu coração.

Antes que eu pudesse desmaiar de medo, Seth grunhiu de leve, do fundo do peito, depois se virou de sua vigilância e voltou ao lugar de descanso. Isso me acalmou, mas me irritou. Será que ele não podia escrever uma mensagem na terra ou coisa assim?

Andar estava começando a me fazer transpirar por baixo de toda aquela roupa. Atirei meu casaco na barraca, depois voltei para olhar uma trilha no meio da pequena passagem entre as árvores.

Seth se colocou de pé num salto de repente, os pelos da nuca eriçando-se. Olhei em volta, mas nada vi. Se Seth não parasse com aquilo, eu atiraria uma pinha nele.

Ele grunhiu, um som baixo de alerta, esquivando-se para a margem oeste, e eu reconsiderei minha impaciência.

— Somos nós, Seth — Jacob chamou de longe.

Tentei explicar a mim mesma por que meu coração entrou em quarta marcha quando eu o ouvi. Era só medo do que teria de fazer agora, era apenas isso. Eu não podia me permitir sentir alívio com a volta dele. Isso não seria nada útil.

Edward entrou em meu campo de visão primeiro, o rosto inexpressivo e suave. Quando saiu das sombras, o sol cintilou em sua pele como fazia na neve. Seth foi recebê-lo, olhando intensamente em seus olhos. Edward assentiu devagar, a preocupação vincando a testa.

— Sim, era só o que faltava — murmurou ele para si mesmo antes de se voltar para o lobo grande. — Acho que não devíamos nos surpreender. Mas o *timing* estará muito próximo. Por favor, diga a Sam que peça a Alice para tentar fixar melhor o horário.

Seth baixou a cabeça uma vez e eu queria poder grunhir. É claro que *agora* ele podia assentir. Virei irritada a cabeça e percebi que Jacob estava ali.

Ele estava de costas para mim, de frente para o ponto de onde viera. Eu esperei, cautelosa, que ele se virasse.

— Bella — murmurou Edward, de repente bem a meu lado. Ele me fitava apenas com preocupação nos olhos. Sua generosidade não tinha fim. Eu o merecia menos agora do que nunca.

— Temos uma pequena complicação — disse-me ele, a voz cuidadosamente despreocupada. — Vou levar Seth um pouco mais para lá e tentar endireitar isso. Não irei longe, mas não vou ouvir também. Sei que não quer plateia, independente do que decidir fazer.

Só no final a dor apareceu em sua voz.

Eu nunca mais o magoaria. Seria a missão de minha vida. Nunca mais seria o motivo daquele olhar.

Eu estava perturbada demais para perguntar qual era o novo problema. Não precisava de mais nada naquele momento.

— Volte correndo — sussurrei.

Ele me beijou de leve nos lábios, depois desapareceu na floresta com Seth a seu lado.

Jacob estava imóvel na sombra das árvores; eu não podia ver sua expressão com clareza.

— Estou com pressa, Bella — disse ele numa voz sufocada. — Por que não termina logo com isso?

Engoli em seco, minha garganta de repente tão árida que não tinha certeza se podia pronunciar algum som.

— Basta falar e tudo estará acabado.

Respirei fundo.

— Desculpe por ser uma pessoa tão detestável — sussurrei. — Eu lamento ter sido egoísta. Queria jamais ter conhecido você, assim não poderia magoá-lo desse jeito. Não vou mais fazer isso, prometo. Vou ficar longe de você. Vou me mudar de estado. Você não terá de me ver nunca mais.

— Isso não é bem um pedido de desculpas — disse ele amargamente.

Eu não conseguia falar num tom mais alto do que um sussurro.

— Me diga como fazer isso direito.

— E se eu não quiser que você vá embora? E se eu preferir que você fique, egoísta ou não? Eu não mereço decidir, já que está tentando compensar as coisas comigo?

— Isso não vai ajudar em nada, Jake. Foi um erro ficar com você quando tínhamos desejos diferentes. Não vai melhorar. Eu só vou continuar magoando você. Não quero mais magoá-lo. Odeio isso. — Minha voz falhou.

Ele suspirou.

— Pare. Não precisa dizer mais nada. Eu entendo.

Eu queria lhe dizer o quanto sentiria falta dele, mas mordi a língua. Isso também não ajudaria em nada.

Ele ficou parado em silêncio por um momento, fitando o chão, e eu reprimi o impulso de ir até lá e abraçá-lo. Para reconfortá-lo.

E depois sua cabeça se ergueu de repente.

— Bom, você não é a única capaz de sacrifício pessoal — disse ele, a voz mais forte. — Quando um não quer, dois não brigam.

— Como é?

— Andei me comportando muito mal. Eu tornei isso muito mais difícil para você do que precisava. Podia ter desistido com elegância no início. Mas também a magoei.

— A culpa foi minha.

— Não vou deixar que assuma toda a culpa nisso, Bella. Nem toda a glória. Sei como me redimir.

— Do que você está falando? — perguntei. Fiquei assustada com a luz súbita e frenética em seus olhos.

Ele olhou o sol e sorriu para mim.

— Há uma luta muito séria estourando por lá. Não acho que será difícil sair de cena.

As palavras dele afundaram em meu cérebro, lentamente, uma a uma, e eu não conseguia respirar. Apesar de todas as minhas intenções de tirar Jacob completamente de minha vida, só percebi naquele exato segundo o quanto a faca teria de ser enterrada para conseguir isso.

— Ah, não, Jake! Não, não, não, não, não — eu disse, sufocada de pavor. — Não, Jake, por favor, não. — Meus joelhos começaram a tremer.

— Qual é a diferença, Bella? Isso só tornará tudo mais conveniente para todos. Você não precisa fazer nada.

— Não! — Minha voz ficou mais alta. — Não, Jacob! Não vou deixar que faça isso!

— Como pode me impedir? — ele zombou de leve, sorrindo para que a voz ficasse menos incisiva.

— Jacob, estou implorando. Fique comigo. — Eu teria caído de joelhos se conseguisse me mexer.

— Por quinze minutos, enquanto perco uma boa briga? Para você poder fugir de mim assim que achar que estou seguro de novo? Deve estar brincando.

— Não vou fugir. Eu mudei de ideia. Vamos encontrar um jeito, Jacob. Sempre há uma forma de conciliação. Não vá!

— Está mentindo.

— Não estou. Você sabe como eu minto mal. Olhe em meus olhos. Eu vou ficar, se você fizer o mesmo.

Seu rosto endureceu.

— E posso ser *seu* padrinho de casamento?

Precisei de um momento para falar, e a única resposta que pude dar a ele foi "Por favor".

— Foi o que eu pensei — disse ele, o rosto se acalmando de novo, mas a luz turbulenta nos olhos.

— Eu te amo, Bella — murmurou ele.

— Eu te amo, Jacob — sussurrei, com a voz entrecortada.

Ele sorriu.

— Sei disso melhor do que você.

Ele se virou para se afastar.

— Qualquer coisa. — Gritei numa voz estrangulada. — O que você quiser, Jacob. Mas não faça isso!

Ele parou, virando-se devagar.

— Você não falou com sinceridade.

— Fique — implorei.

Ele sacudiu a cabeça.

— Não, eu vou. — Ele parou, como se tivesse tomado uma decisão. — Mas posso deixar por conta do destino.

— O que quer dizer? — eu disse, sufocada.

— Não preciso fazer nada deliberadamente... Posso só fazer o melhor por meu grupo, e o que tiver de ser será. — Ele deu de ombros. — *Se* você conseguisse me convencer de que quer mesmo que eu volte... mais do que quer fazer o que acha certo.

— Como? — perguntei.

— Pode me pedir — sugeriu ele.

— Volte — sussurrei. Como ele podia duvidar de minha sinceridade?

Ele sacudiu a cabeça, sorrindo de novo.

— Não era disso que eu estava falando.

Precisei de um segundo para entender o que ele dizia, e nesse tempo ele olhava para mim com aquela expressão superior — seguro de minha reação. Assim que percebi, soltei as palavras sem parar para pensar no custo.

— Pode me beijar, Jacob?

Seus olhos se arregalaram de surpresa, depois se estreitaram, desconfiados.

— Está blefando.

— Beije-me, Jacob. Beije-me e depois volte.

Ele hesitou na sombra, lutando consigo mesmo. Meio que se virou para o oeste, o torso afastando-se de mim enquanto os pés continuavam plantados no chão. Ainda olhando a distância, deu um passo inseguro em minha direção, depois outro. Girou o rosto para olhar para mim, os olhos em dúvida.

Eu o fitei também. Não fazia ideia de minha expressão.

Jacob se balançou nos calcanhares, depois se lançou para a frente, diminuindo a distância entre nós em três longas passadas.

Eu sabia que ele tiraria proveito da situação. Eu esperava por isso. Fiquei completamente imóvel — os olhos fechados, os dedos enrolados nos punhos ao lado do corpo — enquanto as mãos dele pegavam meu rosto e seus lábios encontravam os meus com uma ansiedade que não distava muito da violência.

Pude sentir sua raiva enquanto a boca descobria minha resistência passiva. Uma das mãos passou para minha nuca, girando em um punho em torno das raízes de meu cabelo. A outra mão agarrou rudemente meu ombro, sacudindo-me, depois me arrastando para ele. Sua mão continuava em meu braço, encontrando meu pulso e puxando o braço para cima, colocando-o em seu pescoço. Deixei-a ali, a mão ainda numa bola estreita, sem saber até que ponto eu podia ir em meu desespero para mantê-lo vivo. Em todo esse tempo, seus lábios, desconcertantemente macios e quentes, tentaram forçar uma resposta dos meus.

Assim que teve certeza de que eu não largaria o braço, ele libertou meu pulso, a mão sentindo o caminho para minha cintura. Sua mão ardente encontrou a pele da base de minhas costas e ele me puxou para a frente, curvando meu corpo contra o dele.

Seus lábios desistiram dos meus por um momento, mas eu sabia que ele não estava perto de terminar. A boca seguiu a linha de meu queixo, depois explorou meu pescoço. Ele soltou meu cabelo, estendendo o outro braço para colocá-lo em seu pescoço, como o primeiro.

Depois os dois braços de Jacob estavam fechados em minha cintura e seus lábios encontraram minha orelha.

— Pode fazer melhor do que isso, Bella — sussurrou ele com a voz rouca. — Está pensando demais.

Eu tremi ao sentir seus dentes roçarem no lóbulo da orelha.

— É isso mesmo — murmurou ele. — Pela primeira vez, deixe fluir o que você sente.

Sacudi a cabeça mecanicamente até que uma das mãos de Jacob estava de volta a meu cabelo e me deteve.

A voz dele ficou ácida.

— Tem certeza de que quer que eu volte? Ou realmente quer me ver morto?

A raiva tremeu em mim como um chicote depois de um golpe forte. Aquilo era demais — ele não estava sendo justo.

Meus braços já estavam em seu pescoço, então agarrei seus cabelos — ignorando a pontada de dor na mão direita — e puxei, lutando para afastar meu rosto do dele.

E Jacob entendeu mal.

Ele era forte demais para reconhecer que minhas mãos, tentando arrancar seu cabelo pelas raízes, queriam lhe provocar dor. Em vez de raiva, ele imaginou paixão. Pensou que eu estava, afinal, reagindo a ele.

Com um ofegar intenso, ele voltou a colocar a boca na minha, os dedos se agarrando freneticamente à pele de minha cintura.

O choque da raiva desequilibrou meu tênue autocontrole; a reação inesperada de êxtase por parte dele venceu. Se houvesse só triunfo, eu seria capaz de resistir. Mas a completa entrega de sua súbita alegria abalou minha determinação, inutilizando-a. Meu cérebro desconectou-se de meu corpo e eu estava retribuindo seu beijo. Contra toda a razão, meus lábios se moviam com os dele de formas estranhas e perturbadoras, como nunca se moveram antes — porque eu não precisava ter cuidado com Jacob e ele certamente não estava sendo cuidadoso comigo.

Meus dedos agarraram seu cabelo, mas eu agora o puxava para mais perto.

Ele estava em toda parte. O sol penetrante tornou minhas pálpebras vermelhas, e a cor combinava com o calor. O calor estava em toda parte, eu não conseguia ver nem sentir nada que não fosse Jacob.

A pequena parte de meu cérebro que manteve a sanidade gritava perguntas para mim.

Por que eu não estava impedindo aquilo? Pior ainda, por que eu não conseguia encontrar em mim o *desejo* de parar? Significava que eu não queria que *ele* parasse? Que minhas mãos se agarraram aos ombros dele e gostaram que fossem largos e fortes? Que as mãos dele me puxassem apertado demais em seu corpo, e no entanto não fosse apertado o bastante para mim?

As perguntas eram idiotas, porque eu sabia a resposta: eu estava mentindo para mim mesma.

Jacob tinha razão. Teve razão o tempo todo. Ele era mais que apenas meu amigo. Por isso era tão impossível me despedir dele — por que eu estava apaixonada por ele. Também. Eu o amava, muito mais do que devia, e no entanto ainda não era o bastante. Eu estava apaixonada por ele, mas não era suficiente para mudar nada; era só o bastante para magoar nós dois. Para magoá-lo ainda mais do que eu já fizera.

Eu não podia me importar mais do que... do que com sua dor. Eu merecia mesmo qualquer dor que ele me provocasse. Tive esperanças de que fosse ruim. Esperava de fato sofrer.

Nesse momento, senti como se fôssemos a mesma pessoa. A dor dele sempre foi e sempre seria a minha dor — agora a alegria dele era a minha alegria. Eu também me senti alegre, e ainda assim a felicidade dele, de certo modo, também era dor. Quase tangível — ardia contra minha pele como ácido, uma tortura lenta.

Por um breve e interminável segundo um caminho inteiramente diferente se expandiu por trás das pálpebras de meus olhos lacrimosos. Como se eu estivesse olhando pelo filtro dos pensamentos de Jacob, pude ver exatamente do que eu ia abrir mão, exatamente o que esse novo autoconhecimento não me pouparia de perder. Eu podia ver Charlie e Renée misturados numa estranha colagem com Billy e Sam em La Push. Podia ver os anos passando, e significando alguma coisa enquanto passavam, mudando-me. Eu podia ver o enorme lobo marrom-avermelhado que eu amava, sempre presente, tão protetor como se eu precisasse dele. Pelo menor fragmento desse segundo, vi as cabeças de duas crianças pequenas de cabelos pretos, correndo de mim na floresta familiar. Quando desapareceram, levaram o que restara da visão.

E então, com clareza, senti a fissura em meu coração se estilhaçar como a menor parte que se separava do todo.

Os lábios de Jacob ainda estavam nos meus. Abri os olhos e ele me fitava, admirado e exaltado.

— Tenho de ir — sussurrou ele.

— Não.

Ele sorriu, satisfeito com minha resposta.

— Não vou demorar — prometeu ele. — Mas primeiro uma coisa...

Ele me beijou de novo, e não havia mais motivos para resistir. Que sentido teria?

Dessa vez foi diferente. As mãos dele eram suaves em meu rosto, e seus lábios quentes eram gentis, inesperadamente hesitantes. Foi breve e muito, muito doce.

Seus braços se enroscaram à minha volta e ele me abraçou seguramente ao sussurrar em meu ouvido.

— *Este* devia ter sido nosso primeiro beijo. Antes tarde do que nunca.

Enterrei o rosto no peito dele, onde ele não podia ver as lágrimas que se acumulavam e caíam.

24. DECISÃO REPENTINA

EU ESTAVA DEITADA COM O ROSTO NO SACO DE DORMIR, QUERENDO que a justiça me encontrasse. Talvez uma avalanche me sepultasse ali. Eu queria que acontecesse. Queria jamais ver meu rosto no espelho de novo.

Não houve som para me alertar. De repente, do nada, a mão fria de Edward afagava meu cabelo embaraçado. Eu tremi de culpa ao toque dele.

— Está tudo bem? — murmurou ele, a voz ansiosa.

— Não. Eu quero morrer.

— Isso nunca vai acontecer. Eu não vou permitir.

Eu gemi e depois sussurrei:

— Pode mudar de ideia sobre isso.

— Onde está Jacob?

— Foi lutar — murmurei para o chão.

Jacob tinha deixado o pequeno acampamento alegremente — com um animado "voltarei logo" — correndo a todo vapor para a clareira, já tremendo ao se preparar para se transformar na outra identidade. A essa altura, toda a alcateia já sabia de tudo. Seth Clearwater, andando do lado de fora da barraca, era uma testemunha íntima de minha desgraça.

Edward ficou em silêncio por um longo tempo.

— Ah — disse ele por fim.

O tom de sua voz me preocupou; minha avalanche não chegaria com tanta rapidez. Eu o espiei e, claramente, seus olhos estavam sem foco enquanto ele ouvia alguma coisa que eu preferia morrer a que ele ouvisse. Baixei o rosto de novo para o chão.

Fiquei pasma quando Edward riu, relutante.

— E eu pensando que *eu* jogava sujo — disse ele com uma admiração invejosa. — Ele me faz parecer o santo padroeiro da ética. — Sua mão afagou a parte de meu rosto que estava exposta. — Não estou chateado com você, meu amor. Jacob é mais hábil do que eu acreditava. Mas gostaria que não tivesse pedido a ele.

— Edward — sussurrei para o nylon áspero. — Eu... Eu... Eu estou...

— Shhh — ele me silenciou, os dedos macios em meu rosto. — Não foi o que eu quis dizer. É só que ele a teria beijado de qualquer maneira... Mesmo que você não tivesse cedido... E agora não tenho uma desculpa para quebrar a cara dele. Eu teria gostado muito disso também.

— Cedido? — murmurei quase incompreensivelmente.

— Bella, você realmente acreditou que ele era tão nobre? Que ele partiria numa chama de glória só para deixar o caminho livre para mim?

Ergui a cabeça devagar e encontrei seu olhar paciente. Sua expressão era tranquila; os olhos estavam cheios de compreensão, e não da repulsa que eu merecia ver.

— Sim, acreditei nisso — murmurei, depois desviei os olhos. Mas não senti raiva de Jacob por me enganar. Não havia espaço no meu corpo para conter nada além do ódio que eu tinha por mim mesma.

Edward riu suavemente de novo.

— Você mente tão mal que vai acreditar em qualquer um que tenha um mínimo de habilidade nisso.

— Por que não está com raiva de mim? — sussurrei. — Por que não me odeia? Ou ainda não ouviu a história toda?

— Acho que tenho uma perspectiva muito abrangente — disse ele numa voz leve e tranquila. — Jacob faz quadros mentais nítidos. Eu quase me senti tão mal pelo grupo dele como por mim mesmo. O pobre do Seth estava ficando nauseado. Mas Sam agora está fazendo Jacob ganhar foco.

Fechei os olhos e sacudi a cabeça, agoniada. As ásperas fibras de nylon do chão da barraca arranhavam minha pele.

— Você é só humana — sussurrou ele, afagando meu cabelo de novo.

— Essa é a defesa mais tola que já ouvi.

— Mas você é humana, Bella. E, por mais que eu deseje o contrário, ele também é... Há hiatos na sua vida que eu não posso preencher. Eu entendo isso.

— Mas isso não é *verdade*. É isso que me torna tão horrível. Não existem hiatos.

— Você o ama — murmurou ele delicadamente.

Cada célula de meu corpo doía ao negar aquilo.

— Eu amo mais você — disse. Foi o melhor que pude fazer.

— Sim, eu também sei disso. Mas... quando eu a deixei, Bella, deixei-a sangrando. Foi Jacob que a suturou. Isso tinha de deixar sua marca... nos dois. Não tenho certeza se esse tipo de sutura se dissolve sozinha. Não posso culpar nenhum dos dois por alguma coisa que eu tenha tornado necessária. Posso conquistar o perdão, mas isso não me deixa escapar das consequências.

— Eu devia saber que você encontraria uma forma de culpar a si mesmo. Por favor, pare. Não posso suportar isso.

— O que gostaria que eu dissesse?

— Quero que me chame de cada palavrão em que puder pensar, em cada língua que conhece. Quero que me diga que está com nojo de mim e que vai embora para que eu possa implorar e rastejar de joelhos para você ficar.

— Desculpe. — Ele suspirou. — Não posso fazer isso.

— Pelo menos pare de tentar fazer com que eu me sinta melhor. Me deixe sofrer. Eu mereço.

— Não — murmurou ele.

Eu assenti devagar.

— Tem razão. Continue sendo compreensivo demais. Isso deve ser pior.

Ele ficou em silêncio por um momento e senti uma carga na atmosfera, uma nova urgência.

— Está chegando perto — declarei.

— Sim, faltam alguns minutos. Tempo suficiente para dizer mais uma coisa...

Esperei. Quando ele finalmente voltou a falar, estava sussurrando.

— *Eu* posso ser nobre, Bella. Não vou fazer com que escolha entre nós dois. Seja feliz e você pode ter a parte de mim que quiser, ou nenhuma delas, se for melhor assim. Não deixe que sua decisão seja influenciada por nenhuma dívida que pense ter comigo.

Eu me levantei, atirando-me de joelhos.

— Droga, pare com isso! — gritei para ele.

Seus olhos se arregalaram de surpresa.

— Não... Você não entende. Não estou tentando fazer com que se sinta melhor, Bella. Eu falei sério.

— Eu *sei* que falou — grunhi. — O que aconteceu com a reação? Não comece com o autossacrifício nobre agora! Lute!

— Como? — perguntou ele. E seus olhos traziam uma tristeza remota.

Eu subi em seu colo, atirando-lhe os braços.

— Não me importa que esteja frio aqui. Não ligo se estou fedendo a cachorro. Me faça esquecer como eu sou medonha. Faça com que eu o esqueça. Faça com que eu esqueça meu próprio nome. Reaja!

Não esperei que decidisse — nem que tivesse oportunidade de me dizer que não estava interessado num monstro cruel e infiel como eu. Eu me apertei nele e esmaguei a boca em seus lábios frios como a neve.

— Cuidado, amor — murmurou ele sob meus lábios urgentes.

— Não — grunhi.

Ele empurrou delicadamente meu rosto alguns centímetros.

— Não precisa me provar nada.

— Não estou tentando provar coisa alguma. Você disse que eu podia ter a parte de você que eu quisesse. Eu quero essa parte. Eu quero *todas* as partes. — Abracei seu pescoço e tentei alcançar seus lábios. Ele curvou a cabeça para me beijar, mas sua boca fria era hesitante enquanto minha impaciência se tornava mais pronunciada. Meu corpo deixava minhas intenções claras, entregando-me. Inevitavelmente, as mãos dele passaram a me conter.

— Talvez não seja o melhor momento para isso — sugeriu ele, calmo demais para meu gosto.

— E por que não? — eu grunhi. Não tinha sentido lutar se ele ia ser racional; eu baixei os braços.

— Primeiro, porque *está mesmo* frio. — Ele estendeu a mão para puxar o saco de dormir do chão. Envolveu-me com ele como um cobertor.

— Errado — eu disse. — Primeiro, porque você é estranhamente moralista para um vampiro.

Ele riu.

— Tem razão, vou concordar com isso. O frio é o segundo motivo. E terceiro... Bem, você está mesmo fedendo, amor.

Ele franziu o nariz.

Eu suspirei.

— Quarto — murmurou ele, baixando o rosto para que sussurrasse em meu ouvido. — Nós *vamos* tentar, Bella. Vou cumprir minha promessa. Mas prefiro que não seja em reação a Jacob Black.

Eu me encolhi e enterrei a cara em seu ombro.

— E quinto...

— A lista é muito longa — murmurei.

Ele riu.

— Sim, mas você quer ouvir ou não?

Enquanto ele falava, Seth uivou do lado de fora da barraca.

Meu corpo se enrijeceu ao som. Não tinha percebido que minha mão esquerda estava fechada num punho, as unhas perfurando a palma com o curativo, até que Edward a pegou e gentilmente abriu meus dedos.

— Vai ficar tudo bem, Bella — prometeu ele. — Nós temos habilidade, treinamento e a surpresa do nosso lado. Acabará muito em breve. Se eu não acreditasse verdadeiramente nisso, estaria lá embaixo agora... E você estaria aqui, acorrentada a uma árvore ou coisa desse gênero.

— Alice é tão pequena — eu gemi.

Ele riu.

— Isso poderia ser problema... se fosse possível alguém pegá-la.

Seth recomeçou a ganir.

— Qual é o problema?

— Ele só está com raiva porque está preso aqui conosco. Ele sabe que o grupo o mantém longe da ação para protegê-lo. Está salivando para se juntar aos outros.

Eu fechei a cara na direção de Seth.

— Os recém-criados chegaram ao final do rastro... Funcionou como um feitiço, Jasper é um gênio... E eles pegaram o cheiro daqueles na campina, então agora estão se dividindo em dois grupos, como Alice disse — murmurou Edward, os olhos focalizados em alguma coisa distante. — Sam está nos fazendo contornar para interceptar nossa parte na emboscada. — Ele estava tão atento que não percebeu que se incluiu.

De repente, ele olhou para mim.

— Respire, Bella.

Lutei para fazer o que ele pedia. Podia ouvir o arfar pesado de Seth do lado de fora da parede da barraca e tentei manter os pulmões no mesmo ritmo, para não hiperventilar.

— O primeiro grupo está na clareira. Podemos ouvir a briga.

Meus dentes trincaram.

Ele deu uma risada.

— Podemos ouvir Emmett... Ele está se divertindo.

Obriguei-me a respirar novamente junto com Seth.

— O segundo grupo está se preparando... Eles não estão prestando atenção, ainda não nos ouviram.

Edward grunhiu.

— Que foi? — eu arfei.

— Eles estão falando de você. — Seus dentes trincaram. — Eles devem se assegurar de que você não escape... Bom movimento, Leah! Hmmm, ela é muito rápida — murmurou ele, aprovando. — Um dos recém-criados pegou nosso cheiro e Leah o derrubou antes que ele pudesse se virar. Sam a está ajudando a dar cabo dele. Paul e Jacob pegaram outro, mas os outros agora estão na defensiva. Não têm ideia do que fazer conosco. Os dois lados estão tontos... Não, deixe Sam liderar. Fique fora disso — murmurou ele. — Separe-os... Não deixe que eles protejam a retaguarda dos outros.

Seth ganiu.

— Assim está melhor, leve-os para a clareira — Edward aprovou. Seu corpo enrijecia inconscientemente enquanto ele observava, contraindo-se nos movimentos que teria feito. Suas mãos ainda seguravam as minhas; eu retorcia os dedos dentro delas. Pelo menos ele não estava lá.

A ausência repentina de som foi o único aviso.

A respiração profunda de Seth foi interrompida e — ao acelerar minha respiração com a dele — eu percebi.

Parei de respirar também — assustada demais até para fazer com que meus pulmões trabalhassem ao perceber que Edward ficara paralisado num bloco de gelo a meu lado.

Ah, não. Não. Não.

Quem fora perdido? Do grupo deles ou do nosso? Meus, todos meus. O que seria a *minha* perda?

Tão rapidamente que eu nem tive certeza de como aconteceu, eu estava de pé e a barraca desabava em farrapos em volta de mim. Será que Edward a havia rasgado? Por quê?

Pisquei, chocada, na luz forte. Só conseguia ver Seth, bem a nosso lado, a cara a quinze centímetros do rosto de Edward. Eles se fitaram com absoluta concentração por um segundo infinito. O sol se estilhaçava na pele de Edward e lançava faíscas no pelo de Seth.

E depois Edward sussurrou com urgência:

— Vá, Seth!

O lobo imenso girou e desapareceu nas sombras da floresta.

Teriam se passado dois segundos inteiros? Pareciam horas. Eu estava apavorada a ponto de enjoar ao saber que alguma coisa horrível tinha acontecido na clareira. Abri a boca para exigir que Edward me levasse lá, imediatamente. Eles precisavam dele e eles precisavam *de mim*. Se eu tivesse de sangrar para salvá-los, eu o faria. Eu morreria para fazer isso, como a terceira esposa. Não tinha uma adaga de prata na mão, mas acharia um jeito..

Antes que eu pudesse pronunciar a primeira sílaba, senti como se estivesse sendo lançada pelo ar. Mas as mãos de Edward jamais me deixaram — era apenas eu que me mexia, tão rápido que a sensação era de estar caindo de lado.

Estava com as costas comprimidas na face do penhasco. Edward estava na minha frente, mantendo uma postura que reconheci imediatamente.

O alívio inundou minha mente no mesmo momento em que meu estômago desabou na sola dos pés.

Eu entendi mal.

Alívio... Nada dera errado na clareira.

Pavor — a crise estava *ali*.

Edward tinha uma posição defensiva — meio agachado, os braços um tanto estendidos que eu reconheci com uma certeza nauseante. A rocha nas minhas costas podia ser a antiga parede de tijolos do beco italiano onde ele ficara entre mim e os guerreiros de mantos pretos dos Volturi.

Alguma coisa se aproximava de nós.

— Quem? — sussurrei.

As palavras passaram entre os dentes dele num rosnado mais alto do que eu esperava. Alto demais. Significava que era tarde demais para esconder. Estávamos numa armadilha e não importava quem ouvisse a resposta dele.

— Victoria — disse ele, cuspindo o nome, tornando-a um palavrão. — Ela não está só. Passou por meu cheiro, seguindo os recém-criados para observar... Nunca pretendeu lutar com eles. Tomou a decisão repentina de me encontrar, imaginando que você estaria onde eu estivesse. Ela estava certa. Você estava certa. Sempre foi Victoria.

Victoria estava perto o bastante para ele ouvir os pensamentos dela.

Alívio de novo. Se fossem os Volturi, nós dois estaríamos mortos. Mas com Victoria, não precisava ser os *dois*. Edward podia sobreviver àquilo. Ele lutava bem, tão bem quanto Jasper. Se ela não estivesse com muitos outros, ele poderia sair, voltar para sua família. Edward era mais rápido do que qualquer um. Ele podia conseguir.

Fiquei muito feliz por ele ter mandado Seth embora. É claro que Seth não tinha a quem apelar por ajuda. Victoria cronometrara com primor sua resolução. Mas pelo menos Seth estava seguro; eu não podia ver o lobo louro e imenso em minha cabeça quando pensava no nome dele — só o menino desajeitado de 15 anos.

O corpo de Edward enrijeceu — só infinitesimalmente, mas me disse para onde olhar. Fitei as sombras escuras da floresta.

Era como ter meus pesadelos avançando para me cumprimentar.

Dois vampiros aproximavam-se lentamente pela pequena passagem de nosso acampamento, os olhos concentrados, sem perder nada. Eles cintilavam como diamantes ao sol.

Não pude olhar o menino louro — sim, ele era um menino, embora fosse musculoso e alto, talvez da minha idade quando foi transformado. Seus olhos — do vermelho mais vívido que já vi na vida — não conseguiam prender os meus. Embora ele estivesse mais perto de Edward e fosse o perigo mais próximo, eu não conseguia olhá-lo.

Porque, alguns passos ao lado e alguns metros atrás, Victoria me encarava.

Seu cabelo laranja era mais brilhante do que eu me lembrava, mais como uma chama. Não havia vento ali, mas o fogo em torno de seu rosto parecia brilhar ligeiramente, como se estivesse vivo.

Seus olhos eram escuros de sede. Ela não sorriu, como sempre fazia em meus pesadelos — seus lábios estavam apertados numa linha rígida. Havia uma propriedade distintamente felina no modo como seu corpo serpenteava, uma leoa esperando para dar o bote. Seu olhar inquieto e desvairado oscilava entre mim e Edward, mas jamais pararam nele por mais de meio segundo. Ela não conseguia tirar os olhos de meu rosto, não mais do que eu conseguia tirar os olhos dela.

A tensão emanava dela, era quase visível no ar. Eu podia sentir o desejo, a paixão devoradora que a mantinha em suas garras. Quase como se eu pudesse ouvir sua mente, eu sabia o que ela estava pensando.

Ela estava muito perto do que queria — o foco de toda sua existência por mais de um ano agora estava *muito perto*.

Minha morte.

Seu plano era tão óbvio que chegava a ser prático. O louro grandalhão atacaria Edward. Assim que Edward estivesse suficientemente distraído, Victoria acabaria comigo.

Seria rápido — ela não tinha tempo para joguinhos ali — mas seria fatal. Seria impossível me recuperar daquilo. Algo que nem o veneno de vampiro podia reparar.

Ela teria de parar meu coração. Talvez uma das mãos atravessasse meu peito, esmagando-o. Algo nesse gênero.

Meu coração batia furiosamente, alto, como que para tornar seu alvo mais evidente.

A uma distância imensa, longe, na floresta escura, um uivo de lobo ecoou no ar imóvel. Com a ausência de Seth, não havia como interpretar esse som.

O louro olhou Victoria pelo canto do olho, esperando por seu comando.

Ele era jovem em muitos aspectos. Pelas íris carmim e brilhantes, deduzi que não podia ser vampiro havia muito tempo. Ele seria forte, mas inepto. Edward sabia como lutar com ele. Edward sobreviveria.

Victoria apontou o queixo para Edward, ordenando, sem dizer nada, que o rapaz avançasse.

— Riley — disse Edward numa voz suave e suplicante.

O louro ficou paralisado, os olhos vermelhos se arregalando.

— Ela está mentindo para você, Riley — disse-lhe Edward. — Ouça-me. Ela está mentindo para você como mentiu aos outros que estão morrendo agora na clareira. Você sabe que ela mentiu para eles, que ela fez com que *você* mentisse para eles, que nenhum de vocês iria ajudá-los. É tão difícil acreditar que ela esteja mentindo para você também?

A confusão atravessou o rosto de Riley.

Edward moveu-se alguns centímetros para o lado e Riley automaticamente mexeu-se também.

— Ela não ama você, Riley. — A voz suave de Edward era atraente, quase hipnótica. — Nunca amou. Ela amou alguém de nome James e você não passa de um instrumento para ela.

Quando ele disse o nome de James, os lábios de Victoria se repuxaram numa careta de dentes arreganhados. Seus olhos se fecharam em mim.

Riley lançou um olhar frenético na direção dela.

— Riley? — disse Edward. — Ela sabe que vou matar você, Riley. Ela *quer* que você morra para não ter de fingir mais. Sim... Você já viu isso, não viu? Já leu a relutância nos olhos dela, suspeitou de certa falsidade em suas promessas. Você tinha razão. Ela jamais o quis. Cada beijo, cada toque foi uma mentira.

Edward se mexeu novamente, movendo-se alguns centímetros para o menino e afastando-se alguns centímetros de mim.

O olhar de Victoria fixou-se no espaço entre nós. Ela precisaria de menos de um segundo para me matar — só precisava da menor margem de oportunidade.

Desta vez mais devagar, Riley se reposicionou.

— Você não precisa morrer — garantiu Edward, os olhos sustentando o olhar do rapaz. — Há outras maneiras de viver, além do modo que ela lhe mostrou. Nem tudo são mentiras e sangue, Riley. Você pode ir embora agora. Não tem de morrer pelas mentiras dela.

Edward deslizou o pé para a frente e para o lado. Agora havia um espaço de trinta centímetros entre nós. Riley circulou longe demais, exagerando desta vez na movimentação. Victoria se curvou para frente, plantada nos calcanhares.

— Última chance, Riley — sussurrou Edward.

A face de Riley era desesperada enquanto ele procurava por respostas em Victoria.

— Ele é o mentiroso, Riley — disse Victoria, e minha boca se escancarou ao som da voz dela. — Eu lhe falei dos truques mentais deles. Sabe que só amo você.

A voz dela não era o rosnado forte, selvagem e felino que eu teria colocado naquela cara e naquela atitude. Era suave, era aguda — um tinir de soprano infantil. O tipo de voz que acompanhava cachos louros e chiclete cor-de-rosa. Não fazia sentido vindo por entre seus dentes arreganhados e cintilantes.

A face de Riley endureceu e ele endireitou os ombros. Seus olhos se esvaziaram — não havia mais confusão, não havia mais suspeita. Não havia pensamento nenhum. Ele se contraiu para atacar.

O corpo de Victoria parecia tremer, ela estava muito recurvada. Seus dedos já se postavam em garras, esperando que Edward se afastasse só mais um centímetro de mim.

O rosnado não veio de nenhum deles.

Uma forma caramelo gigantesca atravessou o centro da abertura, lançando Riley no chão.

— Não! — gritou Victoria, a voz de bebê estridente de descrença.

A cento e cinquenta metros de mim, o lobo imenso rasgou o vampiro louro debaixo dele. Alguma coisa branca e dura bateu nas pedras a meus pés. Eu me encolhi, afastando-me daquilo.

Victoria não desperdiçou um olhar que fosse para o menino que acabara de declarar que amava. Seus olhos ainda estavam em mim, cheios de uma frustração tão feroz que ela parecia louca.

— Não — disse ela novamente, entredentes, enquanto Edward começava a avançar para ela, bloqueando o caminho até mim.

Riley estava de pé novamente, parecendo infeliz e angustiado. Mas ele foi capaz de dar um chute cruel no ombro de Seth. Ouvi o osso se quebrar. Seth recuou e recomeçou a contornar, mancando. Riley tinha os braços estendidos, preparado, embora parecesse estar sem parte da mão...

Só a alguns metros dessa briga, Edward e Victoria dançavam.

Não estavam exatamente girando, porque Edward não ia permitir que ela se posicionasse mais perto de mim. Ela serpenteava, movendo-se de lado, tentando encontrar um espaço na defesa dele; ele previa os passos de Victoria com flexibilidade, perseguindo-a com uma concentração impecável. Ele começava a se mover uma fração de segundo *antes* dela, lendo suas intenções nos pensamentos.

Seth atacou Riley de lado e algo se rasgou com um guincho horrendo e rangente. Outro naco branco e pesado voou para a floresta com um baque. Riley rugiu de fúria e Seth pulou para trás — surpreendentemente leve para seu tamanho — enquanto Riley o golpeava com a mão mutilada.

Victoria agora dava voltas pelos troncos das árvores no lado oposto da pequena abertura. Recuava, os pés empurrando-a para a segurança enquanto seus olhos ansiavam por mim como se eu fosse um ímã, puxando-a. Eu podia ver o desejo ardente de matar lutando com seu instinto de sobrevivência.

Edward também pôde ver.

— Não vá, Victoria — murmurou ele no mesmo tom hipnótico de antes. — Jamais terá outra chance como esta.

Ela mostrou os dentes e sibilou para ele, mas parecia incapaz de se afastar mais de mim.

— Pode fugir mais tarde — ronronou Edward. — Há muito tempo para isso. É o que você faz, não é? Por isso James a mantinha por perto. É útil, se gosta de jogos mortais. Uma parceira com um misterioso instinto para a fuga. Ele não devia tê-la deixado... Podia ter usado suas habilidades quando o pegamos em Phoenix.

Um rosnado saiu por entre seus lábios.

— Mas você era só isso para ele. Tola para desperdiçar tanta energia vingando alguém que tinha menos afeição por você do que um caçador por sua presa. Você nunca passou de uma conveniência para ele. Eu sabia.

Os lábios de Edward se repuxaram de um lado e ele bateu na têmpora.

Com um grito estranho, Victoria disparou das árvores de novo, fintando de lado. Edward reagiu e a dança recomeçou. Justo nesse momento, o punho de Riley pegou o flanco de Seth e um ganido baixo saiu como tosse da garganta de Seth. Seth recuou, os ombros se retorcendo como se ele tentasse se livrar da dor.

Por favor, eu queria pedir a Riley, mas não conseguia encontrar os músculos para abrir minha boca, para tirar o ar de meus pulmões. *Por favor, ele é só uma criança!*

Por que Seth não fugia? Por que não corria agora?

Riley de novo encurtava a distância ente eles, empurrando Seth para a face do penhasco a meu lado. Victoria de repente ficou interessada no destino do parceiro. Eu pude vê-la, pelo canto do olho, avaliar a distância entre mim e Riley. Seth partiu para Riley, obrigando-o a voltar de novo, e Victoria sibilou.

Seth não estava mais mancando. Seu movimento circular levou-o a centímetros de Edward; o rabo roçou nas costas de Edward e os olhos de Victoria se arregalaram.

— Não, ele não vai se voltar contra mim — disse Edward, respondendo à pergunta na mente de Victoria. Ele usou a distração dela para se aproximar mais. — Você nos deu um inimigo em comum. Você nos aliou.

Ela trincou os dentes, tentando manter o foco só em Edward.

— Olhe mais de perto, Victoria — murmurou ele, puxando os fios da concentração dela. — Ele não é muito parecido com o monstro que James rastreou pela Sibéria?

Os olhos dela se arregalaram, depois começaram a oscilar como loucos de Edward para Seth, depois para mim, sem parar.

— Não é o mesmo? — rosnou ela em seu soprano de garotinha. — Impossível!

— Nada é impossível — murmurou Edward, a voz de veludo macia ao se aproximar mais um centímetro dela. — A não ser o que você quer. Jamais tocará nela.

Ela sacudiu a cabeça, rápida e bruscamente, combatendo as distrações, e tentou contornar Edward, mas ele estava colocado para bloqueá-la assim que ela pensou no plano. Seu rosto se contorceu de frustração e ela se agachou, uma leoa de novo, investindo decidida para frente.

Victoria não era uma recém-criada inexperiente e impelida pelo instinto. Ela era letal. Até eu sabia a diferença entre ela e Riley, e eu sabia que Seth não teria durado muito se estivesse lutando com *aquela* vampira.

Edward também mudou de posição enquanto eles se aproximavam, e era leão contra leoa.

O ritmo da dança ficou mais intenso.

Era como Alice e Jasper na campina, uma espiral borrada de movimento, só que essa dança não tinha uma coreografia perfeita. Ruídos e estalos agudos reverberavam da face do penhasco sempre que alguém cometia um deslize em sua formação. Mas eles estavam se movendo rápido demais para que eu visse quem cometia os erros...

Riley ficou distraído pelo balé violento, os olhos ansiosos em sua parceira. Seth atacou, esmagando outro pedaço do vampiro. Riley berrou e deu um forte contragolpe que atingiu em cheio o peito largo de Seth. O corpo imenso de

Seth voou três metros e bateu na parede rochosa acima de minha cabeça com uma força que pareceu sacudir todo o pico. Ouvi a respiração sibilar de seus pulmões e me abaixei enquanto ele batia na pedra e desabava no chão alguns metros diante de mim.

Um ganido baixo escapou dos dentes de Seth.

Choveram fragmentos afiados de pedra cinza em minha cabeça, arranhando minha pele exposta. Um pedaço pontudo de pedra rolou por meu braço direito e eu a peguei por reflexo. Meus dedos se fecharam em volta do fragmento longo enquanto meu instinto de sobrevivência entrava em ação; como não havia nenhuma chance de fugir, meu corpo — sem se importar com a ineficácia do gesto — preparou-se para a luta.

A adrenalina se agitava por minhas veias. Eu sabia que a tala estava cortando a palma da minha mão. Sabia que o estalo em minha articulação era de protesto. Eu sabia disso, mas não conseguia sentir a dor.

Atrás de Riley, só o que pude ver foi a chama retorcida do cabelo de Victoria e um borrão de branco. Os estalos e rasgões metálicos e frequentes, os arquejos e silvos de choque deixavam claro que a dança ficava mortal para alguém.

Mas para *quem*?

Riley lançou-se para mim, os olhos vermelhos brilhando de fúria. Ele encarou o monte de pelos cor de areia entre nós, e suas mãos — mutiladas, quebradas — curvaram-se em garras. A boca se abriu, escancarada, os dentes faiscando, enquanto ele se preparava para dilacerar o pescoço de Seth.

Um segundo jato de adrenalina surgiu como um choque elétrico e tudo de repente ficou muito claro.

As duas lutas estavam muito próximas. Seth estava prestes a perder a dele e eu não fazia ideia se Edward ia vencer ou perder. Eles precisavam de ajuda. Uma distração. Algo que lhes desse uma vantagem.

Minha mão agarrou o pedaço de pedra com tanta força que um suporte da tala estalou.

Seria eu forte o bastante? Corajosa o suficiente? Com que força eu conseguiria atirar a pedra em meu próprio corpo? Será que isso daria a Seth tempo para se recolocar de pé? Será que ele se curaria rápido o bastante para que meu sacrifício lhe fizesse algum bem?

Encostei a pedra no meu braço, puxando o suéter grosso para expor a pele, depois apertei a ponta afiada na dobra do cotovelo. Eu já tinha uma longa cicatriz, de meu último aniversário. Naquela noite, meu fluxo sanguíneo fora suficiente para atrair a atenção de todos os vampiros, paralisá-los por um instante. Rezei para que desse certo de novo. Eu me preparei e respirei fundo uma vez.

Victoria se distraiu com minha respiração. Seus olhos, imobilizados por uma fração mínima de segundo, encontraram os meus. A fúria e a curiosidade se misturaram estranhamente em sua expressão.

Eu não tinha certeza de como ouvi o som baixo com todos os outros barulhos ecoando na parede de pedra e martelando em minha cabeça. Meu próprio batimento cardíaco devia ser suficiente para engolir tudo. Mas, na fração de segundo em que fitei os olhos de Victoria, pensei ter ouvido um suspiro exasperado e familiar.

No mesmo curto segundo, a dança se interrompeu violentamente. Aconteceu tão rápido que acabou antes que eu pudesse seguir a sequência de acontecimentos. Tentei refazer tudo mentalmente.

Victoria tinha voado da formação obscura e indistinta e se chocou no tronco de um abeto alto. Ela caiu no chão já agachada para atacar.

Ao mesmo tempo, Edward — invisível por causa da velocidade — girou para trás e pegou Riley, que não o esperava, pelo braço. Parece que Edward plantou o pé nas costas de Riley, e forçou...

O acampamento foi tomado pelo penetrante grito de agonia de Riley.

Ao mesmo tempo, Seth se colocou de pé num salto, bloqueando a maior parte de minha visão.

Mas eu ainda pude ver Victoria. E, embora ela parecesse estranhamente deformada — como se fosse incapaz de se endireitar completamente — pude ver o sorriso com que sonhei lampejar por seu rosto desvairado.

Ela se curvou e investiu.

Algo pequeno e branco assoviou pelo ar e se chocou com ela em pleno voo. O impacto pareceu uma explosão e a atirou contra outra árvore — que se partiu ao meio. Ela pousou de pé novamente, agachada e pronta, mas Edward já estava em posição. O alívio tomou meu coração quando vi que ele estava ereto e perfeito.

Victoria chutou alguma coisa de lado com um golpe do pé descalço — o míssil que havia impedido seu ataque. Aquilo rolou até mim e percebi o que era.

Meu estômago oscilou.

Os dedos ainda se retorciam; agarrando as folhas de relva, o braço de Riley começou a se arrastar insensatamente pelo chão.

Seth circundava Riley de novo, e agora Riley batia em retirada. Ele recuou do lobisomem que avançava, o rosto rígido de dor. Ergueu um braço, defensivamente.

Seth avançou para Riley e o vampiro claramente estava desequilibrado. Vi Seth afundar os dentes no ombro de Riley e rasgar, pulando para trás novamente.

Com um grito metálico ensurdecedor, Riley perdeu o outro braço.

Seth sacudiu a cabeça, lançando o braço no bosque. O silvo entrecortado que saiu dos dentes de Seth parecia um riso de zombaria.

Riley gritou um pedido torturado.

— Victoria!

Victoria nem piscou ao ouvir seu nome. Seus olhos não se voltaram nem uma vez para o parceiro.

Seth investiu com a força de uma bola de demolição. O choque levou Seth e Riley para as árvores, onde o guincho metálico se combinava com os gritos de Riley. Gritos que de repente cessaram, enquanto continuavam os sons de pedra sendo pulverizada.

Embora não tenha se dado ao trabalho de olhar uma última vez para Riley, Victoria pareceu perceber que estava sozinha. Começou a recuar de Edward, a decepção ardendo freneticamente em seus olhos. Ela me lançou um olhar agoniado e curto de anseio, depois começou a se retirar mais rápido.

— Não — sussurrou Edward, a voz sedutora. — Fique só mais um pouquinho.

Ela girou e disparou para o refúgio da floresta como uma flecha de um arco.

Mas Edward era mais rápido — a bala de uma arma.

Ele a alcançou pela retaguarda desprotegida na beira das árvores e, com um último passo simples, a dança terminou.

A boca de Edward roçou uma vez no pescoço dela, como uma carícia. O clamor que vinha dos esforços de Seth encobriu todos os outros ruídos, então não havia som discernível para que eu tivesse uma imagem da violência. Ele podia tê-la beijado.

E depois o emaranhado fogoso de cabelo não estava mais ligado ao resto do corpo. As ondas laranja e trêmulas caíram no chão e quicaram uma vez antes de rolar para as árvores.

25. ESPELHO

Obriguei os olhos — arregalados e imóveis de choque — a se mexer, de modo que eu não pudesse examinar muito de perto o objeto oval enrolado em gavinhas de cabelo cor de fogo e trêmulo.

Edward estava em movimento de novo. Rápido e friamente pragmático, ele desmembrava o cadáver decapitado.

Não pude ir até lá — não conseguia fazer com que meus pés reagissem; estavam soldados à pedra. Mas examinei minuciosamente cada ação dele, procurando por qualquer sinal de que estivesse ferido. Meu coração reduziu a um ritmo mais saudável quando não encontrei nada. Ele estava flexível e elegante, como sempre. Não pude ver nem um rasgão em suas roupas.

Ele não olhou para mim — onde eu estava paralisada, junto à parede do penhasco, apavorada — enquanto empilhava os membros trêmulos e retorcidos e os cobria com agulhas secas de pinheiro. Ele ainda não havia encontrado meu olhar de choque ao disparar para a floresta atrás de Seth.

Nem tive tempo para me recuperar antes que ele e Seth estivessem de volta, Edward com os braços cheios de Riley. Seth carregava um pedaço grande — o tronco — na boca. Eles colocaram o fardo na pilha e Edward pegou um retângulo prateado no bolso. Abriu o isqueiro de butano e segurou a chama perto do pavio seco. Pegou fogo de imediato; longas línguas de fogo laranja lambiam rapidamente pela pira.

— Pegue cada pedaço — disse Edward num sussurro a Seth.

Juntos, vampiro e lobisomem vasculharam o acampamento, de vez em quando atirando pequenos nacos de pedra branca no fogo. Seth pegava os pedaços com os dentes. Meu cérebro não estava funcionando bem o bastante para entender por que ele não voltava a ser humano e usava as mãos.

Edward não tirava os olhos de seu trabalho.

Depois eles terminaram e o fogo violento criou um pilar de roxo sufocante na direção do céu. A fumaça grossa se enroscava lentamente, parecendo mais sólida do que deveria; tinha cheiro de incenso queimado e o odor era desagradável. Era pesado e forte demais.

Seth pareceu rir de novo, do fundo do peito.

Um sorriso apareceu no rosto tenso de Edward.

Edward esticou o braço, a mão em punho. Seth sorriu, revelando a longa fila de dentes de adaga, e bateu o focinho na mão de Edward.

— Bom trabalho em equipe — murmurou Edward.

Seth rosnou uma risada.

Depois Edward respirou fundo e virou-se lentamente para me olhar.

Não entendi sua expressão. Seus olhos eram precavidos demais, como se eu fosse outro inimigo — mais que cautelosos, estavam temerosos. E no entanto ele não demonstrara medo nenhum ao enfrentar Victoria e Riley... Minha mente estava tão dilacerada, atordoada e inútil quanto meu corpo. Eu o fitei, desnorteada.

— Bella, meu amor — disse ele no tom mais suave, andando na minha direção com uma lentidão exagerada, as mãos estendidas, as palmas para frente. Embora eu estivesse tonta, isso me lembrou estranhamente um suspeito abordando um policial, mostrando que não estava armado...

— Bella, pode largar a pedra, por favor? Com cuidado. Não se machuque.

Eu tinha me esquecido de minha arma tosca, embora agora percebesse que a segurava com tanta força que os nós dos dedos gritavam de protesto. Será que os quebrei de novo? Desta vez Carlisle ia me colocar um gesso, não havia dúvidas.

Edward hesitou a alguns metros de mim, as mãos ainda no ar, os olhos ainda temerosos.

Precisei de alguns segundos para me lembrar de como mexer os dedos. Depois a pedra caiu no chão, enquanto minha mão continuava paralisada na mesma posição.

Edward relaxou um pouco quando minhas mãos ficaram vazias, mas não se aproximou.

— Não precisa ter medo, Bella — murmurou Edward. — Você está em segurança. Não vou machucá-la.

A promessa perturbadora só me confundiu ainda mais. Eu o fitei como uma imbecil, tentando entender.

— Vai ficar tudo bem, Bella. Sei que está assustada agora, mas acabou. Ninguém vai feri-la. Eu não vou tocar em você. Não vou machucá-la — disse ele novamente.

Meus olhos piscaram furiosamente e eu encontrei minha voz.

— Por que fica dizendo isso?

Dei um passo desequilibrado na direção dele e ele se afastou.

— Qual é o problema? — sussurrei. — O que quer dizer com isso?

— Você está... — Seus olhos dourados de repente mostravam a confusão que eu sentia. — Não está com medo de mim?

— Medo de você? *Por quê?*

Cambaleei outro passo, depois tropecei em alguma coisa — provavelmente em meus próprios pés. Edward me pegou e eu enterrei a cara em seu peito e comecei a chorar.

— Bella, Bella, desculpe. Acabou, acabou.

— Eu estou bem — arfei. — Eu estou bem. Só estou. Nervosa. Me dê. Um minuto.

Seus braços se estreitaram em volta de mim.

— Eu sinto tanto — murmurava ele sem parar.

Fiquei agarrada a ele até conseguir respirar, em seguida o estava beijando — seu peito, seu ombro, seu pescoço —, cada parte dele que eu pude alcançar. Devagar, meu cérebro voltou a trabalhar.

— Você está bem? — perguntei entre beijos. — Ela não o feriu?

— Estou perfeitamente bem — prometeu ele, enterrando a cara em meu cabelo.

— Seth?

Edward riu.

— Mais do que bem. Muito satisfeito consigo mesmo, na verdade.

— Os outros? Alice, Esme? Os lobos?

— Todos bem. Acabou por lá também. Foi tranquilo, como eu lhe garanti. O pior nós passamos aqui mesmo.

Deixei-me absorver isso por um momento, deixei que imergisse e se acomodasse em minha mente.

Minha família e meus amigos estavam seguros. Victoria nunca mais viria atrás de mim. Acabara.

Todos íamos ficar bem.

Mas eu não conseguia apreender completamente as boas-novas enquanto ainda estava tão confusa.

— Por quê? — insisti. — Por que achou que eu teria medo de você?

— Desculpe — disse ele mais uma vez. Pelo quê? Eu não fazia ideia. — Eu sinto tanto. Não queria que visse isso. Ver a *mim* desse jeito. Sei que devo tê-la apavorado.

Tive de pensar naquilo por mais um minuto, no modo hesitante como ele se aproximou de mim, as mãos no ar. Como se eu fosse fugir se ele se movimentasse rápido demais...

— É sério? — perguntei por fim. — Você... o quê? Pensou que tinha me assustado? — Eu bufei. Bufar era bom; uma voz não podia tremer nem falhar enquanto se bufava. Parecia impressionante de tão desinteressada.

Ele pôs a mão sob meu queixo e tombou minha cabeça para trás para ler meu rosto.

— Bella, eu simplesmente... — ele hesitou, depois obrigou as palavras a saírem —, eu simplesmente decapitei e desmembrei uma criatura senciente a menos de vinte metros de você. Isso não a *perturbou*?

Ele franziu o cenho para mim.

Dei de ombros. Dar de ombros também era bom. Muito *blasé*.

— Na verdade, não. Só tive medo de que você e Seth se ferissem. Eu queria ajudar, mas o máximo que eu podia fazer...

Sua expressão lívida de repente fez minha voz desaparecer.

— Sim — disse ele, o tom entrecortado. — Sua pequena proeza com a pedra. Sabe que quase me provocou um ataque cardíaco? E isso não é coisa fácil de fazer.

Seu olhar furioso dificultou minha resposta.

— Eu queria ajudar... Seth estava machucado...

— Seth só estava fingindo que estava machucado, Bella. Foi um truque. E depois você...! — Ele sacudiu a cabeça, incapaz de terminar. — Seth não pôde ver o que você estava fazendo, então eu tive de interferir. Seth está meio desapontado por agora não poder alegar que venceu sozinho.

— Seth estava... fingindo?

Edward assentiu severamente.

— Ah.

Nós dois olhamos para Seth, que nos ignorava estudadamente, olhando as chamas. Irradiava convencimento de cada fio de sua pelagem.

— Bom, eu não sabia disso — eu disse, agora ofendida. — E não é fácil ser a única pessoa impotente. Espere só até eu ser vampira! Da próxima vez, não vou ficar sentada, de fora.

Uma dezena de emoções flutuou pelo rosto dele antes que ele se determinasse a se divertir.

— Da próxima vez? Já prevê outra guerra para breve?

— Com a sorte que eu tenho? Quem sabe?

Ele revirou os olhos, mas eu pude ver que ele estava eufórico — o alívio nos deixara frívolos. Acabara.

Ou... Será?

— Espere aí. Você não disse uma coisa antes...?

Eu vacilei, lembrando-me do que *exatamente* tinha sido antes — o que eu ia dizer a Jacob? Meu coração lascado deu uma batida dolorosa. Era duro de acreditar, quase impossível, mas a parte mais difícil daquele dia *não* estava para trás — e eu fugia da tarefa.

— Sobre uma complicação? E Alice precisando fixar o horário para Sam. Você disse que ia chegar perto. O que ia chegar perto?

Os olhos de Edward se voltaram rapidamente para Seth e eles trocaram um olhar carregado.

— E então? — perguntei.

— Na verdade não é nada — disse Edward rapidamente. — Mas vamos precisar nos colocar a caminho...

Ele começou a me puxar para me colocar nas costas, mas eu enrijeci e me afastei.

— Defina nada.

Edward pegou meu rosto entre as palmas das mãos.

— Só temos um minuto, então não entre em pânico, está bem? Eu disse que você não tinha motivos para temer. Confie em mim, por favor?

Eu assenti, tentando esconder o terror súbito — até que ponto poderia lidar com aquilo sem desmaiar?

— Não há motivo para ter medo. Entenda isso.

Ele franziu os lábios por um segundo, decidindo o que dizer. Depois olhou repentinamente para Seth, como se o lobo tivesse chamado por ele.

— O que ela está fazendo? — perguntou Edward.

Seth ganiu; era um som ansioso e inquieto. Fez os pelos de minha nuca se eriçarem.

Tudo ficou num silêncio mortal por um segundo interminável.

E depois Edward arfou, "Não!", e uma de suas mãos voou como se fosse para agarrar alguma coisa que eu não conseguia ver.

— Não...!

Um espasmo sacudiu todo o corpo de Seth e um uivo, devastador de agonia, irrompeu de seus pulmões.

Edward caiu de joelhos no mesmo momento, segurando as laterais da cabeça com as duas mãos, a face vincada de dor.

Soltei um grito num terror desnorteado e me ajoelhei ao lado dele. Como uma idiota, tentei tirar as mãos de seu rosto; minhas palmas, pegajosas de suor, escorregaram em sua pele de mármore.

— Edward! Edward!

Seus olhos focalizaram em mim; com um esforço evidente, ele separou os dentes trincados.

— Está bem. Vamos ficar bem. É... — Ele se interrompeu e tremeu de novo.

— O que está acontecendo? — gritei enquanto Seth uivava de angústia.

— Estamos bem. Vamos ficar bem — Edward ofegava. — Sam... Ajude-o...

E percebi nesse instante, quando ele disse o nome de Sam, que ele não estava falando de si mesmo e de Seth. Nenhuma força invisível os atacava. Desta vez, a crise não estava ali.

Ele estava usando o plural da alcateia.

Eu queimei toda minha adrenalina. Não restava mais nada em meu corpo. Caí e Edward me pegou antes que eu batesse nas pedras. Ele se colocou de pé num segundo, comigo nos braços.

— Seth! — gritou.

Seth estava agachado, ainda tenso de agonia, dando a impressão de pretender se lançar floresta adentro.

— Não! — ordenou Edward. — Vá *direto para casa*. Agora. O mais rápido que puder!

Seth choramingou, sacudindo a cabeça grande de um lado a outro.

— Seth. Confie em mim.

O lobo imenso fitou os olhos agoniados de Edward por um longo segundo, em seguida endireitou o corpo e voou para as árvores, desaparecendo como um fantasma.

Edward me aninhou com firmeza no peito, depois também estávamos disparando pela floresta escura, tomando um caminho diferente do do lobo.

— Edward. — Eu lutei para forçar as palavras pela minha garganta apertada. — O que aconteceu, Edward? O que aconteceu com Sam? Onde estamos indo? O que está havendo?

— Precisamos voltar à clareira — disse-me em voz baixa. — Nós sabíamos que havia uma boa probabilidade de isso acontecer. Hoje pela manhã, Alice viu isso e agora transmitiu a Seth através de Sam. Os Volturi decidiram que estava na hora de interceder.

Os Volturi.

Era demais. Minha mente se recusava a encontrar sentido nas palavras, fingindo que não podia entender.

As árvores passavam voando por nós. Ele corria morro abaixo tão rápido que parecia que estávamos mergulhando numa queda descontrolada.

— Não entre em pânico. Eles não procurarão por nós. É só o contingente normal da guarda que em geral limpa esse tipo de confusão. Nada grandioso, estão apenas fazendo seu trabalho. É claro que eles parecem ter programado sua chegada com muito cuidado. O que me leva a acreditar que ninguém na Itália lamentaria se esses recém-criados *tivessem* reduzido a família Cullen. — As palavras saíram entredentes, duras e frias. — Vou ter certeza do que eles estão pensando quando chegarmos à clareira.

— É por isso que estamos voltando? — sussurrei. Como eu faria para lidar com aquilo? Imagens de mantos esvoaçantes entraram sem convite em minha mente e eu me encolhi. Eu estava a ponto de entrar em colapso.

— É parte do motivo. Principalmente porque a essa altura será mais seguro para nós se estivermos presentes numa frente unida. Eles não têm motivos para nos hostilizar, mas... Jane está com eles. Se ela pensasse que estávamos sozinhos em algum lugar longe dos outros, podia ser tentador para ela. Como Victoria, Jane provavelmente imagina que eu estou com você. Demetri, é claro, está com ela. Ele pode me encontrar, se Jane lhe pedir.

Eu não queria pensar nesse nome. Não queria ver a cara ofuscantemente linda e infantil em minha mente. Um som estranho saiu de minha garganta.

— Shhh, Bella, shhh. Vai ficar tudo bem. Alice pode ver isso.

Alice podia ver? Mas então... onde estavam os lobos? Onde estava a alcateia?

— A alcateia?

— Eles tiveram de partir rapidamente. Os Volturi não honram tréguas com lobisomens.

Pude ouvir minha respiração se acelerando, mas não conseguia controlá-la. Comecei a ofegar.

— Eu juro que vai ficar tudo bem — prometeu-me Edward. — Os Volturi não reconheceriam o cheiro... Não perceberiam que os lobisomens estão aqui; não estão familiarizados com essa espécie. A alcateia vai ficar bem.

Eu não conseguia processar a explicação dele. Minha concentração estava dilacerada por meus temores. *Vamos ficar bem*, dissera ele antes... E Seth, uivando de agonia... Edward tinha evitado minha primeira pergunta, me distraído com os Volturi.

Eu estava muito perto da beira — prendia-me pela ponta dos dedos.

As árvores eram um borrão que fluía em torno dele como água esverdeada.

— O que aconteceu? — sussurrei de novo. — Antes. Quando Seth estava uivando? Quando você ficou magoado?

Edward hesitou.

— Edward! Conte!

— Tudo acabou — sussurrou ele. Eu mal podia ouvi-lo com o vento criado por sua velocidade. — Os lobos não contaram sua metade... Pensavam que tinham eliminado todos. É claro que Alice não podia ver...

— O que aconteceu?!

— Um dos recém-criados estava escondido... Leah o encontrou... Ela estava sendo idiota, petulante, tentando provar alguma coisa. Ela se ocupou dele sozinha...

— Leah — repeti, e estava fraca demais para sentir vergonha pelo alívio que me inundou. — Ela vai ficar bem?

— Leah não foi ferida — murmurou Edward.

Olhei para ele por um longo segundo.

Sam... Ajude-o... Edward tinha arfado. Ajudar a ele, não a ela.

— Estamos quase chegando — disse Edward, e ele olhava um ponto fixo no céu.

Automaticamente, meus olhos o seguiram. Havia uma nuvem roxa e escura pendendo baixa sobre as árvores. Uma nuvem? Mas estava tão anormalmente ensolarado... Não, não era uma nuvem — eu reconheci a coluna grossa de fumaça, como aquela em nosso acampamento.

— Edward — eu disse, minha voz quase inaudível. — Edward, alguém se feriu.

Eu tinha ouvido a agonia de Seth, vi a tortura no rosto de Edward.

— Sim — sussurrou ele.

— Quem? — perguntei, embora claramente já soubesse a resposta.

É claro que eu sabia. Claro que sim.

As árvores perdiam velocidade à nossa volta à medida que nos aproximávamos de nosso destino.

Ele precisou de um instante para me responder.

— Jacob — disse ele.

Consegui assentir uma vez.

— Claro — sussurrei.

E depois me deixei deslizar da beira do abismo na qual me prendia, em minha mente.

Tudo ficou escuro.

Eu tinha consciência de mãos frias me tocando. Mais de um par de mãos. Braços segurando-me, uma palma curva encaixando-se em meu rosto, dedos afagando minha testa e mais dedos apertando de leve meu pulso.

Depois tive consciência das vozes. Eram só um zumbido no início, depois ganharam intensidade e clareza, como se alguém tivesse aumentado o volume de um rádio.

— Carlisle... Tem cinco minutos. — A voz de Edward, ansiosa.

— Ela vai voltar a si quando estiver pronta, Edward. — A voz de Carlisle, sempre calma e segura. — Ela passou por coisas demais hoje. Deixe que sua mente se proteja.

Mas minha mente não estava protegida. Estava presa à informação que não me deixava, mesmo na inconsciência — a dor que fazia parte da escuridão.

Senti-me totalmente desconectada de meu corpo. Como se eu estivesse engaiolada num pequeno canto de minha cabeça, sem controle algum. Mas eu não podia fazer nada a esse respeito. Não podia pensar. A agonia era forte demais para isso. Não havia escapatória para mim.

Jacob.

Jacob.

Não, não, não, não, não...

— Alice, quanto tempo temos? — perguntou Edward, a voz ainda tensa; as palavras tranquilizadoras de Carlisle não ajudaram.

De longe, a voz de Alice. Era cortante.

— Mais cinco minutos. E Bella abrirá os olhos daqui a trinta segundos. Eu não duvido que ela possa nos ouvir agora.

— Bella, querida? — Era a voz suave e reconfortante de Esme. — Pode me ouvir? Está segura agora, querida.

Sim, *eu* estava segura. Mas será que isso importava?

Depois lábios frios estavam em meu ouvido e Edward dizia as palavras que me permitiram escapar da tortura que me prendia em minha própria mente.

— Ele vai viver, Bella. Jacob Black está se curando enquanto falo. Ele vai ficar bem.

À medida que a dor e o medo cediam, vi-me de volta a meu corpo. Minhas pálpebras tremeram.

— Ah, Bella — Edward suspirou de alívio e seus lábios tocaram os meus.

— Edward — sussurrei.

— Sim, estou aqui.

Consegui erguer as pálpebras e fitei seus olhos calorosos e dourados.

— Jacob está bem? — perguntei.

— Sim — prometeu ele.

Olhei atentamente seus olhos, em busca de algum sinal de que ele estivesse me acalmando, mas eram perfeitamente claros.

— Eu mesmo o examinei — disse Carlisle então; virei a cabeça e encontrei seu rosto, a pouca distância. A expressão de Carlisle era ao mesmo tempo séria e tranquilizadora. Era impossível duvidar dele. — Sua vida não corre nenhum perigo. Ele está se curando a um ritmo inacreditável, embora suas lesões sejam extensas o bastante para que só possa voltar ao normal daqui a alguns dias, mesmo que a taxa de reparo permaneça estável. Assim que terminarmos aqui, farei o que puder para ajudá-lo. Sam está tentando fazer com que ele volte à forma humana. Isso facilitará o tratamento. — Carlisle sorriu levemente. — Eu não cursei veterinária.

— O que aconteceu com ele? — sussurrei. — As lesões são muito graves?

A face de Carlisle ficou séria novamente.

— Outro lobo estava com problemas...

— Leah — sussurrei.

— Sim. Ele a tirou do caminho, mas não teve tempo para se defender. O recém-criado o envolveu com os braços. A maior parte dos ossos do lado direito do corpo foi quebrada.

Eu me encolhi.

— Sam e Paul chegaram ao local ao mesmo tempo. Ele já estava melhorando quando o levaram de volta a La Push.

— Ele vai voltar ao normal? — perguntei.

— Sim, Bella. Ele não teve nenhum dano permanente.

Respirei fundo.

— Três minutos — disse Alice em voz baixa.

Eu lutei, tentando me colocar de pé. Edward percebeu o que eu fazia e me ajudou a levantar.

Fitei a cena diante de mim.

Os Cullen estavam de pé num semicírculo em volta da fogueira. Mal havia alguma chama visível, só a fumaça espessa e roxa escura, pairando como uma peste contra a relva reluzente. Jasper estava mais perto da névoa que parecia sólida, nas sombras, para que sua pele não cintilasse no sol como fazia a dos outros. Estava de costas para mim, os ombros tensos, os braços um tanto estendidos. Havia outra coisa, ali, na sombra dele. Algo na direção em que ele se agachava com uma intensidade cautelosa...

Eu estava entorpecida demais para sentir mais do que um leve choque ao perceber o que era.

Havia oito vampiros na clareira.

A menina estava enroscada como uma bola ao lado das chamas, os braços envolvendo as pernas. Era muito nova. Mais nova do que eu — parecia ter talvez 15 anos, o cabelo escuro e liso. Os olhos estavam focalizados em mim e as íris eram de um vermelho vivo e chocante. Muito mais brilhantes do que as de Riley, quase em fogo. Giravam loucamente, descontroladas.

Edward viu minha expressão confusa.

— Ela se rendeu — disse-me em voz baixa. — É uma coisa que nunca vi na vida. Só Carlisle pensaria nessa oferta. Jasper não aprovou.

Eu não conseguia tirar os olhos da cena ao lado da fogueira. Jasper esfregava distraidamente o braço esquerdo.

— Jasper está bem? — sussurrei.

— Ele está bem. O veneno pinica.

— Ele foi mordido? — perguntei, apavorada.

— Ele tentava estar em toda parte ao mesmo tempo. Tentando se certificar de que Alice não tivesse nada a fazer, na verdade. — Edward sacudiu a cabeça. — Alice não precisa da ajuda de ninguém.

Alice fez uma careta para seu verdadeiro amor.

— Tolo superprotetor.

A jovem fêmea de repente lançou a cabeça para trás como um animal e gemeu com estridência.

Jasper grunhiu para ela e ela se encolheu, mas seus dedos cavaram o chão como garras e sua cabeça se agitava de angústia. Jasper deu um passo até ela, agachando-se mais. Edward moveu-se com uma despreocupação exagerada, virando nossos corpos para ficar entre mim e a garota. Eu espiei por seu braço para ver a garota arrasada e Jasper.

Carlisle estava ao lado de Jasper num instante. Pôs uma mão restritiva no braço do filho mais recente.

— Você mudou de ideia, jovem? — perguntou Carlisle, calmo como sempre. — Não queremos destruí-la, mas o faremos se não conseguir se controlar.

— Como pode suportar isso? — grunhiu a menina numa voz alta e clara. — Eu a *quero*. — Suas íris carmim focalizaram Edward, através dele, para além dele, olhando para mim, e suas unhas rasparam o solo duro de novo.

— Deve suportar — disse-lhe Carlisle com gravidade. — Deve exercitar o controle. É possível e é a única coisa que a salvará agora.

A menina colocou as mãos incrustadas com terra em volta da cabeça, uivando baixinho.

— Não devíamos nos afastar dela? — sussurrei, cutucando o braço de Edward. Os lábios da menina se repuxaram por cima dos dentes quando ela ouviu minha voz, sua expressão era de tormento.

— Temos de ficar aqui — murmurou Edward. — *Eles* estão chegando à extremidade norte da clareira agora.

Meu coração explodiu numa disparada enquanto eu olhava a clareira, mas não conseguia ver nada além da grossa coluna de fumaça.

Depois de um segundo de uma busca infrutífera, meu olhar voltou à jovem vampira. Ela ainda me fitava com os olhos meio loucos.

Sustentei o olhar da garota por um longo tempo. O cabelo escuro na altura do queixo emoldurava seu rosto, pálido como alabastro. Era difícil dizer se suas feições eram bonitas, distorcidas como estavam pela raiva e pela sede. Os olhos vermelhos e irascíveis eram dominadores — custava-me deixá-los. Ela me encarava cruelmente, tremendo e gemendo a cada poucos segundos.

Eu a fitei, hipnotizada, perguntando-me se estava olhando um espelho de meu futuro.

Depois Carlisle e Jasper começaram a voltar até o restante de nós. Emmett, Rosalie e Esme convergiram rapidamente em volta de onde Edward estava comigo e com Alice. Uma frente unida, como Edward dissera, comigo no meio, no lugar mais seguro.

Desviei minha atenção da menina desnorteada para procurar pelos monstros que se aproximavam.

Ainda não havia nada para se ver. Olhei para Edward e seus olhos estavam fixos à frente. Tentei seguir seu olhar, mas só havia a fumaça — densa, oleosa, contorcendo-se até o chão, erguendo-se preguiçosamente, ondulando na relva.

A fumaça ondulou para frente, ficando mais escura no meio.

— Hmmm — uma voz monótona murmurou da névoa. Reconheci a indiferença imediatamente.

— Bem-vinda, Jane. — O tom de Edward era friamente cortês.

As formas escuras se aproximaram, separando-se da névoa, solidificando-se. Eu sabia que seria Jane na frente — o manto mais escuro, quase preto, e a figura mais de meio metro menor. Mal pude distinguir seus traços angelicais na sombra do capuz.

As quatro figuras vestidas de cinza que assomavam atrás dela também eram um tanto familiares. Eu tinha certeza de que reconhecia o maior e, enquanto olhava, tentando confirmar minhas suspeitas, Felix me olhou. Deixou que o capuz caísse levemente nas costas para que eu pudesse vê-lo piscar para mim e sorrir. Edward estava imóvel e sob controle a meu lado.

O olhar de Jane passou lentamente pelos rostos luminosos dos Cullen e tocou a recém-criada ao lado do fogo; a recém-criada estava com a cabeça nas mãos de novo.

— Ela se rendeu — explicou Edward, respondendo à confusão em sua mente.

Os olhos escuros de Jane faiscaram para o rosto dele.

— Rendeu-se?

Felix e outra sombra trocaram um rápido olhar.

Edward deu de ombros.

— Carlisle lhe deu esta opção.

— Não há opções para os que quebram as regras — disse Jane monotonamente.

Carlisle falou então, a voz branda.

— Está em nossas mãos. Como a menina se dispôs a parar de nos atacar, não vi necessidade de destruí-la. Ninguém lhe ensinou nada.

— Isso é irrelevante — insistiu Jane.

— Como quiser.

Jane fitava Carlisle, concentrada. Sacudiu a cabeça infinitesimalmente, depois recompôs as feições.

— Aro esperava que viéssemos mais a oeste para ver você, Carlisle. Ele manda lembranças.

Carlisle assentiu.

— Eu agradeceria se transmitisse as minhas a ele.

— Claro. — Jane sorriu. Seu rosto era quase lindo demais quando ficava animado. Ela olhou para a fumaça. — Parece que vocês fizeram o trabalho por nós hoje... A maior parte dele. — Seus olhos caíram rapidamente na refém. — Só por curiosidade profissional, quantos havia? Eles deixaram uma bela esteira de destruição em Seattle.

— Dezoito, incluindo esta — respondeu Carlisle.

Os olhos de Jane se arregalaram e ela olhou o fogo novamente, parecendo reavaliar o tamanho. Felix e a outra sombra trocaram um olhar mais longo.

— Dezoito? — repetiu ela, a voz transmitindo insegurança pela primeira vez.

— Todos novos — disse Carlisle num tom de desdém. — Eram inábeis.

— Todos? — Sua voz ficou incisiva. — Então, quem foi seu criador?

— O nome dela era Victoria — respondeu Edward, sem emoção na voz.

— Era? — perguntou Jane.

Edward inclinou a cabeça para a floresta a leste. Os olhos de Jane se viraram e focalizaram uma coisa ao longe. O outro pilar de fumaça? Não olhei para verificar.

Jane fitou o leste por um bom tempo, em seguida voltou a examinar a fogueira próxima.

— Essa Victoria... eram ela e mais os dezoito daqui?

— Sim. Tinha um deles com ela. Ele não era tão jovem quanto esta aqui, mas não devia passar de um ano mais velho.

— Vinte — sussurrou Jane. — Quem lidou com a criadora?

— Eu — disse-lhe Edward.

Os olhos de Jane se estreitaram e ela se virou para a menina ao lado do fogo.

— Você aí — disse ela, a voz monótona mais severa do que antes. — Seu nome.

A recém-criada lançou um olhar maléfico para Jane, os lábios firmemente unidos.

Jane lhe abriu um sorriso angelical.

O grito de resposta da recém-criada era de perfurar os tímpanos; seu corpo se arqueou rigidamente numa posição distorcida e nada natural. Eu virei a cara, reprimindo o impulso de cobrir as orelhas. Trinquei os dentes, na esperança de controlar meu estômago. O grito se intensificou. Tentei me concentrar no rosto de Edward, suave e sem emoções, mas aquilo me fez lembrar de quando era Edward sob o olhar torturante de Jane, e me senti pior. Olhei para Alice então, e Esme ao lado dela; seus rostos estavam tão vazios quanto o dele.

Por fim, fez-se silêncio.

— Seu nome — disse Jane novamente, a voz sem nenhuma inflexão.

— Bree — disse a menina, ofegando.

Jane sorriu e a menina gritou novamente. Prendi a respiração até que o som de sua agonia cessasse.

— Ela vai lhe contar o que quiser — disse Edward entredentes. — Não precisava fazer isso.

Jane olhou para ele, com um humor repentino nos olhos apáticos.

— Ah, eu sei — disse ela a Edward, sorrindo para ele antes de se voltar para a jovem vampira, Bree.

— Bree — disse Jane, a voz fria novamente. — A história dele é verdadeira? Vocês eram vinte?

A menina estava deitada, arfando, a face contra a terra. Ela falou rapidamente.

— Dezenove ou vinte, talvez mais, eu não sei! — Ela se encolheu, apavorada que sua ignorância pudesse provocar uma nova rodada de tortura. — Sara e aquele cujo nome não sei brigaram no caminho...

— E essa Victoria... Ela criou você?

— Não sei — disse ela, encolhendo-se novamente. — Riley nunca disse o nome dela. Eu não vi naquela noite... Estava tão escuro, e doía... — Bree tremeu. — Ele não queria que pudéssemos pensar nela. Disse que nossos pensamentos não estavam seguros...

Os olhos de Jane voltaram-se rapidamente para Edward, depois para a menina.

Victoria tinha planejado aquilo muito bem. Se ela não tivesse seguido Edward, não haveria como saber que estava envolvida...

— Fale-me de Riley — disse Jane. — Por que ele a trouxe aqui?

— Riley nos disse que tínhamos de destruir os estranhos de olhos amarelos aqui — balbuciou Bree rapidamente e de boa vontade. — Disse que seria fácil. Disse que a cidade era deles e eles viriam nos pegar. Disse que depois que eles sumissem, todo o sangue seria nosso. Ele nos deu o cheiro dela. — Bree ergueu a mão e apontou o dedo para mim. — Ele disse que saberíamos que tínhamos o bando certo porque ela estaria com eles. Disse que quem a pegasse poderia tê-la primeiro.

Ouvi a mandíbula de Edward trincar a meu lado.

— Parece que Riley estava enganado sobre a parte fácil — observou Jane.

Bree assentiu, aparentemente aliviada que a conversa tivesse tomado um rumo não doloroso. Ela se sentou com cuidado.

— Não sei o que aconteceu. Nós nos separamos, mas os outros não chegavam nunca. E Riley nos deixou, não voltou para ajudar, como prometeu. E depois ficou tudo muito confuso e todos estavam em pedaços. — Ela tremeu de novo. — Eu fiquei com medo. Queria fugir. Aquele ali — ela olhou para Carlisle — disse que eles não me machucariam se eu parasse de lutar.

— Ah, mas ele não podia lhe oferecer esse presente, minha jovem — murmurou Jane, a voz agora estranhamente gentil. — A transgressão às regras tem suas consequências.

Bree a fitou, sem compreender.

Jane olhou para Carlisle.

— Tem certeza de ter eliminado todos eles? A outra metade que se dividiu?

A face de Carlisle era suave demais quando ele assentiu.

— Nós também nos dividimos.

Jane deu um meio sorriso.

— Não posso negar que estou impressionada. — As grandes sombras atrás dela murmuraram sua concordância. — Nunca vi um bando escapar intacto de um ataque dessa magnitude. Sabe o que estava por trás disso? Parece uma conduta extremada, considerando o modo como vocês vivem aqui. E por que a garota era a chave? — Seus olhos pousaram de má vontade em mim por um curto segundo.

Eu tremi.

— Victoria tinha ressentimentos com relação a Bella — disse-lhe Edward, a voz impassível.

Jane riu — o som era dourado, o riso borbulhante de uma criança feliz.

— Esta aí parece provocar reações estranhamente fortes em nossa espécie — observou ela, sorrindo diretamente para mim, o rosto beatífico.

Edward enrijeceu. Olhei para ele a tempo de ver seu rosto se desviando, voltando a Jane.

— Poderia, por favor, não fazer isso? — perguntou ele numa voz dura.

Jane riu mais uma vez.

— Só estou verificando. Ao que parece, não causei dano algum.

Eu tremi, profundamente grata que a estranha falha em meu sistema — que me protegera de Jane da última vez em que nos vimos — ainda fizesse efeito. O braço de Edward se estreitou à minha volta.

— Bem, parece que não nos resta nada a fazer. Singular — disse Jane, a apatia voltando de mansinho a sua voz. — Não estamos acostumados a ser considerados desnecessários. É péssimo que tenhamos perdido a luta. Parece que teríamos uma diversão para assistir.

— Sim — respondeu Edward rapidamente, a voz incisiva. — E vocês chegaram perto. É uma pena que não tenham chegado meia hora atrás. Talvez pudessem cumprir seus objetivos aqui.

Jane encontrou o olhar de Edward com os olhos impassíveis.

— Sim. Uma pena mesmo que as coisas tenham sido assim, não é?

Edward assentiu uma vez para si mesmo, a suspeita confirmada.

Jane virou-se para olhar a recém-criada Bree, o rosto completamente entediado.

— Felix? — disse ela com a voz arrastada.

— Espere — interveio Edward.

Jane ergueu uma sobrancelha, mas Edward estava fitando Carlisle ao falar numa voz urgente. — Podemos explicar as regras à jovem. Ela não parece relutante em aprender. Ela não sabe o que está fazendo.

— É claro — respondeu Carlisle. — Certamente estaríamos preparados para assumir a responsabilidade por Bree.

A expressão de Jane se dividia entre a diversão e a incredulidade.

— Não abrimos exceções — disse ela. — E não damos uma segunda chance. É ruim para nossa reputação. O que me lembra... — de repente, seus olhos estavam em mim novamente e sua face de querubim se encrespou. — Caius ficará *tão* interessado em saber que ainda é humana, Bella. Talvez ele decida fazer uma visita.

— A data está marcada — disse Alice a Jane, falando pela primeira vez. — Talvez nós os visitemos daqui a alguns meses.

O sorriso de Jane desapareceu e ela deu de ombros com indiferença, sem jamais olhar para Alice. Virou-se para Carlisle.

— Foi um prazer encontrá-lo, Carlisle... Pensei que Aro estivesse exagerando. Bem, até a próxima vez...

Carlisle assentiu com a expressão condoída.

— Cuide disso, Felix — disse Jane, assentindo para Bree, a voz gotejando tédio. — Quero ir para casa.

— Não olhe — sussurrou Edward em meu ouvido.

Eu estava ansiosa demais para seguir sua instrução. Já vira mais do que o suficiente por um dia — mais do que o suficiente para uma vida inteira. Fechei os olhos com força e virei a cara para o peito de Edward.

Mas eu ainda podia ouvir.

Houve um grunhido grave e alto, depois um grito agudo que era terrivelmente familiar. O som parou rapidamente, em seguida o único som era um esmagar e estalar nauseante.

A mão de Edward afagava ansiosamente meus ombros.

— Venham — disse Jane, e eu olhei a tempo de ver as costas dos altos mantos cinza vagando para a fumaça ondulante. O cheiro de incenso era forte de novo.

Os mantos cinza desapareceram na névoa espessa.

26. ÉTICA

A BANCADA DO BANHEIRO DE ALICE ESTAVA COBERTA DE MIL produtos diferentes, todos afirmando embelezar a superfície de uma pessoa. Uma vez que todos naquela casa eram perfeitos e impermeáveis, só pude deduzir que ela comprara a maior parte daquilo pensando em mim. Li os rótulos num torpor, admirada com o desperdício.

Tive o cuidado de não olhar o espelho comprido.

Alice penteava meu cabelo com um movimento lento e ritmado.

— Já basta, Alice — eu disse inexpressivamente. — Quero voltar a La Push.

Quantas horas esperei que Charlie *finalmente* saísse da casa de Billy, para eu poder ver Jacob? Cada minuto parecia dez vidas, sem saber se Jacob ainda estava respirando ou não. E então, quando por fim pude ir, para ver por mim mesma que Jacob estava vivo, o tempo passou rápido demais. Parecia que eu mal conseguia respirar antes de Alice estar ligando para Edward, insistindo que eu mantivesse aquela história ridícula de festinha do pijama. Parecia tão insignificante...

— Jacob ainda está inconsciente — respondeu Alice. Carlisle ou Edward ligarão quando ele acordar. De qualquer modo, você precisa ver Charlie. Ele estava lá na casa de Billy, ele viu que Carlisle e Edward voltaram de viagem e vai ficar desconfiado se você não for para casa.

Eu já havia decorado e corroborado minha história.

— Eu não ligo. Quero estar lá quando Jacob acordar.

— Agora você precisa pensar em Charlie. Teve um longo dia... Desculpe, sei que isso não ajuda nada... Mas não significa que você possa fugir de suas responsabilidades. — Sua voz era séria, quase de repreensão. — Agora é mais importante que nunca que Charlie fique no escuro. Faça seu papel primeiro, Bella, depois pode fazer o que quiser. Parte de ser uma Cullen é ser meticulosamente responsável.

É claro que Alice tinha razão. E se não fosse por essa mesma razão — mais poderosa do que todos os meus medos, dores e culpas — Carlisle jamais teria sido capaz de me convencer a sair de perto de Jacob, inconsciente ou não.

— Vá para casa — ordenou Alice. — Fale com Charlie. Alimente seu álibi. Mantenha-o seguro.

Eu me levantei e o sangue fluiu para meus pés, formigando como a punção de mil agulhas. Fiquei sentada e imóvel por muito tempo.

— Esse vestido fica lindo em você — piou Alice.

— Hein? Ah. Er... Obrigada novamente pelas roupas — murmurei mais por cortesia do que por verdadeira gratidão.

— Você precisa das provas — disse Alice, os olhos inocentes e arregalados. — O que é uma viagem de compras sem roupas novas? Favorece muito você, se me permite dizer.

Eu pisquei, incapaz de me lembrar de que ela me vestira. Não conseguia evitar que os pensamentos se desviassem a cada poucos segundos, insetos correndo da luz...

— Jacob está bem, Bella — disse Alice, interpretando com facilidade minha preocupação. — Não há pressa. Se você soubesse o quanto de morfina Carlisle teve de dar a ele... com a temperatura dele queimando a droga rapidamente... Saberia que ele vai ficar apagado por um tempo.

Pelo menos ele não sentia nenhuma dor. Ainda não.

— Há alguma coisa que queria conversar antes de ir embora? — perguntou Alice solidariamente. — Você deve estar bem traumatizada.

Eu sabia o que atiçava sua curiosidade. Mas eu tinha outras perguntas.

— Eu vou ficar daquele jeito? — perguntei a ela, a voz abafada. — Como a garota, a Bree, na campina?

Havia muitas coisas em que eu precisava pensar, mas parecia que não a conseguia tirar de minha cabeça, a recém-criada cuja outra vida agora — abruptamente — acabara. Seu rosto, retorcido de desejo por meu sangue, demorava-se por trás de minhas pálpebras.

Alice afagou meu braço.

— Todo mundo é diferente. Mas será alguma coisa parecida, sim.

Eu estava imóvel, tentando imaginar.

— Isso passa — prometeu ela.

— Em quanto tempo?

Ela deu de ombros.

— Alguns anos, talvez menos. Pode ser diferente para você. Nunca vi ninguém passar por isso tendo escolhido de antemão. Deve ser interessante ver como a afeta.

— Interessante — repeti.

— Vamos evitar que tenha problemas.

— Sei disso. Eu confio em vocês. — Minha voz era monótona.

A testa de Alice se vincou.

— Se está preocupada com Carlisle e Edward, tenho certeza de que eles ficarão bem. Acredito que Sam está começando a confiar em nós... Bem, confiar em Carlisle, pelo menos. É uma boa coisa também. Imagino que o clima tenha ficado meio tenso quando Carlisle teve de refazer as fraturas...

— Por favor, Alice.

— Desculpe.

Respirei fundo para me estabilizar. Jacob começara a se curar rápido demais e alguns ossos se uniram da forma errada. Ele fora sedado para o procedimento, mas ainda era difícil pensar no assunto.

— Alice, posso lhe fazer uma pergunta? Sobre o futuro?

Ela de repente ficou cautelosa.

— Você sabe que eu não vejo tudo.

— Não é bem isso. Mas às vezes você *vê* o meu futuro. Por que acha que outras coisas não funcionam comigo? Não o que Jane pode fazer, ou Edward, ou Aro... — Minha frase se interrompeu com meu nível de interesse. Minha curiosidade àquela altura era fugaz, muito eclipsada por emoções mais prementes.

Mas Alice achou a pergunta muito interessante.

— Jasper também, Bella... O talento dele funciona em seu corpo tão bem como em qualquer outro. Esta é a diferença, não vê? As capacidades de Jasper afetam o corpo fisicamente. Ele realmente acalma seu sistema, ou o excita. Não é uma ilusão. E eu tenho visões de resultados, e não dos motivos e pensamentos por trás da decisões que os criam. Está fora da mente, tampouco é uma ilusão; é a realidade, ou pelo menos uma versão dela. Mas Jane, Edward, Aro e Demetri... Eles operam *dentro* da mente. Jane só cria uma ilusão de dor. Ela não fere realmente seu corpo, você só pensa que está sentindo. Entendeu, Bella? Você está segura dentro de sua mente. Ninguém pode alcançá-la aí. Não admira que Aro tenha ficado tão curioso com suas capacidades futuras.

Ela observou meu rosto, tentando ver se eu acompanhava sua lógica. Na verdade as palavras de Alice tinham começado a se embaralhar, as sílabas e os sons perdendo significado. Eu não conseguia me concentrar nelas. Ainda assim, assenti. Tentando dar a impressão de que entendera.

Ela não se deixou enganar. Afagou meu rosto e murmurou:

— Ele vai ficar bem, Bella. Não preciso de uma visão para saber disso. Está pronta para ir?

— Mais uma coisa. Posso lhe fazer outra pergunta sobre o futuro? Não quero nada específico, só uma visão geral.

— Vou fazer o melhor que puder — disse ela, em dúvida novamente.

— Ainda pode me ver me tornando vampira?

— Ah, essa é fácil. Claro, eu posso.

Eu assenti devagar.

Ela examinou meu rosto, os olhos insondáveis.

— Não sabe o que está em sua mente, Bella?

— Sei. Só queria ter certeza.

— Eu tenho tanta certeza quanto você. Sabe disso. Se você mudasse de ideia, eu veria mudar... Ou a veria desaparecer, no seu caso.

Eu suspirei.

— Mas isso não vai acontecer.

Ela me abraçou.

— Eu sinto muito. Não posso realmente *ter empatia*. Minha primeira lembrança é de ver a cara de Jasper em meu futuro; eu sempre soube que ele estava no futuro de minha vida. Mas eu posso *me solidarizar*. Lamento muito que você tenha de escolher entre duas coisas boas.

Eu afastei seus braços.

— Não lamente por mim. — Havia pessoas que mereciam solidariedade. Eu não era uma delas. E ali não havia uma decisão a tomar... só um bom coração a ser magoado. — Vou cuidar de Charlie.

Fui para casa dirigindo, onde Charlie esperava tão desconfiado como Alice previra.

— Oi, Bella. Como foi sua viagem de compras? — ele me cumprimentou quando entrei na cozinha. Estava de braços cruzados, os olhos fixos em meu rosto.

— Longa — eu disse apaticamente. — Acabamos de voltar.

Charlie avaliou meu humor.

— Acho que já soube de Jake, não é?

— Sim. Os outros Cullen nos encontraram em casa. Esme nos contou onde Carlisle e Edward estavam.

— Você está bem?

— Preocupada com Jake. Assim que eu fizer o jantar, vou a La Push.

— Eu lhe disse que essas motos são perigosas. Espero que isso a faça entender que eu não estava de brincadeira.

Assenti enquanto começava a pegar as coisas na geladeira. Charlie se acomodou à mesa. Parecia estar num humor mais conversador do que de costume.

— Não acho que precise se preocupar demais com Jake. Qualquer um que possa praguejar com tanta energia vai se recuperar logo.

— O Jake estava consciente quando você o viu? — perguntei, girando o corpo para olhar para ele.

— Ah, sim, estava acordado. Devia tê-lo ouvido... Na verdade, seria melhor não ouvir. Não acho que houvesse alguém em La Push que *pudesse* ouvi-lo. Não sei onde ele aprendeu aquele vocabulário, mas espero que não esteja usando esse tipo de linguagem perto de você.

— Ele hoje tem uma boa desculpa. Como ele parecia?

— Um trapo. Os amigos o levaram para dentro. Ainda bem que são rapazes grandalhões, porque o garoto é imenso. Carlisle disse que a perna direita dele está quebrada, e o braço direito. Grande parte do lado direito do corpo foi esmagado quando ele caiu da maldita moto. — Charlie sacudiu a cabeça. — Se eu souber que está andando de moto de novo, Bella...

— Não tem problema, pai, não vou andar. Você acha mesmo que Jake vai ficar bem?

— Claro, Bella, não se preocupe. Ele estava consciente o bastante para caçoar de mim.

— Caçoar de você? — ecoei, em choque.

— É... Entre insultos à mãe de alguém e falar o nome do Senhor em vão, ele disse: "Aposto que hoje está feliz por ela amar o Cullen e não a mim, hein, Charlie?"

Eu me virei para a geladeira para ele não ver meu rosto.

— Não tive como discutir. Edward é mais maduro do que Jacob quando se trata de sua segurança, tenho que admitir isso.

— Jacob é muito maduro — murmurei, na defensiva. — Tenho certeza de que não foi por culpa dele.

— Dia estranho, o de hoje — refletiu Charlie depois de um minuto. — Sabe de uma coisa, não dou muita atenção a superstições, mas foi estranho...

Era como se Billy soubesse que alguma coisa ruim ia acontecer a Jake. Ficou a manhã toda nervoso feito um peru no Dia de Ação de Graças. Não acho que tenha ouvido qualquer coisa do que disse a ele.

"E depois, mais estranho ainda... Lembra de fevereiro e março, quando todos tivemos problemas com os lobos?"

Eu me curvei para pegar uma frigideira no armário e me escondi ali por mais um ou dois segundos.

— Lembro — murmurei.

— Espero que não tenhamos problemas com isso de novo. Esta manhã, estávamos no barco e Billy não prestava atenção em mim nem na pescaria, quando de repente a gente pôde ouvir lobos uivando na floresta. Mais de um e, rapaz, alto à beça. Parecia que eles estavam bem ali na aldeia. A parte mais esquisita foi que Billy virou o barco e voltou direto para o porto, como se estivessem chamando por ele. Nem me ouviu perguntar o que ele estava fazendo.

"O barulho parou antes que atracássemos o barco. E de repente Billy estava com uma pressa danada para não perder o jogo, embora ainda faltassem horas para começar. Murmurava alguma coisa sem sentido sobre uma preliminar... de um jogo ao vivo? Vou te contar, Bella, foi estranho.

"Bom, ele encontrou um jogo que disse que queria ver, mas depois o ignorou. Ficou ao telefone o tempo todo, ligando para Sue, Emily e o avô de seu amigo Quil. Não consegui deduzir o que ele queria saber — ele só batia papo com eles.

"Depois os uivos recomeçaram bem do lado de fora da casa. Nunca ouvi nada parecido — fiquei com os braços arrepiados. Perguntei a Billy — tive de gritar para me fazer ouvir — se ele tinha colocado armadilhas no jardim. Parecia que o animal estava muito ferido."

Eu estremeci, mas Charlie estava tão concentrado em sua história que não percebeu.

— É claro que eu me esqueci de tudo isso no mesmo minuto, porque foi quando Jake chegou em casa. Antes era aquele lobo uivando, e depois não se podia ouvi-lo mais... Os palavrões de Jake tragaram tudo. Aquele rapaz tem um par de pulmões e tanto.

Charlie parou por um minuto, o rosto pensativo.

— O engraçado é que essa confusão acabou fazendo algum bem. Eu não achava que eles tivessem superado aquele preconceito bobo contra os Cullen por ali. Mas alguém ligou para Carlisle e Billy ficou muito agradecido quando ele apareceu. Pensei que devíamos levar Jake para o hospital, mas Billy queria mantê-lo em casa e Carlisle concordou. Acho que Carlisle sabe o que é melhor. É generosidade dele fazer visitas a domicílio tão longe. E...

Ele parou como se não estivesse disposto a dizer alguma coisa. Suspirou, depois continuou.

— E Edward foi verdadeiramente... gentil. Parecia tão preocupado com Jacob quanto você... Como se fosse o irmão dele morrendo ali. O olhar dele... — Charlie sacudiu a cabeça. — Ele é um sujeito decente, Bella. Vou tentar me lembrar disso. Mas não prometo nada. — Ele sorriu para mim.

— Não vou cobrar isso de você — murmurei.

Charlie esticou as pernas e gemeu.

— É bom estar em casa. Não acreditaria em como a casa de Billy ficou abarrotada. Sete amigos de Jake, todos espremidos naquela salinha da frente... Eu mal conseguia respirar. Já percebeu como são grandes todos esses garotos quileutes?

— Sim, já percebi.

Charlie me encarou, os olhos de repente mais focalizados.

— É verdade, Bella, Carlisle disse que Jake vai ficar bom rápido. Disse que parecia muito pior do que era na realidade. Ele vai ficar bem.

Eu me limitei a assentir.

Jacob parecia tão... estranhamente frágil quando corri para vê-lo assim que Charlie saiu. Tinha talas em toda parte — Carlisle disse que não tinha sentido usar gesso, uma vez que ele se curava rápido. Seu rosto estava pálido e abatido, embora no momento estivesse inconsciente. Frágil. Apesar de imenso, ele parecia muito frágil. Talvez fosse só minha imaginação, combinada com o conhecimento de que eu ia ter de terminar com ele.

Se ao menos eu pudesse ser atingida por um raio e dividida em duas. De preferência, com muita dor. Pela primeira vez, desistir de ser humana parecia um verdadeiro sacrifício. Como se houvesse coisas demais a perder.

Tinha posto o jantar de Charlie na mesa, ao lado de seu cotovelo, e ido para a porta.

— Er, Bella? Pode esperar um segundo?

— Esqueci alguma coisa? — perguntei, olhando seu prato.

— Não, não. Eu só... Queria lhe pedir um favor. — Charlie franziu o cenho e baixou a cabeça. — Sente-se... Não vai demorar.

Eu me sentei de frente para ele, meio confusa. Tentei me concentrar.

— Do que você precisa, pai?

— Aí é que está, Bella. — Charlie corou. — Talvez eu esteja me sentindo... supersticioso, depois de ter ficado na companhia de Billy, ele esteve muito estranho o dia todo. Mas tenho um... pressentimento. Parece que... vou perder você logo.

— Não seja bobo, pai — murmurei, cheia de culpa. — Quer que eu vá para a faculdade, não quer?

— Só me prometa uma coisa.

Eu fiquei hesitante, pronta para negar.

— Tudo bem...

— Vai me contar antes de fazer alguma coisa importante? Antes de fugir com ele ou coisa assim?

— Pai... — eu gemi.

— Estou falando sério. Eu não vou criar caso. Só me avise com antecedência. Me dê a oportunidade de lhe dar um abraço de despedida.

Encolhendo-me mentalmente, eu ergui a mão.

— Isso é tolice. Mas, se o deixa feliz... Eu prometo.

— Obrigado, Bella — disse ele. — Eu te amo, garota.

— Eu também te amo, pai. — Toquei seu ombro, depois me afastei da mesa. — Se precisar de alguma coisa, estarei no Billy.

Não olhei para trás enquanto corria dali. Aquilo era simplesmente perfeito, exatamente o que eu precisava naquele momento. Resmunguei comigo mesma em toda a viagem a La Push.

O Mercedes preto de Carlisle não estava na frente da casa de Billy. Isso era ao mesmo tempo bom e ruim. Obviamente, eu precisava conversar com Jacob a sós. E no entanto eu ainda queria poder segurar a mão de Edward, como fiz antes, quando Jacob estava inconsciente. Impossível. Mas eu sentia falta de Edward — pareceu ter sido uma longa tarde com Alice. Eu achava que isso deixava minha resposta muito óbvia. Já sabia que não podia viver sem Edward. Mas isso não tornaria nada daquilo menos doloroso.

Bati de leve na porta da frente.

— Entre, Bella — disse Billy. Era fácil reconhecer o ronco de minha picape.

Eu entrei.

— Oi, Billy. Ele está acordado? — perguntei.

— Acordou há meia hora, pouco antes de o médico sair. Entre lá. Acho que está esperando por você.

Eu me encolhi, depois respirei fundo.

— Obrigada.

Hesitei à porta do quarto de Jacob, sem ter certeza se devia bater. Decidi espiar primeiro, na esperança — por ser covarde — de que talvez ele tivesse voltado a dormir. Achei que poderia ganhar mais alguns minutos.

Abri um pouquinho a porta e me curvei para dentro, hesitante.

Jacob esperava por mim, o rosto calmo e sereno. O olhar angustiado e frágil se fora, mas um vazio cauteloso tomou seu lugar. Não havia ânimo em seus olhos escuros.

Era difícil olhar seu rosto, sabendo que o amava. Fazia mais diferença do que eu teria pensado. Perguntei-me se sempre foi tão difícil para ele, aquele tempo todo.

Felizmente, alguém o havia coberto com uma colcha. Foi um alívio não precisar ver a extensão dos danos que sofrera.

Eu entrei e fechei a porta rapidamente.

— Oi, Jake — murmurei.

De início, ele não respondeu. Olhou meu rosto por um longo tempo. Depois, com algum esforço, recompôs a expressão num sorriso um tanto zombeteiro.

— É, eu pensei que seria mais ou menos assim. — Ele suspirou. — Hoje sem dúvida houve uma guinada para pior. Primeiro escolhi o lugar errado, perdendo a melhor briga e Seth ficou com toda a glória. Depois Leah teve de bancar a idiota tentando provar que era tão durona quanto o resto de nós e eu tive de ser o idiota que a salvou. E agora isso. — Ele agitou a mão esquerda para mim, onde eu hesitava perto da porta.

— Como está se sentindo? — murmurei. Que pergunta idiota.

— Meio chapado. O Dr. Caninos não tem certeza de quanta medicação para dor eu preciso, então está apelando para tentativa e erro. Acho que ele exagerou.

— Mas você não está sentindo dor.

— Não. Pelo menos não consigo sentir os ferimentos — disse ele, de novo com um sorriso de zombaria.

Mordi o lábio. Nunca ia conseguir superar aquilo. Por que ninguém tentou me matar quando eu *queria* morrer?

O humor distorcido abandonou seu rosto e seus olhos se aqueceram. A testa se vincou, como se ele estivesse preocupado.

— E você? — perguntou, parecendo de fato preocupado. — Está tudo bem?

— *Eu?* — eu o encarei. Talvez ele tivesse mesmo tomado drogas demais. — *Por quê?*

— Bom, quer dizer, eu tinha certeza de que ele não *machucaria* você, mas não sabia o quanto seria ruim. Fiquei meio louco de preocupação com você desde que acordei. Eu não sabia se você teria permissão para me visitar nem nada. O suspense foi terrível. Como foi? Ele foi mau com você? Desculpe se foi ruim. Não queria que você tivesse de passar por isso sozinha. Pensava que estaria lá...

Precisei de um minuto para entender. Ele tagarelava, ficando cada vez mais sem jeito, até que compreendi o que dizia. Depois apressei-me a tranquilizá-lo.

— Não, não, Jake! Eu estou bem. Bem demais, na verdade. É claro que ele não foi mau. Bem que eu queria!

Seus olhos se arregalaram no que parecia pavor.

— *Como é?*

— Ele nem ficou chateado comigo... nem ficou chateado com *você*! Ele é tão altruísta que fez com que eu me sentisse ainda pior. Eu queria que ele gritasse comigo ou coisa assim. Não era que eu não merecesse... bom, coisa muito pior do que ouvir gritos. Mas ele não se importou. Só queria que eu fosse *feliz*.

— Ele não ficou chateado? — perguntou Jacob, incrédulo.

— Não. Ele foi... gentil demais.

Jacob me fitou por mais um minuto, depois de repente franziu a testa.

— Mas que *droga*! — grunhiu ele.

— O que foi, Jake? Está doendo? — Minhas mãos flutuaram inutilmente, procurando por seu remédio.

— Não — grunhiu ele num tom enojado. — Nem acredito nisso! Ele não te deu um ultimato nem nada?

— Nem chegou perto... Qual é o seu problema?

Ele fechou a cara e sacudiu a cabeça.

— De certo modo eu contava com a reação dele. Porcaria. Ele é melhor do que pensava.

A maneira como ele disse isso, com raiva, lembrou-me do elogio de Edward à falta de ética de Jacob na barraca naquela manhã. O que significava que Jake ainda tinha esperanças, ainda lutava. Eu tremi enquanto isso cravava fundo.

— Ele não está fazendo nenhum jogo, Jake — eu disse em voz baixa.

— Pode apostar que está. Está jogando tão duro quanto eu, só que ele sabe o que está fazendo e eu não. Não me culpe por ele ser melhor manipulador do que eu... Não vivi tempo suficiente para aprender todos os truques dele.

— Ele não está me manipulando!

— Ah, está sim! Quando é que vai acordar e perceber que ele não é tão perfeito quanto você pensa?

— Pelo menos ele não ameaçou se matar para me fazer beijá-lo — rebati. Assim que as palavras saíram, eu corei de arrependimento. — Espere. Finja que eu não disse nada. Jurei a mim mesma que não ia falar nada sobre isso.

Ele respirou fundo. Quando falou, estava mais calmo.

— Por que não?

— Por que não vim aqui para culpar você por nada.

— Mas é a verdade — disse ele tranquilamente. — Eu fiz isso.

— Não me importo, Jake. Não estou chateada.

Ele sorriu.

— Eu também não me importo. Sabia que você me perdoaria, e estou feliz por ter feito aquilo. Eu faria de novo. Pelo menos tive isso. Pelo menos fiz você ver que *me ama*. Já vale alguma coisa.

— É mesmo? É realmente melhor do que se eu ainda estivesse no escuro?

— Não acha que deve saber como se sente... Só para não ser pega de surpresa um dia, quando for tarde demais e estiver casada com um vampiro?

Sacudi a cabeça.

— Não... Eu não quis dizer melhor para mim. Quis dizer melhor para *você*. Isso não piora nem melhora as coisas para você, fazer com que eu saiba que o amo? Quando não faz diferença de forma alguma. Teria sido melhor, mais fácil para você, se eu jamais soubesse?

Ele considerou minha pergunta com a seriedade que eu pretendia, pensando com cuidado antes de responder.

— Sim, é melhor saber que você sabe — concluiu ele por fim. — Se você não soubesse... Eu sempre teria me perguntado se sua decisão teria sido diferente. Agora eu sei. Fiz tudo o que podia. — Ele inspirou de modo irregular e fechou os olhos.

Dessa vez eu não resisti — não podia — ao impulso de reconfortá-lo. Atravessei o pequeno quarto e me ajoelhei perto de sua cabeça, com medo de me sentar na cama, sacudi-la e machucá-lo, e me inclinei para encostar a testa em seu rosto.

Jacob suspirou e pôs a mão em meu cabelo, segurando-me ali.

— Me desculpe, Jake.

— Eu sempre soube que o risco era grande. Não é sua culpa, Bella.

— Nem sua — gemi. — Por favor.

Ele se afastou para olhar para mim.

— Que foi?

— *É* minha culpa. E estou enjoada de ouvir que não é.

Ele sorriu. Mas não com os olhos.

— Quer que lhe dê uma bronca?

— Na verdade... Acho que sim.

Ele franziu os lábios enquanto avaliava o quanto estava sendo sincera. Um sorriso lampejou brevemente por seu rosto, depois ele retorceu a expressão numa carranca feroz.

— Retribuir meu beijo daquele jeito foi imperdoável. — Ele cuspiu as palavras para mim. — Se você sabia que ia voltar atrás, talvez não devesse ter sido tão convincente.

Eu estremeci e concordei.

— Desculpe.

— Suas desculpas não melhoram nada, Bella. O que você estava pensando?

— Não estava — sussurrei.

— Devia me ter dito para morrer. Era o que você queria.

— Não, Jacob — eu gemi, reprimindo as lágrimas que se formavam. — Não! Nunca.

— Não está chorando, está? — perguntou ele, a voz de repente de volta ao tom normal. Ele se contorceu impaciente na cama.

— Estou — murmurei, rindo debilmente para mim mesma através das lágrimas que de repente eram soluços.

Ele transferiu o peso do corpo, atirando a perna boa para fora da cama como se tentasse se levantar.

— O que está fazendo? — perguntei entre as lágrimas. — Deite-se, seu idiota, vai se machucar! — Coloquei-me de pé e empurrei para baixo seu ombro bom com as duas mãos.

Ele se rendeu, recostando-se com um arfar de dor, mas me pegou pela cintura e me puxou para a cama, junto a seu lado bom. Eu me enrosquei ali, tentando abafar os soluços tolos em sua pele quente.

— Nem acredito que está chorando — murmurou ele. — Você sabe que eu só disse essas coisas porque você pediu. Não falei sério. — Sua mão afagava meus ombros.

— Eu sei. — Respirei fundo e entrecortado, tentando me controlar. Como é que acabei sendo eu a que chora e ele o que reconforta? — Ainda assim é verdade. Obrigada por dizer isso.

— Ganhei pontos por fazê-la chorar?

— Claro, Jake. — Tentei sorrir. — Quantos você quiser.

— Não se preocupe, Bella, querida. Tudo vai dar certo.

— Não vejo como — murmurei.

Ele afagou o alto de minha cabeça.

— Eu vou desistir e ser bom.

— Mais jogos? — perguntei, erguendo o queixo para ver seu rosto.

— Talvez. — Ele riu com algum esforço, depois tremeu. — Mas vou tentar.

Eu franzi o cenho.

— Não seja tão pessimista — reclamou ele. — Me dê algum crédito.

— O que quis dizer com "ser bom"?

— Serei seu amigo, Bella — disse ele em voz baixa. — Não vou pedir mais do que isso.

— Acho que é tarde demais, Jake. Como podemos ser amigos, quando nos amamos desse jeito?

Ele olhou fixamente o teto, como se estivesse lendo alguma coisa escrita ali.

— Talvez... precise ser uma amizade a distância.

Trinquei os dentes, feliz por ele não estar olhando meu rosto, reprimindo o choro que ameaçava me dominar de novo. Eu precisava ser forte e não fazia ideia de como...

— Sabe aquela história na Bíblia? — perguntou Jacob de repente, ainda fitando inexpressivo o teto. — Aquela do rei e das duas mulheres que brigavam pelo bebê?

— Claro. O rei Salomão.

— Isso mesmo. O rei Salomão — repetiu ele. — E ele disse, cortem a criança ao meio... Mas era só um teste. Só para ver quem abriria mão de sua parte para protegê-la.

— É, eu me lembro.

Ele me olhou no rosto.

— Não vou mais cortar você pelo meio, Bella.

Eu entendi o que ele estava dizendo. Ele me dizia que me amava mais, que sua rendição me provava isso. Eu queria defender Edward, dizer a Jacob que Edward faria a mesma coisa se eu quisesse, se eu *permitisse*. Era eu quem não renunciaria à minha parte naquilo. Mas não tinha sentido começar uma discussão que só o magoaria mais.

Fechei os olhos, desejando controlar a dor. Não imporia aquilo a ele.

Ficamos em silêncio por um momento. Ele parecia estar esperando que eu dissesse alguma coisa; eu tentava pensar em algo.

— Posso dizer a você qual é a pior parte disso? — perguntou ele, hesitante, quando eu nada falei. — Importa-se? Eu *vou* mesmo ser bom.

— Isso vai ajudar? — sussurrei.

— Pode ser que sim. Não vai machucar.

— Qual é a pior parte, então?

— O pior é saber o que teria sido.

— O que *podia* ter sido. — Eu suspirei.

— Não. — Jacob sacudiu a cabeça. — Eu sou perfeito para você, Bella. Teria sido tranquilo para você... confortável, fácil como respirar. Era o caminho natural que sua vida teria tomado... — Ele fitou o vazio por um momento e eu esperei. — Se o mundo fosse como devia ser, se não houvesse monstros e nenhuma magia...

Pude ver o que ele via e entendi que tinha razão. Se o mundo fosse o lugar sadio que devia ser, Jacob e eu ficaríamos juntos. E teríamos sido felizes. Ele era minha alma gêmea nesse mundo — ainda seria minha alma gêmea se suas pretensões não tivessem sido eclipsadas por algo mais forte, algo tão forte que não podia existir num mundo racional.

Haveria alguma coisa a mais para Jacob também? Algo como o trunfo de uma alma gêmea? Eu precisava acreditar que sim.

Dois futuros, duas almas gêmeas... Era demais para qualquer um. E tão injusto que eu não fosse aquela que pagaria por isso. A dor de Jacob parecia ter um preço alto demais. Encolhendo-me ao pensar nisso, perguntei-me se eu teria vacilado se não tivesse perdido Edward uma vez. Se não soubesse como era viver sem ele. Eu não tive certeza. Esse conhecimento era uma parte tão profunda de mim que nem conseguia imaginar como eu seria sem ele.

— Ele é como uma droga para você, Bella. — Sua voz ainda era gentil e nada crítica. — Vejo que você não pode viver sem ele agora. É tarde demais. Mas eu teria sido mais saudável; não uma droga. Eu teria sido o ar, o sol.

O canto de minha boca se virou para cima num meio sorriso tristonho.

— Antigamente eu pensava em você assim, sabia? Como o sol. Meu sol particular. Você compensava bem as nuvens para mim.

Ele suspirou.

— Com as nuvens, eu posso lidar. Mas não posso lutar com um eclipse.

Toquei seu rosto, pousando a mão em sua bochecha. Ele expirou ao meu toque e fechou os olhos. O quarto ficou muito silencioso. Por um minuto pude ouvir seu coração bater, lento e regular.

— Diga-me qual é a pior parte para você — sussurrou ele.

— Acho que esta pode ser uma má ideia.

— Por favor.

— Acho que vai magoar.

— Por favor.

Como eu podia negar a ele alguma coisa àquela altura?

— A pior parte... — eu hesitei, depois deixei que as palavras saíssem num jorro de verdade. — O pior é que eu vi a coisa toda... toda a nossa vida. E eu queria desesperadamente, Jake, queria tudo aquilo. Queria ficar bem aqui e jamais me mudar. Queria amar você e fazê-lo feliz. Eu não posso, e isso me mata. É como Sam e Emily, Jake... Eu nunca tive alternativa. Sempre soube que nada mudaria. Talvez por isso tenha brigado tanto com você.

Ele pareceu estar concentrado na respiração regular.

— Eu sabia que não devia ter lhe falado isso.

Ele sacudiu a cabeça devagar.

— Não. Fico feliz por ter falado. Obrigado. — Ele beijou o alto de minha cabeça, depois suspirou. — Agora eu vou ser bom.

Olhei para ele e ele sorria.

— Então você vai se casar, hein?

— Não temos de falar disso.

— Gostaria de saber de alguns detalhes. Não sei quando vou conversar com você novamente.

Tive de esperar um minuto antes de poder falar. Quando tinha certeza de que minha voz não falharia, respondi à pergunta dele.

— Não foi ideia minha... Mas, sim. Significa muito para ele. Eu pensei, por que não?

Jake assentiu.

— É verdade. Não é grande coisa... Em comparação.

A voz dele era muito calma, muito pragmática. Eu o fitei, curiosa para saber como ele estava lidando com o problema, e isso estragou tudo. Ele encontrou meus olhos por um segundo, depois girou a cabeça. Esperei para falar até que sua respiração estivesse sob controle.

— Sim. Em comparação — concordei.

— Quanto tempo você ainda tem?

— Depende do tempo que Alice levar para preparar o casamento. — Reprimi um gemido, imaginado o que Alice faria.

— Antes ou depois? — perguntou ele em voz baixa.

Entendi o que ele quis dizer.

— Depois.

Ele assentiu. Foi um alívio para ele. Perguntei-me quantas noites insones ele teve por pensar em minha formatura.

— Está com medo? — sussurrou ele.

— Sim — sussurrei também.

— Do que você tem medo? — Agora eu mal conseguia ouvir sua voz. Ele olhava minhas mãos.

— Um monte de coisas. — Procurei deixar a voz mais leve, mas continuei sendo sincera. — Nunca fui muito masoquista, então não estou ansiando pela dor. E queria que houvesse uma maneira de manter *ele* afastado... Não quero que ele sofra comigo, mas não acho que haja saída para isso. Preciso lidar com Charlie também, e com Renée... E depois, espero ser capaz de me controlar *logo*. Talvez eu venha a ser uma ameaça tão grande que a alcateia tenha de se livrar de mim.

Ele olhou com uma expressão de censura.

— Eu ia deixar paralítico qualquer um de meus irmãos que tentasse.

— Obrigada.

Ele sorriu, desanimado. Depois franziu o cenho.

— Mas não é mais perigoso do que isso? Em todas as histórias, dizem que é difícil demais... Eles perdem o controle... As pessoas morrem... — Ele engoliu em seco.

— Não, não tenho medo disso. Jacob, seu bobo... Já não sabe o suficiente para acreditar nas histórias de vampiros?

Ele evidentemente não gostou de minha tentativa de fazer humor.

— Bom, de qualquer modo, há muito com que se preocupar, mas no final vale a pena.

Ele assentiu de má vontade e eu sabia que ele não concordava comigo em nada.

Estiquei o pescoço para sussurrar em seu ouvido, pousando a bochecha em sua pele quente.

— Sabe que amo você.

— Eu sei — sussurrou ele, o braço apertando automaticamente minha cintura. — Sabe o quanto eu queria que isso bastasse.

— Sim.

— Sempre estarei esperando, Bella — prometeu ele, num tom mais leve e afrouxando o braço. Afastei-me com uma sensação melancólica de perda, sentindo a separação me dilacerando e deixando uma parte de mim para trás, ali na cama, ao lado dele. — Você sempre terá esta segunda opção, se quiser.

Fiz um esforço para sorrir.

— Até que meu coração pare de bater.

Ele sorriu também.

— Sabe de uma coisa, acho que talvez eu ainda fique com você... Talvez. Acho que vai depender do quanto você vai feder.

— Volto para ver você? Ou prefere que eu não faça isso?

— Vou pensar bem e depois eu falo — disse ele. — Posso precisar de companhia para evitar enlouquecer. O extraordinário cirurgião vampiro disse que não posso me transformar antes que ele dê o aval... Isso poderia atrapalhar a calcificação dos ossos. — Jacob fez uma careta.

— Seja bonzinho e faça o que Carlisle lhe diz para fazer. Vai ficar bom mais rápido.

— Claro, claro.

— Quando será que vai acontecer? — eu disse. — Quando a garota certa vai colocar os olhos em você?

— Não fique tão esperançosa, Bella. — A voz de Jacob ficou abruptamente azeda. — Mas tenho certeza de que seria um alívio para você.

— Talvez sim, talvez não. Fico me perguntando se vou sentir muito ciúme.

— Essa parte pode ser meio divertida. — admitiu ele.

— Me diga se quiser que eu volte, e eu estarei aqui — prometi.

Com um suspiro, ele virou o rosto para mim.

Eu me inclinei e lhe dei um beijo suave na bochecha.

— Eu te amo, Jacob.

Ele riu levemente.

— Eu te amo mais.

Ele me viu sair do quarto com seus olhos negros insondáveis.

27. NECESSIDADES

EU NÃO HAVIA AVANÇADO MUITO E JÁ ERA IMPOSSÍVEL DIRIGIR.

Quando não consegui enxergar mais, deixei que os pneus encontrassem o acostamento e rolassem lentamente até parar. Afundei no banco e permiti que a fraqueza que combati no quarto de Jacob me esmagasse. Foi pior do que eu pensava — a intensidade me pegou de surpresa. Sim, eu estava certa em esconder aquilo de Jacob. Ninguém devia ver.

Mas não fiquei sozinha por muito tempo — tempo suficiente para Alice me ver ali e cinco minutos até ele chegar. A porta se abriu e ele me puxou para seus braços.

No início foi pior. Porque havia aquela parte menor de mim — menor, mas ficando mais ruidosa e mais colérica a cada minuto, gritando para o restante — que ansiava por um par diferente de braços. Então havia uma culpa renovada para temperar a dor.

Ele não disse nada, só me deixou chorar até que comecei a balbuciar o nome de Charlie.

— Está mesmo pronta para ir para casa? — perguntou ele em dúvida.

Consegui transmitir, depois de várias tentativas, que não ia ficar melhor tão cedo. Eu precisava chegar na casa de Charlie antes de ficar tarde e ele telefonar para Billy.

Então ele me levou para casa — pela primeira vez, sem chegar perto do limite de velocidade de meu carro — mantendo um braço firme à minha volta. No caminho todo, lutei para me controlar. De início, parecia um esforço condenado ao fracasso, mas não desisti. Só alguns segundos, eu disse a mim mesma. Tempo apenas para algumas desculpas, ou algumas mentiras, e depois eu podia desabar novamente. Precisava ser capaz de fazer isso. Vasculhei minha cabeça, procurando desesperadamente por uma reserva de forças.

Havia o suficiente para que eu aquietasse os soluços — para reprimi-los, mas não terminar com eles. As lágrimas não diminuíram. Eu não parecia encontrar nenhum ponto de apoio nem para começar a lidar com elas.

— Espere por mim lá em cima — murmurei quando estávamos na frente da casa.

Ele me abraçou mais forte por um minuto, depois se foi.

Depois de entrar, fui direto para a escada.

— Bella? — Charlie chamou atrás de mim, de seu lugar de sempre no sofá.

Virei-me e o olhei sem falar nada. Seus olhos estavam esbugalhados e ele se lançou de pé.

— O que aconteceu? O Jacob...? — perguntou ele.

Sacudi a cabeça furiosamente, tentando encontrar minha voz.

— Ele está bem, está bem — garanti, a voz baixa e rouca. E Jacob *estava mesmo* bem, fisicamente, o que era toda a preocupação de Charlie no momento.

— Mas o que houve? — Ele me pegou pelos ombros, os olhos ainda ansiosos e arregalados. — O que aconteceu com você?

Minha aparência devia estar pior do que eu imaginava.

— Nada, pai. Eu... só tive de conversar com Jacob sobre... umas coisas complicadas. Eu estou bem.

A ansiedade acalmou e foi substituída pela censura.

— Mas acha que essa era a melhor hora? — perguntou ele.

— Talvez não, pai, mas eu não tinha muitas alternativas... É que cheguei a um ponto em que tive de escolher... Às vezes, não há como conseguir um meio-termo.

Ele sacudiu a cabeça lentamente.

— Como ele reagiu?

Eu não respondi.

Ele olhou no meu rosto por um minuto, depois assentiu. Deve ter sido resposta suficiente.

— Espero que você não tenha estragado a recuperação dele.

— Ele se cura rápido — murmurei.

Charlie suspirou.

Pude sentir que perdia o controle.

— Vou para meu quarto — eu lhe disse, soltando-me de suas mãos.

— Tudo bem — concordou Charlie. Ele devia estar vendo a cascata começando a surgir. Nada assustava mais Charlie do que lágrimas.

Fui para o quarto, cega e cambaleante.

Depois de entrar, lutei com o fecho de minha pulseira, tentando abrir com os dedos trêmulos.

— Não, Bella — sussurrou Edward, pegando minhas mãos. — Faz parte de quem você é.

Ele me puxou para o ninho de seus braços enquanto os soluços se libertavam novamente.

Esse mais longo dos dias pareceu se estender infinitamente. Perguntei-me se terminaria.

Mas, embora a noite se arrastasse implacável, não foi a pior da minha vida. Consegui me reconfortar com isso. E eu não estava só. Havia muito conforto nisso também.

O medo de Charlie de crises emocionais evitou que ele fosse me ver, embora eu não estivesse em silêncio — ele provavelmente não tinha dormido mais do que eu.

Naquela noite minha percepção tardia parecia insuportavelmente clara. Eu podia ver cada erro que cometera, cada dano que causara, as pequenas coisas e as grandes coisas. Cada dor que provoquei em Jacob, cada uma das que provocaria em Edward, acumuladas em pilhas arrumadas que eu não podia ignorar nem negar.

E percebi que não estava de todo errada sobre os ímãs. Não foram Edward e Jacob que tentei obrigar a se unir, foram as duas partes de mim mesma, a Bella de Edward e a Bella de Jacob. Mas elas não podiam existir juntas e eu jamais devia ter tentado.

Eu causei danos demais.

A certa altura da noite, lembrei-me da promessa que fiz a mim mesma naquela manhã — de que eu nunca faria Edward me ver derramar outra lágrima por Jacob Black. A ideia causou uma rodada de histeria que deixou Edward mais assustado do que o choro. Mas passou também, quando foi liberada.

Edward pouco falou; só me abraçava na cama, e me deixou arruinar sua camisa, manchada de água salgada.

Precisei de mais tempo do que pensava para que desabafasse a parte menor e quebrada de mim. Aconteceu, porém, e eu por fim estava exausta o suficiente para dormir. A inconsciência não trouxe alívio total para minha dor, como o torpor de um lenitivo, um remédio. Tornou-a mais suportável. Mas ela ainda estava ali; eu estava ciente dela, mesmo dormindo, e isso me ajudou a fazer os ajustes de que precisava.

A manhã trouxe, se não uma perspectiva mais animadora, pelo menos algum controle, alguma aceitação. Por instinto, eu sabia que o novo rasgo em meu coração sempre doeria. Que agora faria parte de mim. O tempo tornaria mais fácil — é o que todos sempre diziam. Mas eu não me importava se o tempo ia me curar ou não, desde que Jacob ficasse melhor. Que pudesse voltar a ser feliz.

Quando acordei, não havia desorientação. Abri os olhos — enfim secos — e encontrei seu olhar ansioso.

— Oi — eu disse. Minha voz era rouca. Dei um pigarro.

Ele não respondeu. Ficou me olhando, esperando que começasse.

— Não, eu estou bem — garanti. — Não vai acontecer novamente.

Seus olhos se estreitaram ao ouvir minhas palavras.

— Desculpe por você ter visto aquilo — eu disse. — Não foi justo com você.

Ele pôs as mãos em meu rosto.

— Bella... Você tem *certeza*? Tomou a decisão certa? Eu nunca a vi com tanta dor... — Sua voz falhou na última palavra.

Mas eu conheci dor pior. Toquei os lábios dele.

— Sim.

— Não sei... — Sua testa se vincou. — Se dói tanto em você, como pode ser o certo?

— Edward, eu sei com o que não posso conviver.

— Mas...

Sacudi a cabeça.

— Você não entende. Você pode ser bastante corajoso ou forte para viver sem mim, se for o melhor. Mas eu jamais poderia fazer esse sacrifício. Preciso ficar com você. É só assim que posso viver.

Ele ainda parecia em dúvida. Jamais devia ter deixado que ele ficasse comigo na noite anterior. Mas eu precisava tanto dele...

— Me passe aquele livro, por favor? — pedi, apontando por cima do ombro dele.

Suas sobrancelhas se juntaram expressando confusão, mas ele me entregou rapidamente.

— Este de novo? — perguntou ele.

— Eu só queria encontrar uma parte de que me lembrei... Ver como foi que ela disse... — Folheei o livro, encontrando facilmente a página que queria. O canto estava dobrado de tantas vezes que parei ali. — Cathy é um monstro, mas havia algumas coisas nas quais tinha razão — murmurei. Li as frases em voz baixa, principalmente para mim mesma. — "Se tudo o mais perecesse e enquanto ele perdurasse, eu ainda continuaria a existir; e se tudo o mais restasse e ele fosse aniquilado, o universo se tornaria muito mais estranho." — Eu assenti, outra vez para mim mesma. — Sei exatamente o que ela quis dizer. E sei com quem não posso deixar de viver.

Edward tirou o livro de minhas mãos e atirou pelo quarto — pousou com um baque leve em minha mesa. Ele passou os braços em minha cintura.

Um breve sorriso iluminou seu rosto perfeito, embora a preocupação ainda vincasse a testa.

— Heathcliff também teve seus momentos — disse ele. Edward não precisava do livro para citar com perfeição. Puxou-me mais para perto e sussurrou em meu ouvido: — "Eu *não posso* viver sem minha vida! *Não posso* viver sem minha alma!"

— Sim — eu disse baixinho. — Foi o que eu quis dizer.

— Bella, não suporto que fique infeliz. Talvez...

— Não, Edward. Eu fiz uma confusão enorme com as coisas e terei de conviver com isso. Mas sei o que quero e do que preciso... E o que vou fazer agora.

— O que *nós* vamos fazer agora?

Eu sorri um pouquinho com a correção, depois suspirei.

— Vamos procurar a Alice.

Alice estava no primeiro degrau da varanda, excitada demais para esperar por nós lá dentro. Parecia prestes a explodir numa dança de comemoração de tão empolgada com as novidades que sabia que eu daria.

— Obrigada, Bella! — cantarolou ela enquanto saíamos de minha picape.

— Espere aí, Alice — eu a alertei, erguendo a mão para refrear sua alegria. — Tenho algumas restrições para você.

— Eu sei, eu sei, eu sei. Eu só tenho no máximo até 13 de agosto, você tem poder de veto sobre a lista de convidados e se eu exagerar em alguma coisa, você nunca mais falará comigo.

— Ah, tudo bem. Bom, é isso. Então você conhece as regras.

— Não se preocupe, Bella, será perfeito. Quer ver seu vestido?

Tive que respirar fundo algumas vezes. *Qualquer coisa que a deixasse feliz*, eu disse a mim mesma.

— Claro.

O sorriso de Alice era presunçoso.

— Hmmm, Alice — eu disse, mantendo o tom despreocupado e calmo. — Quando você comprou meu vestido?

Não devia ser muito espetacular. Edward apertou minha mão.

Alice entrou primeiro, indo para a escada.

— Essas coisas tomam tempo, Bella — explicou Alice. Seu tom de voz era... evasivo. — Quero dizer, eu não tinha *certeza* de que tudo ia tomar esse rumo, mas havia uma possibilidade distinta...

— Quando? — perguntei novamente.

— Perrine Bruyère tem uma lista de espera, sabia? — disse ela, agora na defensiva. — Uma obra-prima de tecido não acontece da noite para o dia. Se eu não tivesse pensado em tudo de antemão, você usaria alguma coisa de pronta-entrega!

Não parecia que eu ia conseguir uma resposta direta.

— Per... quem?

— Ele não é um estilista importante, Bella, então não há necessidade de dar um ataque. Mas ele tem futuro, e é especialista no que eu preciso.

— Não estou dando um ataque.

— Não, você não está. — Ela olhou com desconfiança meu rosto calmo. Depois, enquanto entrávamos em seu quarto, ela se virou para Edward.

— Você... para fora.

— Por quê? — perguntei.

— Bella — ela gemeu. — Você conhece as regras. Ele não deve ver o vestido antes do dia.

Respirei fundo outra vez.

— Isso não importa para mim. E você sabe que ele já o viu em sua mente. Mas se é assim que você quer...

Ela empurrou Edward pela porta. Ele nem olhou para ela — seus olhos estavam em mim, com medo de me deixar sozinha.

Eu assenti, esperando que minha expressão fosse tranquila o bastante para acalmá-lo.

Alice fechou a porta na cara dele.

— Muito bem! — murmurou ela. — Vamos.

Ela pegou meu pulso e me conduziu ao closet — que era maior do que meu quarto — e depois me arrastou para o canto dos fundos, onde um longo saco branco de roupa tinha um suporte só para ele.

Ela abriu o saco num movimento impetuoso e o deslizou com cuidado do cabide. Deu um passo para trás, estendendo a mão para o vestido como se fosse uma apresentadora de *game show*.

— E então? — perguntou, sem fôlego.

Eu o avaliei por um momento, brincando um pouco com Alice. Sua expressão ficou preocupada.

— Ah — eu disse e sorri, deixando-a relaxar. — Entendi.

— O que você acha? — perguntou Alice.

Era minha visão de *Anne of Green Gables* de novo.

— É claro que é perfeito. Exatamente o certo. Você é um gênio.

Ela sorriu.

— Eu sei.

— Mil novecentos e dezoito? — conjecturei.

— Mais ou menos — disse ela, assentindo. — Parte dele é de design *meu*, a cauda, o véu... — Ela tocava o cetim branco ao falar. — A renda é vintage. Gosta?

— É lindo. É perfeito para ele.

— Mas é perfeito para você? — insistiu ela.

— Sim, acho que sim, Alice. Acho que é disso que eu preciso. Sei que você vai fazer um ótimo trabalho... Se conseguir se controlar.

Ela ficou radiante.

— Posso ver seu vestido? — perguntei.

Ela piscou, inexpressiva.

— Você não encomendou junto o vestido de dama de honra? Eu não ia querer minha dama de honra usando uma coisa qualquer de *pronta-entrega*. — Fingi estremecer de pavor.

Ela atirou os braços em minha cintura.

— Obrigada, Bella!

— Como é possível que não tenha visto que isso ia acontecer? — brinquei, beijando seu cabelo espigado. — Mas que vidente você é!

Alice dançou para trás e seu rosto brilhava com um novo entusiasmo.

— Tenho tanta coisa para fazer! Vá ficar com Edward. Eu tenho de trabalhar.

Ela disparou do quarto, gritando "Esme!" enquanto desaparecia.

Eu a segui em meu próprio ritmo. Edward esperava por mim no corredor, encostado na parede revestida de madeira.

— Foi muita, mas muita gentileza de sua parte — disse-me ele.

Ele tocou meu rosto; seus olhos — escuros demais, já fazia muito tempo desde que ele me deixara — examinaram minha expressão minuciosamente.

— Vamos sair daqui — sugeriu ele de repente. — Vamos para a nossa campina.

Parecia muito atraente.

— Acho que não preciso me esconder mais, não é?

— Não. O perigo ficou para trás.

Ele ficou em silêncio, pensativo, enquanto corria. O vento soprava em meu rosto, mais quente, agora que a tempestade realmente passara. As nuvens cobriam o céu, como sempre.

Naquele dia a campina era um lugar tranquilo e feliz. Manchas de margaridas interrompiam a relva com salpicos de branco e amarelo. Deitei-me de costas, ignorando a leve umidade no chão, e procurei por imagens nas nuvens. Elas eram regulares demais, suaves demais. Nenhuma imagem, só um manto cinza e macio.

Edward se deitou ao meu lado e segurou minha mão.

— Em 13 de agosto? — perguntou ele despreocupadamente depois de alguns minutos de um agradável silêncio.

— Isso me dá um mês até meu aniversário. Não quero que acabe perto demais.

Ele suspirou.

— Esme é três anos mais velha que Carlisle... tecnicamente. Sabia disso?

Eu sacudi a cabeça.

— Não fez nenhuma diferença para eles.

Minha voz era serena, um contraponto a sua ansiedade.

— Minha idade não importa realmente. Edward, eu estou pronta. Eu escolhi minha vida... Agora quero começar a vivê-la.

Ele afagou meu cabelo.

— O veto à lista de convidados?

— Eu não me importo de verdade, mas... — hesitei, sem querer explicar. Era melhor acabar logo com a história. — Não tenho certeza se Alice sentiria a necessidade de convidar... alguns lobisomens. Não sei se... Jake poderia achar... que *devia* ir. Como se fosse a coisa certa a fazer ou que me magoasse se ele não fosse. Ele não precisa passar por isso.

Edward ficou em silêncio por um minuto. Olhei o topo das copas das árvores, quase negras contra o cinza-claro do céu.

De repente, Edward me pegou pela cintura e me puxou para seu peito.

— Diga-me por que está fazendo isso, Bella. Por que decidiu, agora, dar rédea solta a Alice?

Eu repeti para ele a conversa que tive com Charlie na noite anterior, antes de sair para ver Jacob.

— Não seria justo excluir Charlie disso — concluí. — E isso significa Renée e Phil. Eu podia muito bem deixar que Alice se divertisse também. Talvez a história fique muito mais fácil para Charlie se ele tiver uma despedida adequada. Mesmo que ele pense que é cedo demais, eu não quero tirar dele a oportunidade de me conduzir ao altar. — Fiz uma careta com as palavras, depois respirei fundo de novo. — Pelo menos minha mãe, meu pai e meus amigos saberão a melhor parte de minha decisão, o máximo que me permito contar a eles. Eles vão saber que escolhi você e vão saber que estamos juntos. Vão saber que estou feliz, onde quer que esteja. Acho que é o melhor que posso fazer por eles.

Edward segurou meu rosto, observando-o por um breve instante.

— Acabou-se o trato — disse ele de repente.

— *Como é?* — eu arfei. — Está voltando atrás? Não!

— Não estou voltando atrás, Bella. Vou manter meu lado do acordo. Mas você está livre. O que você quiser, sem condições.

— Por quê?

— Bella, entendo o que está fazendo. Está tentando deixar todos os outros felizes. Não me importo com os sentimentos de mais ninguém. Só preciso que *você* seja feliz. Não se preocupe com dar a notícia a Alice. Eu vou cuidar disso. Prometo que ela não a fará se sentir culpada.

— Mas eu...

— Não. Vamos fazer isso do nosso jeito. Porque o meu jeito não funciona. Eu a chamo de teimosa, mas veja o que *eu* fiz. Prendi-me com uma obstinação idiota à ideia do que era melhor para você, embora isso a magoasse. Magoei você tão profundamente, repetidas vezes. Não confio mais em mim mesmo. Pode ter a felicidade do seu jeito. O meu jeito sempre está errado. É isso. — Ele se mexeu embaixo de mim, ajeitando os ombros. — Vamos fazer *do seu jeito*, Bella. Esta noite. Hoje. Quanto mais cedo, melhor. Vou falar com Carlisle. Eu estava pensando que talvez não seja tão ruim, se lhe dermos morfina suficiente. Vale a pena tentar. — Ele trincou os dentes.

— Edward, não...

Ele pôs os dedos em meus lábios.

— Não se preocupe, Bella, meu amor. Não me esqueci de suas outras exigências.

Suas mãos estavam em meu cabelo, os lábios movendo-se delicadamente — mas muito a sério — contra os meus, antes que eu percebesse o que ele dizia. O que ele estava fazendo.

Não havia muito tempo para agir. Se eu esperasse demais, não seria capaz de lembrar por que precisava impedi-lo. Eu já não conseguia respirar direito. Minhas mãos agarravam seus braços, puxando-o para mais perto de mim, minha boca colada na dele e respondendo a toda pergunta não dita que ele fazia.

Tentei clarear a cabeça, encontrar uma maneira de falar.

Ele rolou gentilmente, apertando-me na relva fria.

Ah, que se dane!, meu lado menos nobre exultou. Minha cabeça estava cheia da doçura de seu hálito.

Não, não, não, discuti comigo mesma. Sacudi a cabeça e sua boca passou a meu pescoço, dando-me a chance de respirar.

— Pare, Edward. Espere. — Minha voz era tão fraca quanto minha vontade.

— Por quê? — sussurrou ele em meu pescoço.

Lutei para colocar alguma decisão na voz.

— Não quero fazer isso agora.

— Não quer? — perguntou ele num tom sorridente. Ele levou os lábios aos meus e me impossibilitou de falar. O calor percorreu minhas veias, ardendo onde minha pele tocava a dele.

Obriguei-me a me concentrar. Precisei de muito esforço só para conseguir que minhas mãos se libertassem de seu cabelo, movendo-as para seu peito. Mas fiz. E depois eu o empurrei, tentando afastá-lo. Não ia conseguir sozinha, mas ele reagiu como eu sabia que faria.

Ele recuou alguns centímetros para me fitar e seus olhos em nada ajudaram. Eram de um fogo negro. Ardiam.

— Por quê? — perguntou ele novamente, a voz baixa e áspera. — Eu te amo. Eu quero você. Agora.

As borboletas do estômago inundaram minha garganta. Ele tirou vantagem de eu estar sem fala.

— Espere, espere — tentei dizer nos lábios dele.

— Por mim, não — murmurou ele, discordando.

— *Por favor?* — eu ofeguei.

Ele gemeu e se afastou, rolando de costas de novo.

Ficamos deitados ali por um minuto, tentando normalizar a respiração.

— Diga-me por que não, Bella — exigiu ele. — E é melhor que não tenha a ver comigo.

Tudo em meu mundo tinha a ver com ele. Que coisa mais tola de se esperar.

— Edward, isso é muito importante para mim. Eu *vou* fazer isso direito.

— A definição de direito de quem?

— A minha.

Ele se apoiou no cotovelo e me fitou, a expressão de censura.

— *Como* vai fazer isso direito?

Respirei fundo.

— Responsabilidade. Tudo na ordem certa. Não vou deixar Charlie e Renée sem a melhor solução que posso dar a eles. Não vou negar a Alice a diversão que ela quer, já que terei um casamento. E *vou* me unir a você de todas as formas humanas, antes de lhe pedir para me tornar imortal. Estou seguindo todas as regras, Edward. Sua alma é muito, muito importante para que eu corra riscos com ela. Você não vai me demover disso.

— Aposto que eu *podia* — murmurou ele, os olhos ardentes de novo.

— Mas não vai — eu disse, tentando manter a voz estável. — Não vai, sabendo que é disso que eu preciso.

— Não é uma briga justa — acusou ele.

Eu sorri.

— Eu nunca disse que jogo limpo.

Ele sorriu também, tristonho.

— Se mudar de ideia...

— Você será o primeiro a saber — prometi.

A chuva começou a pingar das nuvens naquele momento, algumas gotas esparsas que produziam pequenos baques ao cair na relva.

Olhei furiosamente para o céu.

— Vou levá-la para casa. — Ele espanou as continhas de água de meu rosto.

— A chuva não me incomoda — grunhi. — Só significa que está na hora de fazer alguma coisa que será muito desagradável e possivelmente ainda muito perigosa.

Seus olhos se arregalaram de susto.

— Ainda bem que você é à prova de balas. — Eu suspirei. — Vou precisar daquela aliança. Está na hora de contar a Charlie.

Ele riu de minha expressão.

— Muito perigoso — concordou ele. Riu de novo e colocou a mão no bolso do jeans. — Mas pelo menos não há necessidade de enrolação.

Ele, mais uma vez, colocou minha aliança no dedo anular da mão esquerda.

Onde ficaria — acredito que pelo resto da eternidade.

EPÍLOGO: ESCOLHA

JACOB BLACK

— Jacob, acha que isso ainda vai demorar muito? — perguntou Leah. Impaciente. Lamurienta.

Meus dentes trincaram.

Como qualquer um na alcateia, Leah sabia de tudo. Ela sabia por que eu fui ali — na beirinha da terra, do céu e do mar. Para ficar só. Ela sabia que era só isso que eu queria. Apenas ficar sozinho.

Mas Leah ia me impor sua companhia, de qualquer maneira.

Além de estar loucamente irritado, eu me senti presunçoso por um breve segundo. Porque eu não precisava pensar em controlar meu gênio. Agora era fácil, algo que eu fazia naturalmente. A névoa vermelha não banhava meus olhos. O calor não descia aos tremores por minha espinha. Minha voz era calma quando eu respondi.

— Pule de um penhasco, Leah. — Apontei para o que estava a meus pés.

— Francamente, garoto. — Ela me ignorou, atirando-se esparramada no chão a meu lado. — Não faz ideia de como isso é difícil para mim.

— Para *você*? — Precisei de um minuto para acreditar que ela falava sério. — Você deve ser a pessoa mais egocêntrica do planeta, Leah. Odeio abalar o mundo de sonhos em que você vive... Aquele onde o sol orbita o lugar em que você está... Então não vou lhe dizer que não dou a mínima para o seu problema. *Vá. Embora.*

— Só veja isso de minha perspectiva por um minuto, está bem? — continuou ela, como se eu não tivesse dito nada.

Se ela estava tentando me divertir, funcionou. Eu comecei a rir. O som feria de formas estranhas.

— Pare de bufar e preste atenção — rebateu ela.

— Se eu fingir ouvir, você vai embora? — perguntei, olhando de relance o permanente olhar zangado em seu rosto. Eu não tinha certeza se ela teria qualquer outra expressão.

Lembrei-me de quando eu costumava achar Leah bonita, talvez até linda. Já fazia muito tempo. Agora ninguém pensava nela dessa forma. Exceto Sam. Ele nunca se perdoou. Como se fosse culpa dele que ela tenha se tornado tão amargurada.

Sua expressão carrancuda se inflamou, como se ela pudesse adivinhar o que eu estava pensando. Provavelmente podia.

— Está me dando náuseas, Jacob. Pode imaginar como isso é *para mim*? Eu nem *gosto* de Bella Swan. E você vem me fazendo lamentar por essa amante de sanguessuga como se eu também estivesse apaixonada por ela. Não consegue entender que isso pode ser meio perturbador? Eu sonhei em beijá-la ontem à noite! Que diabos eu posso fazer com *isso*?

— E eu com isso?

— Não suporto mais ficar na sua cabeça! Livre-se dela já! Ela vai se *casar* com aquela coisa. Ele vai tentar transformá-la num deles! Hora de seguir em frente, garoto.

— Cale a *boca* — eu grunhi.

Seria errado revidar. Eu sabia disso. Eu mordi a língua. Mas ela ia se lamentar se não fosse embora. Imediatamente.

— É provável que ele só a mate — disse Leah. Rindo. — Todas as histórias dizem que isso acontece com muita frequência. Talvez um funeral seja uma conclusão melhor do que um casamento. Rá.

Dessa vez precisei agir. Fechei os olhos e combati o gosto quente em minha boca. Reprimi e empurrei a avalanche de fogo por minhas costas, lutando para manter a forma enquanto meu corpo tentava se separar.

Quando estava controlado de novo, eu a fuzilei com os olhos. Ela olhava minhas mãos à medida que os tremores diminuíam. Sorrindo.

Uma piada.

— Se está aborrecida com a confusão de gênero, Leah... — eu disse devagar, destacando cada palavra. — Como acha que o resto de nós se sente olhando para Sam com os seus olhos? Já é bem ruim que Emily tenha de lidar com a *sua* fixação. Ela não precisa que nós também fiquemos suspirando por ele.

Embora eu estivesse irritado, senti-me meio culpado quando vi o espasmo de dor atravessar seu rosto.

Ela se colocou de pé — parando só para cuspir na minha direção — e correu para as árvores, vibrando como um diapasão.

Eu ri sombriamente.

— Você errou.

Sam ia me dar uma bronca por isso, mas valeu a pena. Leah não ia me incomodar mais. E eu faria aquilo de novo se tivesse a chance.

Porque as palavras dela ainda estavam ali, arranhando meu cérebro, a dor tão forte que eu mal conseguia respirar.

Não importava tanto que Bella tivesse escolhido outro. Essa agonia não era nada. Com essa agonia eu podia conviver pelo resto de minha vida idiota, longa demais e estendida diante de mim.

Mas importava que ela desistisse de tudo — que ela deixasse seu coração parar, sua pele gelar e sua mente se distorcer na cabeça de um predador cristalizado. Um monstro. Um estranho.

Eu teria pensado que não havia nada pior do que isso, nada mais doloroso em todo o mundo.

Mas, se ele a *matasse*...

Novamente, precisei reprimir a raiva. Talvez, se não fosse por Leah, seria bom deixar o calor me transformar numa criatura com a qual eu podia lidar melhor. Uma criatura com instintos tão mais fortes do que as emoções humanas. Um animal que não podia sentir dor da mesma maneira. Uma dor diferente. Pelo menos, uma variedade dela. Mas Leah agora estava correndo e eu não queria compartilhar seus pensamentos. Eu a xinguei baixinho por me tirar também essa escapatória.

Minhas mãos tremiam contra minha vontade. O que as abalava? Raiva? Agonia? Eu não tinha certeza do que combatia agora.

Eu precisava acreditar que Bella sobreviveria. Mas isso exigia confiança — uma confiança que eu não queria sentir, confiança na capacidade do sanguessuga de mantê-la viva.

Ela seria diferente e eu me perguntava como isso me afetaria. Seria como se ela tivesse morrido, vê-la parada ali feito uma pedra? Como gelo? Quando seu cheiro ardesse em minhas narinas e me incitasse o instinto de cortar, rasgar... Como seria? Eu poderia querer matá-la? Poderia não querer matar um *deles*?

Olhei as ondas rolando para a praia. Elas desapareceram de vista sob a borda do penhasco, mas eu as ouvi bater na areia. Olhei-as até que fosse tarde e ficasse escuro demais.

Ir para casa devia ser péssima ideia. Mas eu estava com fome e não conseguia pensar em outro plano.

Fiz uma careta, pus o braço pela tipoia que me reprimia e peguei minhas muletas. Se ao menos Charlie não tivesse me visto naquele dia e espalhasse por aí de meu "acidente com moto". Escoras idiotas. Eu as odiava.

A fome começou a parecer melhor quando entrei em casa e tive de olhar a cara de meu pai. Ele tinha alguma coisa em mente. Era fácil de ver — ele sempre transparecia. Procurei aparentar despreocupação.

Ele também falou demais. Tagarelou sobre o dia que teve antes que eu pudesse chegar à mesa. Ele nunca falava tanto, a não ser que houvesse alguma coisa que não queria dizer. Eu o ignorei o melhor que pude, concentrando-me na comida. Quanto mais rápido eu engolisse...

— E a Sue passou aqui hoje. — A voz de meu pai era alta. Difícil de ignorar. Como sempre. — Mulher maravilhosa. Ela é mais dura do que os ursos, aquela ali. Mas não sei como consegue lidar com a filha que tem. Agora a Sue, essa teria dado uma loba e tanto. Leah é mais uma selvagem. — Ele riu da própria piada.

Esperou brevemente por minha resposta, mas não pareceu ver minha expressão fria e morta de tédio. Na maior parte dos dias, isso incomodava. Eu queria que ele parasse de falar em Leah. Estava tentando não pensar nela.

— Seth é muito mais fácil. É claro que você também era mais fácil do que suas irmãs, até que... Bem, você tem mais com que lidar do que elas tiveram.

Dei um suspiro longo e profundo, e encarei a janela.

Billy ficou em silêncio por um segundo longo demais.

— Recebemos uma carta hoje.

Eu sabia que era esse o assunto que ele estivera evitando.

— Uma carta?

— Um... convite de casamento.

Cada músculo de meu corpo se trancou. Uma pluma de calor pareceu roçar minhas costas. Eu me segurei na mesa para evitar que minhas mãos tremessem.

Billy agiu como se não tivesse percebido.

— Há um bilhete dentro dele endereçado a você. Eu não li.

Ele pegou um grosso envelope marfim, que estava aninhado entre sua perna e a lateral da cadeira de rodas. Colocou-o na mesa entre nós.

— Você provavelmente não precisa ler isso. Não importa o que diz.

Uma psicologia reversa estúpida. Eu puxei o envelope da mesa.

Era um papel duro e pesado. Caro. Elegante demais para Forks. O cartão dentro dele era igual, bem-acabado e formal demais. Bella não tinha nada a ver com aquilo. Não havia traço seu nas camadas de páginas transparentes impressas como pétalas. Aposto que ela não gostou nada. Eu não li o que dizia, nem vi a data. Não me importava.

Atrás, havia um pedaço do papel marfim grosso dobrado em dois com meu nome escrito à mão em tinta preta. Não reconheci a letra, mas era tão elegante quanto o restante. Por meio segundo, perguntei-me se o sanguessuga estava me tripudiando.

Eu o abri.

Jacob

Estou quebrando as regras ao lhe mandar isto. Ela estava com medo de magoá-lo e não quer que você se sinta obrigado de nenhuma maneira. Mas sei que se as coisas fossem diferentes, eu teria preferido escolher. Prometo que cuidarei dela, Jacob. Obrigado — por ela — por tudo.

Edward

— Jake, só temos uma mesa — disse Billy. Ele fitava minha mão esquerda.

Meus dedos se agarravam na madeira com tanta força que a mesa realmente corria risco. Eu os afrouxei um por um, concentrando-me só na ação, depois entrelacei as mãos, para não quebrar nada.

— É, não importa mesmo — murmurou Billy.

Levantei-me da mesa, tirando a camiseta. Com alguma sorte, Leah agora tinha ido para casa.

— Não é tarde demais — murmurou Billy enquanto eu esmurrava a porta da frente para sair.

Eu estava correndo quando cheguei às árvores, minhas roupas espalhadas atrás como uma trilha de farelos — como se eu quisesse encontrar o caminho de volta. Agora a metamorfose era quase fácil demais. Eu não precisava pensar. Meu corpo já sabia para onde ir e, antes que eu pedisse, dava o que eu queria.

Eu agora tinha quatro patas e estava voando.

As árvores se toldavam num mar de preto fluindo à minha volta. Meus músculos se retesavam e relaxavam em um ritmo tranquilo. Eu podia correr assim por dias e não ficaria cansado. Talvez, desta vez, eu não parasse.

Mas eu não estava só.

Eu sinto muito, sussurrou Embry em minha cabeça.

Eu podia ver através de seus olhos. Ele estava longe, no norte, mas tinha dado a volta e corria para se juntar a mim. Eu rosnei e acelerei o ritmo.

Espere por nós, reclamou Quil. Ele estava mais perto, começando a sair da aldeia.

Me deixem em paz, rosnei.

Eu podia sentir a preocupação deles em minha cabeça, embora me esforçasse muito para afogá-la no som do vento e da floresta. Aquilo era o que eu mais odiava — ver a mim mesmo através de seus olhos, pior agora, que seus olhos estavam cheios de pena. Eles viam o ódio, mas continuavam a correr atrás de mim.

Uma nova voz soou em minha mente.

Deixem-no ir. O pensamento de Sam era tranquilo, mas ainda era uma ordem. Embry e Quil reduziram o passo a uma caminhada.

Se ao menos eu pudesse parar de ouvir, parar de ver o que eles viam. Minha cabeça estava tão abarrotada, mas a única maneira de ficar sozinho novamente era ser humano e eu não podia suportar a dor.

Voltem à forma humana, orientou-lhes Sam. *Alcanço você, Embry*.

Primeiro uma, depois outra consciência caiu em silêncio. Só restou Sam.

Obrigado, consegui pensar.

Volte para casa quando puder. As palavras eram fracas, falhando num vazio árido enquanto ele também partia. E eu estava só.

Muito melhor assim. Agora podia ouvir o farfalhar fraco das folhas embaixo de minhas unhas, o sussurro das asas de uma coruja no alto, o mar — longe, bem longe, a oeste — gemendo na praia. Ouvir isso e nada mais. Nada sentir a não ser a velocidade, nada a não ser o impulso de músculos, nervos e ossos, trabalhando em harmonia à medida que os quilômetros desapareciam atrás de mim.

Se o silêncio em minha mente durasse, eu nunca mais voltaria. Não seria o primeiro a escolher essa forma em detrimento da outra. Talvez, se eu corresse para bem longe, nunca mais teria de ouvir...

Obriguei minhas pernas a acelerar, deixando Jacob Black desaparecer atrás de mim.

Agradecimentos

Eu seria muito negligente se não agradecesse às muitas pessoas que me ajudaram a sobreviver ao nascimento de outro romance:

Meus pais foram minha rocha; não sei como alguém faz isso sem um bom conselho de pai e um bom ombro de mãe onde chorar.

Meu marido e meus filhos sofreram por um período incrivelmente longo — qualquer outro teria me internado num manicômio há muito tempo. Obrigada por me manterem aqui, meninos.

Minha Elizabeth — Elizabeth Eulberg, uma assessora de imprensa extraordinária — fez toda a diferença em minha sanidade na estrada e fora dela. Poucas pessoas têm a sorte de trabalhar tão perto de sua melhor amiga, e sou eternamente grata pelas saudáveis meninas do Meio-Oeste que adoram queijo.

Jodi Reamer continua a orientar minha carreira com inteligência e refinamento. É muito reconfortante saber que estou em tão boas mãos.

Também é maravilhoso ver meus originais nas mãos certas. Obrigada a Rebecca Davis por ser tão sintonizada com a história em minha mente e por me ajudar e encontrar as melhores maneiras de expressá-la. Obrigada a Megan Tingley, primeiro por sua fé inabalável em meu trabalho, depois por polir este texto até que ele brilhasse.

Todos da Little, Brown and Company Books for Young Readers tiveram um cuidado incrível com minhas criações. Sei que é um verdadeiro trabalho de amor para vocês todos, e sou mais grata do que imaginam. Obrigada a Chris Murphy, Shawn Foster, Andrew Smith, Stephanie Voros, Gail Doobinin, Tina McIntyre, Ames O'Neill e aos muitos outros que tornaram a série *Crepúsculo* um sucesso.

Nem acredito na sorte que tive de descobrir Lori Joffs, que de algum modo consegue ser ao mesmo tempo a leitora mais rápida e a mais meticulosa. Fico emocionada em ter uma amiga e cúmplice com tanto discernimento, talento e paciência com minhas lamúrias.

A Lori Joffs novamente, junto com Laura Cristiano, Michaela Child e Ted Joffs, por criarem e manterem a estrela mais brilhante no universo *on-line* de Twilight, o Twilight Lexicon. Agradeço de coração todo o trabalho árduo que tiveram ao proporcionarem um lugar alegre para meus fãs se encontrarem. Também agradeço a meus amigos internacionais da Crepusculo-es.com o site tão maravilhoso que transcende a barreira de linguagem. Minha admiração também ao trabalho incrível de Brittany Gardener no grupo Twilight and New Moon by Stephanie Meyer do MySpace, um site de fãs tão grande, que a ideia de mantê-lo me é perturbadora; Brittany, você me deixa maravilhada. Katie e Audrey, Bella Penombra é de uma beleza ímpar. Heather, o Nexus é demais. Não posso mencionar todos os sites maravilhosos e seus criadores aqui, mas agradeço muito a cada um de vocês.

Minha gratidão a meus revisores, Laura Cristiano, Michelle Vieira, Bridget Creviston e Kimberlee Peterson, por suas opiniões inestimáveis e entusiasmo estimulante.

Todo escritor precisa da amizade de uma livraria independente; sou muito grata aos que me apoiam em minha cidade na Changing Hands Bookstore em Tempe, no Arizona, e em especial a Faith Hochhalter, que tem um gosto excepcional para literatura.

Estou em dívida para com vocês, deuses do rock da Muse, por outro disco inspirador. Obrigada por continuarem a criar minhas músicas preferidas para escrever. Também sou grata a todas as outras bandas de minha *playlist* que me ajudaram a passar pelo bloqueio de escritor, e às minhas novas descobertas: Ok Go, Gomez, Placebo, Blue October e Jack's Mannequin.

Sobretudo, um obrigada gargantuesco a todos os meus fãs. Acredito firmemente que meus fãs são os mais atraentes, inteligentes, empolgantes e dedicados de todo o mundo. Gostaria de poder dar a cada um de vocês um abraço e um Porsche 911 Turbo.

Uma espiada em

AMANHECER,

a irresistível sequência de *Eclipse*

1. NOIVA

NINGUÉM ESTÁ OLHANDO PARA VOCÊ, GARANTI A MIM MESMA. *NINGUÉM está olhando para você. Ninguém está olhando para você.*

Como eu não conseguia mentir para mim mesma, tive de verificar.

Enquanto esperava que um dos três sinais de trânsito da cidade abrisse, olhei para a direita — na minivan, a Sra. Weber tinha se virado toda para me olhar. Os olhos perfuravam os meus e eu me encolhi, perguntando-me por que ela não virava a cara, não parecia constrangida. Encarar as pessoas não continuava sendo falta de educação? Isso não se aplicava mais a mim?

Depois me lembrei de que aquelas janelas eram tão escuras que ela não devia fazer ideia de que era eu ali, e menos ainda ter me flagrado olhando de volta. Tentei me reconfortar um pouco com o fato de que ela não estava encarando a mim, só o carro.

Meu carro. Suspiro.

Olhei para a esquerda e gemi. Dois pedestres estavam paralisados na calçada, perdendo a oportunidade de atravessar enquanto fitavam o carro. Atrás deles, o Sr. Marshall olhava feito um bobo pela vitrine de sua lojinha de suvenires. Pelo menos não estava com o nariz espremido no vidro. Ainda.

O sinal ficou verde e, na pressa para fugir daquilo, pisei fundo no acelerador sem pensar — como normalmente teria feito para colocar em movimento minha antiga picape Chevy.

O motor rugiu como uma pantera caçando, o carro deu um solavanco tão abrupto para a frente que meu corpo bateu no encosto do banco de couro preto e meu estômago se achatou na coluna.

— Ai! — Resmunguei ao me atrapalhar com o freio. Para evitar problemas, apenas encostei no pedal. O carro balançou e ficou completamente imóvel.

Não consegui olhar a reação ao meu redor. Se houvesse alguma dúvida de quem estava dirigindo o carro, ela se acabara. Com a ponta do sapato, cutuquei o pedal do acelerador meio milímetro e o carro se lançou para a frente de novo.

Consegui chegar ao meu objetivo, o posto de gasolina. Se não tivesse ficando sem combustível, não teria vindo à cidade. Estava sem muita coisa ultimamente, como Pop-Tarts e cadarços de sapatos, porque não queria aparecer em público.

Agindo como se estivesse numa corrida, abri a tampa do tanque, passei o cartão e encaixei a mangueira de combustível em segundos. É claro que não havia nada que eu pudesse fazer para que os números no medidor se acelerassem. Eles mudavam lentamente, quase como se quisessem me irritar.

Não era um dia de sol — um típico dia chuvoso em Forks, Washington —, mas eu ainda sentia que havia um holofote focado sobre mim, chamando a atenção para a delicada aliança em minha mão esquerda. Em ocasiões como aquela, sentindo olhares nas minhas costas, parecia que a aliança piscava como uma placa de néon. *Olhem para mim, Olhem para mim.*

Era idiotice ficar tão sem graça, e eu sabia disso. Além de meu pai e minha mãe, será que importava mesmo o que as pessoas diziam sobre meu noivado? Sobre meu carro novo? Sobre minha misteriosa admissão numa universidade da Ivy League? Sobre o cartão de crédito preto e reluzente que agora parecia arder no meu bolso de trás?

— É, quem liga para o que eles pensam? — murmurei.

— Hmmm, moça? — disse uma voz de homem.

Eu me virei e desejei não ter feito aquilo.

Dois homens estavam parados atrás de um 4X4 caro, com caiaques novos em folha no rack. Nenhum deles olhava para mim; os dois fitavam o carro.

Pessoalmente, não entendi. Além disso, já estava orgulhosa de conseguir distinguir os logos da Toyota, da Ford e da Chevy. Aquele carro era preto, reluzente e lindo, mas para mim ainda era só um carro.

— Desculpe incomodá-la, mas poderia me dizer que modelo é esse que está dirigindo? — perguntou o alto.

— Hmmm, é um Mercedes, não é?

— Sim — disse o homem com educação, enquanto o amigo mais baixo revirava os olhos para a minha resposta. — Eu sei. Mas eu estava me perguntando... Está dirigindo um Mercedes *Guardian*? — O homem disse o nome com reverência. Tive a sensação de que o sujeito ia se dar bem com Edward Cullen, meu... meu noivo (ultimamente não havia como fugir da verdade do casamento). — Eles ainda não devem estar disponíveis nem na Europa — continuou o homem —, que dirá aqui.

Enquanto meus olhos acompanhavam as linhas do meu carro — não me parecia muito diferente de outros sedãs Mercedes, mas o que eu entendia do assunto? —, contemplei brevemente meus problemas com palavras como *noivo*, *casamento*, *marido* etc.

Eu não conseguia me entender com aquilo.

Por um lado, fui criada para me encolher só de pensar em vestidos e buquês de noiva. Mais do que isso, porém, eu não conseguia harmonizar um conceito sóbrio, respeitável e obtuso como *marido* com meu conceito de *Edward*. Era como imaginar um arcanjo como um contador; eu não o conseguia visualizar em nenhum papel comum.

Como sempre, assim que comecei a pensar em Edward, fui tomada de fantasias vertiginosas. O estranho teve de dar um pigarro para chamar minha atenção; ainda esperava por uma resposta sobre a fabricação e o modelo do carro.

— Não sei — eu lhe disse com sinceridade.

— Posso tirar uma foto dele?

Precisei de um segundo para processar aquilo.

— É mesmo? Quer tirar uma foto do carro?

— Claro... Ninguém vai acreditar em mim se eu não tiver a prova.

— Hmmm. Tudo bem. Pode tirar.

Rapidamente tirei a mangueira de gasolina e me esgueirei para o banco da frente a fim de me esconder enquanto o cara fissurado pegava na mochila uma câmera que parecia profissional. Ele e o amigo se revezavam posando junto ao capô e depois tiraram fotos da traseira.

— Estou com saudade da minha picape — choraminguei comigo mesma.

Mas era mesmo muito conveniente — conveniente demais — que minha picape desse seu último suspiro semanas depois de Edward e eu concordarmos com nosso acordo torto, e um detalhe do acordo era que Edward podia substituir minha picape quando ela morresse. Ele jurou que era apenas o esperado; que a picape teve uma vida plena e longa e depois faleceu de causas naturais. Isso é o que ele diz. E, é claro, eu não tinha como verificar sua história ou tentar, sozinha, levantar a picape dos mortos. Meu mecânico preferido...

Parei nesse pensamento, recusando-me a levá-lo a uma conclusão. Em vez disso, ouvi as vozes dos homens do lado de fora, abafadas pelos muros do carro.

— ... atacado com um lança-chamas num vídeo online. Nem enrugou a pintura.

— É claro que não. Até dá para passar com um tanque por cima desse bebê. Mas não tem muito mercado por aqui. Projetado principalmente para diplomatas do Oriente Médio, traficantes de armas e chefões das drogas.

— Acha que *ela* é alguma coisa? — perguntou o mais baixo num tom mais delicado. Eu baixei a cabeça com o rosto em brasa.

— Hmmm — disse o alto. — Talvez. Nem imagino para que alguém precisa de vidro à prova de mísseis e duzentos quilos de blindagem por aqui. Deve estar indo a um lugar mais perigoso.

Blindagem. *Duzentos quilos* de blindagem. E vidro à prova de *mísseis*? Que ótimo. O que aconteceu com o bom e velho vidro à prova de balas?

Bom, pelo menos isso fazia algum sentido — para quem tem um senso de humor meio distorcido.

Não é que eu não esperasse que Edward tirasse proveito de nosso acordo, pesando a balança para o lado dele, dando-me muito mais do que receberia. Eu concordei que ele substituiria minha picape quando fosse necessário, sem esperar que esse momento viesse tão cedo, é claro. Quando fui obrigada a admitir que a picape não passava de um tributo em natureza-morta aos Chevys clássicos no meu meio-fio, eu sabia que ficaria constrangida com a ideia que ele fazia de substituição. Ia me tornar o foco de olhares e cochichos. Eu tinha razão quanto a essa parte. Mas mesmo em minha imaginação mais doentia eu não previ que ele me daria *dois* carros.

O carro de "antes" e o carro de "depois", explicou-me ele quando eu me assustei.

Esse era só o carro de "antes". Ele me disse que era emprestado e prometeu que devolveria depois do casamento. Não fazia nenhum sentido para mim. Até então.

Rá rá. Ao que parecia, porque eu era frágil de tão humana, tendia tanto a me acidentar, tão vítima de minha própria falta de sorte perigosa, precisava de um carro que resistisse a tanques para me manter segura. Hilário. Tinha certeza de que ele e os irmãos riram da piada pelas minhas costas.

Ou talvez, só talvez, sussurrou uma vozinha em minha cabeça, *não seja uma piada, sua boba. Talvez ele realmente se preocupe com você. Não seria a primeira vez que ele exageraria um pouco tentando protegê-la*.

Eu suspirei.

Ainda não vi o carro de "depois". Estava escondido embaixo de uma lona no canto mais distante da garagem dos Cullen. Eu sabia que àquela altura a maioria das pessoas teria dado uma espiada, mas eu não queria.

Provavelmente não haveria blindagem naquele carro — porque eu não precisaria depois da lua de mel. A quase indestrutibilidade era só uma das muitas vantagens a que eu ansiava. O melhor de ser uma Cullen não eram os carros caros e cartões de crédito impressionantes.

— Ei — chamou o alto, colocando as mãos em concha no vidro, tentando me enxergar. — Já acabamos. Muito obrigado!

— Não há de quê — eu disse, depois fiquei tensa enquanto ligava o motor e pisava no pedal, muito delicadamente...

Não importava quantas vezes eu tivesse dirigido pela conhecida estrada para casa, eu ainda não conseguia fazer com que os cartazes desbotados pela chuva desaparecessem ao fundo. Cada um deles, colados nos postes telefônicos e em placas de rua, era como um novo tapa na cara. Um merecido tapa na cara. Minha mente foi levada de volta ao pensamento que interrompi tão rapidamente. Eu não conseguia evitar aquela estrada. Não com as imagens de *meu mecânico preferido* voando por mim a intervalos regulares.

Meu melhor amigo. Meu Jacob.

VOCÊ VIU ESSE GAROTO? Os cartazes não foram ideia do pai de Jacob. Foram do *meu* pai, Charlie, que os imprimiu e espalhou por toda a cidade. E não só por Forks, mas por Port Angeles, Sequim, Hoquiam, Aberdeen e em cada cidade da península de Olympic. Ele se assegurou de que todas as delegacias no estado de Washington tivessem o mesmo cartaz pendurado na parede. Sua própria delegacia tinha um quadro de cortiça, especialmente dedicado a encontrar Jacob. Um quadro de cortiça que estava praticamente vazio, para decepção e frustração dele.

Meu pai não estava decepcionado só com a falta de resposta. Estava muito decepcionado com Billy, o pai de Jacob — e melhor amigo de Charlie.

Porque Billy não está envolvido nas buscas por seu filho "foragido" de 16 anos. Porque Billy se recusa a colocar os cartazes em La Push, a reserva na costa que era o lar de Jacob. Porque ele parece ter se resignado com o desaparecimento de Jacob, como se não houvesse nada que pudesse fazer. Por ele dizer: "Agora Jacob é adulto. Se quiser, ele vai voltar para casa."

E ele estava frustrado comigo, por ficar do lado de Billy.

Eu também não colocaria os cartazes. Porque Billy e eu sabíamos mais ou menos onde Jacob estava e também sabíamos que ninguém tinha visto aquele *garoto*.

Os cartazes me deram o habitual nó na garganta, as habituais lágrimas arderam em meus olhos, e fiquei feliz por Edward ter saído para caçar naquele sábado. Edward ficaria péssimo se visse minha reação.

É claro que havia desvantagens por ser sábado. Enquanto eu entrava devagar e com cuidado na minha rua, pude ver a viatura de meu pai na entrada de nossa casa. Não tinha ido pescar de novo. Ainda chateado com o casamento.

Então eu não ia conseguir usar o telefone de casa. Mas *precisava* telefonar...

Estacionei no meio-fio atrás da escultura de Chevy e peguei no porta-luvas o celular que Edward me dera para as emergências. Disquei, mantendo o dedo no botão "End" enquanto o telefone tocava. Só por garantia.

— Alô? — Seth Clearwater atendeu e eu suspirei de alívio. Eu era covarde demais para falar com a irmã mais velha dele, Leah. A expressão "arrancar minha cabeça" não era somente uma figura de linguagem quando se tratava dela.

— Oi, Seth. É a Bella.

— Ora, viva, Bella! Como você está?

Engasgada. Desesperada para que alguém me tranquilize.

— Bem.

— Querendo saber das últimas?

— Você é um paranormal.

— Nem tanto. Não sou a Alice... Você é que é previsível — brincou ele. Do grupo quileute de La Push, só Seth ficava à vontade em mencionar os Cullen pelo nome, que dirá brincar com coisas como minha futura cunhada onisciente.

— Sei que sou. — Hesitei por um minuto. — Como ele está?

Seth suspirou.

— O mesmo de sempre. Ele não fala, embora a gente saiba que ouve. Está tentando não pensar como *humano*, sabe como é. Só seguir seus instintos.

— Sabe onde ele está agora?

— Em algum lugar ao norte do Canadá. Não sei lhe dizer que província. Ele não presta muita atenção nas divisas entre os estados.

— Alguma sugestão de que ele possa...

— Ele não vai voltar, Bella. Desculpe.

Engoli em seco.

— Está tudo bem, Seth. Eu sabia antes mesmo de perguntar. Só não consigo deixar de querer isso.

— É. Todos sentimos o mesmo.

— Obrigada por me suportar, Seth. Sei que os outros devem criar dificuldades para você.

— Eles não são seus maiores fãs — concordou ele, descontraído. — Mas eu acho meio idiota. Jacob tomou a decisão dele, você tomou a sua. O Jake mesmo não gostou da atitude deles com relação a isso. É claro que ele não está superemocionado que você fique procurando saber dele também.

Eu arfei.

— Pensei que ele não estivesse falando com você.

— Ele não consegue esconder tudo de nós, por mais que tente.

Então Jacob sabia que eu estava preocupada. Eu não tinha certeza de como me sentia com relação a isso. Bom, pelo menos ele sabia que eu não fugira ao pôr do sol e me esquecera completamente dele. Podia ter imaginado que eu era capaz disso.

— Acho que verei você no... casamento — eu disse, obrigando a palavra a sair por entre meus dentes.

— É, eu e minha mãe estaremos lá. Foi gentil de sua parte nos convidar.

Eu sorri com o entusiasmo na voz dele. A ideia de convidar os Clearwater foi de Edward. Fiquei feliz que ele tenha pensado nisso. Ter Seth ali seria ótimo — um elo, embora tênue, com meu padrinho desaparecido.

— Não seria o mesmo sem vocês.

— Diga a Edward que mandei lembranças, está bem?

— Pode ter certeza.

Eu sacudi a cabeça. A amizade que surgiu entre Edward e Seth era algo que ainda me perturbava. Era uma prova, porém, de que as coisas não tinham de ser daquele jeito. Que vampiros e lobisomens podiam conviver bem, muito obrigada, sem se importarem com isso.

Nem todo mundo gostava dessa ideia.

— Ah — disse Seth, a voz subindo uma oitava. — Er, Leah chegou.

— Ah! Tchau!

O telefone ficou mudo. Deixei-o no banco e me preparei psicologicamente para entrar em casa, onde Charlie estaria esperando.

Agora meu pobre pai tinha muito o que fazer. "Jacob, o fugitivo" era só *um* dos fardos em suas costas sobrecarregadas. Ele estava quase tão preocupado comigo, sua filha que "mal se tornara legalmente adulta" e estava prestes a ser uma senhora em alguns dias.

Andei lentamente pela chuva fina, lembrando-me da noite em que contei a ele...

Ao ouvir a viatura de Charlie anunciando sua chegada, de repente a aliança pesou cinquenta quilos em meu dedo. Eu queria enfiar a mão esquerda num bolso, ou talvez sentar nela, mas o aperto firme e frio de Edward a mantinha à frente.

— Deixe de ficar inquieta, Bella. Por favor, procure se lembrar de que não vai confessar nenhum assassinato.

— Para você, é fácil falar.

Eu ouvi o som agourento das botas de meu pai batendo na calçada. A chave sacudindo na porta já aberta. O som me lembrou daquela parte de um filme de terror em que a vítima percebe que esqueceu de passar a tranca.

— Acalme-se, Bella — sussurrou Edward, ouvindo meu coração acelerar.

A porta bateu e eu me encolhi como se tivesse levado um tiro.

— Oi, Charlie — disse Edward, inteiramente relaxado.

— Não! — protestei em voz baixa.

— Que foi? — sussurrou Edward.

— Espere até ele pendurar a arma!

Edward riu e passou a mão livre em seu cabelo desgrenhado cor de bronze.

Charlie virou no corredor, ainda de uniforme, ainda armado, e tentou não fazer uma careta quando nos viu sentados juntos no sofá de dois lugares. Ultimamente ele andava despendendo muito esforço para gostar mais de Edward. É claro que aquela revelação daria um fim imediato e certo a esse esforço.

— Oi, meninos. O que foi?

— Gostaríamos de falar com você — disse Edward, muito sereno. — Temos uma boa notícia.

A expressão de Charlie foi da amizade forçada à desconfiança sombria em um segundo.

— Boa notícia? — resmungou Charlie, olhando diretamente para mim.

— Sente-se, pai.

Ele ergueu uma sobrancelha, fitando-me por uns cinco segundos, depois foi até a cadeira reclinável e se sentou na beira, as costas retas feito uma tábua.

— Não fique agitado, pai — eu disse depois de um momento de silêncio pesado. — Está tudo bem.

Edward fez uma careta e eu sabia que era em objeção às palavras *tudo bem*. Ele teria usado algo como *maravilhoso*, *perfeito* ou *glorioso*.

— Claro que está, Bella, claro que está. Se tudo está tão bem, por que você está suando em bicas?

— Eu não estou suando — menti.

Eu me afastei de sua careta feroz e me encolhi junto de Edward, e por instinto passei as costas da mão direita na testa para retirar as provas.

— Você está grávida! — explodiu Charlie. — Está grávida, não é?

Embora a pergunta claramente fosse dirigida a mim, ele agora fuzilava Edward com os olhos e eu podia jurar ter visto a mão dele se retorcer na direção da arma.

— Não! É claro que não! — Eu queria dar uma cotovelada nas costelas de Edward, mas sabia que essa atitude só me provocaria um hematoma. Eu *disse* a Edward que as pessoas chegariam a essa conclusão de imediato! Que outro motivo haveria para pessoas sãs se casarem aos 18 anos? (A resposta dele me fez revirar os olhos. *Amor*. Sei.)

O olhar de Charlie se iluminou um pouco. Em geral ficava muito claro no meu rosto quando eu contava a verdade e ele agora acreditava em mim.

— Ah. Desculpe.

— Desculpas aceitas.

Houve uma longa pausa. Depois de algum tempo, percebi que todos esperavam que *eu* dissesse alguma coisa. Tomada de pânico, olhei para Edward. Não havia como eu conseguir pronunciar as palavras.

Ele sorriu para mim, endireitou os ombros e se virou para meu pai.

— Charlie, percebo que estou tratando disso da forma errada. Por tradição, eu devia lhe pedir primeiro. Não é minha intenção desrespeitá-lo, mas uma vez que Bella já disse sim e eu não quero diminuir sua decisão a esse respeito, em vez de lhe pedir a mão dela, estou lhe pedindo sua bênção. Nós vamos nos casar, Charlie, eu a amo mais do que qualquer coisa no mundo, mais do que minha própria vida, e... por um milagre... ela me ama da mesma forma. Você nos daria sua bênção?

Ele parecia tão seguro, tão calmo. Por um segundo, ouvindo a confiança absoluta em sua voz, vivi um raro momento de *insight*. Eu podia ver, de modo fugaz, como o mundo olhava para ele. Por uma batida do coração, essa notícia fazia perfeito sentido.

E depois vi a expressão de Charlie, os olhos agora fixos na aliança.

Prendi a respiração enquanto sua pele mudava de cor — do branco para o vermelho, do vermelho ao roxo, do roxo ao azul. Comecei a me levantar — não sabia bem o que eu pretendia fazer; talvez usar a manobra de Heimlich para ter certeza de que ele não sufocava — mas Edward apertou minha mão e murmurou: "Dê-lhe um minuto", tão baixo que só eu podia ouvir.

O silêncio dessa vez foi mais prolongado. Depois, aos poucos, tom por tom, a cor de Charlie voltou ao normal. Seus lábios enrugaram e as sobrancelhas franziram; reconheci sua expressão de "imerso em pensamentos". Ele nos examinou por um bom tempo e senti Edward relaxar ao meu lado.

— Acho que não estou surpreso — grunhiu Charlie. — Eu sabia que teria de lidar com algo assim muito em breve.

Eu expirei.

— Tem certeza disso? — perguntou Charlie, olhando para mim.

— Tenho completa certeza sobre Edward — eu lhe disse sem hesitar.

— Mas se casar? Por que a pressa? — Ele me olhou com desconfiança de novo.

A pressa se devia ao fato de que eu estava me aproximando do décimo nono aniversário a cada maldito dia, enquanto Edward permanecia paralisado em toda sua perfeição de 17 anos, como era havia mais de noventa anos. Não que esse fato significasse *casamento* em meu dicionário, mas o casamento era necessário devido ao acordo delicado e complicado que Edward e eu fizemos para finalmente chegar a esse ponto, à beira de minha transformação de mortal a imortal.

Não eram coisas que eu pudesse explicar a Charlie.

— Vamos juntos para Dartmouth no outono, Charlie — lembrou-lhe Edward. — Eu gostaria de fazer isso, bem, da maneira correta. Eu fui criado assim. — Ele deu de ombros.

Ele não estava exagerando; na época da Primeira Guerra Mundial, a moral era antiquada.

A boca de Charlie se retorceu de lado. Procurando um ângulo de onde argumentar. Mas o que ele poderia dizer? *Prefiro que vocês vivam em pecado primeiro?* Ele era pai; suas mãos estavam atadas.

— Eu sabia que isso aconteceria — murmurou consigo mesmo, a testa franzida. Depois, de repente, sua cara ficou perfeitamente lisa e inexpressiva.

— Pai? — perguntei com ansiedade. Olhei para Edward, mas tampouco consegui ler seu rosto enquanto ele observava Charlie.

— Rá! — Charlie explodiu. Eu pulei no sofá. — Rá, rá, rá!

Fiquei olhando, incrédula, enquanto Charlie se dobrava de rir, todo o corpo se sacudindo.

Olhei para Edward procurando por uma tradução, mas Edward estava com os lábios cerrados, como se tentasse reprimir ele mesmo o riso.

— Muito bem, então — Charlie disse com a voz embargada. — Casem-se. — Mais uma gargalhada sacudiu seu corpo. — Mas...

— Mas o quê? — perguntei.

— Mas é *você* quem vai contar a sua mãe! Não vou dizer uma só palavra a Renée! É com você! — ele explodiu de rir novamente.

Parei com a mão na maçaneta, sorrindo. É evidente que, na época, as palavras de Charlie me apavoraram. O Juízo Final: contar a Renée. Em sua lista negra, casar-se cedo era pior do que cozinhar cachorrinhos vivos.

Quem poderia prever a reação dela? Eu não. Certamente não Charlie. Talvez Alice, mas não pensei em perguntar a ela.

— Bem, Bella — disse Renée depois de eu sufocar e me atrapalhar com as palavras impossíveis: *Mãe, vou me casar com Edward.* — Estou com um pouco de rancor por ter esperado tanto tempo para me contar. As passagens aéreas só ficam mais caras. Aaaah — ela se enervou. — Acha que até lá Phil já tirou o gesso? Vai estragar as fotos se ele não estiver de smoking...

— Espere um segundo, mãe. — eu disse, ofegando. — O que quer dizer com esperar tanto tempo? Eu só fiquei no-no... — Eu fui incapaz de dizer a palavra *noiva* — As coisas se ajeitaram, sabe como é, hoje.

— Hoje? É mesmo? Mas *isto sim* é uma surpresa. Imaginei...

— O que você imaginou? *Quando* você imaginou?

— Bem, quando veio me visitar em abril, parecia que as coisas estavam bem costuradas, se me faço entender. Não é difícil ler seus pensamentos, meu amor. Mas eu não disse nada porque sabia que não faria bem nenhum. Você é igualzinha ao Charlie. — Ela suspirou, resignada. — Depois que se decide por uma coisa, não dá para argumentar com você. É claro que, exatamente como Charlie, você também se prende a sua decisão.

E então ela disse a última coisa que eu esperaria ouvir de minha mãe.

— Não está cometendo nenhum erro, Bella. Você parece que está apavorada e acho que é porque tem medo *de mim*. — Ela riu. — Do que eu vou pensar. E eu sei que disse muita coisa sobre o casamento e essas idiotices... e não vou retirar o que disse... mas você precisa entender que aquelas coisas se aplicavam especificamente *a mim*. Você é uma pessoa totalmente diferente. Você comete seus próprios erros e tenho certeza de que tem sua cota de arrependimentos na vida. Mas comprometer-se nunca foi um problema para você, meu amor. Você tem mais chance de fazer isso dar certo do que eu nos meus mais de quarenta anos de vida. — Renée riu de novo. — Minha filhinha de meia-idade. Felizmente, você parece ter encontrado outra alma velha.

— Você não está... chateada? Não acha que estou cometendo um erro imenso?

— Bem, claro que sim. Eu queria que esperasse mais alguns anos. Quer dizer, eu pareço velha o bastante para ser uma sogra? Não responda. Mas não se trata de mim. Trata-se de você. Você está feliz?

— Não sei. Agora estou tendo uma experiência fora do corpo.

Renée deu uma gargalhada.

— Ele a faz feliz, Bella?

— Sim, mas...

— Já pensou em querer outra coisa?

— Não, mas...

— Mas o quê?

— Mas você não vai dizer que eu sou como qualquer outra adolescente apaixonada desde a aurora dos tempos?

— Você nunca foi adolescente, meu bem. Sabe o que é melhor para *você*.

Nas últimas semanas, Renée mergulhou inesperadamente nos planos do casamento. Passou horas todo dia ao telefone com a mãe de Edward, Esme — sem se preocupar em se entender com os outros parentes de casamento. Renée *adorou* Esme, mas eu duvidava de que alguém pudesse deixar de reagir dessa maneira a minha adorável quase sogra.

Isso me tirou de uma enrascada. A família de Edward e a minha família estavam cuidando das núpcias sem que eu precisasse fazer, saber ou pensar muito no assunto.

É claro que Charlie ficou furioso, mas o bom foi que ele não ficou furioso *comigo*. A traidora era Renée. Ele contava que ela bancasse a durona. O que ele podia fazer agora, quando sua ameaça definitiva — contar à mamãe — tinha se revelado completamente vazia? Não podia fazer nada e sabia disso. Então ele lamentava pela casa, resmungando coisas sobre não se poder confiar em mais ninguém nesse mundo...

— Pai? — chamei enquanto abria a porta da frente. — Cheguei.

— Espere aí, Bella, fique onde está.

— Hein? — perguntei, parando automaticamente.

— Me dê um segundo. Ai, você me furou, Alice.

— Alice?

— Desculpe, Charlie — respondeu a voz vibrante de Alice. — Como está isso?

— Estou sangrando.

— Você está bem. Não rompeu a pele... Confie em mim.

— O que está acontecendo? — perguntei, hesitando na soleira da porta.

— Trinta segundos, Bella, por favor — disse-me Alice. — Sua paciência será recompensada.

— Humpf — acrescentou Charlie.

Bati o pé, contando cada batida. Antes que chegasse a trinta, Alice disse:

— Tudo bem, Bella, entre!

Andando com cautela, entrei em nossa sala de estar.

— Ah — eu bufei. — Ai. Pai. Você está tão...

— Bobo? — interrompeu Charlie.

— Eu estava pensando mais em *encantador*.

Charlie corou. Alice o pegou pelos cotovelos e o fez girar lentamente para mostrar o smoking cinza-claro.

— Agora pare com isso, Alice. Eu pareço um idiota.

— Ninguém vestido assim vai parecer um idiota.

— Ela tem razão, pai. Você está incrível! Qual é a ocasião?

Alice revirou os olhos.

— É a última prova da roupa. Para os dois.

Eu afastei os olhos de meu em geral deselegante Charlie e pela primeira vez vi o temido saco branco colocado com cuidado no sofá.

— Aaah.

— Vá para seu refúgio feliz, Bella. Não vou demorar.

Respirei fundo e fechei os olhos. Mantendo-os fechados, subi aos tropeços a escada para meu quarto. Tirei minha roupa e estendi os braços.

— Você achou que eu ia enfiar farpas de bambu por baixo de suas unhas — murmurou Alice consigo mesma enquanto me seguia.

Não prestei atenção nela. Eu estava em meu refúgio feliz.

Em meu refúgio feliz, toda a confusão do casamento tinha acabado. Estava para trás. Já reprimida e esquecida.

Estávamos sozinhos, só Edward e eu. O ambiente era vago e se alterava constantemente — metamorfoseava-se de uma floresta nevoenta para uma cidade nublada na noite ártica — porque Edward mantinha o local de nossa lua de mel em segredo para me surpreender. Mas eu não estava especialmente preocupada com a parte do *onde*.

Edward e eu estávamos juntos e eu cumpria à perfeição minha parte no trato. Ia me casar com ele. Essa era a parte grande. Mas também aceitei todos os seus presentes exorbitantes e estava matriculada, embora inutilmente, para frequentar Dartmouth no outono. Agora era a vez dele.

Antes que ele me transformasse em vampira — sua parte maior no trato — havia mais uma condição a cumprir.

Edward tinha uma espécie de preocupação obsessiva com as coisas humanas de que eu estaria abrindo mão, as experiências que ele não queria que me fizessem falta. A maioria delas — como o baile, por exemplo — parecia tola para mim. Aquela era a única experiência humana cuja ausência me preocupava. É claro que era a única que ele queria que eu esquecesse completamente.

Mas ali estava a questão. Eu sabia um pouco como seria quando não fosse mais humana. Vi em primeira mão vampiros recém-criados e ouvi todas as histórias de minha futura família sobre aqueles primeiros tempos bárbaros. Por vários anos, minha principal característica seria a *sede*. Levaria algum tempo para eu poder ser *eu* de novo. E mesmo quando estivesse controlada, nunca sentiria exatamente o que sinto agora.

Humana... e amando apaixonadamente.

Eu queria concluir a experiência antes de trocar meu corpo quente, frágil e cheio de feromônios por algo bonito, forte... e desconhecido. Eu queria uma lua de mel *de verdade* com Edward. E, apesar do perigo que temia impor a mim, ele concordou em tentar.

Eu só estava vagamente atenta a Alice e deixei que o cetim escorregasse por meu corpo. Não me importei, naquele momento, que toda a cidade estivesse falando de mim. Eu não pensava no espetáculo que teria de estrelar muito em breve. Não me preocupava com tropeçar na cauda, rir na hora errada, ser nova demais, encarar os convidados ou até o lugar vazio onde meu melhor amigo deveria estar.

Eu estava com Edward em meu refúgio feliz.

2ª EDIÇÃO
Setembro de 2009

IMPRESSÃO
Bartira

MIOLO
Pólen Soft 70g/m²

CAPA
Cartão Supremo Alta Alvura 250g/m²